D1215246

BcA

La Fabrica

Projet dirigé par Marie-Noëlle Gagnon, éditrice

Conception graphique : Nathalie Caron
Mise en pages : Julie Larocque
Révision linguistique : Line Nadeau et Diane-Monique Daviau
En couverture : *Baigneuse*, William-Adolphe Bouguereau, 1864

Québec Amérique
329, rue de la Commune Ouest, 3ᵉ étage
Montréal (Québec) Canada H2Y 2E1
Téléphone : 514 499-3000, télécopieur : 514 499-3010

Nous reconnaissons l'aide financière du gouvernement du Canada par
l'entremise du Fonds du livre du Canada pour nos activités d'édition.

Nous remercions le Conseil des arts du Canada de son soutien. L'an
dernier, le Conseil a investi 157 millions de dollars pour mettre de l'art
dans la vie des Canadiennes et des Canadiens de tout le pays.

Nous tenons également à remercier la SODEC pour son appui financier.
Gouvernement du Québec – Programme de crédit d'impôt pour l'édition
de livres – Gestion SODEC.

Conseil des Arts   Canada Council
du Canada   for the Arts

SODEC
Québec

**Catalogage avant publication de Bibliothèque et Archives nationales
du Québec et Bibliothèque et Archives Canada**

Fortin, Marilyne
La Fabrica
(Latitudes)
Texte en français seulement.
ISBN 978-2-7644-2729-3 (Version imprimée)
ISBN 978-2-7644-2768-2 (PDF)
ISBN 978-2-7644-2769-9 (ePub)
I. Titre.
PS8611.O777F32 2014   C843'.6   C2014-941382-3
PS9611.O777F32 2014

Dépôt légal : 3ᵉ trimestre 2014
Bibliothèque nationale du Québec
Bibliothèque nationale du Canada

Tous droits de traduction, de reproduction et d'adaptation réservés

© Éditions Québec Amérique inc., 2014.
quebec-amerique. com

Imprimé au Québec

ROM FOR
[Qc]

JAN '16

JAN '16

MARILYNE FORTIN

BEACONSFIELD
Bibliothèque - Library
303 boul Beaconsfield,
Beaconsfield QC H9W 4A7

BEACONSFIELD
Bibliothèque - Library
303 boul Beaconsfield,
Beaconsfield QC H9W 4A7

La Fabrica

Québec Amérique

À mes amours.
Merci d'être là.

*Par quels mots, ô écrivain, pourrais-tu
décrire avec une égale perfection*

Tout cet arrangement dont voici le dessin ? […]

*Comment, avec des mots, pourrais-tu décrire ce cœur
sans remplir tout un livre ?*

Léonard de Vinci

La mort donne l'obligation d'aimer.

David Foenkinos,
citant Yasunari Kawabata

CHAPITRE 1

France, 1524

Dès qu'il mettait les pieds dehors, Blaise se sentait mieux. C'était toujours comme ça. Comme à l'habitude, il avait été tiré de son sommeil par un appel qu'il était le seul à entendre, alors que tous les autres profitaient encore de la douce torpeur nocturne. L'enfant se glissa donc, souple et silencieux, hors du logis familial et, fermant délicatement la porte derrière lui, il se laissa envelopper par la noirceur totale. Pas d'étoiles. Pas de lune. Pas de vent. Seulement la nuit absolue et la caresse chaude et humide de l'été sur sa peau presque nue.

Entreprenant son expédition sans tarder, Blaise se mit à remonter les rues dont le sol avait durci sous l'effet du soleil ardent des dernières semaines. Malgré l'obscurité, tel un chat, il semblait se fier à un sixième sens pour éviter les rebuts qui jonchaient sa route et trouver son chemin, sans encombre, parmi les taudis en bois qui poussaient çà et là, à la bonne fortune des jours. Fréquemment, le garçon jetait des regards nerveux derrière lui et s'assurait que personne ne le suivait. Comme il n'y voyait rien, il s'arrêtait parfois de respirer et s'astreignait à une immobilité sculpturale afin de percevoir, peut-être, le son mat des pas de son frère ou, pire, de ceux de son père. Rien. Il n'y avait que le babil paresseux de la rivière juste à côté et un chien qui hurlait à mort à l'intérieur des murs de la ville.

Soulagé et heureux de se trouver fin seul, le garçon descendit d'un pas leste jusqu'à la rivière, puis suivit la berge vers le nord, prenant la direction du marécage. Cheminant avec agilité, l'esprit tranquille, Blaise se dit qu'il adorait ce moment précis de la journée. Le fait de sortir en douce de l'étroite bicoque qu'il partageait avec sa famille une heure ou deux avant l'aube, de se rendre dans les bois ou dans le marécage, sans personne à ses trousses, lui donnait l'impression grisante d'être seul au monde.

Blaise n'était qu'un enfant, mais il ne craignait ni l'obscurité ni la forêt. Au contraire, les nuits d'été chaudes et épaisses comme celle-ci lui faisaient l'effet de bras tendus, dodus et accueillants. Quant à la forêt, lorsqu'elle était imprégnée de la chaleur du jour passé comme en cette douce nuit, avec ses odeurs épicées de conifères, d'herbes sèches et de fougères, elle rappelait à l'enfant l'atmosphère feutrée et apaisante des échoppes de boulange. Une fois sorti de la ville, Blaise ne redoutait rien. Ses craintes se retrouvaient derrière lui et il respirait enfin librement. Tel un loup solitaire, il arpentait en propriétaire ce territoire forestier depuis quelques années déjà et il en connaissait maintenant les moindres recoins et aspérités. À l'image de la bête sauvage, il avait aussi développé une aptitude surprenante à se déplacer sans bruit et savait instinctivement comment éviter le danger des mauvaises rencontres.

Le marécage, cet endroit hostile entre tous, peuplé de longs corps gris pétrifiés, de roseaux ondulants et de mouches affamées, Blaise en avait fait le cœur de son royaume. Personne ne savait s'y aventurer à part lui. Qui plus est, il tirait une grande fierté de pouvoir y circuler même la nuit. C'était, il en était persuadé, un exploit non égalé jusqu'à présent, car la plupart de ceux qui s'y risquaient, même le jour, même les animaux, finissaient par s'embourber jusqu'à la mort. Enfin, c'est ce qu'on racontait.

Blaise n'avait pas peur de mourir. C'est peut-être pour cela qu'il avait décidé, comme ça, un beau matin, de se rendre dans l'endroit le plus dangereux des environs. Cela n'avait pas été facile, surtout au début, mais rapidement, comme mû par un instinct, il avait su comment faire. Aux premiers signes de l'été, il s'était même aménagé un petit quai avec du bois mort tout au centre du marécage. Pour parvenir à ce repaire secret, il avait mémorisé un parcours périlleux entre les roseaux, sachant parfaitement sur quelle pierre, quelle souche, quelle touffe d'herbe déposer le pied gauche et le pied droit. Il n'y avait pas de place pour l'erreur. Un pas au mauvais endroit et hop! on se retrouvait dans la boue jusqu'aux yeux. Le refuge de Blaise était donc à l'abri de toute intrusion et cela réjouissait le jeune garçon. Il s'y rendait souvent la nuit, mais parfois le jour aussi. Quand c'était nécessaire ou juste pour le plaisir. Il aimait penser que, plus vieux, il viendrait vivre ici, au centre de ce marécage qui sentait mauvais et qui faisait peur à tout le monde. Tout seul. Et il serait bien.

Allongé sur son quai de fortune, le corps et le visage généreusement badigeonnés de boue pour se protéger des piqûres des moustiques, il guettait l'arrivée du jour. Il aimait quand, à l'horizon, une lueur verte rendait soudain le ciel moins opaque. Il frissonnait de plaisir en entendant le chant enthousiaste et envahissant des oiseaux qui précédait de quelques instants ce moment fabuleux. Lorsqu'il y en avait, les étoiles qui s'éteignaient une à une le fascinaient et la silhouette noire des arbres morts se détachant sur un ciel de plus en plus rosé lui donnait envie de joindre son cri à celui des milliers de volatiles qui l'entouraient. Pour Blaise, c'était un spectacle à la mise en scène familière et rassurante. Une représentation succédait à une autre, jour après jour, quoi qu'il arrive. Et c'était toujours aussi magnifique. Il était bon de pouvoir compter là-dessus.

Une chose sur laquelle on ne pouvait pas compter, par contre, c'était la nourriture.

D'ordinaire, quand Blaise revenait de ses expéditions, il trouvait Reba, sa mère, en train de préparer le repas du matin près de la maison. Dans le quartier où la famille de Blaise habitait, c'était chose commune que de cuisiner les repas sur un petit feu, à l'extérieur. En contrebas de la colline et par-delà la rivière, des dizaines de bâtiments rudimentaires, éparpillés dans un désordre digne de Capharnaüm, abritaient pour la plupart des ouvriers miséreux qui, à l'huile de leurs coudes, faisaient battre le cœur de la cité. Ces dernières années, la ville avait eu une poussée de croissance trop rapide et les habitations érigées hors les murs, modestes pour la plupart, étaient couvertes de chaume. Elles ne possédaient pas de cheminée comme les belles maisons de pierres pâles en ville. Le plus souvent, on faisait donc la cuisine à l'extérieur afin d'éviter d'être enfumé comme du poisson séché. Ce matin-là, quand Blaise rentra de son excursion nocturne habituelle, sa mère ne s'affairait pas autour du feu. Pourtant, toute la famille était là, semblant attendre, une mine renfrognée peinte sur chacun des visages. Voyant tout ce monde ainsi rassemblé, Blaise se méfia. Il s'approcha d'un pas mesuré et s'arrêta à bonne distance, se demandant ce qui se passait. Sa sœur aînée, Ameline, fut la première à l'apercevoir. Sans parler, discrètement, elle fit semblant de porter quelque chose à sa bouche, de le mâcher et secoua sa tignasse blonde emmêlée dans un signe de négation. Nerveuse, elle baissa ensuite les yeux et s'astreignit à fixer le sol. Blaise resta en place et se mit aussi à la contemplation de la boue sèche et craquelée à ses pieds, attendant en silence que son père le voie et lui donne les instructions pour commencer la journée. L'homme avait vraisemblablement un plan. La privation de nourriture était une stratégie fort maligne qu'Elzar employait à l'occasion pour faire sentir à sa progéniture qu'il fallait travailler plus, pour gagner plus d'argent et mettre du pain sur la table, afin de nourrir tout le monde. En général, ça fonctionnait plutôt bien. Personne ne voulait passer plusieurs jours sans rien à se mettre sous la dent. La maisonnée se laissait aisément convaincre.

— Te voilà, petit drôle! gronda Elzar lorsqu'il vit son fils immobile au milieu de la rue étroite. Y a plus rien à manger ce matin, annonça-t-il sur un ton de reproche, comme si Blaise était personnellement responsable de cet état de choses. Si on ne veut pas avoir le ventre vide ce soir en se couchant, il va falloir se refaire la bourse aujourd'hui au marché. Et c'est pas avec cet air de chien crotté que tu vas nous aider à y arriver, constata l'homme en esquissant une grimace de dégoût.

Elzar somma donc son fils d'aller à la rivière et de se rendre plus présentable, ce que le jeune garçon s'empressa de faire. En quelques enjambées énergiques, il parcourut la distance qui le séparait du cours d'eau et s'y jeta avec sa mince chemise sur le dos. Il frotta son visage et ses jambes maigrichonnes couvertes de boue, s'ébroua un peu et s'extirpa à contrecœur de l'onde rafraîchissante sur l'ordre tonitruant de son père qui était venu le surveiller près du pont.

Au sortir de la rivière, Blaise se dirigea vers sa mère pour l'aider à porter l'équipement dont ils avaient besoin afin de monter les étals au marché. Le voyant s'avancer presque propre, mais dégoulinant, Reba soupira bruyamment, apparemment très agacée. Sans dire un mot, elle fit signe à son fils d'approcher. Comme il s'exécutait, elle lui asséna une claque sonore sur le crâne, hérissant au passage quelques mèches de cheveux. Il n'en fallut pas plus pour susciter l'hilarité de son frère, de sa sœur et de quelques gamins qui se trouvaient dans les environs. Reba arracha avec brusquerie le cordon tressé qui servait de ceinture à son fils. En une fraction de seconde, elle descendit les braies de l'enfant et fit passer sa chemise par-dessus sa tête. Blaise, qui se retrouva exposé au regard de tous dans son plus simple appareil, en fut mortifié. Pendant que sa mère tordait ses vêtements à deux mains et que les spectateurs riaient à gorge déployée, Blaise gardait les yeux baissés, luttant de toutes ses forces contre l'envie de courir jusqu'à son marais.

Chemise et pantalons essorés, garçon rhabillé ; parents et marmaille se mirent en route chargés du matériel habituel.

En cette journée de canicule, le soleil et l'humidité œuvraient de concert depuis tôt le matin et la famille marcha à pas traînants jusqu'au cœur de la ville où le bourdon les appelait. La chemise de Blaise était pratiquement sèche quand il pénétra dans l'église aux côtés de sa famille. Il était de coutume d'aller à l'office avant de s'installer sur la place centrale pour travailler, mais enfant solitaire, le garçon avait toujours un peu le tournis lorsqu'il devait se rendre à la messe et s'engouffrer dans cette marée humaine imprévisible, bruyante et odorante. Alors que sa sœur se pâmait devant les tenues des grandes dames ou se désespérait d'accrocher l'œil de certains garçons, Blaise tentait d'ignorer les railleries des autres gamins et se perdait dans la contemplation silencieuse des vitraux colorés. Il regardait tous ces petits personnages évoluer dans des scènes qui lui étaient inconnues et se demandait souvent lequel d'entre eux pouvait bien représenter Dieu. Autosuffisant en matière de questions et réponses, il se disait toujours que Dieu devait sans aucun doute être le plus beau d'entre tous, le plus majestueux. Il s'employait alors à essayer de trouver cette figure, parmi les centaines qui l'entouraient. Invariablement, il finissait par se fatiguer ou par se fâcher, pestant silencieusement contre ces visages de verre qui se ressemblaient tant. À croire que les gens qui vivaient à l'époque de la Bible étaient tous pareils. Quelle sottise !

Quelques minutes avant la fin de l'office, le père tapa sur l'épaule de Blaise et le tira de sa rêverie. Il était l'heure d'aller installer les étals. Elzar chargea le matériel sur son dos et sortit, suivi par sa femme et ses enfants qui transportaient eux aussi divers objets. Dehors, sur la place publique, face au parvis de l'église, il régnait une chaleur étouffante. De nombreux commerçants avaient déjà commencé à vendre leurs spécialités respectives aux chalands qui sortaient tranquillement de l'église. À l'endroit habituel, la famille s'affaira à tendre une bâche pour Reba et on plaça une petite table au-dessous, jouxtée de deux bancs de bois. Près de là, Blaise se trouva un coin où il étendit des feuillets de papier sur une caisse renversée. Il prit soin de déposer un caillou sur chaque feuillet afin qu'ils ne s'envolent pas au moindre coup de vent, puis il attacha un petit sac de charbon à sa ceinture et s'assit derrière sa caisse, prêt à recevoir des clients sous le soleil de plomb. Il n'eut pas à attendre longtemps. L'office se termina et la foule déferla sur la place publique, se bousculant aux étals pour acheter de la viande, des légumes, des fruits, des herbes aromatiques ou des étoffes. Tout ce dont les villageois pouvaient avoir besoin se trouvait là.

Entre autres choses, nombreux étaient ceux qui voulaient consulter les augures et connaître leur avenir, car, en cette époque de grands tumultes, l'astrologie était une science indispensable. Reba s'occupait de lire les lignes de la main ou interrogeait les cartes pour quelques sous. Comme la mère de Blaise était constamment occupée, la fratrie se dispersa pour vaquer aux autres occupations lucratives prévues par le chef de famille. Elzar avait attribué une tâche à chacun: François, le plus jeune, devait ramasser les crottes de chien partout en ville avec un grand sac. Quand il aurait fait le tour, il reviendrait montrer son butin à son père et ce dernier irait vendre le tout à la tannerie, qui en faisait un usage expérimental. Blaise, quant à lui, avait son propre kiosque et Elzar se donnait pour mission de lui amener des clients.

Même s'il détestait ce que son père lui demandait de faire, Blaise se taisait et s'exécutait docilement. Il lui arrivait de s'apitoyer sur son infortune, mais il évitait de le faire à outrance, car il n'aurait jamais voulu être à la place de François et encore moins à celle d'Ameline.

Sa grande sœur n'avait pas été choyée par le Créateur. Elle était née avec une tache de vin dans le cou qui lui remontait jusqu'au menton et couvrait une partie de sa joue gauche. Elle avait aussi un œil fou qui semblait toujours avoir mieux à faire que de vous regarder bien en face et son pied gauche, d'une indépendance crasse, pointait constamment vers l'intérieur, emportant dans sa trajectoire une petite jambe osseuse et une rotule indécise. Lorsque Ameline marchait, on aurait dit qu'elle traînait perpétuellement des fers, ce qui, toute réflexion faite, était probablement le cas, vu son état. En plus de ces défauts physiques déjà difficiles à supporter, l'Éternel, dans sa grande injustice, lui avait aussi donné Elzar comme père : une calamité dont aucun enfant sur terre n'aurait dû souffrir.

Elzar était un homme dont les pensées étaient plus tordues que la jambe de sa propre fille. Court, large, ventru, il avait une carnation de bohémien, d'abondants cheveux bruns hirsutes et une pilosité à faire pâlir les chiens d'envie. Une barbe forte couvrait presque tout son visage. Ses épais sourcils broussailleux ne semblaient faire qu'un et la large ligne qu'ils formaient lui tranchait le front d'un trait, d'une tempe à l'autre. Sous cette frontière pileuse s'alignaient deux yeux sombres, avides et calculateurs. Des idées singulières lui venaient régulièrement en tête et, en esclave consentant des aléas de sa cervelle, il s'empressait de les mettre à exécution, ce qui lui procurait souvent une satisfaction que ne partageait pas son entourage.

C'est exactement ce qui était arrivé quelques années auparavant. Un matin d'hiver où toute la famille s'était éveillée pour faire face à une autre journée sans nourriture, Elzar avait décidé d'envoyer sa fille mendier en ville. Il l'avait choisie parce que, naturellement, elle inspirait plus la pitié que n'importe qui d'autre. La pauvre Ameline, qui ne devait avoir que six ou sept ans à l'époque, n'avait rien ramené au bout de sa longue journée à grelotter et à quémander. Elzar, qui avait apparemment trouvé, lui, quelques sous pour aller boire à l'auberge, avait été pris d'une fureur sans pareille quand la petite était revenue bredouille au soleil couchant. Il avait crié comme jamais, ce soir-là, répandant dans la petite maison des vapeurs d'alcool chaque fois qu'il ouvrait la bouche, frappant les murs, vociférant, crachant des ignominies et des insultes à la fillette qui pleurait d'effroi et de faim, totalement impuissante devant la rage incontrôlée de son père. D'ordinaire, Reba laissait son mari discipliner les enfants comme il l'entendait, mais cette fois elle s'était interposée quand elle avait jugé que la petite avait reçu plus que son content de gifles. Tout le monde – sauf Elzar – s'était endormi, ce soir-là, l'estomac vide, la peur au ventre et le cœur lourd.

Le lendemain, alors que chacun croyait la crise passée, Elzar avait pourtant tiré Ameline de sa couche dès l'aube. Il l'avait soulevée par un bras avec violence et traînée à l'extérieur sans même que ses pieds touchent à terre. Avant que quiconque ait eu le temps de s'extirper de la torpeur matinale et de comprendre ce qui arrivait, un hurlement horrible avait retenti. Alarmés, Blaise, sa mère ainsi que plusieurs curieux du voisinage étaient sortis à la hâte de leurs demeures et avaient accouru en direction des cris perçants qui avaient cessé aussi soudainement qu'ils avaient commencé. Un spectacle navrant les attendait : Ameline gisait inerte sur le sol gelé, pâle comme la fine couche de neige tombée au cours de la nuit. Tout près d'elle, sur un gros billot de bois, la hache d'Elzar était piquée de travers dans une flaque écarlate.

Blaise s'était approché doucement du billot, animé d'un sombre pressentiment et d'une peur insoutenable lui vrillant les entrailles. En apercevant les quatre petits doigts de sa sœur bien alignés sous la lame grise et sale de la hache, un violent haut-le-cœur et des tremblements incontrôlables lui avaient fait perdre l'usage de ses jambes. Il était tombé à genoux, tout près de sa sœur inconsciente, et s'était posé machinalement les mains sur les yeux, cherchant vainement à se protéger de la violence de cette vision, de l'amalgame de ces couleurs impitoyables. Rouge. Blanc. Le sang, tout ce sang! Et cette neige qui flottait tout autour, jolie, joyeuse, légère, dentelle insouciante, comme si tout était normal… Ces flocons tombaient comme autant d'insultes. C'était un affront, une hérésie faite à sa pauvre sœur mutilée.

Constatant avec agacement que des curieux s'agglutinaient rapidement, Elzar avait ramassé sans ménagement le corps inerte de sa fille et l'avait transporté à l'intérieur, laissant sur son passage un sillon vermeil, balafre temporaire sur le visage blanc de l'hiver, mais déchirure vive et indélébile au cœur de l'enfant. Blaise n'oublierait jamais comment son père avait dit, d'une voix calme et dépourvue de remords: «Je lui avais dit de ne pas jouer avec ça. C'est un accident. Elle va s'en remettre.» Un accident! Blaise savait pertinemment qu'Elzar avait tout bonnement coupé les doigts d'Ameline, et ce, dans un dessein bien particulier que seule sa tête de fourbe pouvait imaginer. La foule s'était dispersée, lâche, apparemment satisfaite des explications du père, mais silencieusement outrée par le geste qui venait d'être commis dans leur voisinage. Blaise était resté à l'extérieur très

longtemps malgré le froid et la neige qui tombait doucement. Au prix d'efforts considérables et d'un discours
interne qui avait les allures d'une prière, il avait finalement trouvé le courage d'ouvrir les yeux. Tout d'abord,
il n'avait discerné qu'une lumière éclatante, blanche,
éternelle, puis il avait vu le sang. Tout ce sang qui appartenait à sa sœur. Il avait ensuite fixé pendant de longues
minutes ces quatre doigts que les flocons recouvraient
peu à peu, se demandant ce qu'on allait bien faire d'eux.
Tout le monde semblait les avoir oubliés, ces doigts qui
disparaîtraient bientôt sous la neige. Allait-on les laisser
là jusqu'au printemps?

Le barbier était venu à la maison et avait cautérisé
les plaies d'Ameline avec de l'huile bouillante. La fillette
avait repris connaissance, mais ses cris incessants
avaient eu raison de Blaise, qui avait finalement déguerpi
et s'était rendu à l'orée de la forêt où, enfin, le silence
régnait. Là, il s'était assis au pied d'un grand conifère,
bien caché sous les branches basses et recourbées de
l'arbre, et il avait pleuré en contemplant les quatre
minuscules appendices bleus qu'il avait précaution-
neusement enroulés dans sa chemise et emportés avec
lui. La crise passée, il avait creusé un trou dans le sol
gelé à l'aide d'une grosse pierre plate et y avait enterré
les doigts. Il était reparti quelque temps après, non sans
avoir pris la peine de dessiner une croix sur la terre
retournée. À l'instar de sa sœur, ce jour-là, quelque
chose s'était brisé en lui et resterait pour toujours enfoui
au côté des petits doigts mutilés.

On avait fait un imposant bandage à la fillette. À peine
le barbier avait-il remballé ses outils qu'Elzar la soulevait

et l'installait sur ses épaules. D'humeur joyeuse, le père de famille était allé mener sa fille à deux pas de l'auberge où il l'avait assise dans la neige, le dos posé sur la pierre froide de l'immeuble, puis il avait jeté une écuelle à ses pieds. À demi consciente et abasourdie par la douleur, Ameline n'avait pas eu la force de protester. Elzar avait pris soin de mettre la main brisée de sa fille bien en évidence sur ses cuisses maigres et il l'avait laissée là tout l'après-midi, sortant de l'auberge à l'occasion pour vérifier si elle respirait encore. Le soir venu, il était reparti avec Ameline sur le dos, fier de lui, car il avait compris que la souffrance amène la pitié, même en temps de disette. Il avait finalement récolté de quoi se nourrir pour quelques jours et c'était pour lui toute une victoire. Quand Elzar était revenu chez lui, ce soir-là, le large sourire qu'il affichait sous sa moustache foncée en disait long sur l'étendue de ses remords.

Depuis ce jour, les doigts d'Ameline – ou plutôt ce qu'il en restait – étaient toujours là pour rappeler à Blaise qu'il y avait pire dans la vie et qu'il valait mieux ne jamais contrarier Elzar, ne jamais lui faire confiance. Un père se devait-il de protéger ses enfants ? Blaise avait naïvement cru que oui, jusqu'à ce jour fatidique. Maintenant, il savait que, chez lui, c'était chacun pour soi.

Assis derrière sa caisse de bois, il regarda sa sœur partir en clopinant, avec son écuelle, ses cheveux couleur de paille, sa main meurtrie et son regard fuyant. Avec son allure pitoyable, la mendicité était toujours la tâche à laquelle on l'assignait depuis l'épisode des doigts coupés. Mais la mendicité, c'est une affaire que la jeunesse rendait lucrative. Elzar en était vite venu à cette conclusion, car Ameline avait cet âge mitoyen qui la rapprochait doucement du monde des adultes et ne rapportait, hélas, plus autant d'argent qu'auparavant. Aussi, le père qui guettait le départ de son aînée eut soudain une nouvelle idée la concernant. Elle allongeait, roulait des hanches d'une drôle de manière et, malgré ses tares physiques évidentes, elle disposait de toutes les cavités pouvant contenter quiconque ne la regarderait pas trop. L'idée devait être peaufinée un peu, mais l'homme sentait qu'il tenait là un filon des plus intéressants. Elzar esquissa un sourire satisfait et secoua la tête, encore une fois étonné de tout ce génie dont il pouvait faire preuve.

—•—

— Approchez ! Approchez ! Venez faire dessiner votre portrait ! Approchez ! Achetez le visage de la Vierge Marie ou celui de Jésus-Christ en personne ! Approchez !

Blaise était une curiosité. Les artistes étaient rares et le fait qu'il était un enfant fascinait. Les gens se laissaient tenter plus facilement ailleurs qu'ici, dans sa ville natale, où tout le monde le connaissait et le considérait d'un œil plus suspicieux qu'étonné ou admiratif. Une dame s'approcha néanmoins et fit faire le portrait de sa petite fille. Blaise s'exécuta en peu de temps, transformant la surface du papier avec son morceau de charbon et ses doigts noirs. Le résultat était agréable à regarder et assez ressemblant. La femme donna quelques sous à Elzar, qui se faisait un devoir de récolter les précieuses pièces, et la fillette remercia le jeune artiste, qui ne lui répondit pas ni même ne leva les yeux.

Le jour s'écoula, chaud et animé. Si Reba avait attiré une clientèle aussi nombreuse qu'à l'habitude, le garçon n'avait fait qu'un seul portrait depuis le matin. Son père était furieux, mais au moins, cette fois, il accusa le soleil et non son fils d'avoir ruiné la journée. Vers la fin de l'après-midi, alors qu'Elzar et Reba pliaient la tente de bonne aventure, un homme et une femme s'approchèrent de Blaise et son étal. En guise de publicité, sur la caisse de bois, Blaise exposait le visage de sa mère et celui de la Vierge Marie. Le garçon se tenait toujours vaillamment derrière sa caisse et, même si son emplacement était maintenant à l'ombre du grand clocher, le soleil l'avait visiblement exténué. Silencieux et fixant le sol, il laissa son père répondre à l'homme qui voulait connaître l'auteur de ces portraits.

— C'est mon fils que voilà qui fait ces portraits, monsieur, dit Elzar en entourant les épaules du garçon d'un geste tendre, feint jusqu'au bout des ongles.

L'homme échangea un regard amusé avec la dame qui l'accompagnait. Elzar la reconnut après un moment de réflexion. C'était Constance, la femme du charpentier. L'homme, quant à lui, demeurait inconnu. Elzar était en tout cas décidé à ne pas le laisser filer, peu importe son identité, car, à ses vêtements et à sa barbe bien tondue, on voyait qu'il était riche.

— Un homme de votre élégance aimerait sûrement avoir son portrait pour quelques sous… Si vous voulez bien vous asseoir…

— Je préfère que ce soit ma sœur qui ait ce privilège, merci, mon brave, déclina poliment le visiteur.

La lourde Constance, s'installant avec empressement, dissimula complètement le petit banc qu'Elzar avait mis à sa disposition sous les plis de sa robe et son large derrière. Elle tourna son visage rond et aimable vers le garçon qui s'affairait déjà à la tâche. Plutôt que d'attendre patiemment le résultat, l'inconnu aux boucles blanches qui accompagnait dame Constance alla épier le travail du jeune artiste de campagne en se plaçant derrière lui, au-dessus de son épaule. Mal à l'aise, l'enfant qui n'avait pas l'habitude qu'on le regarde dessiner n'avait de cesse de se retourner et manquait visiblement de concentration. Il acheva tout de même son œuvre qu'il remit à l'homme, soulagé de le voir enfin s'éloigner.

Elzar énonça un prix trop élevé en fredonnant mielleusement et en tendant la main, mais l'homme ne lui prêtait aucune attention. Il examinait le portrait, puis le visage de sa sœur, et il répéta ce geste pendant de longues minutes, hochant parfois la tête ou plissant les yeux. Il prit ensuite son doigt et le promena sur le papier épais, laissant une marque de charbon frotté là où il appuyait.

— Ce support est de mauvaise qualité, finit-il par dire. Les traits s'effacent tout seuls. Je trouve difficile à croire que vous réussissiez à vendre ces immondices... Mais je le prends quand même.

Sans négocier, il tendit l'argent à Elzar dont les yeux brillèrent d'excitation. L'homme était assurément riche !

— Où as-tu appris à dessiner comme cela, mon garçon ? demanda l'homme d'âge mûr en plongeant son regard sévère, aussi froid que l'acier, sur l'enfant au teint rougi.

Blaise le regarda fixement et laissa sa bouche close. Son père expliqua :

— Dans la boue, chez nous, près de la rivière. Avec du charbon, sur les murs de la maison. Je ne sais plus où et quand ça a commencé, en fait… Il dessine depuis son plus jeune âge !

— Et tu as fait autre chose ? J'aimerais voir d'autres dessins, demanda l'homme en s'adressant encore à Blaise, dans l'espoir que celui-ci prenne enfin la parole.

Un lourd silence suivit. Blaise ne répondit pas, selon son habitude, mais il tourna les yeux vers son père, semblant attendre sa réponse. Elzar paraissait un peu mal à l'aise et hésitant. Il regardait tour à tour son épouse qui assistait à la scène et la femme du charpentier qui affichait une mine curieuse. Sous l'insistance de Reba qui lui faisait de petits signes de tête, il retira finalement une liasse de papiers d'un sac qu'il portait à la taille. Elzar prit l'homme par le bras, l'entraînant plus loin. Loin du regard de la gent féminine.

— Veuillez m'excuser, messire, mais ce que je vais vous montrer est quelque peu inconvenant pour une dame respectable telle que votre sœur. Mais comprenez que je vous présente ces croquis parce que mon fils réussit si bien ces dessins que ce sont nos plus gros vendeurs et que vous me l'avez demandé. Malheureusement, c'est une entreprise un peu plus… discrète que les portraits, mais pourtant très intéressante, si vous voyez ce que je veux dire. Peu importe le village ou la ville où l'on fait commerce, les gens d'Église n'aiment pas voir cette marchandise étalée sur leur parvis. Même si c'est peut-être sans surprise que vous apprendrez que les moines sont nos acheteurs les plus assidus…

Tout en parlant, Elzar avait remis à l'homme la pile de papiers. C'était un papier épais, rude et grossier, mais pas autant que ce que le jeune Blaise avait dessiné dessus. L'homme avait entre les mains des représentations de scènes sexuelles toutes plus explicites les unes que les autres. Il y en avait pour tous les goûts : des hommes avec des femmes, des femmes avec des femmes, des hommes avec des hommes (ceux-là portaient tous une soutane ou la robe de bure monastique), des animaux, des objets, des mamelles gigantesques, des verges démesurées, des bouches gourmandes et des orifices exploités aux confins du possible.

— C'est votre fils qui a fait ça ? demanda l'homme avec consternation en jetant un regard au garçon qui ne semblait pas avoir plus de sept ou huit ans, dix au maximum.

— Oui. Il n'est aucun artiste qui l'égale, monsieur, répondit Elzar avec un naturel déconcertant et une pointe de fierté authentique.

Le père de Blaise ne semblait pas conscient du malaise que suscitait le travail inusité du gamin. D'ailleurs, au grand désarroi de l'homme qui étudiait les croquis avec insistance, il s'avéra qu'Elzar n'avait pas tout à fait tort. Si on s'attardait à l'exécution et à la technique, on pouvait dire que l'enfant avait en effet beaucoup de talent. Toutefois, si Elzar ne se montrait pas le moins du monde ébranlé par le fait que son fils illustre des scènes licencieuses, Blaise n'en était à l'évidence pas très fier.

Pendant que le père vantait le génie de sa progéniture à l'étranger, le garçon évitait soigneusement de croiser le regard de l'un ou l'autre des deux hommes. Jamais les dalles du parvis de l'église n'avaient paru plus intéressantes à quiconque qu'au jeune artiste en ce moment où il se savait le sujet d'une conversation dont il n'aimait pas la tournure.

Blaise détestait faire ces esquisses et il détestait que son père les vende. Par-dessus tout, il haïssait que les gens sachent qu'il en était l'auteur. Il sentait qu'il commettait un grave péché à toutes les étapes de ce procédé visant à nourrir sa famille. Les dernières œuvres que son père montrait à l'étranger, Blaise avait tout d'abord refusé de les faire. Elzar avait eu beau le frapper à grands coups de baguette à plusieurs reprises, l'enfant s'était obstiné pendant plusieurs jours. Comme le manège recommençait chaque soir, Blaise en était même venu à dormir systématiquement dans le marécage et à ne rentrer chez lui qu'au petit matin alors que son père et sa mère étaient partis travailler aux champs. À ce moment, sa sœur, prise de pitié, lui servait une portion d'avoine bouillie que Blaise avalait goulûment avant de retourner se cacher dans son royaume. Cette solidarité fraternelle avait toutefois été de courte durée, car, un matin, voilà qu'Ameline n'avait plus eu d'avoine à donner à son frère. Ayant pris connaissance de la machination des gamins, Elzar et Reba étaient partis travailler aux champs ce jour-là en laissant le chaudron vide et en précisant que, comme Blaise ne voulait plus dessiner, ils n'avaient plus assez d'argent pour acheter de la nourriture. L'imposture était grotesque, comme à l'habitude, mais le couple n'en était pas à une rouerie près et la ruse s'adressait à un enfant qui s'y laissait toujours prendre. Ce matin-là, Blaise était retourné dans son marais l'estomac creux, mais la tête emplie de sombres pensées. Il avait bien soulagé un peu les gargouillements dans son ventre en mangeant des petits fruits trouvés au hasard de sa route, mais son esprit était demeuré dans la tourmente toute la journée. Il détestait son père, sa mère et surtout ce qu'ils lui faisaient faire, mais il arrivait difficilement à supporter qu'à cause de lui son frère et sa sœur meurent de faim. Et puis, il y avait les doigts d'Ameline. La trace de sang dans la neige. L'absence de remords de son père. De quoi était-il encore capable ?

Au couchant du soleil, il avait donc frappé à la porte de la maison familiale avec son petit poing. Elzar lui avait ouvert. Il ne l'avait pas battu comme Blaise s'y attendait. Il lui avait plutôt tendu des feuilles et un bout de charbon taillé. Le garçon les avait pris et s'était assis par terre, résigné, devant la paillasse de ses parents. Reba s'était positionnée devant lui, à genoux, en appui sur les coudes. Elzar avait soulevé sa robe et s'était installé derrière elle. Ce soir-là, à la lumière de la lampe, Blaise avait vu que son père avait amené des objets près de lui. Quand Reba s'était mise à gémir, Blaise avait commencé à dessiner.

Les deux hommes discutèrent un bon moment, feuilletant les dessins à plusieurs reprises et jetant des regards à la dérobée à l'enfant. Reba et Blaise s'affairèrent pendant ce temps à démonter l'étal. Voyant qu'un vent se levait et amenait avec lui de lourds nuages menaçants, Elzar interrompit soudain sa discussion et ordonna à son épouse et à son fils de retourner à la maison avec le chargement. Lui-même partit avec l'homme et la femme en direction de l'auberge de la grand-place, décidé, semblait-il, à poursuivre la conversation autour d'un verre. L'échine courbée sous le poids du matériel supplémentaire à transporter, Blaise regarda son père et les deux inconnus s'éloigner avec un vague sentiment d'appréhension. Des affaires se brassaient et Blaise n'aimait pas qu'elles soient en lien avec ce qu'il détestait le plus faire au monde. Anxieux, mais impuissant, il tourna les talons et rejoignit sa mère qui, sans l'attendre, marchait déjà d'un bon pas, désireuse d'arriver chez elle avant l'orage.

—•—

Le tonnerre gronda à maintes reprises au cours de la nuit et la pluie tomba dru jusqu'au petit matin. La maison de bois au sol en terre battue était rapidement devenue humide et fraîche, ce dont personne ne pouvait se plaindre après deux semaines de canicule. Pour la première fois depuis plusieurs jours, la maisonnée dormait d'un sommeil profond. Blaise faisait toutefois exception. Les yeux grands ouverts, il écoutait la lente respiration de son frère et de sa sœur couchés près de lui et attendait patiemment que la pluie cesse pour se lever et gagner son îlot au milieu du marécage. Étendu sur la paillasse, il ressassait tous les événements de la journée, incapable de fermer l'œil.

Après le repas du soir, son père était rentré, trempé, à moitié ivre, alors que sa progéniture était déjà au lit et que Reba profitait des dernières lueurs du jour pour repriser des vêtements près de la porte entrouverte. Comme la maison ne comportait qu'une pièce, les enfants, couchés dans un coin à même le sol couvert de paille, avaient eu tout le loisir d'observer l'étrange manège de leur père qui se séchait à l'aide d'un linge propre et tournait autour de Reba d'un air joyeux. L'homme chantonnait gaiement et Blaise crut reconnaître une des ritournelles que l'on entendait souvent à l'auberge.

— Qu'est-ce qui te prend? demanda Reba d'une voix agacée.

— Ma chère, j'ai fait une bonne affaire.

Elzar regarda en direction de la paillasse des enfants et, constatant que plusieurs regards curieux étaient tournés vers lui, il alla s'asseoir sur le banc de bois, près de sa compagne, et lui chuchota la suite de son histoire. Blaise, qui observait la scène attentivement, vit d'abord sa mère afficher un large sourire. À mesure qu'Elzar continuait de lui murmurer les détails de son plan à l'oreille, son visage se fit plus sérieux. La femme s'entretint quelques instants encore avec son mari. Ils argumentèrent un peu, puis ils semblèrent se mettre d'accord. Pendant ce temps, discret mais imperturbable dans sa course, le jour avait tranquillement cessé d'être et, alors que son frère et sa sœur avaient perdu tout intérêt pour la discussion et s'étaient endormis, Blaise, toujours intrigué, avait peine à épier la suite des événements dans la noirceur de la pièce. La lumière momentanée d'un éclair lui révéla que ses parents avaient finalement gagné leur lit, et des bruits, par trop familiers, lui confirmèrent que la conversation était terminée. Ce qui avait à être réglé l'avait été, définitivement.

Blaise avait eu une rude journée : le fait qu'il ait été debout avant l'aube et qu'il ait passé des heures au marché en plein soleil aurait suffi à le faire tomber de fatigue en temps normal, mais, ce soir-là, le martèlement étouffé de la pluie sur le toit, la furie du vent, le tonnerre et de sombres pensées l'empêchèrent de fermer l'œil. Son père tramait quelque chose, il en était certain. En soi, cela n'avait rien d'anormal, puisque Elzar était un être perfide et son fils le savait pertinemment. Seulement, par expérience, Blaise avait appris qu'il valait toujours mieux être au fait des sournoiseries de son père, car en être exclu pouvait signifier en être l'objet. Et le garçon ne tenait pas du tout à faire partie de ses traficotages. Avoir à regarder ses parents se renifler le derrière comme des chiens, les dessiner et vendre son odieux produit sur la place du marché dans tous les villages des alentours était bien suffisant pour lui.

Nerveux, Blaise guettait une accalmie par le carré de la fenêtre, mais la nuit et la tempête semblaient éternelles. N'eussent été la pluie et l'orage qui continuaient à briser l'habituelle quiétude nocturne, il aurait préféré se reposer dehors dans son marécage, le seul endroit qui lui offrirait un abri sûr contre son père, en attendant d'en savoir un peu plus sur ce que ce dernier avait en tête exactement. Peut-être voulait-il qu'il fasse d'autres dessins. Peut-être voulait-il qu'il dessine le monsieur et la dame du marché en train de se renifler le derrière, eux aussi. Blaise était répugné par cette pensée. Il tenta de la chasser en se demandant ce qu'il allait bien pouvoir faire dans quelques heures, lorsqu'il serait enfin dehors dans son marécage ou dans la forêt. Il ferma les yeux un moment pour y songer et il s'endormit malgré lui, échappant quelques instants, peut-être même quelques heures, à cet état de veille qu'il s'était pourtant imposé.

Quand il ouvrit les paupières, la tête encore pleine de neige et de sang, Blaise eut l'impression de n'avoir sommeillé que quelques secondes, mais les premières lueurs du jour pointaient à la fenêtre. Il s'en voulut de n'avoir pas su maintenir sa vigilance. La pluie semblait terminée depuis un moment déjà : il aurait dû être dehors il y a longtemps. Retenant sa respiration, il vérifia d'un coup d'œil que toute la maisonnée dormait toujours. À sa grande surprise, son père était levé. Assis sur un tabouret, bien adossé à la porte, les bras croisés sur le torse, il attendait que son fils ouvre les yeux. Quand ce fut fait et que leurs regards se croisèrent, Blaise sentit son sang ne faire qu'un tour. Il avait compris que, cette fois, ce serait lui le gibier entre les mains de son père.

Pris au piège, Blaise bondit sur ses pieds alors que Elzar se levait de son siège et se dirigeait vers lui. Aucune parole n'avait été prononcée. Seul le froissement de la paille écrasée avait retenti entre les murs de la maison, mais une tension presque palpable avait eu raison du sommeil d'Ameline, de François et de Reba, qui s'éveillèrent au même moment. Les enfants étaient figés dans leur couche et n'osaient rien faire. Reba, plus loin, se frottait les yeux et bâillait avec nonchalance, l'air de ne se rendre compte de rien. Toutefois, elle finit par constater que le duel qui opposait son fils et son mari avait une issue bien incertaine : Blaise était tendu comme un cerf au bord du précipice et Elzar avait dans l'œil la détermination du prédateur affamé. Tous deux semblaient prêts à se battre à mort et cela ne devait pas arriver, évidemment.

Reba avait l'habitude d'ignorer ce fils qui la fuyait. Pour elle, il ne valait guère mieux que ces enfants qu'elle avait mis au monde et qui étaient morts, emportés trop jeunes par la maladie. Elle avait résolu de le traiter comme ces petits fantômes qui hantaient constamment son esprit, car, comme eux, il était à la fois présent et inaccessible. En ce jour, comme elle réalisait qu'elle le voyait pour la dernière fois en chair et en os, elle fut poussée à commettre un ultime geste de tendresse envers ce sauvageon qui ne lui avait apporté que du tourment. Imposant le calme à son mari d'un signe de la main, elle s'approcha de son fils, s'accroupit devant lui et prit son visage entre ses doigts rêches.

— Ton père t'a trouvé du travail. Suis-le en ville. Sois sage.

Blaise n'avait plus l'habitude que sa mère s'adresse à lui. Encore moins qu'elle le touche de cette façon. Il savait que cet élan avait quelque chose de louche, mais le regard maternel l'avait ému. Ses défenses avaient soudainement fondu comme neige au soleil. Décontenancé, il n'opposa pas de résistance lorsque son père vint le saisir par le poignet pour l'entraîner à l'extérieur.

Ils n'avaient même pas encore franchi les portes de la vieille ville qu'il le regrettait déjà. Il essaya de se défaire de l'étreinte douloureuse qui l'obligeait à avancer rapidement sur les rues pavées, mais son Elzar avait une poigne solide et la gifle facile. Blaise n'eut d'autre choix que de le suivre, son cœur battant à tout rompre tellement il était terrifié à l'idée de ce qui l'attendait. Son père lui avait trouvé du travail. Un *vrai* travail ? Le destinait-il à la tannerie ? À la teinturerie ? À la carrière ? Les enfants pauvres y aboutissaient tous tôt ou tard et le labeur y était dur. En quelques années, ils prenaient des allures de vieillards et Blaise avait souvent craint de finir comme eux. Elzar allait-il lui couper un bras ou une jambe pour l'envoyer mendier à la place d'Ameline ? Allait-il le tuer ? Blaise envisageait toutes les possibilités.

Après avoir un peu marché dans la ville, même si le garçon gardait le nez vers le bas, il remarqua que son père ne s'était pas dirigé vers la tannerie, la teinturerie ou la carrière. Il avait plutôt bifurqué vers le beau quartier, celui où les maisons à deux ou trois étages étaient toutes construites de pierres pâles, ornées de volets et de fleurs colorées.

Elzar mena son fils à travers quelques rues étroites. Il s'arrêta soudain devant une lourde porte en bois et y frappa avec assurance. Il n'eut pas à attendre longtemps que l'on vienne lui ouvrir : au troisième coup, une grande et grosse femme apparut dans l'embrasure et les pria d'entrer.

Une fois à l'intérieur, malgré la peur qui lui courbait l'échine, Blaise ne put s'empêcher de jeter un œil autour de lui. Tout était si propre, si élégant ! Le sol et les murs étaient couverts de pierre. Dans la cuisine, un feu brûlait sous une large cheminée de pierre. Il y avait de la pierre partout ! Pas étonnant que la maison de son père fût construite à même la terre battue, avec des restes de planches et un toit de chaume : les riches avaient visiblement accaparé toutes les pierres des environs ! Blaise remarqua aussi que la demeure comportait des divisions. Ce n'était pas une seule et même pièce comme chez lui. Au rez-de-chaussée, il ne voyait aucune paillasse. Pour sûr, les gens qui habitaient là dormaient dans des chambres à l'étage supérieur. C'est un luxe que Blaise n'enviait pas, néanmoins. Toute cette pierre, Blaise la sentait comme un étau qui se refermait sur lui. Il était habitué aux courants d'air, aux bruits de l'extérieur tout près, aux fluctuations de température, à l'humidité, à la lumière qui filtrait par traits réguliers entre les planches. Ici, il avait l'impression d'être coupé de tout : il manquait d'air, n'entendait rien du vacarme de la rue et ne voyait de lumière que ce qui passait par l'étroite fenêtre s'ouvrant sur la maison d'en face, elle aussi faite de pierre. La température ambiante, ni trop chaude, ni trop froide, ni trop sèche, ni trop humide, lui donnait le tournis. Si son père ne l'avait pas tenu avec autant de fermeté, il aurait assurément tenté une évasion par la porte laissée entrouverte. Aucun doute, il ne voulait pas rester ici.

Trop occupé à détailler ce lieu où on l'avait amené, il avait déjà manqué une partie de la conversation entre son père, l'homme et la femme qui se trouvaient dans la pièce. Quand il reporta son attention sur eux, on en était à critiquer son apparence.

— Bon! Et ses vêtements? A-t-il quelque chose de plus convenable à se mettre sur le dos?

La dame avait posé la question en observant le frêle esquif qui venait d'amarrer près de sa table de cuisine. L'enfant était maigre, mais finement musclé. Il ne portait qu'une légère culotte, retenue de peur par un bout d'étoffe de couleur douteuse. Sa peau était noircie, croûtée par endroits, écorchée et couverte de vilaines ecchymoses sur les jambes et sur les bras. Sa respiration rapide soulevait ses côtes et son petit torse osseux à un rythme régulier. Ses cheveux clairs, poisseux et trop longs couvraient une partie de son visage que l'on devinait néanmoins rougi par le soleil de la veille et les émotions du matin. Il était plus sale qu'un cochon, grêle comme un chien errant, mais son teint coloré et son regard alerte laissaient croire qu'il était tout de même en santé. Cela rassura la dame.

Concluant que le père du garçon n'avait visiblement rien de mieux à proposer pour vêtir son fils, la corpulente femme prit les choses en main. Elle attrapa Blaise par les épaules et l'entraîna vers l'arrière de la maison. Au passage, elle héla une de ses filles et lui demanda d'apporter des vêtements.

À l'extérieur, l'enfant constata que la cour était bordée d'un haut mur de pierre et que toute fuite était impossible. Il sentit le découragement monter en lui. Il ne voyait pas d'issue possible, mais cherchait frénétiquement une brèche, une faille dans le mur – ou dans le plan de son père – qui serait suffisamment large pour qu'il s'y glisse et se sorte de ce pétrin dans lequel il était plongé malgré lui. Quel sort lui réservait-on ?

— Je suis madame Constance. Ici, tu es chez moi. Nous nous sommes rencontrés hier sur la place du marché. Tu as fait mon portrait. Il est très beau, je t'en remercie.

Dans son affolement, Blaise n'avait même pas reconnu la femme. Maintenant qu'il la regardait, il se souvenait très bien d'elle. Elle avait un visage rond et jovial, une voix chaleureuse, des pommettes roses taillées pour le sourire. Blaise sentit la tension se relâcher d'un cran auprès d'elle. La dame l'entraîna près d'un gros baril d'eau de pluie.

— Nous allons te nettoyer et t'habiller convenablement.

Sur ces mots, une autre femme, plus jeune, probablement la fille de madame Constance, s'approcha avec un cube de savon jaune, des linges pour frotter, pour essuyer et quelques vêtements propres.

Quand Blaise revint à la cuisine accompagné des deux femmes, Elzar resta coi devant la métamorphose de son fils. À le voir ainsi, le visage décrassé, ses cheveux blonds domestiqués, convenablement vêtu, l'air d'un petit page, Elzar regretta soudain son affaire. Il se mit à penser qu'il n'avait peut-être pas exigé assez d'argent de la part de l'homme assis devant lui au bout de la longue table de bois. Ce dernier, imposant par sa présence, sa stature et ses vêtements de roi, jaugea la scène d'un œil critique. Il fut aussi impressionné que satisfait par le changement opéré chez le jeune garçon, mais il se fit le devoir de n'en rien laisser paraître. D'une voix forte et sévère, il s'enquit du comportement de l'enfant pendant l'épisode du lavage :

— S'est-il bien tenu, ma sœur ?

— Tout à fait. Cependant, je crois qu'il est temps de lui fournir quelques explications et de l'informer de vos exigences. Ce pauvre garçon ne comprend visiblement pas ce qui lui arrive et il fait peine à voir tellement il est nerveux. Il est aussi vulnérable qu'une souris dans le fond d'une chaudière neuve. Allons, ayez pitié de lui !

— Vous avez raison, ma sœur. Inutile de prolonger l'attente. Elzar, avez-vous quelque chose à dire à votre fils avant de partir ? demanda l'homme qui, de toute évidence, voulait couper court à l'entretien.

Elzar regarda son Blaise puis la bourse de cuir posée devant lui sur la table. Indécis, il prit le petit sac dans sa main et fit tinter les pièces à l'intérieur. Il ne semblait pas vouloir s'en aller ni s'adresser à son fils. Le frère de madame Constance le pressa sur un ton impatient :

— Elzar ? Quelque chose vous retient ?

— Eh bien… en y repensant, je crains que la somme que vous m'avez versée ne suffise pas à couvrir la perte que j'encours en vous laissant mon enfant … Ce que vous m'avez donné équivaut peut-être à un an ou deux de dessins vendus sur les places de marché… Et que dire de sa pauvre mère qui est inconsolable de son départ ? Je la sens si faible, si atteinte par cette perte déchirante, qu'elle ne pourra probablement plus venir travailler aux champs avant longtemps... Comment allons-nous y arriver ? Deux salaires en moins, c'est nous condamner à la famine, monsieur. Notre arrangement est impossible dans ces conditions, j'en ai peur.

Elzar, habitué au mensonge, avait parlé d'une voix tragique et avait même réussi à se tirer une larme au coin de l'œil gauche. Son interlocuteur, qui en avait vu d'autres, ne se laissa pas impressionner, mais il avait hâte d'en finir : une longue route l'attendait et il ne voulait pas tarder à partir. Il n'avait pas le temps de bavarder avec cet énergumène. Fouillant dans son aumônière, il fit rouler quelques pièces supplémentaires en direction du fourbe, qui les glissa avidement dans sa bourse en cuir et se leva, ayant enfin l'air satisfait.

Blaise, qui avait été témoin de toute la scène, comprit alors ce qui se passait : son père le vendait ! Et, comble de l'insulte, il prétendait le faire à regret ! Simulant un sanglot qui n'émut personne, il vint serrer son fils dans ses bras. Il l'embrassa démonstrativement sur le front à plusieurs reprises.

— Adieu, mon garçon ! Je n'ai pas d'autre choix que de te laisser ici... Tu sais, le pain est si cher, je n'ai pas les moyens de vous nourrir tous, toi, les autres, ta mère ! Tu vas nous manquer... Cet homme, tu travailleras pour lui. Il va s'occuper de toi, te fournir un toit et une pitance. Adieu !

Elzar tourna les talons d'un geste théâtral, ouvrit la porte et s'engouffra dans la rue. Blaise resta muet et insensible aux adieux de son père. Il le regarda s'en aller sans broncher, cloué sur le sol de pierre dans cette maison de pierre où il ne voulait pas habiter. L'homme aux boucles blanches vint se placer face à l'enfant. Il avait un regard gris qui avait paru sévère et dur au cours de la conversation avec Elzar, mais qui à cette heure s'avérait plutôt complice et se greffait à un sourire en coin.

— Il devrait faire des spectacles sur la place publique, celui-là ! Il a du talent !

Puis, détournant son attention du jeune homme qu'il venait d'acheter, il s'écria :

— Bon ! Que l'on attelle mon cheval, maintenant. Je devrais déjà être en route !

——•——

La journée s'annonçait encore chaude. À peine dépassé l'horizon, le soleil chauffait les dalles au sol, les pierres des habitations et la figure burinée des travailleurs agricoles déjà à l'ouvrage. Sur l'heure, plusieurs d'entre eux avaient redressé l'échine et, la main en visière accrochée aux sourcils, ils avaient momentanément délaissé la faux pour regarder passer sur la route un cavalier qui venait de quitter la ville. Ils n'étaient pas les seuls à profiter de ce drôle de spectacle : une foule s'était massée près de la porte nord et, à l'ombre des remparts, elle épiait le petit trot de la jument baie qui soulevait des gerbes de boue avec ses fins sabots noirs.

Bien que la bête fût d'une élégance remarquable, ce n'était pas tant l'animal que son fardeau qui attirait l'attention des manants en ce beau matin d'août. En effet, les regards étaient plutôt dirigés vers le cavalier et le jeune garçon qui l'accompagnait.

L'homme ne se retourna qu'une seule fois après avoir franchi les portes de la ville, saluant d'un grand geste sa sœur, ses neveux et nièces ainsi que quelques voisins et curieux attroupés pour voir le vieil excentrique regagner la capitale du royaume avec l'enfant qu'il avait acheté.

Personne ne vint faire ses adieux à Blaise.

Après s'en être assuré en jetant quelques coups d'œil derrière lui, espérant, sans trop y croire, apercevoir sa sœur, il se résigna, le cœur inexplicablement lourd, et pensa qu'il valait désormais mieux regarder vers l'avant.

La jument avait le pas leste et le dos solide. Elle galopa par-delà les collines et les forêts, traversant plusieurs villages en quelques heures. Au début de la cavalcade, Blaise avait reconnu les lieux qu'il parcourait puisqu'il y était déjà venu avec ses parents pour vendre son détestable produit sur la place publique et faire quelques portraits. Vers midi cependant, l'homme arrêta sa monture dans une petite bourgade que Blaise ne sut pas nommer. Le soleil était cuisant et l'homme attacha son cheval près du chemin, à la branche d'un gros arbre tordu qui projetait une ombre gigantesque au sol. Il aida l'enfant à descendre et l'invita à s'asseoir par terre à côté de lui, au frais. Il lui donna un morceau d'un pain délicieux, un peu de bière coupée à l'eau et du fromage.

Regardant l'enfant avaler son repas sans prendre le temps de respirer, il ne put s'empêcher de sourire en picorant la portion qu'il s'était réservée.

Quand Blaise fut rassasié, il s'aperçut que l'homme le fixait et que son visage exprimait un certain malaise. Après une courte hésitation, celui qui l'avait acheté se mit à parler en le regardant droit dans les yeux. Blaise aurait juré que son compagnon de route s'apprêtait à lui servir tout un discours, mais il s'avéra finalement peu loquace.

— Suis-moi.

Le jeune garçon n'eut d'autre choix que d'obtempérer. L'homme l'avait saisi par le bras et s'était levé précipitamment. Blaise trottina derrière lui jusque de l'autre côté du chemin, où était érigée une petite chapelle de pierre. L'homme poussa la lourde porte de bois qui grinça sur ses gonds et entraîna Blaise à sa suite, pénétrant dans le lieu sacré. Les dehors un peu rustres du bâtiment ne laissaient pas présager la merveille qui se trouvait à l'intérieur. Dans la nef, une ouverture ronde filtrait la lumière et l'enfant aperçut de jolis dessins colorés sur les murs plâtrés. Certes, ils ne semblaient pas dater d'hier: le plâtre s'était effrité en plusieurs endroits et les couleurs n'étaient pas aussi vives qu'on aurait pu l'espérer, mais c'était tout de même un magnifique spectacle. Blaise n'avait jamais vu de murs peints de cette façon. Curieux, il s'approcha d'un personnage et fut étonné de voir le réalisme des vêtements, la finesse des traits et des coloris. Il demeura longtemps à observer autour de lui, s'avançant puis s'éloignant de la fresque pour en apprécier les différents points de vue.

L'homme, qui n'avait rien dit, restait près de la porte et regardait l'enfant avec un sourire aux lèvres : il n'aurait pu espérer mieux et jubilait intérieurement.

Au bout d'un long moment, lorsque le garçon parut enfin prêt à s'arracher à sa contemplation, l'homme l'interpella et lui fit signe de s'approcher. Blaise était tout au fond de la chapelle et il se sentit comme si on le tirait d'un rêve agréable. Il répondit néanmoins docilement à l'appel de son propriétaire. Devant la porte, l'homme s'agenouilla et posa une paume lourde sur l'épaule du garçon. Le temps des explications était venu.

— Tu vois tout ceci ?

L'homme balayait l'air de sa grosse main et désignait les murs de la pièce.

— Eh bien ! ces fresques, c'est moi qui les ai peintes. C'était il y a très longtemps, mais tout de même je pense que cela peut te donner une idée de ce que je fais dans la vie. Je peins. Je suis un artiste. Les gens riches me payent pour que je réalise des tableaux ou des fresques comme celle-ci dans les maisons, dans les églises et les cathédrales.

Blaise le regardait attentivement. Ni son petit visage mince ni ses grands yeux bleus ne trahissaient la moindre émotion. Le garçon était là, devant lui, calme, attentif, mais indéchiffrable. Et muet comme une carpe. L'homme qui lui faisait face n'était pas très à l'aise.

— Oui… bon. Ton père m'avait prévenu que tu ne parlais pas beaucoup. Ce n'est pas trop grave pour l'instant. Je dois t'avertir que je ne connais rien aux enfants. Je n'ai pas de femme et je serai seul pour m'occuper de toi, mais je t'assure que tu ne manqueras de rien. Tu auras un toit au-dessus de la tête, des vêtements pour te couvrir et de la nourriture comme tu n'en as probablement jamais eu, continua l'homme en regardant les jambes osseuses du garçon.

— ...

— En contrepartie, j'attends de toi du respect, de la bonne volonté et un travail honnête.

— ...

— Oui, je veux que tu travailles pour moi. Tu as du talent, tu sais dessiner, mais tu manques de technique et, surtout, tu ne sais pas peindre, alors tu vas aussi devoir apprendre.

À ces mots, la figure de Blaise tourna au rouge et ses pâles sourcils se froncèrent. Sa bouche se plissa dans un rictus hargneux. Il se dirigea vers l'extérieur d'un élan vif mais fut aussitôt agrippé par le bras. Blaise fut surpris par cette poigne ferme qui l'obligea à se retourner.

— Une dernière chose.

L'homme ne s'était pas impatienté, ne l'avait pas frappé, n'avait pas crié. Il ne s'était même pas levé. Conscient de ces détails et intrigué, Blaise décida de l'écouter, mais demeura cambré vers l'avant, conservant une tension sur son bras toujours prisonnier. Voyant qu'il avait encore l'attention de l'enfant pour quelques instants, l'homme poursuivit.

— Ma sœur, celle que tu as vue ce matin, elle m'appelle par mon prénom, celui que mes parents m'ont donné à ma naissance : Jean-Baptiste. Mais hors de ce village, je ne suis pas Jean-Baptiste Lavandier. Je suis Battisto, maître Battisto, le peintre qui a étudié et perfectionné son art à Venise, en Italie, celui que l'on fait demander de Paris à Milan, en passant par Bruges et Avignon. Celui qui travaille pour les papes et les rois. Je te dis cela pour que tu comprennes que je ne gagne pas ma vie en peignant des scènes comme celles que ton père affectionne et t'obligeait à faire. Mon art, c'est ça.

Il pointa l'intérieur de la chapelle et regarda Blaise bien en face.

— Mon garçon, je vais t'apprendre ce travail qui fait ma renommée, mais tu dois me faire confiance. Et je dois te faire confiance.

Blaise se détendit et continua à fixer le regard gris de maître Battisto, qui paraissait sincère.

— Maintenant, je vais retourner sous cet arbre et me reposer un peu avant de poursuivre vers Paris. Le temps que je fasse ma sieste est celui dont tu disposes pour prendre ta décision. Ou tu viens avec moi de ton plein gré apprendre l'art de la peinture, ou tu rentres chez ton père en suivant la route qui est là, juste devant nous. Je t'ai acheté, c'est vrai, et je serais bien fâché de perdre tout cet argent, mais, d'un autre côté, je n'ai aucune envie de travailler avec quelqu'un que l'on doit contraindre. Ce n'est pas d'un esclave que j'ai besoin, mais d'un apprenti. À toi de choisir.

Sur ces paroles, maître Battisto relâcha son étreinte, tourna les talons et alla s'étendre près de sa jument dans la fraîcheur de l'ombre et de l'herbe verte.

Blaise décida de s'asseoir un peu sur le pas de la porte de la petite chapelle. Il était confus. Maître Battisto lui avait parlé comme on parle à un adulte. Il lui avait demandé de faire un choix. Blaise était intrigué par la proposition de l'artiste, mais avait été trompé tant de fois dans sa vie qu'il hésitait à croire à ce bel avenir qu'on lui promettait. Il tergiversa pendant quelque temps, pesant le pour et le contre, étudiant les diverses possibilités qui s'offraient à lui. Bien qu'il vienne d'être acheté comme du bétail, Blaise avait l'étrange sensation d'être plus libre que jamais. Si l'homme disait vrai, le choix qu'il devait maintenant faire influencerait le reste de sa vie. Il trouva la chose pour le moins excitante. Il y avait donc le chemin vers son village, le vieil homme et son cheval, mais il y avait aussi la forêt : sombre, fraîche, invitante, rassurante. Avant que maître Battisto ne se réveille de sa sieste, Blaise avait pris sa décision.

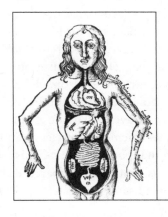

CHAPITRE 2

Angleterre, 1524

Le fouet.

L'exil.

La damnation éternelle.

Adel Knox jugeait que ces trois châtiments outre-passaient largement l'ampleur du crime commis, et cela plus particulièrement parce qu'ils s'abattaient sur une seule et même personne. Elle, en l'occurrence.

Quand la lanière de cuir était venue siffler près de ses oreilles et s'incruster dans sa chair, elle avait bien cru sa dernière heure arrivée tant la douleur avait été vive et toute puissante. Du sang s'échappait encore de son corps lacéré lorsqu'on l'avait reconduite, à demi consciente, aux portes de la ville et qu'on l'avait sommée par jugement officiel de ne plus jamais remettre les pieds à Christchurch. On l'avait laissée là, gisant dans la poussière des routes sèches du mois d'août, sous le regard des badauds, à la merci des conducteurs de charrettes qui devaient l'éviter et des charognards qui tournoyaient au-dessus de sa tête. Ainsi avait-on fouetté et exilé la veuve du marchand d'épices. Le cérémonial avait été peu pompeux. Tout avait été réglé en moins d'une heure : adieu vie rangée, fortune, maison, clients et voisins ! Adieu bien-être, douceur et confort ! Une nouvelle vie débutait sous ce couvert épais de deuils imposés. Adel n'en avait pas tellement eu conscience au début : son corps faisait trop mal pour qu'elle perçoive cette douleur lancinante qui s'était aussi emparée de son âme alors qu'on la bannissait sans pitié.

Au crépuscule, le père Patric était venu s'asseoir près d'elle, au bord de la route. Habitué depuis quelques semaines déjà à prendre soin de sa paroissienne tandis qu'elle croupissait en prison, ce soir-là, il l'avait abreuvée et nourrie pour la dernière fois. Il avait aussi demandé à une paroissienne qui l'accompagnait de bien vouloir panser les plaies de l'infortunée pécheresse. Sous le couvert peu intime de quelques buissons flétris, la femme s'était exécutée habilement et avait fait enfiler à Adel une robe simple et propre qu'elle avait apportée pour l'occasion. Le père Patric avait paru impressionné par ce geste altruiste et avait complimenté la dame pour son initiative charitable. Les joues de cette dernière s'étaient alors empourprées violemment et elle avait gloussé comme une enfant.

Comme la nuit tombait rapidement, les visiteurs ne s'étaient pas attardés. Avant de partir, le prêtre avait parlé :

— L'exil n'est rien en comparaison de ce qui t'attend si tu ne te repens pas, femme.

— Je sais, mon père. J'ai peur. Aidez-moi.

Adel avait l'habitude d'être plus loquace, mais elle était encore très faible à ce moment-là.

— Je vais t'aider. C'est pour cela que je suis là.

Constatant qu'il avait parlé d'une voix douce et rassurante, Adel crut bon de réitérer la demande qu'elle lui avait déjà adressée maintes fois alors qu'elle était incarcérée :

— Donnez-moi l'absolution, mon père, je vous en prie.

Le père Patric était entré en religion dans l'espoir d'apporter le bien à ses semblables. En regardant le visage blafard et les yeux cernés d'Adel, en entendant sa voix faible et éraillée par les cris qu'elle avait poussés plus tôt dans l'après-midi, il fut tenté d'accorder à cette pauvre femme ce qu'elle réclamait depuis si longtemps. Pourtant, il connaissait son rôle et savait qu'il ne rendrait pas service à son ouaille en agissant de la sorte. Pour obtenir l'absolution, il fallait la mériter. Le prêtre avait en cette prémisse une foi inébranlable et hélas !, pour lors, ce n'était pas le cas d'Adel Knox. Bien que sensible et vulnérable aux demandes de la pauvre femme implorante qu'il avait devant lui, le père Patric se barricada derrière ses principes et se montra intraitable. Malgré tout, c'était un homme d'espoir. Comme il croyait la rédemption encore possible au prix de certains efforts considérables (il va sans dire), il avait proposé deux choses à sa paroissienne : remplacer la vie qu'elle avait prise par une autre vie ou implorer le pardon du Seigneur en pérégrinant sur les chemins jusqu'à Compostelle, en Espagne. Il avait mijoté longtemps ces propositions et en avait même discuté avec ses confrères ecclésiastiques. Sincèrement, il pensait que l'une ou l'autre de ces actions pouvait prémunir l'âme de la criminelle contre les affreux tourments de l'enfer qui l'attendaient autrement.

Chose rare, Adel avait écouté les paroles du prêtre, car, il faut le dire, elle n'avait pas eu la force de l'interrompre pour protester. Néanmoins, elle n'avait pu s'empêcher d'émettre un petit reniflement courroucé en entendant les derniers conseils du religieux. Ces propositions frisaient la malhonnêteté et rimaient sans contredit avec « condamnation ». Dans la bouche de l'érudit, la théorie se posait comme une évidence. Toutefois, la réalité était tout autre. Adel ne se faisait plus d'illusion : ainsi, elle ne paierait pas seulement pour son crime par le fouet et l'exil, non ! Elle était aussi destinée aux flammes de l'enfer, faute d'obtenir l'absolution à cause d'un jeune prêtre buté et faute ensuite de ne pouvoir racheter sa peine ici-bas. « Remplacer la vie par la vie. » Ce n'étaient là que de belles paroles lancées en l'air par un ecclésiastique illuminé. Elle n'avait tout de même pas la faculté de ressusciter les morts ! Fallait-il qu'elle nourrisse un affamé ? Qu'elle conçoive un enfant ? Qu'elle guérisse un éclopé ? Le père Patric avait souri de façon énigmatique.

— Oui, ces actions auraient sans doute leur valeur aux yeux de Dieu, mais la véritable occasion se présentera à toi sans que tu l'aies décidé. Devras-tu entrer chez les hospitalières pour te consacrer aux malades ? Devras-tu prendre pour époux un veuf et t'occuper de sa progéniture ? Devras-tu défendre quelqu'un d'une injustice au péril de ton existence ou de ta liberté ? Nul ne peut le dire. Pas même moi. C'est là tout le mystère de cette révélation. Remplacer la vie par la vie ne sera pas une chose facile. Rejoindre le paradis ne le sera pas plus. À partir de ce jour, tu ouvriras donc les yeux et tu écouteras ton cœur. Le salut est là quelque part. À toi de le trouver.

À ces mots, Adel avait soupiré de mécontentement. Même si l'occasion lui venait de secourir quelqu'un, il ne lui suffirait pas de dire : « Va, et lave-toi au réservoir de Siloé », comme le Christ à l'aveugle, elle qui ne possédait aucun pouvoir particulier et qui doutait de sa propre foi. Quant à consacrer son énergie à des malades ou à des marmots, elle s'y refusait d'emblée. Elle avait bien assez d'elle à s'occuper ! Concernant le pèlerinage jusqu'à Compostelle, elle n'avait pas besoin de réfléchir longtemps pour comprendre qu'elle n'avait aucune chance d'y arriver avant d'avoir poussé son dernier souffle. Sincèrement, elle ne croyait pas avoir ce qu'il fallait de jeunesse et de santé pour marcher toute cette distance. En plus, elle ignorait où se trouvait la ville sainte et surtout comment s'y rendre. Aucun doute, un tel voyage était, à l'avance, voué à l'échec. L'absolution se révélait encore aux yeux d'Adel comme étant la seule option envisageable. Dans une ultime tentative, elle supplia le prêtre derechef, mais, selon son habitude, il se montra intraitable. Bientôt las, ayant déjà maintes fois fait le tour des préceptes qui justifiaient sa réponse aux allures cruelles, le père Patric et son admiratrice laissèrent Adel avec ses suppliques et ses récriminations.

Trop accablée par la douleur et la colère, Adel ne put dormir cette nuit-là. Aussi utilisa-t-elle toutes ces heures perdues dans la souffrance à détester et à maudire ce prêtre qui se disait au service des miséreux, mais qui refusait de l'aider. Peut-être n'était-elle pas assez miséreuse pour lui. Eût-il fallu qu'on l'écartèle, qu'on l'éviscère pour qu'il daigne enfin lui accorder le pardon qu'elle demandait depuis si longtemps? À l'aube, Adel avait finalement décidé de concentrer ses efforts sur quelque chose de plus constructif et avait réussi à se mettre debout toute seule. Elle avait ensuite commencé à marcher en empruntant la route qui menait vers l'est. On disait que Londres se trouvait là-bas, tout au bout. Londres n'était pas Compostelle, évidemment, mais c'était un début et c'était toujours mieux qu'en ces lieux où sa présence n'était plus tolérée.

Dans les premiers temps de ses pérégrinations, chacun de ses pas avait été une nouvelle torture qui s'abattait sur son corps meurtri. Son dos lacéré, ses pieds piqués par mille cailloux, ses jambes lourdes, son estomac vide, sa tête qui cuisait sous le soleil de plomb, ses doigts et ses orteils qui gelaient la nuit venue: toutes les minutes qui passaient avaient été autant d'épreuves qui, de l'humble avis d'Adel, auraient dû suffire à expier son crime et peut-être même tous les autres péchés qu'elle avait commis par le passé ou qu'elle commettrait à l'avenir.

Heureusement, le temps vint à bout de plusieurs de ces souffrances physiques. Son dos se cicatrisa, ses pieds et ses jambes malingres s'accoutumèrent à la marche et elle apprit à dompter son estomac qui protestait à grands cris contre la frugalité de ses repas. Avec l'arrivée du froid, elle dut voler quelques vêtements et des étoffes afin de se préserver des rigueurs de la saison. Elle se débrouillait. Elle survivait. Tout en marchant, elle pensait souvent (tantôt avec amertume, tantôt avec fierté) qu'elle avait survécu à deux châtiments. Toutefois, le troisième châtiment, la damnation éternelle, l'attendait toujours au tournant et cela lui faisait peur. Elle avait beau aborder la question en tous sens, elle avait le pressentiment que l'âme qui grille sur les flammes de l'enfer ne peut, comme les blessures physiques, se cicatriser avec le temps. Sous le joug de Satan, son âme allait souffrir jusqu'au jour dernier. Ça promettait d'être long! Ayant connu son lot de souffrances ici-bas, elle ne tenait pas à perpétuer sa douleur au-delà de la mort. Cependant, les mois passaient, elle se sentait vieillir prématurément, sa santé se dégradait et chaque jour elle risquait sa vie sur les grands chemins, seule face aux bandits, aux bêtes et aux intempéries. Elle avait la nette impression de se rapprocher rapidement de son trépas et avait du même coup pleinement conscience que sa faute était loin d'être purgée. Cette pensée l'angoissait tant qu'en rêve elle voyait régulièrement les flammes de l'enfer lui lécher les pieds. Quand elle se réveillait, elle se disait toujours: «C'est un signe, je dois me diriger vers Compostelle dès aujourd'hui.» Hélas! le moindre événement à survenir dans la journée la détournait de son objectif. Elle demeurait en Angleterre, cheminait de ville en ville là où la subsistance était plus facile, se trouvait maintes excuses pour ne pas traverser la Manche et repoussait continuellement le vrai commencement de son pèlerinage vers le pardon. Son esprit ne pouvait s'y résoudre. Quitter sa ville était une chose, mais quitter son pays en était une autre! Comment survivait-on dans un pays dont on ne connaît même pas la langue? Sans qu'elle puisse se l'expliquer, malgré la honte qu'elle en éprouvait, la survivance de son corps semblait bien plus importante que celle de son âme.

Lorsqu'elle traînait les pieds, errant d'une rue à l'autre, d'une ville à l'autre, ou lorsqu'elle était assise par terre pour mendier, elle réfléchissait beaucoup. Elle pensait au fait que, dans sa vie passée, elle avait détesté marcher et qu'il n'y avait pas beaucoup de personnes qu'elle avait autant méprisées que les mendiants. Et maintenant elle en était là, à marcher et à mendier. L'ancienne Adel aurait regardé de bien haut cette femme qu'elle était désormais. Non seulement ses nouvelles occupations lui auraient inspiré du mépris, mais son apparence négligée n'aurait assurément suscité que du dédain chez elle. Ses cheveux jadis bien coiffés tombaient épars, gris et sales sur ses épaules voûtées. Ses vêtements étaient des loques qui flottaient autour d'elle en un halo couleur terre et crasse. La peau de ses mains, de ses pieds et de son visage était burinée par la rigueur des saisons et se fendillait régulièrement sous l'effet d'une trop grande sécheresse. Sa dentition se détériorait sans cesse et résistait difficilement à la pâte raide des quignons de pain dur qu'on lui jetait. Son physique ne mentait pas sur la vie difficile qu'elle menait depuis des mois. Elle faisait peine à voir, mais c'est peut-être à cause de cela qu'elle réussissait quotidiennement à se mendier un petit quelque chose à grignoter ou qu'elle recevait à l'occasion une pièce de peu de valeur à mettre au creux de sa besace.

Adel frayait peu avec les gens qui partageaient sa condition. Elle se voyait différente de tous ces mendiants qui étaient nés dans la pauvreté et qui y mourraient très certainement. Elle avait connu mieux. Elle était issue de mieux. Et elle avait la ferme intention de finir ailleurs que dans la rue. Fille d'avocat, mariée toute jeune à un prospère marchand d'épices, elle ne se sentait pas appartenir au milieu dans lequel elle avait été propulsée contre son gré. Elle ne se trouvait aucun point commun avec tous ces gens laids, malpropres, vêtus de guenilles, pourvus de mœurs légères et d'un vocabulaire limité à trois ou quatre mots grossiers. Au milieu de ceux qui, aux yeux d'un autre, auraient pu passer pour ses semblables, Adel s'isolait, ne cherchait jamais à fraterniser. Du coup, elle était bien seule, car les riches ne voulaient pas d'elle non plus.

N'ayant donc rien de mieux à faire que ses activités de marche ou de quémande, l'exilée laissait bien du loisir à son esprit vagabond. Aussi repensait-elle très souvent à son crime. Non pas qu'elle le fît sciemment par contrition; non, en fait, elle y était plutôt obligée. Obligée quand elle n'en pouvait plus de cette vie dans laquelle elle errait. En ces moments douloureux, afin de résister à l'envie de se jeter à la rivière avec des cailloux plein les poches, elle maudissait cette époque où elle avait commis une grave erreur de jugement, puis maudissait tous ceux qui avaient participé de près ou de loin à son accusation, à son procès, à sa condamnation. Règle générale, après une bonne séance d'anathématisation, Adel retrouvait la force pour continuer encore quelques jours.

Mais le souvenir de son crime la pourchassait et se manifestait toujours sans prévenir : sous le capuce du moine relevant la tête, au détour d'une rue, au fond de l'eau sombre de la rivière où elle s'avançait pour boire, sous les traits de sa voisine de lit au moment de fermer l'œil, au plus profond de la forêt, comme une ombre entre les arbres et les pierres moussues. Oui, depuis qu'elle avait quitté sa ville natale, Adel revoyait constamment la silhouette ou le visage blafard de la jeune fille décédée par sa faute. Depuis sa tendre enfance, comme tout le monde, elle se plaisait à entendre et à narrer des histoires de revenants, mais jamais elle n'en avait vu de ses yeux auparavant. Et maintenant, à tout instant, elle apercevait la trépassée ! Au début, Adel avait cru que sa raison défaillait ; d'ailleurs, son cœur avait bien failli en faire autant quand elle avait surpris la jeune défunte en train de la dévisager entre deux étals dans un marché. Mais depuis, Adel s'était quelque peu faite à l'idée. Si elle éprouvait inévitablement des palpitations lorsque la revenante croisait sa route, elle n'en faisait plus un drame comme cette première fois où elle avait dangereusement frôlé l'hystérie sous les yeux d'un marchand de légumes et d'une bonnetière. Oui, cette journée-là, elle avait dû mobiliser toutes ses énergies pour éviter de donner un spectacle aux badauds qui arpentaient tranquillement le marché. Depuis, elle avait appris à relativiser les choses. Certes, elle voyait les morts. Enfin, elle voyait *une* morte et c'était là une nuance importante. Ensuite, sa revenante n'était pas menaçante, contrairement à bien d'autres qui, selon les histoires, tourmentaient le monde des vivants dans un esprit de vengeance et d'hostilité. Non, vraiment, sa morte n'était pas comme ça. Le fantôme de la jeune fille la poursuivait bel et bien, mais il demeurait toujours à bonne distance et toujours dans une immobilité sculpturale. Adel en était venue à la conclusion que l'événement était en soi très déconcertant, mais qu'aucun péril n'y était associé. Entretenir cette idée avait quelque chose de rassurant, aussi Adel s'y employait-elle religieusement afin de préserver son esprit de la folie.

N'empêche, les apparitions de cette gamine la replongeaient constamment dans ses souvenirs.

Cela s'était passé il y avait plusieurs mois lors d'une nuit d'été suffocante où l'air moite et raréfié privait de sommeil le commun des mortels. Adel avait été prévoyante et s'était concocté un petit mélange d'herbes de son cru avant de se mettre au lit. Elle devait bien être la seule à dormir dans tout le village quand des coups soutenus avaient retenti à sa porte. Elle s'était tirée douloureusement des vapeurs dans lesquelles elle s'était plongée quelques heures auparavant et avait suivi avec peine le jeune homme qui la mandait au nom de sa famille. Elle s'était rendue chez lui, avait parlé à sa mère en pleurs et avait accompli son ingrate tâche au chevet de la benjamine. À cette époque, Adel était chercheuse de mort. Des comme elle, il y en avait dans chaque village, dans chaque paroisse d'Angleterre. Son rôle était d'attester le décès d'un tiers, d'en déterminer la cause et de l'enregistrer dans les livres de la ville. Cette nuit-là, elle avait fait son devoir et était retournée en son logis, s'était gratifiée de quelques gorgées supplémentaires de son liquide herbeux, avait tourné de l'œil et était restée inconsciente pendant de nombreuses heures.

À son réveil, un mal de tête lancinant l'incommodait et ses muscles semblaient pétrifiés d'être trop longtemps restés immobiles. Adel avait faim et soif comme jamais. Pendant qu'elle se préparait à manger, elle avait remarqué que le temps avait changé. La terre était mouillée et un vent frais poussait au loin des nuages sombres pour accueillir le soleil levant. Il devait y avoir eu un orage pendant la nuit, mais Adel n'en avait pas eu connaissance.

Un peu plus tard dans la matinée, elle avait été étonnée de ne voir personne à la place centrale sur le parvis de l'église. Le dimanche était une journée particulièrement mouvementée au village et elle ne comprenait pas pourquoi tout était si calme. L'action semblait plutôt exceptionnellement tournée vers le cimetière qui jouxtait l'église d'où, par-dessus les épais murs de pierre, des cris et des voix se faisaient entendre.

Curieuse, Adel avait pénétré dans l'enceinte et elle avait remarqué sur sa gauche un attroupement autour d'une tombe fraîchement creusée. S'approchant afin de mieux voir ce qui causait l'émoi de ceux qui s'étaient rassemblés, elle avait constaté avec surprise qu'une femme hystérique, secouée de longs sanglots plaintifs, était agenouillée sur le sol et étreignait avec désespoir la main d'un cadavre qui dépassait de la terre meuble lavée par la pluie récente. Tout près de cette main, on avait visiblement creusé pour dégager la tête de l'infortunée qui avait probablement été ensevelie vivante. Il s'agissait d'une enfant. Quand Adel avait reconnu la femme, allongée sur la tombe, qui gémissait et caressait maintenant le petit visage sale, elle avait reconnu du même coup le pauvre être que le sort avait envoyé trop tôt dans la terre consacrée. Stupéfaite, elle n'avait pu s'empêcher de pousser un cri d'effroi. En une fraction de seconde, elle avait été prise d'un horrible pressentiment et son cœur s'était affolé. Elle allait tourner les talons lorsque la mère éplorée l'avait aperçue et désignée dans un hurlement à la foule qui n'avait pas remarqué sa présence jusque-là.

La masse en colère s'était bien vite emparée d'elle. On l'avait rouée de coups, insultée et traînée sans ménagement chez le shérif du comté. C'est là qu'emprisonnée, elle avait appris ce qu'on lui reprochait et que ses hypothèses les plus sombres avaient été confirmées. La jeune fille qu'elle avait déclarée morte ne l'était pas. Son esprit embrumé par les drogues qu'elle avait ingérées l'empêchait de se rappeler cette nuit fatidique avec clarté, mais, selon toute vraisemblance, elle avait commis une erreur. Avait-elle transpercé le gros orteil de sa longue aiguille ? Avait-elle posé sa tête sur le thorax de la petite pour surprendre l'esquisse d'un souffle, aussi modeste soit-il ? Elle ne s'en souvenait plus, mais le fait était là : elle avait attesté le décès pendant la nuit, l'enfant avait été enterrée dès le lendemain en raison de la canicule et l'orage de la nuit suivante avait lavé le sol sur sa tombe. Un adolescent avait découvert la main de la fillette dressée vers le ciel et avait tenté de dégager sa tête pour lui permettre de respirer, mais en vain. Il était trop tard. Et Adel avait dormi tout ce temps-là. Elle n'en revenait pas. Assise par terre dans sa cellule, elle avait souvent songé que si elle avait pris seulement un peu plus de sa mixture, ce soir-là, sans doute ne se serait-elle jamais réveillée pour s'apercevoir de son erreur. Un bien pour un mal, car, dans ce cas, elle aurait échappé aux châtiments physiques, mais son âme serait quand même allée pourrir en enfer sans qu'elle sache pourquoi.

Cependant, à l'heure actuelle, elle savait très bien pourquoi elle irait pourrir en enfer : elle avait fait enterrer vivante une enfant malade. Les chercheuses de mort existaient en partie pour éviter de tels drames, mais elle avait lamentablement failli à sa tâche. La pauvre fille avait dû subir plusieurs minutes d'angoisse, voire des heures, à suffoquer et à gratter la terre dans l'espoir de se libérer. En prononçant la sentence, le juge avait parlé d'une négligence criminelle infâme, d'une torture injustement imposée à une enfant innocente et à sa famille. Ces mots étaient durs, mais Adel reconnaissait qu'ils étaient justes. Le châtiment, par contre, était largement exagéré, de cela, Adel était convaincue. Après tout, elle n'avait jamais souhaité la mort de la petite ! Peut-être même que la fillette était effectivement morte lorsqu'elle l'avait examinée et qu'un miracle l'avait ramenée à la vie avant que ses parents ne la portent en terre. Rien n'était impossible. Chose certaine, elle avait fait son travail en se rendant là où on la demandait et n'était pas une véritable meurtrière. Le juge l'avait sûrement reconnu, car il ne l'avait pas condamnée à mort, mais il ne l'avait pas souligné publiquement, devant toute l'assemblée en ce jour où la sentence avait été prononcée. Au contraire, il lui avait plutôt imposé un châtiment comparable aux criminels de bas étage, et ainsi toute la communauté l'avait perçue comme une meurtrière. Adel en frémissait encore de rage. Fouette-t-on un chien qui défèque devant la porte de l'église ? Exile-t-on un coq qui chante trop tôt le matin ? Non, parce qu'ils ne sont pas responsables du geste qu'ils posent. Adel, comme le coq et le chien, ne croyait pas devoir porter le blâme de ce qui était arrivé à l'enfant.

En fait, oui. Un blâme. Elle aurait accepté un blâme et serait d'elle-même allée demander pardon à la famille de la petite, mais rien de plus, car elle se voyait aussi victime de cet affreux coup du sort. Elle ne méritait pas un tel sort, mais elle en était tout de même là, le dos marbré sous ses loques, errant de ville en ville à la recherche d'une rédemption improbable. Quelle pitié !

—•—

Par un jour d'hiver où le froid humide s'était fait roi et maître de la contrée, Adel marchait depuis des heures sur une route peu fréquentée du sud du pays. L'épaisse forêt qui l'entourait laissait échapper de sinistres craquements chaque fois que le vent se faisait trop insistant, et tombait alors sur la marcheuse un dense brouillard de neige grise qui altéra ses sens l'espace de quelques instants. Adel croyait avoir aperçu le spectre à quelques reprises depuis le matin, mais les mauvaises conditions climatiques mettaient son esprit en doute : tout, dans cette forêt voilée de neige, n'était qu'ombre et mouvement. Aussi s'efforçait-elle de percer du regard le mur blanc qui s'abattait constamment sur elle. Elle tentait de rester sur le chemin et cherchait des yeux sa poursuivante qu'elle sentait tout près. Adel s'adonnait à ce petit jeu depuis quelque temps déjà. Elle s'était rendu compte que si elle apercevait le visage cadavérique de la jeune fille par surprise, chaque fois sa réaction était forte et difficile à gérer. Son cœur battait la chamade et ses mains tremblaient pendant de longues minutes après une rencontre fortuite. À l'opposé, si Adel cherchait consciemment la présence du spectre, lorsqu'elle croisait finalement son regard vide et sombre, son corps et son esprit s'entendaient de concert pour mieux apprivoiser l'événement. Il n'y avait pas de surprise et c'était franchement mieux ainsi.

Au détour d'une courbe prononcée, c'est toutefois la vue d'un amoncellement sur la route qui la désarçonna. Un rapide coup d'œil autour d'elle eut tôt fait de l'inquiéter : elle était en pleine forêt et un obstacle à cet endroit ne pouvait qu'être une embuscade tendue par des pillards de grands chemins. Comme n'importe quel voyageur, elle craignait plus que tout ces bandes de malfrats errants qui n'hésitaient pas à recourir au meurtre afin d'obtenir l'or, l'argent ou les bijoux que pouvaient transporter les étrangers. Elle savait que leur ignominie allait souvent plus loin et des histoires horribles circulaient à propos de quelques malheureux qui s'étaient retrouvés le corps percé de part en part pour un quignon de pain ou une gourde à moitié pleine de petite bière. Le viol des voyageuses était aussi chose commune. Adel savait que, face à un groupe d'hommes des bois qui n'a pas connu de femme depuis des semaines, son apparence négligée ne la garantissait de rien. Se balader en solitaire était risqué, Adel en était consciente depuis le début, mais elle n'avait pas d'autre choix. Et là, seule au monde, obligée de choisir entre franchir une barricade hasardeuse ou faire demi-tour et s'engager de nouveau dans une traversée interminable, la femme se sentit prise au piège. Un sanglot lui monta aux lèvres et un frisson qui n'avait rien à voir avec le temps exécrable lui parcourut l'échine. Adel s'éloigna rapidement du centre de la route où elle se trouvait et alla se dissimuler derrière un grand arbre. Elle ne voulait pas rebrousser chemin. Le prochain village devait être relativement près, à condition de continuer dans la même direction. Rassemblant tout son courage, elle risqua quelques coups d'œil du côté de l'amoncellement sans perdre de vue les bois autour d'elle, à l'affût du moindre mouvement suspect. Il était difficile d'y voir, mais par moments la neige diminuait en intensité et Adel put profiter de quelques éclaircies pour avoir une meilleure vision d'ensemble.

Après s'être assurée d'un regard nerveux qu'il n'y avait pas âme qui vive dans les alentours, Adel regagna la route et, à demi accroupie, fit quelques pas rapides en direction de ce qui lui barrait le passage. La voyageuse comprit qu'une charrette renversée se trouvait en travers du chemin. Les brigands ne tendaient pas d'embuscade avec des charrettes; ils avaient plutôt tendance à les dérober pour aller les revendre à bon prix. Adel déduisit donc que des étrangers – probablement des marchands – avaient bel et bien essuyé une attaque récemment, mais que les pillards n'étaient pas assez nombreux pour retourner la charrette. Conclusion: les malfrats allaient bien évidemment rappliquer dans peu de temps, en nombre supérieur, afin de finir d'amasser leur précieux butin. Adel voulait être loin quand ils reviendraient. Elle entreprit de faire le tour de la charrette, mais fit son possible pour demeurer sur la route. Elle ne savait pas d'où arriveraient les brigands et elle tenait à se garder la possibilité de fuir d'un côté ou de l'autre.

Lorsqu'elle réussit à contourner l'obstacle, un effroyable spectacle l'attendait de l'autre côté. Un homme avait eu le corps et la tête écrasés sous le véhicule. Il baignait dans une mare de sang et de chair qui formait un trou noir bordé d'écarlate sur l'immaculé du couvert neigeux qui s'était amoncelé. Détachant rapidement son regard de cette infâme bouillie, Adel continua à balayer la scène des yeux à mesure qu'elle tentait d'avancer et cherchait à se distancer le plus possible de ce qui avait les allures d'un carnage. Un peu plus loin, deux autres hommes qui semblaient s'être battus gisaient eux aussi au milieu des traces de pas dans la neige. Leurs corps ensanglantés portaient des marques de coups de gourdin, l'arme de prédilection des maraudeurs de grands chemins. Adel pensa qu'il s'agissait sûrement du père et de son fils. Le plus vieux approchait la cinquantaine et on pouvait deviner l'âge de l'autre à ses traits lisses et ses longs membres en pleine croissance. C'était un adolescent, mais l'expression douloureuse figée sur son visage cerclé de cheveux blonds lui donnait l'air d'un enfant. Les bandits ne semblaient avoir épargné personne. L'urgence de fuir monopolisait toutes les fibres du corps d'Adel. Celle-ci ne s'attarda pas et poursuivit son chemin en évitant de marcher dans les flaques de sang qui souillaient la neige un peu partout. Elle dut enjamber des arbres que les brigands avaient couchés sur la route pour tendre leur embuscade et, une fois de l'autre côté, elle se mit à avancer plus vite. La peur au ventre, elle avait le souffle court.

N'y tenant plus et voulant s'éloigner de cette scène à tout prix, elle allait se mettre à courir comme une bête sauvage qui flaire un danger lorsque quelque chose attira soudainement son attention. À quelques pas de la route se trouvait un autre corps, celui d'une femme, tourné sur le côté et faisant face à la forêt. Adel fut bien tentée de passer son chemin, désireuse de s'arracher à cette horreur, mais quelque chose d'inouï la retint et lui fit ralentir le pas. La femme portait des bottes! Transie comme elle l'était depuis tous ces mois, Adel ne put s'empêcher de convoiter la paire de chaussures fourrées de laine de mouton. La voyageuse s'avança pour observer le corps de plus près. Sur l'heure, elle ne savait pas si la victime était morte ou non, car il n'y avait pas de trace de sang visible. Toutefois, on pouvait deviner que la femme, allongée dans cette position, était à tout le moins blessée et Adel ne souhaitait pas le moins du monde s'attarder dans les parages pour essayer de soigner ou d'aider qui que ce soit. Elle décida alors de contourner le corps. Le plan était simple : sans faire de bruit, elle vérifierait si la femme respirait. Si oui, elle la laisserait là, lui laisserait même ses bottes, et passerait son chemin au plus vite. Si, au contraire, elle ne décelait aucun signe de vie, elle enfilerait les bottes et leur rendrait un précieux service en les emmenant bien loin de ce lieu, et ce, le plus rapidement possible.

Adel s'avança donc près du corps au gabarit imposant. Celui-ci était enveloppé d'un large manteau qu'elle se surprit à reluquer avec avidité. Il n'était pas de la plus belle ni de la plus neuve des étoffes, mais elle songea qu'il la couvrirait sûrement plus efficacement que ces loques qu'elle avait dérobées quelques semaines auparavant. Lorsqu'elle pencha doucement son visage vers la dame, Adel comprit qu'elle n'avait pas à s'en faire et qu'elle était mieux de prendre tout ce qu'il lui était possible de prendre, car la femme était bel et bien morte d'un coup violent à la tempe. Adel s'affaira alors à dépouiller la malheureuse de ses bottes et les chaussa sur-le-champ, trop heureuse de bénéficier enfin d'un accoutrement plus digne de sa personne, mais surtout combien plus chaud et plus confortable que les précédentes galoches élimées et trouées qu'elle avait l'habitude de traîner par tous les chemins. Pour le manteau, elle hésita quelques secondes : elle ne voulait pas d'un vêtement taché de sang. Elle évalua dans quelle mesure il était souillé et si cela pouvait bien se camoufler. Comme elle ne voyait pas clairement l'étendue des dégâts, elle poussa le corps de la femme pour le faire rouler sur le dos et fut aussitôt prise de panique. Dans la manœuvre, le manteau s'était bel et bien ouvert comme prévu, mais de l'intérieur ainsi dévoilé venait de surgir un enfant qui observait la scène de ses grands yeux d'un noir profond. Adel demeura figée à le regarder, se demandant s'il s'agissait d'un véritable enfant ou d'une autre apparition. Le petit être, qui ne semblait pas tout à fait en âge de marcher, la fixait, immobile, l'air interrogateur et fâché à la fois. « Qui êtes-vous ? Que voulez-vous ? », semblait-il dire. Dans sa poitrine, le cœur d'Adel qui battait déjà la chamade doubla le tempo sous l'effet de la surprise.

« Qu'est-ce que je fais ? »

Adel n'avait rien d'autre que cette interrogation en tête.

L'enfant était là, tout contre le corps de sa mère qui l'avait enveloppé dans son grand manteau et mis au sein avant de mourir, probablement pour le faire taire et le cacher aux assaillants. Muet, à demi redressé sur la poitrine dénudée de sa mère, le bambin fixait Adel sans bouger. Il semblait la laisser réfléchir.

Adel ne mit pas longtemps à prendre une décision. Elle se releva. Elle ne croyait rien pouvoir faire pour lui et il était plus que temps de déguerpir. Elle tourna les talons et entendit au même moment des craquements et des voix en provenance de la forêt. Adel se retourna prestement et vit que l'enfant l'avait suivie du regard, témoin silencieux de sa lâche fuite. Le remords et l'urgence d'agir lui firent brusquement perdre toute résistance. Elle revint sur les quelques pas qu'elle avait faits et s'empara du bébé d'un geste rapide. Plaquant le petit corps chaud contre elle, elle entreprit de courir, chose qu'elle n'avait pas faite depuis des années, et ainsi elle s'éloigna du lieu de l'embuscade et des voix qui se faisaient de plus en plus sonores.

Après avoir couru pendant plusieurs minutes, Adel arriva à bout de souffle à une croisée des chemins. Elle osa un regard en arrière et constata avec soulagement qu'elle n'était pas pourchassée. Désemparée, trempée et le cœur battant à tout rompre, elle jeta un coup d'œil rapide aux indications : elle ne savait pas quelle direction prendre et tous ces noms de villes qu'elle parvenait difficilement à lire ne lui disaient rien. Néanmoins, elle devait choisir et vite, car quand bien même elle ne voyait personne à ses trousses sur l'heure, cela ne voulait pas dire qu'elle était à l'abri de tout danger. Aller dans une direction plutôt qu'une autre, ne pas rester sur place, là était son salut. Prenant un court instant pour réfléchir, elle tourna son regard vers l'enfant qu'elle transportait. Il était docile, ne semblait pas inquiet, même s'il se trouvait dans les bras d'une parfaite étrangère, et se laissait porter sans rechigner, sans se soucier des cahots du chemin. Il fixa encore son regard noir sur les prunelles d'Adel. Mal à l'aise devant tant d'intensité et trop brutalement aspirée par la réalité et les implications du geste qu'elle venait de poser (« J'ai pris le bébé ! J'ai pris le bébé ! »), Adel décida de concentrer son esprit sur un problème plus concret, plus immédiat et presque moins menaçant. Elle leva de nouveau les yeux vers l'écriteau. Dans un ultime sursaut, elle remarqua que, sous ce dernier, se tenait maintenant la jeune fille morte, sa revenante. Vêtue de son éternel linceul qui se mouillait lentement sous la neige fondante, elle pointait la gauche avec son bras tendu et son index. Adel demeura figée, interloquée, car son apparition n'avait pas l'habitude de bouger ainsi : elle ne disait jamais rien, ne faisait jamais rien et se contentait toujours de la dévisager de sa bouille d'enfant impavide. Alors qu'une partie de son cerveau tergiversait encore et la laissait faire du sur-place, incapable de détacher son regard du spectre et du panneau indicateur, Adel sentit son petit fardeau s'ébrouer contre sa poitrine haletante. Lorsqu'elle s'aperçut que le bébé avait lui aussi levé le bras et qu'il pointait son petit index rose et dodu dans la même direction que la revenante, ce fut le coup de grâce. Au bord de la crise de nerfs, en proie à un trop-plein d'émotions, Adel abandonna ses vains questionnements. Avait-elle encore le choix ? Face à ces enfants étranges et sortis de nulle part qui se liguaient visiblement contre elle, la résistance semblait futile. Elle reprit sa course dans la direction indiquée.

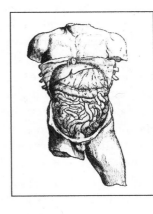

CHAPITRE 3

Paris, 1539

Maître Battisto ne s'était pas rendu au chantier depuis plusieurs jours et, lorsqu'il pénétra à pas feutrés dans ce qui allait devenir une salle de réception, il la trouva complètement changée. Les hautes fenêtres qui baignaient l'endroit d'une lumière douce et constante étaient demeurées les mêmes, imposantes et majestueuses, mais, face à celles-ci, un vaste paysage verdoyant couvrait désormais le gigantesque mur. Battisto alla se poster sous les carreaux pour contempler l'œuvre à distance. À mesure qu'il balayait la fresque de son regard critique et inquisiteur, un élan de satisfaction l'envahit : les colonnades antiques et les ruines, les arbres, les herbes hautes, les pierres et l'eau, tout avait été fait selon ses plans et correspondait à ce qu'il avait imaginé. La lumière était bien disposée et se déployait naturellement sur chaque élément du décor. Les jeux de clair-obscur suggéraient une certaine profondeur et contribuaient à créer un endroit mythique et fascinant qui allait être parfait pour faire évoluer Perséphone et Hadès, les dieux antiques dont il comptait peindre lui-même les visages un peu plus tard. Le maître porta son attention sur le ciel. Il avait permis à son apprenti de prendre certaines libertés quant à l'exécution de cet élément clé de la fresque, non sans avoir prodigué quelques recommandations au préalable. Il avait voulu un firmament qui soit à la fois sombre et lumineux, allégorie de la double identité de la déesse des enfers. Blaise avait profité de la magnanimité de son maître et avait exécuté un ciel dans les règles de l'art en y ajoutant une touche personnelle : des éclairs et une sorte de trou profond dans la couverture nuageuse. Maître Battisto fut ébloui par l'idée et approuva l'audace. Lui-même n'avait jamais tenté de peindre un jour d'orage à si grande échelle. L'apprenti avait aussi terminé le drapé des vêtements qu'allaient arborer les personnages et cela était, de loin, la partie la plus technique de l'ouvrage réservé au jeune homme. Les étoffes se gonflaient, volaient, aussi aériennes que les nuages dans le ciel ombrageux, souples et lumineuses sur la surface peinte comme si elles avaient été soulevées par un vent fort annonçant la tempête. Rapidement imbu de l'harmonie des couleurs, des formes, de la représentation dans son ensemble, Battisto fit momentanément taire ses pensées et il sentit un frisson parcourir son épiderme : pendant une fraction de seconde, le tableau l'avait aspiré, il avait été littéralement happé par l'*historia* qui y était racontée. Bien que la sublime Perséphone et le divin Hadès n'eussent pas encore été gratifiés de mains et de visages, Battisto, l'espace d'un moment, avait vécu en leur compagnie, au cœur de leur monde. Le maître peintre était parvenu, malgré lui, à oublier la technique qu'il était venu critiquer et s'était laissé envoûter par l'ensemble. Et parce qu'elle était rare et combien exquise, Battisto considérait qu'il n'y avait rien de mieux que cette impression fugace à l'empreinte indélébile que laissaient sur lui les plus beaux tableaux. C'était sans contredit une œuvre qu'il n'oublierait pas et que d'autres aussi inscriraient en leur mémoire. L'apprenti progressait constamment et étonnait de plus en plus souvent. Pour souligner son appréciation, son maître ne put s'empêcher d'applaudir avec entrain, faisant résonner le bruit sec de ses paumes contre les murs que son protégé s'affairait à peindre.

Le jeune homme, nez rivé sur son travail et entièrement captivé par quelques touches de couleur à appliquer, n'avait pas vu son maître entrer. Il sursauta et se redressa d'un bond, le regard apeuré. Son soulagement fut instantané lorsqu'il constata que tout ce vacarme était né de la satisfaction de maître Battisto envers le travail qu'il avait accompli au cours des derniers jours. Les yeux au sol, Blaise s'empourpra et afficha un sourire timide dans lequel on pouvait néanmoins discerner un brin de fierté. Le détaillant de son œil aguerri comme il venait de le faire avec la fresque, Battisto ne put s'empêcher de revoir l'enfant sauvage en lui; celui qui, agrippé sur sa monture, avait franchi en tremblant les portes de Paris une quinzaine d'années plus tôt, le regard terrifié, mais déterminé. Il avait grandi, bien sûr, mais avait toujours une tête en moins par rapport à celui qui l'avait pris sous son aile (à la grande satisfaction de ce dernier, d'ailleurs, qui, en dépit de son âge avancé, se targuait secrètement d'être le plus costaud des environs, où qu'il soit). Malgré toute la bonne nourriture que maître Battisto lui avait fait avaler depuis qu'il habitait avec lui, malgré les efforts soutenus qu'il avait mis à le remplumer, Blaise était demeuré très mince. Il avait toujours sa chevelure châtaine, broussailleuse et clairsemée. Il aurait pu être d'allure plaisante, mais malheureusement la peau de son visage s'était gâchée avec l'arrivée de l'âge ingrat. À l'âge adulte, les rougeurs avaient fini par s'atténuer, cependant elles avaient laissé de graves cicatrices derrière elles. Le jeune artiste essayait de camoufler cette tare avec une barbe éparse qui n'avait pas encore fait ses preuves, mais qui lui donnait néanmoins un brin de prestance. Du garçon émoussé qui s'était assis au bord de la petite chapelle pour réfléchir sérieusement à son avenir subsistait aussi et surtout ce regard bleu perçant constamment attiré par les dalles du plancher lorsqu'il n'était pas braqué sur un canevas d'artiste. « Au moins, se dit maître Battisto qui avait tout fait pour que Blaise montre une attitude plus avenante envers les gens, au moins, il parle. Il a appris à faire du lapis-lazuli avant de pouvoir dire clairement ce qu'il voulait pour déjeuner, mais au moins il parle. Asocial, mais doué. C'est toujours ça », se rassura-t-il en pensant à certaines personnes de sa connaissance qui correspondaient plus ou moins à ce profil et qui avaient, malgré tout, su se faire une place dans le royaume de l'image.

— Jeune homme, il faut laisser cela. Tu as fait un excellent travail, mais tu termineras un autre jour. Ce soir, nous avons une anatomie avec Gaspar De Vallon.

La voix forte et résolue de maître Battisto se répercutait sur les murs dans l'immense pièce vide tout autour de Blaise.

— Une anatomie, maître ? questionna l'apprenti, en rangeant ses pinceaux.

— Oui, je sais. C'est assez inhabituel pour cette période de l'année, toutefois De Vallon est obsédé par ce recueil qu'il veut faire, son manuel d'anatomie… à moins que ce ne soit un traité ? Bref, nous avons déjà quelques planches de complétées depuis janvier, mais ce n'est pas suffisant. Il veut terminer tout cela au plus vite. C'est d'ailleurs pour cette raison que je t'emmène. Tu dois perfectionner ta représentation des corps humains. Tu te débrouilles bien pour ce qui est des paysages, des bâtiments et des drapés, sauf que tes personnages manquent parfois de… de… de ce petit quelque chose qui leur donne la vie. Comme tu le sais, tu dois comprendre comment est fait le corps humain pour arriver à le représenter de façon plus crédible. L'anatomie, pour toi, ça sert à cela. Tous les grands artistes passent par là, mais, pour être honnête (Battisto baissa la voix d'un ton et se laissa aller à des confidences), je comptais faire tout en mon possible pour t'éviter d'y assister. Moi-même, je n'aime pas beaucoup prendre part à ces séances. C'est toujours dégoûtant et, même avec les années, je ne m'y fais pas. Mais, tu sais, il faut bien gagner sa vie et De Vallon y met le prix !

Battisto avait repris sa voix de ténor tonitruante, enthousiasmé par la perspective d'un gain notable.

— Avec le temps qui passe, je constate aussi que l'étude de la statuaire ancienne, même si tu y mets beaucoup de cœur, ne t'enseigne pas tout ce qu'il y a à savoir sur l'homme et sa représentation fidèle. Comme pour le reste, rien ne vaut l'observation directe de la nature, car, comme je le dis souvent, c'est là que se trouve la vérité! Nous aurions dû t'y mettre depuis longtemps, pardonne mes réticences. Nous nous concentrerons là-dessus désormais. Allez, nous allons être en retard!

Pendant que le maître parlait, Blaise avait rangé son matériel et nettoyé ses pinceaux. Battisto et son apprenti sortirent de la jolie demeure qu'un grand notable de la ville faisait construire pour l'une de ses maîtresses. La dame avait dû se montrer persuasive, car elle avait droit à toutes les somptuosités. Avoir des fresques ou des tableaux géants dans chaque pièce n'était pas donné à tout le monde, mais c'était la nouvelle mode des mieux nantis, l'exquis sommet du raffinement, inspiré de l'art italien. C'est d'ailleurs pourquoi on avait fait appel à Battisto et aux travailleurs de son atelier. Le maître avait fait son propre apprentissage en Italie bien des années auparavant et continuait de s'y rendre, à l'occasion, pour visiter ses connaissances, mais surtout pour voir ce qu'on y faisait de nouveau. Battisto avait beau être d'origine française, la facture de son art était assurément italienne et il tenait à ce qu'elle demeure ainsi. Si cela rebutait certains esthètes locaux plus traditionalistes, d'autres, et non les moindres, vouaient au style italien une admiration particulière. Le roi François Ier était de ceux-là. Il faisait justement construire un château somptueux à Fontainebleau et un de ses émissaires avait récemment approché le maître peintre afin qu'il aille y diriger des travaux d'envergure. Fresques, plafonds, tableaux, portraits, tapisseries et vitraux, tout, absolument tout, était au menu. L'artiste faisait mine de négocier serré chaque fois que le représentant royal se présentait à son atelier, parce qu'il aspirait à être grassement payé, cependant le mandat proposé était en réalité si alléchant et la demande d'exécution directement venue du roi si flatteuse que Battisto avait envie de pleurer de joie lorsqu'il s'attardait à y penser un peu trop longuement. Franchement, si l'argent n'avait pas été un problème, le peintre se serait déjà mis à la tâche depuis longtemps.

Dehors, l'air printanier était frais et le soleil frôlait l'horizon. Les journées étaient encore bien courtes. Blaise serra l'écharpe autour de son cou, tentant d'ignorer le vent humide et glacial qui lui léchait la peau sous ses nombreuses couches de vêtements. Réprimant les frissons qui faisaient claquer ses mâchoires, il s'enquit auprès du maître à propos de ce qu'il s'apprêtait à faire. Il avait certes déjà entendu parler de ces leçons d'anatomie au cours desquelles on découpait des cadavres et savait que plusieurs artistes étudiaient l'ossature et les muscles de cette façon. Il savait aussi que ces séances organisées par De Vallon, un ami de longue date du maître, étaient avant tout destinées aux étudiants de médecine et de chirurgie. Il ne comprenait pas trop ce qu'il allait y faire, quel rôle il allait y jouer. Sans compter que la perspective de se trouver dans la même pièce qu'un corps mutilé ne lui souriait pas tellement.

— Qu'est-ce que nous allons faire exactement chez monsieur De Vallon ?

Blaise avait parlé d'un ton neutre, comme il le faisait toujours. Pourtant, une certaine nervosité s'infiltrait lentement au creux de son estomac.

— Hum ! c'est vrai que tu en es à ta première expérience. Eh bien ! pour commencer, sache que nous serons peu nombreux et que cette séance est… secrète, en quelque sorte. À la faculté de médecine, il n'y a qu'une poignée de dissections officielles chaque année, et elles sont largement insuffisantes pour satisfaire la soif de connaissances des hommes tels que De Vallon. D'autres dissections ont lieu ailleurs et ne doivent pas être dévoilées, car souvent la matière première n'est pas acquise de façon très… orthodoxe. Tu comprends ?

Blaise n'en était pas certain. Un brouillard de mystère enveloppait cet événement, mais le maître ne semblait pas disposé à en parler de façon plus explicite. Blaise acquiesça donc et Battisto poursuivit avec les détails pratiques.

— Il y aura un corps dans la pièce et De Vallon, ou l'un de ses étudiants, l'ouvrira afin d'en étudier l'intérieur. On commencera probablement par les viscères parce que c'est ce qui se corrompt en premier. Si on n'enlève pas tout de suite les boyaux et toutes les autres parties internes, en peu de temps il va régner une odeur épouvantable, et des fluides vont s'en échapper et nous empêcher de voir ce que nous voulons examiner. J'ai déjà fait des croquis d'entrailles, mais je vais quand même te demander d'illustrer tous les organes que tu verras ce soir et nous comparerons nos esquisses par la suite.

— Pourquoi dessiner des organes internes? Je n'ai pas l'intention d'illustrer de telles choses dans mes futurs tableaux. Qu'est-ce que cela m'enseignera?

Battisto fut flatté de voir que, malgré ses appréhensions, son jeune protégé ne mettait pas en doute le fait qu'il allait bel et bien apprendre quelque chose.

— La maîtrise de soi et le sens de l'observation. Le corps est une machine des plus complexes. Je concède que pour nous, artistes, l'étude de l'ossature et de la musculature est habituellement suffisante à nos besoins. Mais si, par la plume, tu parviens à définir chaque partie de l'anatomie humaine, à comprendre les relations subtiles entre chaque composante, et ce, en imitant fidèlement la nature, rien ne sera plus à ton épreuve par la suite, crois-moi.

Mijotant cette réponse abstraite peu convaincante, Blaise continuait à marcher aux côtés de son bienfaiteur, tout à ses réflexions et quelque peu sceptique devant cette nouvelle expérience qui l'attendait. Il tenta de se rassurer en se disant que des apprentis plus jeunes que lui avaient déjà été confrontés à la chose et qu'ils s'en étaient somme toute pas si mal sortis, avec en prime de drôles d'histoires à raconter. Mais, à bien y penser, Blaise n'avait personne à qui raconter des histoires. L'argument tombait à plat.

La promenade était longue ; les marcheurs, silencieux, étaient absorbés dans leurs préoccupations respectives. Sous le ciel qui commençait à se piquer d'étoiles, Blaise comprit que ses pas ne le mèneraient pas ; comme il le pensait, jusqu'à la faculté de médecine où De Vallon était un éminent professeur. Battisto le conduisit plutôt dans une autre direction, bien plus loin, et s'arrêta devant ce qui semblait être une somptueuse demeure. À cause de l'obscurité qui s'était épaissie, Blaise ne reconnaissait ni la rue ni le bâtiment. Il était nerveux. Il n'aimait pas se trouver en terrain inconnu et savait fort bien que, sombres et peuplées de marauds, les rues de Paris, la nuit, n'étaient pas sûres. Surtout pour maître Battisto qui se faisait vieux et qui s'habillait avec tant de superbe que cela devenait une invitation insidieuse pour la racaille à venir soupeser sa bourse, ce dont l'artiste, d'ailleurs, ne semblait pas le moins du monde conscient.

Si la lune avait été plus haute dans le ciel, Blaise aurait fort probablement été un tantinet moins nerveux, et il aurait sans doute aperçu l'homme qui était sorti de cette maison et qui s'était lentement approché d'eux. S'il l'avait vu avancer, il aurait pu s'enquérir des intentions de l'inconnu avant que celui-ci saisisse le bras de Battisto d'une poigne ferme et contraignante. Mais il faisait maintenant noir comme chez le diable et l'inattendu désarçonna le jeune artiste. Blaise avait beau avoir gagné un peu de civilité au cours des années passées auprès de maître Battisto, sous l'effet de la surprise, il retrouva d'un seul coup deux réflexes en dormance depuis longtemps : se défendre et fuir. D'un habile coup d'épaule, il libéra son maître de l'étreinte de l'assaillant et, sans que qui que ce soit ait eu le temps de réagir, l'homme récolta une droite en plein visage. L'inconnu étouffa une plainte sourde et lâcha maître Battisto, qui mit un peu de temps à comprendre ce qui était arrivé. Constatant que l'attaquant s'était affalé sur le sol, Blaise empoigna la manche du maître et s'apprêtait à l'entraîner plus loin lorsqu'il s'entendit interpeller.

— Blaise!

La voix était un chuchotement, mais Blaise y reconnut toute l'autorité de son maître qui, du coup, l'obligea à s'immobiliser. Mi-fâché, mi-amusé, le vieil homme continua sèchement, dans un murmure mal contenu:

— C'est un étudiant de De Vallon! Il est là pour nous faire passer derrière la maison et nous conduire à la séance d'anatomie. Aide-le à se relever!

Blaise s'exécuta à retardement, confus. Il en voulait à l'homme de les avoir surpris (avait-on idée de sortir ainsi la nuit sans s'éclairer!) et éprouvait un malaise inexplicable devant son maître. Soutenu de part et d'autre par les visiteurs nocturnes, le guide tabassé s'astreignit à sa mission du mieux qu'il le pouvait, tentant de garder son sang-froid malgré des étourdissements évidents. Quand l'étrange trio parvint finalement à destination et pénétra dans la pièce où devait avoir lieu l'anatomie, De Vallon ne put retenir une expression de surprise en voyant la tête ensanglantée et le regard vitreux de son protégé.

Alors que maître Battisto expliquait la regrettable situation à De Vallon et que l'étudiant imprudent se remettait de ses émotions, affalé sur une chaise, Blaise restait debout près de la porte, se sentant comme un intrus dans ce monde mystérieux.

De Vallon avait allumé des lampes et des chandelles en de nombreux endroits stratégiques de la minuscule pièce mansardée. Blaise fut étonné de constater qu'on y voyait presque comme en plein jour. Une grande table de bois était disposée tout au centre du réduit et une autre table, plus petite et plus étroite, se trouvait au bout de la grande, de manière à former une sorte de T. Quelques chaises éparses et une table basse, bancale, complétaient cet ameublement de fortune. Par terre, sous la grande table, on avait placé quelques seaux vides et d'autres remplis d'eau. Il y avait aussi des paniers et une vieille boîte en bois qui semblait contenir des pièces d'étoffe et de grosses éponges. Le dessus de la grande table était dégarni, mais sur la petite on avait disposé de nombreux outils à l'éclat métallique menaçant, rigoureusement alignés sur un linge blanc.

Pendant que maître Battisto reprenait contact avec les croquis qu'il avait réalisés quelque temps auparavant, pendant l'hiver, la haute saison des anatomies, Blaise rencontra De Vallon, qui le salua distraitement et lui mit entre les mains un petit flacon de verre.

— Mets-en un peu partout, mais attention ! il y a de l'alcool là-dedans. Reste loin des flammes.

L'imposant anatomiste se désintéressa aussitôt de lui pour aller s'enquérir de son étudiant au nez cassé qui tentait de laver le sang séchant sur sa figure et sa chemise.

Blaise ouvrit le flacon avec précaution, se disant qu'un objet aussi délicat devait sûrement appartenir à une femme. De fait, une douce odeur florale, féminine, se dégagea du fin goulot et vint lui chatouiller les narines. Cela lui rappela brièvement certains étés de son enfance, les courses à travers les champs fleuris, mais il chassa vigoureusement ces images de son esprit. Blaise évitait à tout prix de penser à son ancienne vie. Il laissa couler un peu du liquide parfumé dans le creux de sa main, l'appliqua dans son cou et un peu partout sur ses vêtements. Se remémorant la mise en garde de l'anatomiste, il s'éloigna des chandelles et entreprit de verser une autre quantité de parfum dans sa chevelure.

— Battisto!

La voix avait résonné dans la pièce silencieuse comme un coup de tonnerre. C'était De Vallon qui semblait prêt à exploser de colère.

— Pour l'amour de Dieu, veux-tu bien me dire quel idiot tu nous as amené ici ce soir?

Les yeux ronds sous ses épais sourcils bruns, il attendait d'un air courroucé une réponse du maître peintre. Blaise, directement attaqué par cette remarque désobligeante, sentit le plancher se dérober sous lui et l'écarlate s'emparer de son visage. Tout à coup, il avait de nouveau huit ans et était le dernier des bons à rien, sans trop savoir pourquoi. L'apprenti se figea, le regard rivé sur la pointe de ses chaussures, se tenant prêt à essuyer un coup ou des remontrances de la part de son maître. Ce dernier, qui n'avait jamais battu Blaise et l'avait toujours traité de façon juste, défendit le jeune ingénu de sa voix forte et rassurante.

— Gaspar, sois indulgent! C'est sa première anatomie! Comment veux-tu qu'il sache que le parfum n'est pas fait pour s'en asperger, mais bien pour être répandu sur la table de dissection, sur le plancher, sur les éponges et les linges? Il n'a pas la science infuse, il est là pour apprendre. Sois un guide pour lui, mon ami, je t'en prie. Il est très doué, tu verras! Bientôt, tu seras heureux de voir tout le travail qu'il accomplira pour toi.

De Vallon grogna dans sa barbe épaisse, mais, pour démontrer un peu de bonne volonté devant ces artistes dont le la présence allait être indispensable à la réussite de son projet, il se tourna vers Blaise et précisa d'un ton contrôlé:

— C'est pour se protéger des gaz qui vont s'échapper du cadavre. Crois-moi, tu aimeras mieux sentir les fleurs que cette peste qui s'amène ici d'une minute à l'autre.

Le visage fiévreux, atterré par toute la maladresse dont il faisait preuve jusqu'à maintenant, Blaise n'attendit pas d'autres recommandations. Las d'être le centre d'attention depuis qu'il avait mis les pieds devant la maison du médecin, il s'affaira silencieusement à parfumer les lieux selon les indications de maître Battisto, qui lui jetait des regards furtifs par-dessus les feuilles gribouillées qu'il étudiait avec minutie. Un grand calme régna ainsi dans la pièce jusqu'à ce que la porte s'ouvre violemment, comme si on l'avait soudainement enfoncée d'un bon coup de pied.

Le courant d'air provoqué par l'ouverture brusque de la porte entraîna l'extinction immédiate de plusieurs chandelles et, en l'espace de quelques secondes, des ombres déferlèrent, répandant autour d'elles une atmosphère survoltée, alimentée de paroles voilées, de mises en garde et de rires étouffés. Les gens dans la pièce sursautèrent tous sans exception à la vue de cette mascarade inattendue. Les nerfs déjà tendus, Blaise laissa échapper le flacon de parfum sur le plancher et ce dernier vola en éclats. Le jeune homme remercia le ciel en constatant que personne ne paraissait avoir remarqué cette dernière bévue.

L'endroit avait pris, en un instant, les allures d'une ruche. Blaise s'était adossé à un mur non loin de son maître afin de ne pas nuire à cette parade où chacun semblait savoir exactement quoi faire, contrairement à lui. Un tel s'affairait à rallumer les lampes et les chandelles, s'assurait que la porte était fermée à clé, deux autres plaçaient minutieusement un cadavre sur la grande table, l'un faisait l'inventaire des outils, l'autre entreprenait de découper le linceul de la dépouille. Quand la pleine lumière revint, Blaise constata avec étonnement que cinq jeunes hommes, probablement des étudiants de De Vallon, avaient pris possession de l'endroit, apportant avec eux, outre un brouhaha incessant, quelque chose qui semblait être le corps d'un homme âgé. Vifs et trépassé confondus, ils étaient maintenant dix dans la pièce exiguë, mal aérée, qui aurait dû accueillir, au maximum, cinq ou six personnes. L'endroit qui était frais à l'arrivée des deux artistes s'était vite réchauffé en présence de ces garçons excités et actifs. Une touffeur humide et tiède s'installait rapidement, et les effluves floraux se mélangeaient à une odeur timide, mais persistante de putréfaction.

Bien que maintenu à l'écart de l'action depuis plusieurs minutes, Blaise, toujours adossé au mur, sentait son cœur battre la chamade et tentait en vain de ralentir sa respiration qui s'accélérait de seconde en seconde. Maître Battisto, assis tout près, avait mis de côté ses planches et dévorait des yeux la scène qui se déroulait devant lui, apparemment heureux de se trouver au cœur d'une action pareille, composée d'un juste mélange de jeunesse, d'illégalité et de soif de connaissances. L'air satisfait et détendu du maître convainquit Blaise de redoubler ses efforts pour retrouver son sang-froid. Il aurait, de loin, préféré détaler au pas de course et retourner dans la fraîcheur de la nuit parisienne, mais, conscient de sa piètre performance jusqu'à maintenant, il décida de faire tout en son pouvoir pour ne pas décevoir celui qui avait à cœur le perfectionnement de son art.

Les jambes molles, Blaise glissa subrepticement une chaise près de celle de son maître. L'apprenti demanda timidement à l'artiste de lui expliquer ce qu'il voyait.

Maître Battisto était un homme de passions. Juste après les femmes, le jeu, les femmes, la peinture, la bonne nourriture et les femmes, ce qu'il préférait, c'était la parole. Mais pas n'importe laquelle : la sienne avant toute autre, surtout quand elle pouvait servir à démontrer l'étendue de ses connaissances et impressionner son entourage. Si aux yeux de certains cela en faisait un parleur infatigable et parfois harassant, d'autres, plus aimables, disaient volontiers que c'était la principale qualité du bon pédagogue qu'il était. Quoi qu'il en soit, il ne se fit pas évasif devant la demande de son protégé. Il aimait que ce dernier lui pose des questions, car, à son avis, ce petit n'ouvrait pas la bouche assez souvent. Quand Blaise se risquait à le faire, Battisto se faisait un devoir de lui en donner à satiété.

— Regarde bien, mon jeune ami. Tu vois, on a retiré le drap et on a rasé le défunt. Maintenant, on le lave à l'eau-de-vie, mais il arrive que l'on utilise aussi du vinaigre. On procède au nettoyage tout de suite, mais tu vas voir qu'ils devront le faire assez souvent au cours de l'opération. C'est pour éviter que le mort ne nous transmette des maladies et pour nous préserver des vapeurs corrompues qui s'en échapperont bientôt. Le parfum aussi, d'ailleurs, c'est pour cela. Comme tu le vois, la tête a été couverte d'un linge et les parties honteuses aussi. On ne fait pas toujours cela, mais c'est mieux pour que tout le monde garde son attention fixée sur le geste anatomique, plutôt que de s'astreindre à des émotions inutiles ou à une curiosité malsaine. Les moins expérimentés d'entre nous peuvent éprouver une grande difficulté à ouvrir un corps dont ils aperçoivent le visage. Les yeux, le nez, la bouche… surtout chez les enfants… Je déteste anatomiser les enfants. Bref, tout cela confère une humanité, voire une sensibilité à ce qui, en réalité, n'est qu'un tas de chair. Mais il n'y a pas que cela aujourd'hui. On couvre la tête du mort spécialement parce qu'il a apparemment une blessure au crâne qui avait commencé à s'infecter et à pourrir bien avant son décès. Ça explique l'odeur qui s'installe déjà. D'habitude, ça ne pue pas autant avant deux ou trois jours, selon la température.

Maître Battisto fit une pause, car, autour de la grande table, les gestes avaient été suspendus momentanément par le professeur, Gaspar De Vallon. Réunissant ses jeunes disciples près de lui, il s'informa du déroulement de la « cueillette » du spécimen. On lui signala que tout s'était déroulé à merveille, selon le plan. D'un air satisfait, De Vallon introduisit maître Battisto et clarifia la raison de sa présence en ces lieux :

— Vous vous souviendrez de lui, car il fut présent à chacune des anatomies pratiquées au cours de l'hiver. Comme précédemment, vous procéderez à la dissection proprement dite sous ma supervision, mais nous laisserons aussi les artistes esquisser des croquis, autant à partir des organes que nous prélèverons qu'à partir du corps qui se videra lentement devant nous. Des questions ?

Un grand jeune homme, large d'épaules et à l'œil malicieux, n'attendit pas plus formelle invitation pour demander d'une voix forte :

— Et cette jolie personne à l'odeur de lavande… que vient-elle faire ici ?

Évidemment, la question ayant été posée par celui qui semblait mener le groupe, toute l'assemblée s'esclaffa à son exemple, les regards pointant impitoyablement en direction de Blaise, qui exhalait, il est vrai, des doses concentrées de parfum. Mortifié de toute cette guigne qu'il s'attirait depuis le coucher du soleil, le jeune peintre tenta de répondre, de se défendre, mais toutes les paroles qu'il aurait pu prononcer demeuraient mort-nées au bord de ses lèvres tremblantes. Blaise serra les poings. Maître Battisto lui avait enseigné à se contenir, à taire ses pulsions belliqueuses qui autrefois consti-tuaient son unique langage. «N'utilise pas tes mains pour taper sur les gens, tu finiras par les abîmer et tu ne pourras plus peindre», lui avait-il souvent répété. N'empêche, comme il n'avait pas la verve de son maître, il aurait bien foutu une raclée à cet étudiant pour lui faire ravaler ses paroles. Un lourd silence vint donc s'immiscer entre lui et ses assaillants, telle une armure qui protège le soldat au combat, mais qui entrave ses mouvements. Maître Battisto, dérangé par l'arrogance et le manque de respect dirigés vers celui qu'il considé-rait comme son fils adoptif, ne laissa pas les choses s'envenimer, d'autant qu'en voyant les veines saillir sur le front moite de son protégé, il comprenait bien l'état dans lequel cela l'avait mis. Il interpella directement celui qu'il connaissait comme étant le beau-fils de son ami Gaspar.

— Ulbert, laissez-moi vous dire ceci : je vais excuser cette fois, et cette fois uniquement, le comportement outrancier dont vous venez de faire preuve. Vous êtes jeune et vos études prestigieuses vous ont visiblement monté à la tête. Néanmoins, voici pourquoi, à l'avenir, vous devrez montrer un peu plus de respect envers cet homme. (Il pointa Blaise, qui demeurait coi sur sa chaise.) Blaise est un artiste de très grand talent qui tra-vaille avec moi depuis longtemps. C'est mon compagnon le plus doué à l'atelier. Si vous le tournez en dérision, c'est moi aussi que vous insultez et je quitterai sur-le-champ cet endroit où l'on ne nous considère pas selon notre mérite. Votre professeur devra donc trouver un autre artiste pour réaliser ce projet qui lui tient tellement à cœur, et ce, par votre faute. Me suis-je bien fait comprendre ?

Ulbert avait baissé le regard, à l'instar de ses compagnons qui avaient senti la menace peser sur eux également. Le jeune homme acquiesça à contrecœur. Son orgueil venait d'être froissé et il n'était visiblement pas habitué à être confronté de la sorte.

Impatient, désireux de mettre fin à ce quiproquo aux proportions démesurées, De Vallon ouvrit le grand volume déposé devant lui et prit la parole. Avec toute l'autorité que lui conférait son statut de professeur, il commença la leçon en interrogeant les étudiants.

— Énoncez globalement les caractéristiques de ce que vous aurez à observer au cours de cette séance d'anatomie, messieurs.

Visiblement habitués à se faire questionner de la sorte, les étudiants enchaînèrent les réponses de façon machinale :

— Le nombre et la substance des parties, monsieur.

— L'endroit où on trouve ces parties, monsieur.

— Leur taille, monsieur.

— Leur forme, monsieur.

— Les liens qu'ont ces parties avec d'autres, monsieur.

De Vallon opinait du bonnet chaque fois que quelqu'un ouvrait la bouche. L'air grave et sérieux, il poursuivit avec une autre question :

— Les anciens nous indiquent quelles étapes franchir pour effectuer la dissection du corps qui se trouve devant nous. Quelqu'un peut-il m'énumérer ces étapes ?

Un étudiant au long cou et aux cheveux bouclés leva le doigt. Il attendit que De Vallon lui octroie le droit de parole, puis d'une voix nasillarde il enchaîna des termes latins que Blaise reconnut néanmoins :

— *Venter inferior, venter medius, venter superior, vertebrae, membra.*

Cela correspondait à ce que maître Battisto avait annoncé. Blaise se demanda s'ils allaient avoir le temps de voir tout cela en une seule nuit. Y avait-il bien des parties à l'intérieur d'un corps ? L'artiste supposait que oui, mais il n'en avait aucune certitude.

— Finalement, messieurs, nommez les trois actes fondamentaux de la science anatomique.

— Couper, observer, toucher.

Un autre étudiant avait répondu prestement.

Comme les autres, ce dernier avait hâte de délaisser l'ennuyeuse théorie pour passer à la pratique. De Vallon était conscient de cela depuis le début, mais il tenait à ce que ces soirées clandestines aient au moins un encadrement pédagogique strict. Ayant suffisamment goûté au plaisir de faire attendre ses étudiants avides, il tendit le scalpel à celui qui se trouvait à sa droite. Visiblement fébrile, le jeune homme entreprit une longue incision centrale, en partant de l'os du sternum vers le pubis. Son geste était net et précis. Il passa ensuite la lame à un compagnon qui incisa le ventre de part en part, suivant en haut la ligne des côtes et en bas le tracé des hanches. L'ouverture fut agrandie par une troisième paire de mains, qui souleva, en deux sections, la mince couche musculeuse de l'abdomen et la rabattit sur les parois latérales du corps. Le foie apparut, dissimulé sous les côtes. Les étudiants notèrent au premier coup d'œil qu'il était hypertrophié et couvert de nodules. Cela sembla les exciter. Soulevant sans cérémonie le grand omentum, ce tablier graisseux qui protégeait les viscères du pauvre bougre allongé là, un étudiant écarta un peu les boyaux de l'intestin qui se trouvaient au-dessous et plongea une main confiante dans la masse visqueuse, visiblement à la recherche de quelque chose.

— La rate aussi est énorme ! s'écria-t-il peu de temps après, totalement emballé, presque ému.

Il semblait heureux de cette découverte, comme s'il venait de trouver de l'or sous ses doigts. Les autres étudiants échangèrent des regards fébriles, des paroles empressées, puis enfoncèrent tour à tour leurs mains avides dans le ventre ouvert devant eux. Ils avaient tous le même air ravi et la même matière brunâtre qui salissait leurs avant-bras jusqu'au pli du coude. En les observant, Blaise comprit qu'il n'appartenait pas à leur monde et qu'il avait beaucoup de chemin à faire avant d'en arriver à se réjouir de la vue d'un foie raboteux ou d'une rate grosse comme un chou. Après avoir échangé sur leur découverte, les étudiants sectionnèrent le grand omentum qui les empêchait de voir les viscères dans toute leur splendeur. Pressé de passer au crible le contenu du corps devant eux, De Vallon pointa chaque organe à l'aide d'une baguette qui lui évitait de se salir les mains et faisait soulever chacune des structures à l'étude par l'un de ses dévoués apprenants. Il interrogea les étudiants à tour de rôle à propos de ce qu'ils voyaient et compléta les informations reçues par une lecture à voix haute du livre devant lui.

Une fois terminée l'observation superficielle du *venter inferior* et du *venter medius*, les hommes de science prirent une pause obligée pour laisser la chance aux deux artistes d'approcher près de la table et de débuter leurs esquisses. Mû par une confiance nouvelle, Blaise se déplaça au centre de la pièce avec ses feuilles, sa plume, tournant et retournant les paroles du maître dans sa tête : « C'est mon compagnon le plus doué. » Compagnon. Battisto ne le désignait jamais comme tel. À ses débuts à l'atelier, Blaise avait été un apprenti et, malgré ses progrès et sa promotion au grade de compagnon quelques années plus tôt, maître Battisto avait continué à le considérer comme son apprenti ou, à tout le moins, à le nommer ainsi. Pas par manque de considération, Blaise le savait, mais un peu comme une mère pour qui son fils, même adulte, demeure son bébé. Ce mot, « compagnon », suivi de près par « le plus doué », tout cela résonnait en lui comme un poème, comme une marque d'affection inusitée. Blaise en était touché et cette courte phrase semblait avoir chassé le nuage noir au-dessus de sa tête. Qu'importaient, au fond, ces étudiants imbus d'eux-mêmes et leur professeur aux manières brusques?

— Prends ton temps, souffla discrètement maître Battisto au jeune homme lorsqu'ils furent installés près du cadavre.

Malgré toutes ses bonnes intentions pour s'illustrer positivement auprès de son maître, Blaise se sentit blêmir en contemplant le spectacle inusité qui s'offrait à son regard. Assis sur sa chaise près du mur quelques instants auparavant, il n'avait pas saisi l'étendue des transformations que les étudiants avaient opérées sur le mort. Il n'avait pas remarqué l'odeur particulière qui s'échappait des entrailles de celui qu'on avait découpé avec grand soin. Il n'avait pas vu cette peau retournée qui pendait mollement sur les flancs, ces vésicules de graisse jaune qui s'y accrochaient, ces côtes blanches qui pointaient, toutes ces couleurs et toutes ces formes, ces lignes qui se mélangeaient dans un désordre ordonné, dans cet espace intime, dernier bastion du secret que tout homme garde habituellement pour lui. Le spectacle était fascinant, déroutant, navrant et écœurant à la fois. Blaise, qui voyait sa respiration s'accélérer de nouveau et ses jambes s'affaiblir, fut tenté de suivre la sage recommandation de son maître et eut envie de profiter de quelques minutes pour faire le point. Pourtant, son instinct le guida vers une autre approche : dégainant son crayon comme d'autres l'épée, il décida de faire abstraction de tous ces sentiments qui se bousculaient en lui, manquant tour à tour de le faire vomir ou pleurer. Il était là pour dessiner, alors il dessina. Il s'astreignit à observer les lignes, les masses, les volumes, les ombres, les lumières, les textures, plutôt que les chairs sanguinolentes, les viscères impudiquement dévoilés, la coupure monstrueuse, les liquides qui gouttaient lentement sur la table, ce corps dans son ensemble, si humain et si mort à la fois, qui hier encore était animé d'une vie propre, d'une existence qui aurait pu mener l'homme devenu charogne à croiser le chemin de Blaise en d'autres circonstances.

Les hommes de science furent bientôt prêts à reprendre leurs activités, impatients qu'ils étaient de pousser la séance le plus loin possible avant d'aller prendre un peu de repos. La nuit était déjà bien avancée. Blaise avait complété la majeure partie de son esquisse et retourna docilement sur sa chaise près du mur à mesure que les étudiants, tels des vautours affamés, se massaient de nouveau auprès du corps et que De Vallon prodiguait ses nouvelles instructions. Les étudiants devaient se charger à tour de rôle de déloger les différents organes de la cavité abdominale. Ils s'exécutèrent avec minutie et mirent les pièces anatomiques dans des paniers pour les déposer devant Blaise, qui avait pour mandat de les reproduire dans le détail de façon individuelle. Bientôt, un amoncellement de paniers se fit autour du jeune artiste, qui ne se laissait pas démonter et qui dessinait résolument, sans fléchir, tout ce qu'on lui apportait.

Maître Battisto le regardait avec une fierté mal contenue. Il n'en revenait pas de voir à quel point Blaise pouvait se montrer vulnérable dans certaines situations et si solide dans d'autres. Le jeune homme était passé à deux doigts d'éclater lorsqu'il avait enchaîné les maladresses et qu'on l'avait insulté plus tôt dans la soirée. Plus tard, confronté à un corps mutilé pour la première fois de sa vie, il avait fait montre d'une telle maîtrise de lui-même que cela en était presque surhumain. Maître Battisto se rappelait trop bien que lui-même avait mis du temps à s'habituer aux séances d'anatomie. Il avait invariablement vomi, à chaque dissection, pendant les deux premières années où il s'y était adonné. Bien de l'eau avait coulé sous les ponts depuis ses lointains débuts en tant qu'artiste jeune et impressionnable, mais il lui arrivait encore, la nuit, de voir des images de visages retournés, d'yeux énucléés, de mains et de bras écorchés, de sexes tranchés. Quand ses rêves se remplissaient de sang, maître Battisto maudissait cette facette de son métier qui l'avait amené à se farcir la cervelle de souvenirs abominables et terrifiants dont il ne pouvait plus désormais se défaire. Battisto parlait rarement de ces défaillances gênantes de son esprit, mais un jour où il s'était ouvert à un collègue italien de passage (sous l'effet de l'alcool, probablement), ce dernier avait répondu qu'il vivait exactement la même situation, mais qu'il acceptait cet état de fait avec philosophie. Selon lui, cela contribuait à maintenir un certain équilibre dans son existence. En tant qu'artiste, il avait le privilège de percevoir le beau dans toute chose, ou presque. Bien plus, il avait l'insigne honneur de *créer* le beau, ce dont peu d'hommes peuvent se targuer. Dans la vie du maître peintre, le beau occupe donc une très grande place, mais, comme dans toute chose, un équilibre doit se faire : l'eau s'oppose au feu, le froid au chaud, le jour à la nuit, la naissance au trépas. Bref, selon l'Italien, Dieu mettait ces images d'horreur dans la tête des artistes pour éviter qu'ils ne se prennent pour Lui, afin qu'il soit bien clair pour les mortels que le beau suprême, sa persistance en l'esprit et sa création ne sont pas l'apanage des humains, mais demeurent du ressort de l'Être suprême. Une sorte de rappel à l'ordre divin, quoi !

Pour Battisto, c'était de la foutaise.

Voyant que son jeune compagnon était affairé et tenait la situation bien en main, le maître en profita pour sortir s'aérer un peu. Il déverrouilla la petite porte et se laissa envelopper par la noirceur sitôt quelques pas franchis à l'extérieur. La fraîcheur de la nuit et le silence qui régnait étaient apaisants. Le maître, qui ne connaissait pas bien les lieux, crut plus sage de poser son postérieur sur une des marches de l'escalier en haut duquel il se trouvait plutôt que de tenter de les dévaler à tâtons et risquer de se retrouver à son tour sur une table d'anatomie. Il goûta au calme pendant quelques instants, luttant contre le sommeil qui voulait reprendre ses droits à cette heure tardive. Il fut bientôt rejoint par De Vallon, qui vint s'asseoir près de lui.

Battisto esquissa, dans le noir, une grimace qui échappa à son interlocuteur. L'artiste savait pourquoi le chirurgien était venu le trouver à l'extérieur du cagibi, loin des jeunes oreilles indiscrètes. De Vallon n'était pas homme à faire des détours, aussi Battisto ne mit pas de temps à confirmer son hypothèse.

— Battisto, j'ai attendu longtemps, je pense avoir fait preuve de patience. Mais tu dois me rembourser.

— Je sais, je sais. Les temps sont durs, Gaspar. Je fais ce que je peux ! Je t'ai dit que je te rembourserais et je vais le faire, tu as ma parole. Bientôt, j'aurai un contrat très important, sauf que, maintenant, ce n'est pas le bon moment… certains engagements viennent d'être annulés et ceux qui ne l'ont pas été ne se termineront pas avant quelques semaines… Et même alors, je dois vivre, faire vivre mon atelier… Je ne sais pas quoi te dire, Gaspar, je fais tout ce que je peux.

De Vallon émit un soupir bruyant et demeura silencieux pendant quelques instants, pesant ses mots. Battisto trouva ce silence insoutenable et dut lutter contre lui-même afin de ne pas le briser. Il sentait que le chirurgien avait besoin de réfléchir.

— Il va falloir s'arranger, alors.

De Vallon avait prononcé ces paroles avec autorité. Selon toute vraisemblance, une idée germait.

— Oui, c'est certain. Qu'est-ce que tu proposes ?

— Je propose d'abord de ne plus jamais te prêter d'argent. Ces histoires sont en train de ruiner notre amitié. Ensuite, je propose que tu travailles gratuitement pour moi. Que ces planches dont j'ai besoin pour mon traité d'anatomie, tu les réalises et me les offres gracieusement. J'ai vu que ton compagnon a du talent : je veux qu'il revienne et mette aussi la main à la pâte. Finalement, pour chaque contrat que ton atelier bouclera, tu m'apporteras un pourcentage de tes gains, le jour même où tu seras payé. Bien sûr, j'aurai droit de regard sur tes livres de commandes afin de prévoir adéquatement ces dates où je recevrai une partie de mon dû. En ce qui concerne les intérêts, on verra cela plus tard avec mon banquier.

Maître Battisto acquiesçait à toutes les étapes de l'énumération. Il était clair que De Vallon avait longuement mijoté cet arrangement, et l'artiste n'avait aucun argument à y opposer. Il donna son accord, presque heureux de s'en tirer à si bon compte. Il est vrai que l'anatomiste et lui se connaissaient depuis longtemps et il se plaisait à croire que son créancier agissait de façon aussi clémente au nom de leur amitié.

L'entretien se termina rapidement et De Vallon retourna à sa dissection. De nouveau seul et frissonnant, Battisto éprouva un mélange de gêne et de gratitude en pensant à ce qui venait de se produire. Certes, il n'était pas fier de devoir autant d'argent à De Vallon et, surtout, d'avoir autant de peine à acquitter sa dette. Cependant, une partie de cette fierté avait été préservée tout au long de la conversation parce que De Vallon avait fait bien attention de ne pas aborder ces vices coûteux dont il savait l'artiste coupable. Pourtant, il aurait été facile de ramener sur le tapis des histoires de femmes ou de jeu, puisque c'étaient précisément ces « petits » écarts qui avaient mis son vieil ami sur la paille et qui entravaient constamment le remboursement de sa dette. De Vallon le savait. Et Battisto savait qu'il le savait, mais aucune allusion n'avait été faite à ce propos. Battisto en était reconnaissant.

Néanmoins, ce que le maître peintre prenait pour une délicate preuve d'amitié de la part de l'anatomiste était en fait une tactique délibérée pour s'assurer la collaboration de ce dernier. De Vallon avait ménagé la fierté du vieil homme de façon consciente et l'avait bien enchaîné à lui de sorte qu'il n'y ait aucune entrave à son projet grandiose. L'artiste avait des défauts : il parlait trop, ne savait pas compter et encore moins maîtriser ses pulsions, mais il était incontestablement le meilleur du royaume pour réaliser des planches anatomiques. Et qui plus est, son jeune compagnon à l'air hagard et maladroit semblait avoir autant de talent que lui. Avec ces deux-là, De Vallon avait bon espoir de pouvoir achever son traité en un temps record et espérait secrètement que les planches proposées rivaliseraient de beauté et d'acuité avec ce que faisaient les Italiens.

Les Italiens. Ils le préoccupaient, l'obsédaient même, depuis qu'il avait visité leur somptueux pays quelques années auparavant. Les Italiens, il l'avait remarqué depuis, étaient toujours en avance sur tout : ils lançaient les modes, inventaient de nouvelles théories, mettaient en pratique des méthodes scientifiques audacieuses, propulsaient leur mode de pensée à travers l'Europe... De Vallon les trouvait un brin pompeux, mais enviait sincèrement leur rayonnement sans égal. Depuis sa visite de Venise, Florence et Rome, l'anatomiste était profondément jaloux de ces innovations qui voyaient sans cesse le jour aux quatre coins de cette terre aux mille paysages et qui migraient, tranquillement, jusqu'à s'étendre à toute l'Europe. Depuis son retour en France, c'était une obsession : il voulait surpasser les Italiens, laisser sa trace comme eux, propulser l'inédit, être cité, admiré, quitte à ne pas en profiter de son vivant. Après tout, Galien, le père de la science anatomique, avait-il été traité en héros au cours de sa vie? Rien n'était moins sûr. Pourtant, à l'heure actuelle, en ces années d'effervescence intellectuelle, toutes les facultés de médecine citaient abondamment l'illustre anatomiste de l'Antiquité, employaient ses méthodes, vénéraient ses théories. De Vallon avait mis beaucoup de temps à réfléchir à ce qu'il allait bien pouvoir faire pour parvenir à cette gloire, à ce privilège immense qu'il revendiquait, et il avait finalement trouvé. Il allait élaborer le plus complet, le plus beau de tous les traités anatomiques de son époque. Il projetait de devenir le Galien du XVIe siècle. Rien de moins.

Bien sûr, l'idée en soi n'était pas nouvelle: les frères Ketham, Berengario da Carpi, Mondino dei Liuzzi, tous ces illustres confrères actuels ou d'une autre époque avaient réussi à laisser leur marque avec des ouvrages de semblable nature, mais De Vallon aspirait à plus. Il espérait quelque chose d'inoubliable, d'incontournable. Il voulait que son œuvre marie les récentes découvertes de la science et la fine fleur de l'art moderne. Il désirait qu'elle soit si abondamment et si réalistement illustrée que les étudiants de médecine ou de chirurgie l'utiliseraient en lieu et place du cadavre pour l'étude. Le défi était de taille et De Vallon ne reculerait devant rien pour parvenir à son objectif. La gloire et la reconnaissance étaient à sa portée. L'Europe le citerait un jour. Des jeunes pleins d'admiration se pencheraient sur son œuvre dans les siècles à venir. L'idée était là, elle avait même déjà un intitulé : *De humani corporis fabrica*, ou la structure du corps humain. N'était-ce pas magnifique ? Ne restait qu'à passer à l'action.

———•———

L'été n'était pas une saison qui se prêtait bien aux anatomies. De Vallon profita donc des mois les plus chauds pour s'enfermer dans son cabinet et rédiger en toute hâte, mais avec rigueur, les textes de son traité. Il voulait l'ouvrage colossal et travaillait en conséquence : des premiers rayons du matin jusqu'à l'extinction de la vaillante chandelle qui lui tenait compagnie de soir en soir, De Vallon grattait le papier, étalait sa prose latine, faisait goutter l'encre noire comme le fluide de son existence ; du sang d'ébène s'écoulait de la plume et glissait sur les feuilles épaisses qui absorbaient l'étendue de son savoir lettre après lettre, phrase après phrase. À mesure que les pages s'empilaient à ses côtés, il avait la grisante impression de laisser enfin une trace indélébile de son passage sur terre, une preuve de son génie qui serait bientôt reconnu et glorifié.

Maître Battisto put profiter de ces quelques mois où De Vallon ne requérait pas sa présence pour finalement se rendre à Fontainebleau et y diriger l'exécution de certaines fresques. Honoré de se trouver en ces lieux royaux, il travaillait avec assiduité, se dévouait complètement à son art. Il ne laissait rien le distraire de sa tâche grandiose, rien à part quelques inquiétudes concernant son pauvre apprenti. Pendant son absence, il avait confié la direction de l'atelier de Paris à Blaise, qui était son compagnon le plus âgé et le plus expérimenté, mais le moins sûr de lui.

Il y avait, en tout, une dizaine de garçons qui travaillaient pour lui à l'atelier du pont Saint-Michel ou sur les différents chantiers ailleurs dans la ville. Il fallait avoir un œil sur tous, leur dire quoi faire, s'assurer qu'ils le faisaient bien et leur enseigner en outre différentes techniques. Il fallait également accueillir les clients, prendre note de leurs commandes, réclamer son dû une fois les contrats terminés. Avec l'argent reçu, on devait encore payer le matériel, les employés, le loyer et les dettes. Toutes ces tâches requéraient un sens de l'organisation et un savoir-faire étendu, ce que Blaise possédait indéniablement. Toutefois, diriger l'atelier signifiait aussi, et surtout, faire affaire avec des gens. Clients ou apprentis, il fallait voir aux besoins de chacun, les guider adroitement, les mener à bon port. Blaise y parviendrait-il? Le maître redoutait la réponse à cette question. Tout au contraire de lui-même, la société n'était pas l'apanage de son protégé. Soit les autres l'ostracisaient, soit il s'excluait lui-même en se retirant dans un coin, comme si l'habitude d'être à part lui collait à la peau, le rassurait. L'éminent artiste rêvait de voir un jour Blaise à la tête de son atelier. Le jeune homme avait encore bien des croûtes à manger avant d'y arriver, si cela était possible. Il manquait d'éloquence, d'assurance, mais ne pouvait remédier à ces tares en ayant toujours derrière lui quelqu'un avec la verve et l'aplomb de Battisto.

Heureusement, le maître en était conscient et savait prendre des risques. Quoi de plus formateur que de mettre son apprenti à l'épreuve ?

L'anxiété causa des nuits blanches à Blaise pendant l'absence de Battisto. Le jeune artiste passa bien du temps à se demander pourquoi son maître avait pris une aussi stupide décision en le laissant seul pour diriger l'atelier. Il est certain qu'il connaissait bien les rouages de cette petite entreprise, mais jamais auparavant il n'avait osé s'adresser aux clients. Acculé au pied du mur, il n'avait eu d'autre choix que de le faire et il avait été surpris de constater qu'il était capable de leur parler, de les conseiller, de les écouter, sans toutefois être aussi drôle et intéressant que son maître, ce qui l'importuna tout de même un peu. Chose encore plus étonnante, ces hommes riches avec lesquels il faisait affaire semblaient, malgré cela, lui accorder respect et confiance, comme quoi une brindille insignifiante peut se mettre à grandir lorsque le chêne cesse de lui faire ombrage. Si on lui avait annoncé cela un mois auparavant, Blaise ne l'aurait jamais cru et voilà que maintenant il commençait à y prendre goût.

Qui plus est, au fil des jours, il se rendit compte que les trois autres compagnons de Battisto ne constituaient pas un problème, puisqu'ils étaient affairés sur des chantiers, connaissaient exactement leurs tâches et s'exécutaient avec sérieux. Les plus jeunes apprentis, que Blaise savait plus dissipés, auraient pu lui donner du fil à retordre, mais stratégiquement isolés les uns des autres, éparpillés çà et là entre l'atelier et les chantiers, ils se comportèrent étonnamment bien, écoutant avec patience les instructions de leur compagnon plus âgé et répondant docilement à ses demandes.

Blaise mesurait avec étonnement l'étendue de toutes ses petites victoires. Certes, il avait constamment l'impression d'avoir un sac de farine sur les épaules, il repassait inlassablement dans sa tête les choses qu'il lui restait à faire ou le discours qu'il allait servir à tel client ; il dormait peu. Néanmoins, il avait le sentiment que cela en valait la peine. Il n'avait personne à qui le dire et, de toute façon, il n'aurait probablement pas trouvé les mots pour le raconter, mais, au fond de lui-même, il sentait quelque chose grandir, se transformer, et cette émotion nouvelle lui procurait un plaisir auquel il n'avait jamais goûté. Une hirondelle qui apprend à voler, fébrile, libre et grisée de ces nouvelles sensations ; ainsi se sentait-il. Tout d'abord, il avait cru que l'échec l'attendait lorsque Battisto l'avait quitté, mais une fois lancé il avait vite compris que la nature lui avait donné ce qu'il fallait pour s'adapter.

Quand maître Battisto revint à l'atelier sans s'annoncer, un beau soir de la fin du mois de septembre, Blaise fut surpris de découvrir qu'il avait finalement été en mesure de garder le fort aussi longtemps sans trop de heurts. Le rapport à son maître fut bref, mais ce dernier en fut satisfait. Malgré quelques erreurs, Blaise s'était bien débrouillé. C'était, en soi, toute une victoire. Maître Battisto en éprouva une fierté incommensurable. Se délectant des rares paroles de son jeune compagnon comme de gouttes de rosée dans le désert, le vieil homme constata à son cœur gonflé de bonheur et à ses yeux humides qu'il ramollissait avec l'âge. Il était heureux d'être de retour, Blaise lui avait manqué et ce petit avait changé pendant son absence. Était-il devenu un homme? Battisto crut que oui. Il décida que cela méritait qu'on le souligne.

Enroulant un bras solide autour des épaules de son compagnon, Battisto l'entraîna dehors et le mena jusqu'à son auberge favorite. Le vieil artiste qui avait ramené une fortune de Fontainebleau avait été impressionné par l'autonomie nouvelle de Blaise, il était fier de lui avoir accordé sa confiance et, surtout, il n'avait pas eu l'occasion de célébrer à son goût depuis longtemps. Bref, Battisto avait le cœur à la fête.

Blaise aussi éprouvait une certaine fierté envers lui-même et appréciait grandement le retour de son maître qui ne tarissait pas de félicitations et de contentement. Toutefois, la pensée festive n'était pas naturelle chez le jeune homme. Comme tout le monde, il était déjà entré dans une auberge, mais il avait vite constaté que c'était un lieu souvent bondé à l'extrême et, en conséquence, ce n'était pas un endroit qui lui était agréable. Blaise avait toujours été mal à l'aise au milieu d'une foule, particulièrement lorsque celle-ci s'animait de rires et de cris ou lorsqu'on y était si tassé que la sueur des autres mouillait nos vêtements. En cette douce soirée automnale, l'auberge de la Porte blanche correspondait en tous points aux lieux que Blaise se faisait un devoir d'éviter à l'habitude. Mais ce soir, c'était différent. Le maître semblait si content de le revoir, il avait paru si fier de lui qu'il lui semblait impensable de refuser l'invitation. Et pour tout dire, Blaise se sentait flatté de partager un moment comme celui-ci avec son protecteur. Il se savait hautement privilégié, ne voulait pas gâcher cet instant rare et c'est pourquoi il pénétra dans la pièce surpeuplée et bruyante en tentant de faire abstraction de ses appréhensions.

Se frayant habilement un passage dans la foule animée, saluant quelques connaissances au passage, maître Battisto prit finalement place au bout d'une longue table où un groupe d'hommes s'affairait à faire rouler les dés. Battisto fit signe à son compagnon de s'installer face à lui et attira la plantureuse aubergiste d'un geste de la main. Bringuebalant le contenu de son généreux décolleté jusqu'à la table, la femme entre deux âges à la figure rougeaude déposa deux immenses verres devant eux et murmura quelques mots à l'oreille du vieil homme. La réponse du maître se limita à un large sourire, assorti d'un «plus tard», ce qui fit rire bruyamment la grosse aubergiste alors qu'elle s'éloignait déjà pour s'occuper des autres clients. Le maître esquissa un clin d'œil complice à son compagnon, puis saisit son verre et le tendit devant lui, prêt à trinquer, prêt à boire. Les deux hommes trinquèrent, burent. Le regard pétillant, Battisto asséna alors une demande incongrue à son compagnon, comme un coup de poing en plein visage :

— Parle-moi de ta famille, jeune homme.

Blaise, qui ne l'avait pas vu venir, sentit son pouls s'accélérer et le rouge lui colorer le visage. Incapable de sortir un mot de sa gorge nouée sous l'effet de l'étonnement et des émotions qui montaient en lui comme une marée d'automne, il saisit le verre posé devant lui et fit descendre la presque totalité du contenu dans son estomac. Sous le regard insistant de Battisto, qui attendait patiemment une réponse, Blaise finit par articuler :

— Je n'ai pas de famille.

Sur ce, le jeune homme leva la main pour commander un autre verre. La soirée s'annonçait encore plus pénible qu'il aurait pu l'imaginer. Au milieu de cette foule bigarrée et agitée, face au regard perçant de son maître qui lui ramenait en tête une partie de sa vie qu'il préférait oublier, Blaise se sentait pris au piège. L'envie était grande de se lever et de partir. Mais il s'obligea à rester. Il ne pouvait s'abaisser à la fuite devant Battisto.

Palpant sans difficulté le malaise qu'il avait lui-même créé à dessein, Battisto prit un air faussement attristé et continua.

— Dommage que tu te dises sans famille… puisque moi, je te considère comme mon fils.

Amusé, il vit que la mine renfrognée de son compagnon se transformait peu à peu pour laisser place à un intérêt non dissimulé. Encouragé, le vieil homme poursuivit donc :

— Depuis que je t'ai recueilli, tu n'as pas cessé de m'étonner. Tu étais déjà doté d'un talent certain pour le dessin à l'époque, mais tu as pris mes enseignements avec un tel sérieux qu'avec les années, je dois bien le reconnaître, il devient difficile de différencier les œuvres du maître de celles du compagnon. Et maintenant, mon ami, mon fils, tu m'as démontré que tu es en mesure de t'occuper d'un atelier. N'est-ce pas grandiose ? Qui aurait pu prédire que le petit chiffon que tu étais autrefois deviendrait un maître peintre à Paris quelques années plus tard ?

Une subtilité, un mot prononcé rapidement, négligemment, s'était infiltrée dans le discours de Battisto. Blaise ne put s'empêcher de relever :

— Un maître peintre ? Moi ?

— Oui ! Bien sûr, il faudra effectuer bien des démarches administratives, mais nous y verrons ! Comme il faut être marié pour faire partie de la corporation, nous te trouverons une jolie épouse, nous t'achèterons une propriété et, ainsi, tu pourras te faire admettre dans la guilde de Saint-Luc. Tu devras aussi réaliser un chef-d'œuvre qui scellera ton ascension au niveau de maître, mais nous sommes prêts à penser à tout cela, crois-moi ! Je sens que tu es mûr, jeune homme ! Quel bon travail j'ai fait avec toi ! Quel bon travail *tu* as fait !

Pendant que Battisto faisait une pause pour trinquer avec lui-même, Blaise demeurait sans mot. Une épouse ? Un atelier ? Blaise n'arrivait pas à croire ce qui parvenait à ses oreilles. Était-il vraiment prêt ou maître Battisto n'exagérait-il pas un peu ? Blaise ne voyait pas l'importance de se presser. Sa situation lui plaisait comme elle était. En même temps, il était reconnaissant, ému. Il aurait aimé être assez rapide et habile pour dire au maître qu'il le considérait effectivement comme un membre de sa famille, qu'il le considérait non pas comme un père, titre évoquant trop de malheur, mais comme un oncle bienveillant à qui il devait son avenir ; toutefois, comme à l'habitude, émotions trop vives et vocabulaire imprécis se bousculaient à la sortie. Ce fut Battisto qui reprit la parole avant que Blaise eût pu exprimer sa joie et sa gratitude.

— Tu préfères probablement penser que tu n'as aucune affiliation familiale et, lorsque j'ai des souvenirs de ton père, je comprends très bien qu'il en soit ainsi. Seulement, quand tu seras maître peintre, la reconnaissance de tes prédécesseurs, de tes influences sera importante : ce sera ta marque, la base de ton style propre, une sorte de signature visuelle que tu dois être en mesure d'expliquer et de vanter. En tant qu'artiste, sais-tu d'où tu viens ?

— Eh bien… de vous ?

— Oui, évidemment ! Mais encore ? D'où te vient cette manière de dessiner, de peindre ? Qu'est-ce qui te distingue des autres ?

Battisto s'enflammait, parlait fort, posait ses questions avec enthousiasme, voulait que Blaise prenne conscience de l'étendue de son ignorance de lui-même et de son art.

— C'est vous qui m'avez…

— Non, je te dis ! Enfin, oui, mais c'est plus que cela !

Blaise se trouvait dépourvu. Il n'avait pas vraiment d'autre réponse à offrir. Sentant que le ton montait, il ne savait pas s'il fallait attribuer cela à la bière ou à l'impatience qu'il suscitait chez son maître. Il décida de laisser Battisto continuer avec ses questions.

— Je viens d'où, moi ? Où ai-je appris ce que je sais ?

— En Italie ?

— Oui, à Venise, mon enfant. Et de qui ai-je appris ce que je sais ?

— Je l'ignore, maître.

— De Giovanni Bellini, du célèbre Giovanni Bellini. Rappelle-toi ce nom. Il a été le plus brillant de son époque. Tu sais, c'était un privilège peu commun que de travailler dans son atelier, où je suis entré à l'âge de treize ans. C'était un homme au talent exceptionnel qui, à son tour, a formé d'éminents artistes. Qui, d'après toi ?

Blaise connaissait quelques peintres français, mais aucun peintre italien. Il haussa les épaules.

— De l'atelier de Bellini est aussi sorti le grand Tiziano Vecellio, celui que l'on nomme le Titien. C'est aujourd'hui le plus grand peintre d'Italie. Les nobles s'arrachent ses œuvres ! On dit qu'il manie les couleurs, les formes et représente les espaces comme nul autre. Il tient cela de notre maître, Giovanni Bellini. Bien qu'il soit plus jeune que moi, Titien est mon frère artiste. Nous venons du même atelier, donc nous partageons une certaine parenté. Et toi, tu fais partie de cette famille illustre, mon garçon. Tu dois en être fier et le proclamer haut et fort. Pas seulement par respect pour moi, mais surtout par respect pour cette grande lignée d'artistes qui a fait de toi ce que tu es aujourd'hui. Le savoir italien traverse tes œuvres à ton insu, mais il est là. Tu ne dois pas l'ignorer, car c'est ce qui te rendra si singulier ici, à Paris, et partout ailleurs.

— Je suis content de l'apprendre. Merci, maître. Je tenterai d'être à la hauteur.

Battisto parut satisfait de la réaction de son compagnon. Il quitta Blaise quelques instants, histoire d'aller se soulager à l'extérieur. Quand il revint, il laissa le jeune homme à ses réflexions et se joignit avec entrain aux joueurs de dés qui semblaient avoir beaucoup de plaisir, à en juger par les cris qu'ils poussaient régulièrement. Battisto gagna parfois, mais perdit souvent contre ces joueurs aguerris. Chaque fois, il se commandait un verre, probablement pour diluer le goût amer de la défaite, mais il gardait le sourire.

Blaise avait observé le jeu un certain temps, mais s'était vite lassé, ne voyant pas ce qu'il pouvait y avoir de plaisant à donner de l'argent à des marauds selon l'apparition de nombres imprévisibles sur une table. Comme son maître ne semblait pas s'en lasser, lui, Blaise avait lui-même commandé quelques verres de plus et avait finalement tourné son attention vers les autres clients de l'auberge, examinant le paysage humain qui l'entourait, détaillant les physionomies, épiant involontairement des conversations qui parvenaient jusqu'à ses oreilles, repensant à ce legs « familial » dont il venait d'hériter à la suite de la discussion qu'il avait eue avec Battisto. Le temps passait, les verres vides s'alignaient autour de lui et le regard avec lequel il balayait la pièce s'alourdissait peu à peu. Ses pensées se faisaient de moins en moins concrètes, oscillant entre le rêve éveillé et une réalité assombrie par le sommeil et l'alcool. Il sursauta quand quelqu'un lui tapota l'épaule. C'était maître Battisto qui avait fini de jouer, apparemment.

— Eh bien, eh bien… On dirait que tu en as trouvé une à ton goût, mon garçon! Tu la regardes fixement depuis tout à l'heure. Les femmes, tu sais, il ne faut pas seulement les regarder!

Confus, la tête lourde, Blaise ne comprit pas les paroles de son maître qui, lui, semblait particulièrement alerte et amusé.

— Tiens, je vais l'appeler, elle va te plaire. Je la connais un peu, si tu vois ce que je veux dire...

L'esprit de Blaise avait la consistance de la vase brune qui bordait la Seine. Il vit une fille se diriger vers lui et sentit aussitôt monter l'esquisse d'un malaise, mais l'inconfort demeura miraculeusement à l'état larvaire, probablement noyé par l'alcool au creux de son estomac. La belle, qu'il avait en effet aperçue plusieurs fois au cours de la soirée, vint s'asseoir sur ses cuisses, sans invitation, et déposa un bras blanc autour de son cou. Blaise regarda de près et avec perplexité ce petit visage souriant qui s'était infiltré sans permission dans son univers. Il détailla avec lenteur l'amande des yeux, leur couleur noisette, la ligne droite du nez, la rondeur des pommettes, la saillie du menton, le rouge de la bouche entrouverte, la courbe du lobe qui jouait à cache-cache entre les bouclettes brunes aux reflets fauves. La fille s'impatienta sans qu'il comprenne pourquoi.

— Y a pas l'air décidé, votre ami !

Elle s'était adressée à Battisto, un reproche dans la voix. Elle détestait perdre son temps, surtout en fin de soirée.

Le maître fit mine de réfléchir un peu, puis éclata d'un grand rire qui résonna contre le plafond bas de la pièce.

— Je pense, ma mie, qu'il ne sait trop que faire ! Il n'a pas l'habitude des filles… ni des garçons d'ailleurs ! Ha, ha !

Battisto trouvait la situation hilarante. D'un geste, il encouragea la brunette à prendre les devants et s'amusa des réactions de son protégé en buvant un autre verre et en invitant quelques quidams autour de lui à profiter du spectacle.

Blaise en était encore à la contemplation indolente du visage de la fille lorsqu'elle attrapa sans prévenir l'une de ses mains et la plongea sans préambule à l'intérieur de son corsage. Sous ses doigts, le jeune artiste sentit soudain une chaleur brûlante, une douceur exquise toute en rondeur et une pointe agaçante au creux de sa paume. Délaissant ce visage qui l'avait fasciné quelques secondes auparavant, il porta alors son attention sur le lieu de cette sensation nouvelle et, d'un geste, il chassa le morceau de tissu qui l'empêchait de contempler ce qui était plus doux qu'une pêche entre ses doigts. Obnubilé par ce qu'il voyait, la cervelle tournant aussi aisément qu'une roue carrée, il n'avait pas conscience d'offrir une prestation, malgré les rires qui fusaient de toutes parts autour de lui. On se moquait de son regard vide et absorbé, de sa mâchoire béante, de son manque de savoir-faire. Blaise était imperméable à tout ce qui l'entourait. Il n'eut pas connaissance du fait que Battisto encouragea la fille à pousser l'exploration plus loin.

Pendant qu'il caressait son sein, la brunette s'était saisie de l'autre main du garçon et l'avait enfouie sous sa jupe pour la déposer à l'intersection de ses cuisses. Encore une fois, la chaleur qui régnait à cet endroit impressionna le garçon, qui ouvrit encore plus grand la bouche. Il souleva les sourcils et ceux-ci demeurèrent suspendus un long moment au centre de son front. Cette mimique provoqua l'hilarité de l'assemblée. Jugeant que toute cette attention était exagérée, la femme prit l'artiste en pitié. Elle saisit l'argent que Battisto avait laissé pour elle sur la table, retira les mains de Blaise de son corsage et de sous sa jupe et entraîna le pauvre inexpérimenté à l'écart, dans une petite pièce sombre sous l'escalier. Une rumeur de désapprobation chemina avec eux jusque-là. Les spectateurs auraient aimé voir la suite, mais Battisto approuva le geste de la fille. Il avait bien ri des réactions ivrognes et maladroites de son protégé, mais il ne voulait pas non plus pousser l'humiliation. Ses camarades se dispersant autour de lui, il vida le verre qu'il avait devant lui et sentit sa tête tourner d'une étrange façon. C'était signe qu'il était l'heure de partir, mais avant il appela la grosse aubergiste qui arriva, tout sourire, invariablement devancée par sa poitrine gigantesque et mouvante. À son tour, elle entraîna Battisto à l'étage supérieur.

Après en avoir terminé sous l'escalier, la fille s'était relevée, avait craché par terre et avait quitté la pièce, laissant Blaise seul dans le noir, encore aux prises avec des spasmes qui se résumaient à presque rien, mais qui ne semblaient plus vouloir s'arrêter. Hébété, il ne savait trop comment il avait abouti là, mais il profita avec délectation de ce moment étrange, de cette torpeur enveloppante qui n'avait rien à voir avec l'alcool. Assis sur un petit baril, il posa sa tête contre le mur près de lui et se laissa glisser dans un sommeil profond sans même s'en rendre compte.

Il fut brusquement réveillé par un hurlement. Il s'attendait à voir du sang sur la neige lorsqu'il ouvrit les yeux, mais il se trouvait plutôt dans une pièce exiguë, sombre, au plafond irrégulier. Présumant que le cri était issu de son rêve comme à l'habitude, il oublia ce détail et tenta de sortir de l'endroit où il avait passé la nuit. Un mal de tête sans nom s'était installé entre ses deux oreilles et, au premier pas, il s'effondra de tout son long sur le sol crasseux. Ses pieds étaient emmêlés dans quelque chose! En un instant, l'instinct de survie le ramena dix ans en arrière et il fut persuadé que son père lui avait ligoté les chevilles pendant son sommeil. Entendant un autre cri retentir au-dessus de lui, il se ressaisit. Il se rappela qu'il était à l'auberge et pensa que ce qui l'avait fait trébucher, c'étaient probablement ses culottes qu'il n'avait pas pris la peine de remonter plus tôt, au cours de la nuit. Jetant un coup d'œil à ses jambes, il fut soulagé de constater qu'il avait raison. Les hurlements s'intensifièrent dans la pièce au-dessus de lui et, lorsqu'il eut rectifié son habillement, il s'empressa d'aller voir ce qui s'y passait. L'auberge était vide, mais au deuxième étage Blaise rejoignit deux filles, dont l'une, brunette, lui disait vaguement quelque chose, deux hommes et la grosse aubergiste, à moitié nue, en larmes, dans l'embrasure de la porte d'une des chambres.

— Il a eu une attaque ! Il est mort ! braillait la lourde femme, tandis que la brunette fixait Blaise d'un air désolé.

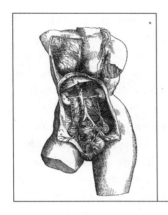

CHAPITRE 4

Le cimetière des Saints-Innocents, à Paris, n'était pas qu'un lieu de sépulture à cette époque, loin de là. C'était le cœur palpitant du quartier des Halles. À l'intérieur ou à l'extérieur de ses murs, dans les rues encombrées qui le bordaient, sous les charniers ou les arcades, on vivait, on priait, on marchandait, on se rencontrait. La nécropole n'était pas un endroit parmi tant d'autres dans cette grande ville de France. C'était un terreau où des centaines d'âmes prenaient racine et entremêlaient leurs existences de mortels jusqu'au trépas, jusqu'au fond des fosses communes. Le cimetière, c'était l'origine d'un sentiment d'appartenance qui allait bien au-delà de la simple citoyenneté, du commun accord de voisinage. Le nouveau venu y trouvait là un tissu social difficile à percer, mais tout de même perméable, dans certaines conditions. Qui possédait les bons contacts pouvait espérer y dénicher un logis, un emploi et même des amis. Malgré tout, comme ailleurs, la subsistance n'y était pas toujours aisée, mais pour celui qui était déterminé ou bénéficiait d'une quelconque expérience, il était possible de se soustraire à la grande misère. Le clerc démis de ses fonctions devenait écrivain public, la pauvre orpheline devenait lavandière et la veuve déshéritée devenait couturière. Bien entendu, tous ne réussissaient pas à pratiquer un métier aussi convenable et plusieurs s'adonnaient quotidiennement à des activités frôlant l'illicite ou versant carrément dedans. Ce n'est pas que ces citadins manquaient de respect pour les lois, mais ils préféraient fermer les yeux sur celles qui les empêchaient de mettre du pain sur leur table. Question de priorité.

Marie-Ursule n'aimait pas particulièrement l'occupation qui lui permettait de mettre du pain sur sa table à elle, mais elle savait y faire pour sûr. Elle ne niait pas y avoir pris un peu de plaisir, en de rarissimes occasions où l'un de ses clients au physique flatteur s'était montré plus tendre ou plus attentionné que toutes ces bêtes qu'elle avait l'habitude de côtoyer. Ces instants de félicité accidentels avaient surtout été provoqués par son imaginaire et non par les prouesses de son partenaire; l'espace d'un moment, en songe, elle était devenue la maîtresse d'un baron ou l'épouse d'un riche châtelain. L'esquisse d'une vie meilleure, même brève, était pour elle le plus beau des fantasmes.

Malheureusement, Marie-Ursule disposait de bien peu d'occasions pour laisser libre cours à de telles fantaisies et l'homme qui s'essoufflait devant elle à cette heure n'avait rien pour la transporter dans un rêve agréable.

À l'odeur, elle devinait aisément qu'il était poissonnier. Négligemment ouverte sur un torse velu, sa chemise était parsemée d'écailles iridescentes et ses chausses brunes étaient tachées d'un jus malodorant de couleur foncée. Elle aurait aimé qu'il eût au moins les mains propres, mais ce n'était pas le cas et l'homme ne se gênait pas le moins du monde pour les promener à souhait sur sa robe d'abord, puis sur la peau de ses seins mis à nu, sur ses cuisses, sur son sexe. Elle le laissa faire, c'est ce qu'elle faisait toujours, mais elle frissonnait, ainsi dénudée dans le froid de janvier, et elle ne pouvait détacher son regard de ces ongles noirs bordés de sang qui la parcouraient de long en large. Elle se dit qu'une fois la besogne terminée, on la prendrait à coup sûr pour la fille du poissonnier et elle se retint de rigoler lorsqu'elle imagina que, plus tard, on l'arrêterait peut-être dans la rue pour lui demander si un stock de harengs frais venait d'arriver. Quand l'homme la poussa contre le mur et chercha à se glisser en elle, son esprit prit un autre tournant. Subitement, elle se mit à regretter d'être venue à Paris. Sa mère et elle avaient dû marcher pendant des jours entiers avant d'y parvenir et tout cet exercice l'avait amaigrie. Elle était si mince que ses deux cuisses ne se touchaient même pas ! Elle n'avait que la peau et les os, et cette constitution ne convenait pas à son métier. Quand elle était plus grasse, elle avait parfois la chance de mystifier ses clients en serrant tout simplement les cuisses au moment venu et en laissant les étourdis battre naïvement des reins dans une alcôve humide à faible distance de son intimité. C'était mieux que rien. Quelques soupirs plus tard, ils repartaient satisfaits et elle aussi, avec l'impression d'avoir gardé une partie de la marchandise pour elle, tout en exigeant le plein prix. C'était un truc vieux comme le monde, très utile, sauf que maintenant qu'elle n'avait plus que deux brindilles en guise de jambes, c'était impossible. Elle s'était connue dans un meilleur état et pestait silencieusement contre sa mère qui avait insisté pour se rendre jusqu'à Paris et qui, depuis, l'obligeait à travailler sans relâche.

Comme s'il avait peur de salir ses beaux atours, l'homme qui venait de terminer sa besogne s'essuya à même la jupe de la fille et lui tendit sa rétribution comme promis. Le regardant s'éloigner au bout de la ruelle, elle mit un peu d'ordre dans ses vêtements, lissa sa jupe tachée, replaça sa coiffe. Les sous prestement glissés dans son bas, tout au creux de sa chaussure, elle se dirigea ensuite vers le marché où elle évita scrupuleusement de se rendre près des étals à poissons.

C'est avec un poulet rôti qu'elle se présenta à son logis, rue des Prêcheurs, à quelques pas du cimetière des Saints-Innocents. Sa mère et elle y louaient une chambre chez une veuve, Jeanne-Françoise Lefebvre, et ses quatre enfants. Cette dame native du quartier avait pris Marie-Ursule et sa mère sous son aile. À leur arrivée à Paris, elle leur avait fait connaître le voisinage et leur avait exposé les possibilités qui s'offraient à elles pour gagner leur vie. Dès les premiers contacts avec cette femme, Marie-Ursule avait compris que, si on la surnommait le Pilier, c'était peut-être à cause de son étonnante constitution physique, mais surtout parce que, dans les environs, elle était connue de tous et respectée. Grand nombre de ses concitoyens venaient la consulter à tout propos, ce qui faisait en sorte que tous lui étaient un peu redevables, d'une manière ou d'une autre. Elle était ce genre de femmes sur qui chacun pouvait compter, que ce soit pour obtenir un prêt en argent ou un conseil pour le petit dernier qui perçait des dents. Officiellement toutefois, la veuve Lefebvre était revendeuse à la toilette et prêteuse sur gages. Or donc, il y avait chez cette femme courte et corpulente une panoplie de vêtements, de bijoux, d'accessoires, d'outils, ainsi qu'un va-et-vient perpétuel. Entre les murs de son logis, on pouvait facilement rencontrer des négociants, des émailleurs, des boulangères, des drapiers, des aristocrates ou des professeurs d'université et tous se trouvaient sur un pied d'égalité devant la prêteuse qui passait sa journée assise à sa table de cuisine, une main dodue posée en permanence sur sa précieuse cassette bourrée de pièces sonnantes et trébuchantes. Intransigeante avec l'un comme avec l'autre, elle n'omit pas de réclamer l'argent du loyer lorsque Marie-Ursule franchit la porte. Bien que sa mère et la veuve Lefebvre semblaient s'être liées d'amitié, il n'y avait jamais de passe-droit : le loyer devait être payé le vendredi de chaque semaine amenée par le bon Dieu. Et invariablement, c'est à Marie-Ursule que revenait cette charge.

La mère de Marie-Ursule réussissait bien à récolter quelques sous ici et là avec son petit commerce de plantes médicinales, mais la jeune fille la soupçonnait de sacrifier aussitôt ses profits à l'achat de substances médicamenteuses qu'elle ingurgitait à toute heure. Sa mère était souffrante. Un mal étrange l'atteignait au corps à intervalles réguliers, la laissant dolente et clouée au lit pendant des jours entiers. En conséquence, elle quittait rarement le logis.

Lorsque la mère vit que Marie-Ursule payait son dû à la veuve Lefebvre, elle eut tôt fait d'exiger sa part du gâteau.

— Il doit bien en rester un peu pour ta vieille maman…

Marie-Ursule soupira bruyamment. Sa mère avait parlé d'un ton pâteux, hésitant. Visiblement, elle avait encore une fois abusé de bière à la jusquiame, un jus nauséabond qui apaisait ses tourments pendant quelques heures et qu'elle aimait se fabriquer elle-même dans une barrique au fond de la cour. En la regardant, la jeune femme constata avec colère qu'elle ne s'était pas trompée : la paupière lourde et les gestes gourds de sa mère étaient éloquents. Elle était ivre.

Faisant fi de la présence de la veuve et de ses enfants attablés, Marie-Ursule explosa :

— Et moi ? Est-ce qu'il en reste, pour moi ? Non ! Parce que je te donne tout ce que je gagne et que toi, tu le dépenses à gauche et à droite. D'ailleurs, tu ne fais que cela, dilapider notre argent. C'est quand la dernière fois où tu t'es levée et où tu es allée vendre des plantes au marché, hein ? Eh bien ! personne ne se souvient de ce jour-là parce que ça fait trop longtemps. Et moi, du matin au soir, je suis dans la rue, au marché, au cimetière, je suis partout dans cette foutue ville ! Je ne reste pas dans mon lit, moi, car si je le faisais, on mourrait de faim, maman !

La vieille femme n'en était pas à un reproche près. Elle ne se laissa pas démonter et argua à son tour :

— Allez, vas-y, plains-toi. Je ne peux pas bouger d'ici, alors, je n'ai que cela à faire, écouter tes jérémiades ! Tu travailles tous les jours pour que l'on puisse manger et se loger, soit ! Moi aussi, j'ai fait ça toute seule, et pendant des années ! Je t'ai sauvée de la mort, ma petite, ne l'oublie pas. Je t'ai non seulement sauvée ce jour-là où je t'ai trouvée dans la forêt, mais aussi tous ces autres jours où je t'ai nourrie et réchauffée, tous ces jours où je n'ai pas décidé de t'abandonner au pied d'un arbre ou à la porte d'une église. Mais ça n'a pas été facile. Moi aussi j'en ai vu passer, des hommes, de ville en ville, des Anglais, puis des Français ; j'ai mendié, volé, menti. Je me suis éreintée dans des ateliers, brisé le dos à force de te trimbaler partout. Je me suis privée de nourriture et de sommeil pour toi. Je t'ai habillée alors que je portais des loques. Je me suis rendue malade pour toi. Je t'ai donné ma vie, jeune fille, et voilà ce que je récolte…

La voix de la femme avait fléchi vers la fin. Marie-Ursule remarqua que sa mère étouffait un sanglot et cela n'était pas passé inaperçu aux oreilles de Jeanne-Françoise.

— Adel, vous avez bien fait de lui dire, à cette petite ingrate. « Honore ta mère », ça ne te rappelle rien, jeune fille ?

La veuve Lefebvre aimait adapter les paroles de Dieu et s'en servir à dessein. Pourtant, l'évocation du quatrième commandement n'était pas nécessaire; Marie-Ursule éprouvait déjà des remords. Contrite, mais encore indéniablement agacée, elle alla s'excuser à sa mère en posant un baiser rapide sur sa joue fripée. Elle en profita pour déposer le reste de l'argent à ses côtés et alla lui chercher un peu de poulet, un bout de pain et des légumes bouillis. Sa mère avait raison. Sur les routes, elles avaient rarement bénéficié d'une si abondante pitance et d'un logement aussi confortable. Marie-Ursule sentit qu'elle aurait dû être plus reconnaissante, mais la colère sourdait constamment au creux de son estomac. Cela l'empêcha de terminer son repas.

Le jour déclinait rapidement et Adel rappela à sa fille qu'une journée d'embauche aurait lieu le lendemain sur la place de Grève et que bien des aspirants travailleurs allaient y dormir, espérant, matin venu, être les premiers rencontrés par les chefs de chantiers.

— Si tu vas y offrir tes charmes, tu reviendras avec une petite fortune, à coup sûr. Et tu ferais mieux de t'y rendre au plus vite, car tu ne seras pas la seule à vouloir profiter de cette manne. Toutes les filles communes vont s'y retrouver. Crois-moi, ça va soupirer sous le pont et dans les ruelles ce soir!

Marie-Ursule n'en revenait pas. Sa mère n'avait pas mis le nez dehors depuis au moins une semaine, mais elle était, selon son habitude, au courant de tout. Il faut dire qu'avec tout ce monde qui allait et venait, bien des choses étaient énoncées en la présence d'Adel et celle-ci gardait ses oreilles très actives comparativement au reste de son corps.

Le fait d'évoquer de nouveau l'oisiveté de sa mère poussa Marie-Ursule dans ses derniers retranchements. Puisque c'était comme ça, elle allait sortir, certes, mais s'éloignerait autant que possible de la place de Grève, irait aussi loin que ses pieds fatigués la mèneraient et ferait tout son possible pour éviter de croiser le regard des hommes. Elle n'en pouvait plus de se faire dire quoi faire et quand le faire. D'autant que ce n'était tout de même pas une partie de plaisir qu'on lui suggérait !

Pour apaiser un peu sa fille courroucée, juste avant qu'elle franchisse la porte, Adel lui promit un jour de congé pour le lendemain.

— On sortira, rien que nous deux. J'ai déjà pensé à quelque chose qui va te plaire.

Marie-Ursule claqua la porte et dévala les escaliers. Elle avait une envie folle de frapper le premier passant qu'elle verrait. Comme elle redoutait d'être capable de le faire réellement, elle prit quelques secondes pour se calmer, dans la ruelle. Après avoir étouffé quelques larmes de rage, elle respira à fond et pénétra dans le brouhaha de la rue animée. Sans réfléchir, elle se dirigea vers la place de Grève, où des dizaines d'hommes semblaient l'attendre.

—•—

Lorsqu'elle tourna le coin de la rue et s'engouffra dans la ruelle qui la ramenait à la maison, il était très tard. Sa mère avait eu raison une fois de plus : Marie-Ursule s'était fait une petite fortune à la place de Grève. Elle aurait pu y rester jusqu'aux aurores, mais son corps avait atteint la limite, sans compter qu'elle tombait de fatigue. Éreintée, elle n'aspirait qu'à fermer les yeux au plus vite.

Quand elle trouva Jacques, le fils aîné de sa propriétaire, au bas des marches qui menaient à l'appartement du premier étage, elle fut donc légèrement contrariée : elle n'avait aucune envie de savoir ce qu'il faisait à cet endroit et aurait tout donné pour éviter de lui parler. Mais le garçon était là et il avait un drôle d'air. Marie-Ursule se demanda si sa mère ne l'avait pas mis à la porte.

— Qu'est-ce que tu fiches dehors à cette heure ? T'as fait une bêtise ?

— Non. C'est plutôt le contraire.

— Bon, tant mieux. Alors, tu fais une commission pour ta mère ? Tu attends quelqu'un, c'est ça ?

— La commission, je l'ai déjà faite, et oui, j'attends quelqu'un.

— D'accord, je te laisse à tes occupations. Moi, je rentre.

Le garçon, qui était assis sur la première marche du bas, lui barra la route de son long bras décharné d'adolescent en pleine croissance.

— Je n'ai pas envie de jouer. Laisse-moi passer, gronda gentiment Marie-Ursule.

Jacques parut décontenancé pendant un instant. Il se leva brusquement et Marie-Ursule constata qu'il la dépassait d'une bonne tête. Le jeune homme demeurait immobile devant elle, l'air d'hésiter.

— Qu'est-ce que tu fais ? Bouge-toi un peu de là que je passe !

Marie-Ursule s'impatientait. Elle était lasse et à bout de patience. Elle songeait sérieusement à pousser le gamin quand, d'un geste précipité, il lui colla un baiser maladroit sur la bouche. Surprise, elle recula.

— Mais qu'est-ce que tu fais ?

— Je… suis désolé… C'est pas comme ça qu'il faut faire ?

— Faire quoi ? Qu'est-ce qui te prend ?

— Est-ce que je peux te toucher ici ?

— Non !

Elle repoussa violemment la main que l'impudent avançait vers sa poitrine. Jacques commençait sérieusement à l'énerver.

Le jeune homme semblait déçu, mais il ne se laissa pas déconcerter. Voyant que la technique de base ne fonctionnait pas, il enchaîna avec une tout autre stratégie.

— C'est toi que j'attendais. Ma mère m'a dit que, ce soir, je pouvais profiter de tes services gratis.

Marie-Ursule était éberluée. Hormis sa mère, personne ne lui avait jamais imposé un client, et le jour où elle permettrait qu'une tierce personne s'approprie ce droit n'était pas encore venu. Elle tenta de bousculer Jacques, qui lui barrait toujours le passage. La jeune fille n'avait qu'une idée en tête.

— Ça ne fonctionne pas comme ça ! Je vais grimper lui dire deux mots, à ta mère, moi !

Le garçon ne la retint pas. Alors qu'elle montait les escaliers avec le feu au derrière, il laissa échapper quelques paroles qui changèrent la donne :

— Alors, tu devras réveiller la tienne aussi. Elle est d'accord avec cet arrangement.

Cette fois, Marie-Ursule était allée au bout de ses peines pour la journée. Jeanne-Françoise et sa mère semblaient avoir conclu cet étrange marché pour une raison qu'elle ne connaissait pas. Adel avait carrément dépassé les bornes, avait manqué de jugement, de respect envers elle. La percevait-elle donc comme un objet quelconque ? Croyait-elle qu'elle aimait tellement son métier qu'elle était disposée à être marchandée, bonne à prêter ? Marie-Ursule fulminait. Elle envoya paître le gamin et continua de gravir les marches avec la ferme intention d'obtenir les explications qui s'imposaient.

Agissant avec tous les droits de l'homme de la maison depuis la mort de son père, Jacques n'était pas habitué de se faire refuser quoi que ce soit, surtout pas ce qu'on lui avait promis. Piqué de s'être ainsi fait repousser, il s'élança donc et rattrapa Marie-Ursule avant qu'elle passe la porte. La saisissant brutalement par le poignet, il serra si fort qu'elle en grimaça de douleur. D'un ton qui se voulait autoritaire, mais qui manquait cruellement de crédibilité à cause des inflexions vocales involontaires typiques de son âge, l'adolescent balança son dernier argument :

— Remplis ta part de marché, catin, parce que je peux te forcer et dire à ma mère de vous foutre à la porte.

Décidément, Marie-Ursule avait mésestimé son adversaire. Jacques avait toutes les cartes dans son jeu pour remporter la mise. La jeune femme n'avait aucune envie d'être rudoyée et elle voulait absolument conserver ce logement qui avait été si difficile à trouver à leur arrivée dans la grande ville. Jacques avait un fort ascendant sur sa mère. Marie-Ursule ne les avait pas souvent aperçus ensemble ; le gamin était toujours parti à droite et à gauche, traînant dans les rues avec des garçons aussi louches que lui, mais elle se souvenait d'avoir vu « le Pilier » ployer sous les ordres de son aîné qui se donnait des grands airs quand il était à la maison. Jeanne-Françoise, qui aimait bien Adel, ne la voulait probablement pas hors de chez elle, mais qui sait jusqu'où elle était prête à aller pour son fils ?

Il n'y avait plus trente-six solutions. Son corps qui demandait grâce depuis des heures crut à une mauvaise blague lorsque Marie-Ursule capitula et qu'elle redescendit les escaliers d'un pas lent. Un de plus, un de moins, quelle différence, finalement ? Et puis, les enfants comme lui, Marie-Ursule savait comment leur régler leur compte en deux temps, trois mouvements. Ce serait de toute façon bien moins dangereux que de résister à ce petit criminel déterminé.

Comme prévu, elle monta se coucher très peu de temps après. Elle aurait pu réveiller toute la maisonnée pour obtenir des explications à propos de ce qui venait de se passer, mais elle était complètement fourbue. Affronter les deux matrones au beau milieu de la nuit, alors qu'elle se sentait affaiblie et vulnérable, n'était pas une bonne idée. Elle décida d'attendre au lendemain. Ces vieilles pies verraient de quel bois elle se chauffait ! Juste avant d'aller au lit, elle fouilla la pharmacopée de sa mère et dénicha ce qu'il fallait pour neutraliser les vilaines pensées qui mettaient en péril ce sommeil qu'elle espérait tant. Aussi, quand Marie-Ursule posa finalement sa tête sur l'oreiller, elle s'endormit immédiatement.

—•—

La journée était déjà très avancée lorsque Adel vint tirer sa fille de son sommeil. Marie-Ursule rechigna. Elle n'avait aucune envie de s'extirper des bras de Morphée, si doux, si chauds, si réconfortants. Quand sa mère lui lança au visage une masse froufroutante de tissu, elle ne put toutefois s'empêcher d'ouvrir les paupières. Ce faisant, ce qu'elle vit la fit sauter du lit prestement, toutes griffes dehors. Le répit avait été de courte durée.

— Mais qu'est-ce que tu as encore fait, maman ?

La voix aiguë de la jeune fille avait résonné entre les murs de la demeure et l'inhabituel trémolo qui s'y mêlait eut tôt fait de trahir son irritation.

Le logis était silencieux. Apparemment, toute la maisonnée s'était absentée, chose rare. Adel se tenait au centre de la chambre, enveloppée dans une élégante robe de velours gris à col montant. Ses cheveux étaient habilement coiffés, enserrés dans une parure de tête à la dernière mode. Marie-Ursule n'avait jamais connu sa mère aussi pimpante.

— Ne t'en fais pas, j'ai tout prévu pour toi. Avant de t'habiller, tu dois d'abord te débarbouiller. Approche.

— Pas question ! J'en ai plus qu'assez de toutes ces manigances, de tous ces plans secrets dans lesquels tu m'utilises ! C'était quoi, ce marché que tu as conclu, hier, avec la veuve ? Et pourquoi Jacques s'est-il cru le droit de réclamer mes services ? J'en ai assez, aussi, de toutes ces dépenses inconsidérées. Tu vas finir par nous jeter à la rue parce que, avec tout ça (elle pointa en direction des beaux habits), mon salaire ne suffira plus. J'en ai assez ! Tu m'entends ?

Marie-Ursule aurait aimé dire le fond de sa pensée sans pleurer, mais elle avait perdu tout sang-froid. Peu fière de sa piètre performance, sachant que ses paroles avaient perdu tout crédit maintenant que des larmes et des sanglots s'y mêlaient, elle se laissa choir sur le sol et y pleura longtemps, repliée sur elle-même. Sa mère la laissa s'épancher. Elle avait vu pire. Les gamines faisaient toujours des drames avec des riens. Marie-Ursule était encore bien jeune et elle ne comprenait pas tous les rouages de la vie des adultes. Adel savait faire preuve de patience à son égard et oubliait vite les absurdités que l'enfant pouvait proférer en ces instants troubles. Elle était persuadée que sa fille, parvenue au bout de ses larmes, serait plus réceptive à écouter ce qu'elle avait à dire, et ce fut effectivement le cas.

À l'affût de tout ce qui se racontait entre les murs de la maison de l'usurière, Adel confia à sa fille qu'elle avait récemment eu vent d'une histoire pour le moins inspirante. C'était un récit aux allures banales dans lequel il était question d'un homme riche et de son épouse frigide. Mue par un instinct de survie qui s'était lentement forgé au gré des routes, Adel était toujours attentive à débusquer un moyen pour faire plus d'argent, plus facilement, et voilà qu'elle croyait maintenant détenir la clé qui lui ouvrirait les portes de l'aisance. Comme seule cette brillante idée ne suffisait pas, elle avait comploté avec la veuve afin de la mettre en application. Maintenant que tout était en place, Adel voulait que sa fille y prenne part, qu'elle y joue un rôle d'une importance capitale qu'elle ne pouvait malheureusement pas détailler sur le moment. La femme se contenta alors d'éluder la question qui concernait le jeune Jacques. Elle rassura sa fille en lui affirmant que les vêtements ne lui avaient pas coûté un sou et elle lui parla de cette sortie très particulière qu'elles avaient à faire toutes les deux, de celui qu'elles devaient y rencontrer. Comme prévu, Marie-Ursule conserva sa moue, continua à renifler pendant que sa mère lui parlait, mais elle écouta d'une oreille attentive.

Quelque temps plus tard, mère et fille sortirent de l'appartement de Jeanne-Françoise Lefebvre, méconnaissables, toutes deux habillées et coiffées comme des aristocrates. Sous une bruine persistante, elles déambulèrent dans les rues de Paris avec le nez en l'air et le rire facile, comme si le fait de revêtir des vêtements de grandes dames leur avait fait instantanément oublier la petitesse de leur existence. Parvenues au théâtre, elles pénétrèrent dans l'enceinte trempées et totalement imbues de leurs personnages respectifs. Quand plusieurs hommes s'inclinèrent avec respect sur leur passage, les deux femmes réalisèrent, satisfaites, que le plan de l'aïeule s'amorçait sur une note très convaincante.

CHAPITRE 5

C'était jour de châtiment. Malgré les averses persis-
tantes, le vent froid et l'épaisse couverture nuageuse qui
donnait au plein jour des allures de crépuscule, une
foule réduite, mais aussi avide qu'à l'habitude, s'était
massée autour du gibet, rue de la Truanderie. Un gamin
de treize ou quatorze ans venait d'être fouetté publiquement. Ses cris avaient résonné sur la place pendant
plusieurs minutes, s'étaient fracassés contre les murs
sombres et délavés des bâtiments environnants et avaient
finalement été aspirés au cœur des ruelles étroites
jusqu'aux quartiers avoisinants. Une femme, probablement la mère de l'infortuné, l'aidait maintenant à descendre de l'estrade. Les estafilades sanguinolentes sur
le dos décharné de l'adolescent faisaient peine à voir et
les sanglots de la mère qui tentait de supporter le grand
corps à demi inerte de son fils brisaient le cœur. Blaise
se tenait à proximité, sentait l'odeur du sang et de la
transpiration du jeune homme, mais la vue de ce spectacle

navrant ne l'émouvait aucunement. L'eau qui ruisselait sur ses joues rougies par le froid venait du ciel. Ses pensées étaient ailleurs.

Maître Battisto était décédé depuis quelques mois. Depuis, Blaise avait dû s'assurer de terminer les contrats en cours d'exécution, il s'était occupé de la maigre succession et, plus récemment, il avait même dû fermer l'atelier du pont Saint-Michel, congédier les employés et en remettre la clé au notaire de Gaspar De Vallon. Apparemment, lui avait-on expliqué, Battisto avait des dettes importantes envers son ami chirurgien. La location du local était censée rapporter une belle somme, mais il semblait que cela était encore insuffisant pour rembourser la totalité de ce qui était dû.

Se dressant comme un rideau de plus en plus opaque entre la foule et le spectacle, un crachin glacé et oblique avait fait fuir les moins endurcis parmi les badauds. Ceux qui restaient étaient des inconditionnels : des spectateurs aguerris qui ne rataient jamais une représentation, qui se délectaient de la vue du sang et du craquement que font les os en se rompant. Hommes, femmes et enfants, mouillés comme des chiens, hurlant comme des bêtes, lançaient des injures, des légumes pourris ou des cailloux au prévenu qui s'avançait en grelottant vers le gibet. Le bruit des fers qui tintaient à chaque pas que faisait le misérable agissait comme une musique entraînante et soulevait la foule d'un enthousiasme morbide de plus en plus véhément. L'accusé dans la cinquantaine était visiblement transi sous la robe écrue dégoulinante qui lui collait au corps. Il peina pour monter sur l'échafaud. Le bourreau lui passa rapidement la corde autour du cou. On expliqua publiquement ce qui avait amené l'homme en aussi fâcheuse posture. On le nomma. Il était sans doute Allemand. La foule se déchaîna : assister à une pendaison était en soi assez réjouissant pour les Parisiens, mais quand le pendu était un étranger, la satisfaction décuplait. D'un geste adroit du bourreau, le nœud se serra sur la nuque du condamné qui fixait le sol. Claquait-il des dents à cause du froid mordant ou murmurait-il quelques prières dans une ultime tentative pour s'absoudre de ses péchés ? Blaise n'en avait cure. Il voulait que tout cela se termine au plus vite. Dans la foule, le paroxysme de l'excitation fut atteint lorsque l'homme perdit pied et que l'on vit son grand corps secoué de spasmes vigoureux. Une clameur monta et des applaudissements fusèrent de toutes parts quand les yeux du prévenu se révulsèrent et que sa bouche s'entrouvrit dans un rictus commun à tous les pendus. On avait déjà hâte au prochain châtiment.

Au milieu du tumulte, Blaise demeurait de marbre. Depuis des mois, depuis que Battisto avait passé l'arme à gauche, l'esprit du jeune homme semblait pétrifié, son cœur hermétique. Il sentait les jours passer sans les voir, ne se rappelait pas ce qu'il avait fait la veille ou le matin même. Quelquefois, il pensait qu'il était peut-être mort en même temps que le maître, que son âme était probablement restée quelque part sous l'escalier, à l'auberge de la Porte blanche et que seul son corps continuait à fonctionner, tel un pantin de bois actionné par une main invisible. À cette heure, son regard vide était dirigé vers l'effrayant spectacle, mais il n'y prêtait aucune attention. Tout ce qu'il attendait, c'était que le pauvre bougre cesse de s'agiter et que l'on coupe la corde une bonne fois pour toutes. Le reste, il n'en avait rien à faire. Il était donc planté là, adossé à une charrette de bois, aux premières loges grâce à une permission spéciale octroyée par la ville, et il attendait. Et il pensait à ce qui l'avait mené là.

Depuis la mort prématurée de son maître, les épreuves s'alignaient, attendaient sagement leur tour pour venir tourmenter Blaise. Tendre la main et céder un simple bout de métal à un parfait étranger avait été très éprouvant et le jeune artiste, après avoir remis les clés de l'atelier au notaire, avait été invité à suivre ce dernier jusqu'à la demeure de l'anatomiste. Apparemment, avait affirmé le vieux clerc voûté, Blaise faisait partie de la marchandise que Battisto avait mise en garantie pour le remboursement de sa dette, et ce, par un contrat dûment notarié. Le garçon devait donc offrir gracieusement ses services à De Vallon pour l'achèvement de son précieux traité. Comme maître Battisto n'avait rien laissé d'autre à son successeur que cette triste obligation, celui-ci se retrouvait sans le sou, sans logis et sans avenir non plus, puisqu'il n'était encore qu'un vulgaire compagnon, sans distinction ni renom.

De Vallon était au fait de la situation précaire du jeune artiste, aussi quand ils s'étaient rencontrés dans son cabinet privé, l'anatomiste avait fait une offre que Blaise n'avait pu refuser.

— J'estime que, si nous travaillons vite et bien, l'élaboration des planches du traité sera complétée d'ici un an, plus ou moins, puisque le travail est largement entamé. Je comprends que la perspective de travailler pour moi gratuitement ne vous sourit peut-être pas, mais la dette de maître Battisto doit se rembourser. Je comprends aussi que cela vous restreindra, pour un temps, à ne bénéficier d'aucun revenu, ce qui peut s'avérer un problème. Mais rassurez-vous, j'ai pensé à tout.

De cela, Blaise ne doutait pas. Il ne connaissait pas beaucoup l'homme qui allait l'employer, mais il savait déjà qu'il n'était pas du genre à laisser les choses au hasard. Particulièrement lorsqu'il était question de servir ses propres intérêts. Silencieux, Blaise laissa l'anatomiste poursuivre.

— Je vous offre de résider ici même, parmi nous. Enfin, ne vous méprenez pas (l'anatomiste émit un petit rire méprisant et souleva un épais sourcil sous lequel se dessinait un regard dédaigneux), ce que je veux dire, c'est que vous ferez partie de mon équipe de domestiques. Vous serez mon nouveau laquais. À cet effet, vous dormirez dans l'écurie, à l'endroit où le vieux Jaco loge déjà. Évidemment, comme tous ceux qui travaillent ici, vous serez aussi nourri à nos frais, mais, contrairement aux autres, vous ne serez pas payé, puisque c'est vous, en quelque sorte, qui me devez de l'argent. C'est d'ailleurs pourquoi vous n'allez pas uniquement dessiner pour moi. Vous devrez effectuer divers petits travaux que ma femme ou moi jugerons opportuns et m'accompagner, à l'occasion, chez les gens qui requièrent ma compétence de chirurgien. C'est ce que je peux vous offrir de mieux, vraiment. J'espère que vous saurez saisir cette occasion.

Il fit une pause soutenue, pour que Blaise puisse pleinement apprécier la charité et la magnanimité de cette proposition qui était pourtant tout sauf désintéressée. Visiblement, il attendait une réponse de la part du jeune artiste. Peut-être même un remerciement. Honnêtement, l'artiste savait bien que De Vallon avait intérêt à ce qu'il ne se retrouve pas tout à coup sans argent, ni logis, ni nourriture. S'il en devenait ainsi, il mourrait sûrement de faim et de froid quelque part sous un pont au cours de l'hiver et De Vallon, lui, n'aurait jamais les dessins qu'il lui fallait pour terminer son projet. La survie de Blaise était essentielle à l'accomplissement de son traité d'anatomie, c'était évident.

Bien que se sachant indispensable, le jeune homme avait été contraint d'accepter. Il n'aurait pas su quoi faire d'autre. Et pour tout dire, à cause du contrat notarié, signé, il pensait sincèrement n'avoir aucun autre choix pour l'instant. De toute façon, même sans l'avoir exprimé clairement, l'anatomiste avait raison : s'il refusait de travailler pour lui, Blaise finirait probablement à la rue. Aucun atelier ne cautionnerait un sans-nom aux influences italiennes qui n'honorait pas ses engagements. L'artiste vieillissait et il ne savait que peindre et dessiner. Trop tard pour apprendre un autre métier, aucun maître ne voudrait de lui.

Le plus vieux domestique de la maison, Jaco, était venu chercher Blaise et lui avait fait visiter les lieux.

Dans l'écurie, il lui avait indiqué une stalle vacante dans laquelle un lit de paille fraîche attendait. Blaise s'y installa et y déposa le peu d'objets qu'il possédait. Quelques minutes plus tard, il commençait à travailler dans le jardin de madame De Vallon et, depuis, il s'acquittait docilement, machinalement, de toutes les tâches qu'on lui attribuait.

Mais Blaise ne se retrouvait pas dans cette nouvelle existence. Il lui semblait qu'il menait la vie d'un autre.

Quelques mois auparavant, ou il y avait peut-être de cela cent ans, Blaise était un artiste. Il vivait auprès de son bienfaiteur, partageait ses journées, mangeait à sa table, buvait ses paroles, aspirait avec gourmandise l'étendue de ses connaissances. En ces temps reculés, Blaise créait, créait sans relâche. Les arbres, les champs, les ciels, les eaux, les fleurs, les bâtiments, les hommes, les femmes, les immortels. Blaise jouait quotidiennement de traits et de couleurs pour donner la vie, et le maître approuvait. De sa grosse main tachée il venait régulièrement secouer l'épaule de son protégé en signe de congratulation et Blaise en éprouvait chaque fois un frisson de plaisir. Il aimait que Battisto soit fier de lui et il avait travaillé chaque jour plus fort pour que cela soit et demeure. Il aimait le fait que chacun de ses pas vers la réussite et l'accomplissement ait été remarqué, voire étroitement surveillé par son maître. Plus que tout, il avait aimé toutes ces journées de labeur aux chantiers, ces journées où la bonne humeur de Battisto se propageait à l'ensemble des ouvriers et où l'on entendait souvent son grand rire franc et communicatif résonner à travers les pièces des somptueuses demeures ainsi que ses chants ponctués de notes incertaines s'évader en écho dans les ciels circulaires des plus belles églises.

Blaise le laquais était pour lui-même un étranger. Chaque matin, il était surpris et atterré de se réveiller le nez dans la paille au cœur d'une existence où maître Battisto n'était plus qu'un songe. Tous les jours, on lui assignait des tâches variées qui occupaient ses mains, mais qui laissaient son esprit oisif. Ainsi, il creusait par-ci, balayait par-là, clouait ceci, coupait cela, allait au marché ou aux quais, en revenait, y retournait, aidait l'un, secondait l'autre. Il était gourd, nonchalant et peu bavard. Il manquait d'expérience en tout et semblait toujours faire les choses pour la première fois. Son manque d'habileté à accomplir les tâches les plus simples irritait grandement tous ceux qui devaient travailler avec lui. Rapidement, Blaise dut endurer bien plus que des ordres à exécuter. Comme il était devenu le souffre-douleur de la maisonnée, les rires, les railleries et les insultes firent bientôt partie de son quotidien.

Blaise n'aimait personne de son entourage et tous le lui rendaient bien. Seul le vieux Jaco semblait faire exception en lui vouant une affection particulière et inexpliquée. Il ne criait jamais après lui et lui donnait des conseils avec sagesse et patience. Blaise lui en était reconnaissant, mais il demeurait méfiant. En lui, l'enfant sauvage était de retour. Il n'était absolument pas disposé à se faire un ami de Jaco, mais il ne pouvait nier que le vieil homme faisait du bien à son âme lorsque le soir, du fin fond de l'écurie, il s'écriait : « Dieu te bénisse, Blaise l'artiste. Bonne nuit. »

L'artiste. C'est vrai, c'est ce qu'il était, il n'y avait pourtant pas si longtemps. Sans les bons souhaits du boiteux, Blaise l'aurait probablement oublié, car, depuis qu'il demeurait chez De Vallon, personne n'avait encore sollicité ses talents en ce sens. Enfermé dans son cabinet du matin au soir, De Vallon se consacrait à l'écriture de son traité et ne donnait pratiquement rien à dessiner au jeune homme. Une seule fois, l'anatomiste lui avait demandé de se rendre au cimetière des Saints-Innocents et d'effectuer des croquis d'ossements. Ayant émergé momentanément de son marasme à la suite de cette demande inespérée, Blaise avait été en mesure d'apprécier cet après-midi exceptionnel où il avait enfin pu reprendre contact avec ce qui avait longtemps nourri son existence. Il s'était même réjoui de constater que le talent était encore bien vivant en lui. De retour chez De Vallon, il avait remis ses croquis à l'anatomiste qui les gardait tous dans un endroit secret, mais il avait décidé de conserver les feuilles superflues pour son usage personnel.

Dès lors, il avait employé ses rares temps libres au perfectionnement de son art. Chaque fois que cela était possible, il se rendait dans les lieux publics et observait la faune humaine autour de lui. Son œil était habitué à voir la beauté un peu partout. Il savait certes reconnaître un faciès féminin ou masculin qui plaisait à la majorité ; les beautés classiques étaient peu communes, mais faciles à repérer. Du vivant de Battisto, c'est ce qui avait captivé le jeune homme. Il avait passé de nombreuses heures à chercher, puis à tenter de reproduire fidèlement les beautés les plus exquises, les plus parfaites, ces canons rarissimes qui respectaient toutes les règles élémentaires de la gracieuse proportion, y arrivant quelquefois. Mais cette époque était révolue. La mort, en emportant son cher maître, avait écorché au passage le goût de Blaise pour les canons classiques. Le cœur du jeune homme guérissait lentement, mais la cicatrice demeurait bordée de fils noirs. Ce qui attirait son œil désormais, c'étaient les beautés moins communes, celles qui, loin de faire l'unanimité, étaient le plus souvent ignorées ou ridiculisées. Blaise affectionnait maintenant les visages émaciés, ridés, déformés. Il cherchait des faciès marqués par la vie et par la misère : les oreilles aux lobes pendants, les mentons pointés vers le haut, les nez recourbés et les yeux plissés réjouissaient le jeune artiste tout autant que les cous adipeux, les verrues proéminentes, les cheveux hirsutes, les paupières tombantes ou les bouches édentées. Il s'employait à trouver des modèles anonymes, des physiques particuliers et, pendant qu'il s'affairait à les dessiner, il se sentait rassuré à l'idée que sa misère n'était pas unique, que toutes ces physionomies peu flatteuses qui s'alignaient sur le papier devant lui reflétaient immanquablement un malheur comparable au sien. Du coup, il avait l'impression qu'il n'était plus seul.

Parfois aussi, Blaise en avait assez du malheur. Il voulait faire abstraction du sien et oublier celui des autres. En ces moments, il désertait les places publiques et profitait de ses rares journées de congé pour sortir de la ville et se rendre dans des boisés de campagne. Lorsqu'il franchissait n'importe quelle porte de Paris, au hasard de son inspiration, il marchait longtemps avant de trouver un bosquet digne de ce nom et encore plus longtemps avant de mettre les pieds dans une forêt véritable. La marche ne l'effrayait pas. Il aimait prendre la route avec son matériel et s'enfoncer dès le matin dans les bois frais, humides et odorants comme au temps où il était enfant. Il était toujours étonné de n'avoir rien perdu de son aisance parmi les êtres sylvestres. Pourtant, il ne se souvenait pas d'avoir fréquenté la forêt à l'époque où il travaillait avec Battisto; ses aptitudes remontaient donc à son enfance. Il savait encore s'orienter efficacement et son pas léger lui évitait les mauvaises rencontres. Chemin faisant, il lui arrivait de s'immobiliser de longues minutes devant une feuille séchée, une branche, un insecte ou un rongeur pour en tracer l'esquisse. Ce n'étaient pas là ses modèles habituels, mais la variété lui faisait du bien. À l'extérieur des murs de la ville, la vie lui semblait simple et belle. Ses journées de congé étaient rares, mais remplies de fugaces plaisirs et d'oubli. Lorsqu'il regagnait son lit de paille, la nuit venue, Blaise se sentait la tête reposée et animée d'une énergie nouvelle. Il dormait alors en paix jusqu'au lendemain où les travaux, les insultes et les reproches reprenaient de plus belle. Son esprit retournait alors se tapir dans un antre si sombre que le jeune homme prenait l'allure d'un mort-vivant.

Portant en lui presque constamment cette noirceur qui le rendait indolent à tout ce qui se passait autour, il ne broncha pas lorsque le bourreau déposa lourdement le cadavre du prévenu dans la charrette. Il s'exécuta avec docilité quand le représentant de la ville lui fit signe de partir avec son étrange chargement et se rendit d'un bon pas exactement où il devait aller. Chemin faisant, il ignora le froid, la pluie et le décor urbain défilant qui, à l'image de son humeur, n'était peint qu'avec des teintes de gris et de noir.

Même si Blaise semblait n'en avoir aucune conscience, le butin qu'il transportait avait une grande importance. À un point tel qu'on lui avait spécialement érigé un théâtre temporaire. Contournant l'imposant bâtiment de bois et évitant l'entrée principale où s'étaient massés de nombreux curieux, Blaise traîna sa charge jusqu'à l'arrière, selon les instructions qu'il avait reçues, et se faufila par une porte dérobée. Sitôt à l'intérieur, des jeunes hommes qui attendaient visiblement sa venue, des aspirants chirurgiens, se ruèrent sur le corps inerte pour le sortir de la charrette, le déposer sur une civière et le recouvrir d'un linceul, et ils le transportèrent finalement au cœur de l'amphithéâtre. En moins de temps qu'il ne faut pour le dire, Blaise se retrouva seul dans l'antichambre où il venait de pénétrer. La lumière s'était évanouie avec le départ des étudiants excités et la fermeture des portes devant et derrière lui. Immobile dans la noirceur, soutenant toujours les poignées de la charrette vide, il frissonnait et dégoulinait. Une petite flaque d'eau de pluie et de boue se formait à ses pieds. Une rumeur sourde parvenait de la pièce adjacente. Celle-ci se fit plus claire lorsque la porte s'ouvrit à la volée quelques minutes plus tard et que

De Vallon pénétra dans la pièce en vociférant, rompant d'un seul coup l'état de transe dans lequel Blaise s'était laissé emporter.

— Mais qu'est-ce que tu fais, idiot? On commence dans quelques instants! Dépêche-toi de ramasser ces feuilles, tes plumes et cours t'installer! On ne va pas attendre après un demeuré comme toi pendant des siècles!

En parlant, De Vallon avait lancé quelques postillons de bonne taille et son matériel à la figure de Blaise. L'anatomiste l'avait ensuite saisi brutalement par le bras et l'avait poussé à l'intérieur de l'immense pièce circulaire. Les sourcils froncés et l'index menaçant, il avait finalement indiqué au jeune artiste où s'asseoir.

Papiers en main, Blaise sortit de sa léthargie. Grelottant toujours, il se dirigea vers le siège que De Vallon lui avait assigné et s'y installa en observant ce qui l'entourait. C'était un endroit imposant, conçu tout en hauteur pour permettre une disposition des bancs en gradins sur cinq étages. Les gradins supérieurs étaient déjà pleins. Une foule bigarrée s'y massait et attendait le début des opérations. La rangée de sièges qui se situait au niveau du sol était déserte. En contrebas, au centre, on avait placé la table sur laquelle on devinait la présence du cadavre, bien que celui-ci soit dissimulé sous un drap pâle. Autour de cette table, Blaise reconnut le matériel habituel nécessaire aux anatomies : paniers, seaux, éponges, rasoirs, crochets, cordes, sondes, maillets, scies, couteaux longs, couteaux courts, couteaux recourbés ou plats, d'argent, d'airain ou de plomb. Disposés en grand nombre sur quelques petites tables contiguës, des chandelles imposantes illuminaient le cœur de la salle. Blaise nota aussi, au passage d'un souvenir douloureux, qu'une douce odeur florale flottait autour de lui. On avait étendu des parfums.

À l'exemple de plusieurs personnes dans la salle, Blaise sursauta lorsque le son d'un tambour retentit et fit taire la rumeur ambiante. Sous le tonnerre de l'instrument solennel et des applaudissements, des gens importants de la ville défilèrent en rangs, partant de l'étage supérieur et descendant les escaliers avec le sérieux d'une procession royale. Ils s'installèrent dignement sur les gradins du bas, là où la vue était la meilleure.

Blaise n'avait jamais imaginé qu'une anatomie publique puisse attirer une foule aussi dense. On avait fermé les portes depuis quelques minutes seulement et déjà l'atmosphère s'alourdissait. La chaleur des corps, des torches et des nombreuses bougies eut tôt fait d'emplir la pièce et Blaise remarqua avec satisfaction qu'il avait cessé de frissonner. Heureusement, car il n'aurait rien dessiné de bon avec les doigts crispés et le poignet agité. La saison des anatomies débutait avec ce spectacle grandiose. C'était donc la première anatomie officielle à laquelle Blaise assistait. Crayon et papier à la main, il était prêt. Il était même impatient, comme si l'ampleur de l'événement le poussait à la fébrilité. Plus encore, à mesure que les minutes s'écoulaient, il sentait monter en lui une motivation, une excitation qu'il n'avait pas éprouvée depuis un long moment.

Blaise était nouveau dans cet univers où l'exploration du corps humain tenait lieu de spectacle. Il ignorait que la séance était précédée d'un aussi lourd cérémonial. Pendant qu'un présentateur pompeux remerciait chaque dignitaire de s'être déplacé en prenant bien soin de n'omettre aucun détail quant au rang et au titre de chacun, Blaise s'ennuyait ferme. Si au moins le drap avait été soulevé au milieu de la pièce, il aurait pu se mettre à dessiner, mais non. Au lieu de cela, des paroles insipides coulaient maintenant à flots de la bouche de De Vallon et elles se répandaient dans toute l'assistance, manquant de noyer d'ennui tous ceux qui, comme lui, ne connaissaient rien aux belles théories qui sous-tendaient la science anatomique. Et ils étaient nombreux dans ce cas, comme le remarqua Blaise en observant plus attentivement l'auditoire.

Aux étages inférieurs, la haute gomme de la société : magistrats de la ville, professeurs d'université, nobles de tout acabit. Si quelques-uns d'entre eux saisissaient vraiment le charabia d'introduction lancé par l'anatomiste depuis de longues minutes, d'autres ne comprenaient visiblement rien à rien, mais faisaient mine de saisir la nature des propos en hochant la tête de manière entendue à intervalles réguliers et en entretenant avec soin une expression sérieuse, concentrée. D'autres encore, un peu moins polis, échangeaient quelques paroles avec leurs voisins ou bâillaient carrément en attendant la suite des choses. Aux étages supérieurs, on avait entassé les badauds des autres classes sociales. Pas de places assises pour les mangeurs de pain sec : on jouait du coude pour trouver un espace qui permettrait de bien voir le spectacle. On y chahutait sans retenue en attendant que le professeur passe à l'action.

La foule qui assistait à l'événement était disparate. Le jeune artiste remarqua que les étudiants universitaires occupaient l'étage du milieu. Il les reconnut bien sûr à leur jeunesse et à leur air arrogant. Ils étaient aussi reconnaissables à cette multitude de papiers dont ils semblaient constamment entourés. Plus haut, on distinguait quelques membres de la communauté juive, des marchands pour la plupart, quelques religieux, et Blaise aperçut même une femme, à sa grande surprise. Cette dernière avait dû être invitée par un galant, puisque l'homme à ses côtés ne cessait de lui prendre la main et de lui susurrer des choses à l'oreille, faisant rosir les joues de la dame au passage de quelques mots dont on devinait aisément la teneur. Blaise se demanda si la jeune femme était entrée clandestinement et balaya l'assistance à la recherche d'autres spécimens du beau sexe. Il fut bouleversé en apercevant une poignée d'autres couples qui, à l'image du premier, semblaient profiter du spectacle anatomique comme d'un rendez-vous galant. Blaise n'avait jamais fréquenté de femme et aurait avoué candidement à qui voulait bien l'entendre ne rien connaître aux relations amoureuses, mais il trouva étrange que le théâtre d'anatomie soit un lieu considéré comme étant propice à la romance. Il ne se figurait pas comment il était possible de partager *amoureusement*, avec quiconque, la vue d'un cadavre que l'on découpe en morceaux.

Blaise en était à ces réflexions superficielles lorsqu'une clameur s'éleva et fit vibrer les murs de la salle. De Vallon venait de soulever le drap qui recouvrait la dépouille d'un geste théâtral. Chahut, rires et bruits ambiants cessèrent alors pour faire place à un silence quasi religieux.

Blaise prit sa planche, y plaqua sa grande feuille et s'arma d'une fine plume. Prêt à s'attaquer à la tâche qui l'attendait, il balaya nonchalamment la foule du regard une dernière fois pendant que l'on écorchait le torse et l'abdomen du cadavre devant lui.

C'est alors qu'il la vit. Parée de beaux atours et flanquée d'une vieille femme aux yeux enfoncés plutôt que de l'éternel séducteur qui semblait accompagner toutes les demoiselles présentes en ces lieux, elle était sans contredit la plus jeune de tout l'auditoire. Blaise fut troublé par la vue de cette gamine aux cheveux d'un blond presque blanc qui regardait, sans sourciller, De Vallon retirer la peau sur le corps du criminel. De son œil aguerri d'artiste, il détailla rapidement la physionomie de la jeune femme et ne put se décider à savoir si elle entrait dans la catégorie des beautés classiques ou si elle faisait plutôt partie des beautés nouveau genre qu'il affectionnait particulièrement ces temps-ci. La pâleur des sourcils, le nez retroussé, les lèvres minces, le teint blanc, l'étroitesse de son visage, de ses épaules et l'ossature saillante de la demoiselle firent pencher la balance vers la seconde catégorie sans l'y verser totalement. Blaise convenait qu'elle avait un physique très particulier, mais une aura énigmatique se dégageait de sa personne et faisait en sorte que, de prime abord, elle pouvait paraître jolie sans l'être réellement. Troublante.

C'était la première fois que Blaise ne savait pas dans quelle catégorie classer une physionomie. Il hésitait : la demoiselle était si jeune qu'elle ne pouvait pas être de la même race que ces édentés fripés qui dormaient dans ses cahiers. Elle avait un physique hors du commun, certes, mais elle n'était pas laide. Pas du tout. Cela dérangea Blaise d'utiliser ce mot, même en pensée, car il s'astreignait depuis un bon moment déjà à ne plus le faire. Pour lui, il n'y avait pas de physiques laids, seulement des beautés qui entraient dans l'une ou l'autre de ses catégories : les beautés classiques dont les proportions et les caractéristiques correspondaient aux canons édictés de la société, puis les beautés atypiques, celles que l'on oubliait de remarquer ou qu'au contraire on remarquait trop cruellement. « Mais voilà, songea-t-il, cette jeune personne n'est pas belle, ni fade, ni disproportionnée, ni monstrueuse. Elle n'est absolument pas ordinaire. » Si cette constatation le déconcerta un peu, ce ne fut rien en comparaison du moment où il croisa l'ardent regard de la jeune femme. Pour la première fois de son existence, il n'avait plus aucune envie de dessiner. Il n'en avait plus rien à faire, du modèle cadavérique proposé par De Vallon, rien à faire de son papier ni de sa plume. Pour la première fois de sa vie, il n'avait qu'une envie : croiser de nouveau ce regard et s'y perdre.

CHAPITRE 6

— C'est ainsi que nous devrons nous quitter, messieurs.

Une salve de protestations s'éleva dans la salle bondée.

L'anatomiste reçut cette grogne comme un compliment. C'était la preuve qu'il avait fait du bon travail. De sa voix chaude et autoritaire, il tenta de calmer son auditoire.

— Oui, je sais, je sais, il est dommage de s'arrêter alors que nous progressons si bien, mais le temps passe et, si je ne rentre pas bientôt, mon épouse croira que je me suis moi-même étendu sur cette table pour les bienfaits de la science !

Un éclat de rire émana de la foule. Ravi de constater qu'il avait conquis chacun de ses spectateurs, De Vallon arbora un large sourire et leva la main en signe d'adieu.

— Je vous attends demain pour la suite et j'espère vous voir aussi nombreux et intéressés qu'aujourd'hui. Merci à tous. Que Dieu vous garde.

Ces derniers mots à peine prononcés, les assistants disciplinés de l'anatomiste s'affairaient déjà à ranger le matériel de dissection et recouvraient la dépouille du supplicié. Autour des deux femmes, un mouvement de masse s'effectuait : patiemment, la marée humaine s'écoulait par les vomitoires, chacun remettant son manteau, redressant sa coiffe ou faisant part à son voisin de ses impressions à propos de la séance anatomique qui venait de s'achever.

Profitant du brouhaha occasionné par la sortie des spectateurs, Adel rappela à sa fille ce qui avait été convenu. Celle-ci s'en souvenait pourtant très bien. Elle aurait aimé savoir pourquoi elle devait s'exécuter de la sorte, même si elle s'en doutait tout de même un peu, mais avec sa mère c'était toujours comme ça. «Moins tu en sais, mieux c'est. Ça fait plus vrai!» C'est ce que Adel avait l'habitude de dire, sauf que Marie-Ursule en avait marre de ces cachotteries. Elle avait l'impression d'être un pantin de bois dont on tirait constamment les ficelles pour lui faire faire un pas à droite ou deux pas à gauche. Il fallait que ça cesse, car Marie-Ursule passait son temps à couver une colère noire au creux de sa poitrine et elle commençait sérieusement à redouter les effets d'un tel poison sur son existence. Ah! Comme elle aurait aimé retourner au temps où jamais d'aussi sombres pensées n'affleuraient à sa conscience! À cette époque où elle riait de bon cœur avec sa mère, où elle ne remettait jamais en doute ses paroles ou ses gestes. Elle était bien plus heureuse alors! Le cœur léger, le rire facile, l'obéissance diligente, les conflits étaient rares à cette époque. Mais il avait fallu que Marie-Ursule grandisse, que son esprit prenne une tournure qu'elle-même n'avait jamais souhaitée et voilà où elle en était. Presque adulte, elle exécutait encore et toujours les ordres de sa mère, mais à l'intérieur d'elle tout lui criait d'arrêter cela, de désobéir, de partir. Marie-Ursule affrontait deux adversaires à la fois : elle luttait contre sa mère pour devenir qui elle était, pour s'arroger le droit de prendre ses propres décisions, et elle luttait aussi contre elle-même pour rester la bonne et gentille fille de sa mère. Ces affrontements internes étaient permanents et devenaient de plus en plus douloureux. Marie-Ursule savait qu'elle devrait faire quelque chose dans un avenir prochain si elle voulait s'en sortir vivante. La nature de ce quelque chose demeurait toutefois nébuleuse et, en attendant que la question s'éclaircisse, la jeune fille continuait de s'exécuter, continuait de combattre, accumulait les conflits. Elle prévoyait d'ailleurs que la prochaine escarmouche viendrait bien assez tôt ; dès la sortie de l'amphithéâtre, pour être exacte, alors qu'elle exigerait que Adel lui énonce clairement la suite du plan et que celle-ci refuserait carrément ou se montrerait encore évasive. À la seule évocation de cet échange, Marie-Ursule sentit la rage grandir en elle. Une larme de colère pointa au coin de son œil et son menton se mit à trembler. Un sanglot issu de ses réflexions montait depuis quelques instants déjà, s'accrochant farouchement aux parois de sa gorge nouée et finit par franchir le seuil de ses lèvres comme la première pierre d'un éboulement terrible. Abandonnant volontairement toute maîtrise d'elle-même, la jeune fille s'effondra sous le poids de sa peine et de sa hargne, enfin soulagée de n'avoir plus à juguler ces sentiments qui transperçaient quotidiennement son cœur.

Adel fut prise de court. Une seconde avant, Marie-Ursule avait cet air sérieux des grands jours, elle l'écoutait et regardait patiemment la foule s'échapper de l'auditorium. Une seconde après, elle s'écroulait mollement sur le banc lisse de la quatrième rangée, en proie à une série de longs sanglots bruyants, tremblante comme une feuille morte soumise aux vents froids de l'automne. Interdite devant la soudaineté de cette effusion, la femme ne sut d'abord que faire de ce corps hystérique laissé à l'abandon au beau milieu du théâtre vide. Légèrement paniquée, elle chercha en vain quelque soutien en balayant la salle d'un œil rapide. Personne. Les derniers spectateurs venaient de sortir et avaient laissé derrière eux une immense pièce déserte à l'atmosphère lourde, remplie d'odeurs de toutes sortes. Adel alla s'agenouiller dans les escaliers et souleva d'un geste tendre la tête de la jeune femme en pleurs, tenta de lui caresser la joue, de croiser son regard. À sa surprise, ce geste lui valut une recrudescence de gémissements et de reniflements. Contrariée d'essuyer un tel rejet, l'espace d'un instant, Adel songea à gifler sa fille pour lui faire recouvrer ses esprits au plus vite, car les deux femmes avaient fort à faire et beaucoup à perdre en cas d'échec. Cependant, elle se ravisa en pensant que Marie-Ursule était peut-être, finalement, en possession de tous ses moyens. Ou souffrante. Ou les deux. Ne pouvant évoquer ses questionnements à haute voix, la mère déplia ses genoux perclus et se releva douloureusement, désireuse de tenter une nouvelle approche afin d'essayer de savoir à quoi rimaient ces pleurs fluviaux, mais elle se retrouva brusquement nez à nez avec l'anatomiste, qui s'était approché sans bruit, probablement alerté par l'un de ses assistants. Le cœur d'Adel s'affola l'espace d'un instant devant le regard interrogateur de l'imposant homme de science qui attendait visiblement une explication, mais ne semblait point impatient. Prise de court, elle balbutia :

— Veuillez nous excuser, monsieur. Nous partions et ma fille s'est trouvée mal…

— C'est l'effet commun de la vue d'un corps anatomisé sur l'esprit faible d'un être impressionnable, madame. Vous devriez mieux choisir vos sorties avec cette enfant. Voilà mon conseil.

Il avait parlé de la voix sévère d'un père de famille. D'un geste assuré, De Vallon fit signe à Adel de se mouvoir et il s'approcha de la jeune fille en pleurs. Il glissa sa grosse main sous l'épaule frêle de Marie-Ursule et, avec une douce fermeté, la releva, la forçant à s'asseoir bien droit sur le siège en bois. Découvrant le joli visage barbouillé de larmes de la demoiselle, il s'empressa de sortir son mouchoir et le lui tendit. Se calmant un peu, Marie-Ursule tapota délicatement ses joues rougies avec la fine étoffe parfumée et, relevant dramatiquement ses longs cils mouillés, elle plongea son regard noir dans les prunelles de l'homme penché sur elle.

— C'est moi qui ai insisté pour venir ici, monsieur, lança la jeune fille sur un ton larmoyant. Ma mère, elle m'a bien dit que ce n'était pas une bonne idée, mais j'ai insisté encore et encore. Je croyais que cela me ferait du bien d'être là, voyez-vous, monsieur. Et ma mère, comme elle ne veut que mon bien, elle a finalement accepté.

De Vallon n'avait jamais rien entendu de tel. Ni jamais rien vu de tel non plus. Cette jeune fille était… troublante, c'était la seule chose qu'il pouvait en penser dans l'instant.

— Et expliquez-moi comment diable serait-il possible qu'une séance d'anatomie vous fasse un quelconque bien, à vous, mademoiselle, demanda-t-il simplement au bout d'un moment.

Regrettant aussitôt ses paroles bien peu délicates, l'anatomiste jeta un regard désemparé à Adel, alors que les sanglots de Marie-Ursule reprenaient de plus belle.

— C'est que…

Adel hésitait volontairement, soupesait ses mots, installait le mystère avec ses yeux fuyants qui scrutaient les alentours et qui appelaient au secret. Marie-Ursule lui avait fait peur avec sa crise de larmes, mais finalement tout allait pour le mieux et le plan se déroulait comme prévu. Devant une aussi magnifique prestation de sa fille, Adel sentait le poids de la compétition : elle aussi devait être impeccable.

— Ce que je vais vous dire est extrêmement gênant, déshonorant même. Il faut nous promettre de n'en souffler mot à quiconque.

Devant tant de mystère, De Vallon ne put qu'acquiescer, avide d'en savoir plus.

— L'homme dont vous faites l'anatomie, c'est un criminel. Je ne vous apprends rien, évidemment. Eh bien ! cet homme… (la voix d'Adel vacilla sous l'émotion et elle marqua une pause soutenue avant de continuer) cet homme a agressé ma fille et a failli lui prendre ce qu'elle a de plus précieux, si vous voyez ce que je veux dire…

De Vallon voyait très exactement ce qu'elle voulait dire. Une jeune fille bien née, à cette époque, n'avait rien de plus précieux dans la vie que sa vertu, sa virginité. L'anatomiste sentit son pouls s'accélérer légèrement à la seule évocation de ce que Dieu, dans Sa grande bonté, avait su préserver pour cette jeune fille qu'il avait là, devant lui. Il la connaissait à peine de quelques minutes, mais s'insurgeait déjà de toute son âme contre le fait qu'un quelconque malfrat ait pu enlever à cette jeune personne ce qui la rendait si… spéciale.

Consciente du poids de ses mots, Adel poursuivit sans ambages :

— Nous avons appris par hasard que ce malotru avait été jugé, condamné et qu'il allait, en prime, être charcuté sous le fer d'un homme respectable. Ma fille a naïvement cru que d'assister à un spectacle où ce monstre serait réduit en bouillie apaiserait le tourment qui ne la quitte plus depuis les tristes événements qui sont survenus il y a quelque temps déjà.

Marie-Ursule s'était calmée. Elle reniflait à intervalles réguliers et usait, quand cela était nécessaire, du mouchoir délicatement plié pour éponger les quelques larmes qui continuaient à glisser sur ses joues rougies par l'émotion. Dans sa robe colorée et parfaitement ajustée, la demoiselle avait l'air d'une fragile et aristocratique poupée de porcelaine. Pendant que la mère parlait, De Vallon se perdait dans la contemplation de la jeune personne, si jolie, si fougueuse, si vivante. Il laissa la mère de la petite terminer son récit, puis, à regret, y alla d'un avertissement sincère :

— Eh bien ! il semble que les scènes qui se sont déroulées ici, sous vos yeux, ne vous ont pas fait le grand bien auquel vous vous attendiez, belle enfant. Je suis absolument désolé que vous ayez eu à vivre des moments difficiles précédemment et sachez que je ne tiens pas à en perpétuer le mauvais souvenir entre ces murs. J'aurais ardemment souhaité revoir votre visage dans ces gradins, croyez-moi, mais je dois malheureusement vous conseiller le contraire. Partez, mesdames, et ne revenez pas demain. Allez trouver réconfort ailleurs.

— Oh non ! monsieur, vous ne comprenez pas !

Marie-Ursule s'était levée d'un bond, puis s'était théâtralement agenouillée aux pieds de l'anatomiste. Sans retenue, elle lui avait agrippé une main et s'y pendait comme si sa vie en dépendait.

— Le spectacle me soulage, au contraire, si vous saviez. Je me délecte de chaque incision que vous pratiquez dans ce corps, mon contentement explose à chaque organe que vous extirpez et que vous jetez négligemment à la corbeille. Toute mon âme exulte de voir ce rat réduit à l'état de pièce de boucherie. Laissez-moi revenir demain, je vous en prie. Si j'ai pleuré ce soir, c'est par votre faute. Vous aviez promis en début de séance que tous les organes seraient prélevés en ce jour. Seulement, vous vous êtes arrêté alors que le cœur se trouvait encore dans sa poitrine. J'attendais depuis tellement longtemps de voir ce cœur arraché et tranché que je n'ai pu faire autrement que d'exprimer toute ma déception de savoir cette action reportée à demain. C'est que, voyez-vous, mes tourments n'auront de cesse que lorsque ce cœur sera, pour de bon, jeté aux immondices et bouffé par les chiens !

De Vallon n'eut pas besoin de plus de pleurs ni d'arguments supplémentaires. Il était convaincu et heureux de l'être. Il releva la demoiselle d'un geste compatissant et réalisa, quand elle fut debout devant lui, qu'elle était plus grande qu'elle en avait l'air. Il lui assura avec chaleur qu'elle et sa mère pourraient non seulement revenir, mais qu'en prime, elles n'auraient pas à faire la file à l'extérieur ni à se poster parmi les vautours, tout en haut des gradins. Il leur réservait un accueil particulier et une place privilégiée pour le spectacle du lendemain.

La nouvelle fit oublier à Marie-Ursule ses bonnes manières : emportée par le ravissement, elle sauta au cou de l'homme de science et le remercia à de nombreuses reprises avec une ardeur toute juvénile. Sa mère toussota pour lui rappeler la bienséance et la fille s'excusa de son empressement d'un air gêné.

— Pardonnez-moi, mais cette invitation fait de vous mon bienfaiteur, rien de moins. Encore une fois, sachez combien je vous en suis reconnaissante !

Cette fois, elle fit devant l'homme une petite révérence de courtisane toute en retenue, très correcte et très polie. De Vallon était charmé, tant par la fougue sauvage que par la distinction de la jeune personne. Curieux mélange. Il avait déjà hâte de la revoir. Ils se saluèrent cordialement et l'anatomiste dirigea ses spectatrices d'exception vers la sortie. À leur insu, il les regarda s'éloigner dans la fraîcheur du jour en déclin.

Lorsque les deux femmes furent suffisamment loin de l'amphithéâtre, Adel risqua un coup d'œil par-dessus son épaule et s'assura qu'aucune oreille indiscrète ne pouvait surprendre leur conversation. Quelques passants déambulaient ici et là, mais la rue était calme. Adel profita de l'occasion pour féliciter sa fille.

— Tu as été formidable. Même moi, je m'y suis laissé prendre !

Marie-Ursule ne releva pas le compliment. Elle accéléra la cadence, impatiente d'arriver chez la veuve Lefebvre et d'enlever cette maudite robe qui lui comprimait la poitrine. Adel s'essoufflait à la suivre : elle n'avait pas l'habitude des sorties ni des longues promenades et sentait une grande fatigue la gagner. Ses membres étaient douloureux et raides : allonger chaque pas était un supplice. Elle demanda à sa fille de ralentir la cadence.

— On peut marcher sans se presser, non ? On pourrait en profiter pour discuter un peu.

Marie-Ursule plongea à toute allure dans cette ouverture.

— Oui, tu as raison. Discutons donc de ton plan. C'est quoi, la suite ?

Le ton de la fille était tranchant ; la négociation ne semblait pas être une option. Adel n'aimait pas dévoiler son jeu à l'avance, mais elle sentit que, cette fois, Marie-Ursule ne la suivrait pas les yeux fermés et, comme le filon paraissait des plus prometteurs, elle devait s'assurer que tous les vents soufflaient en leur faveur.

— Je n'ai pas encore pensé à tout, tu sais. Contrairement à ce que tu pourrais croire, je n'élabore jamais un plan du début à la fin en une seule étape. Souvent, je sais ce que je veux, je sais ce qui pourrait m'y mener, mais j'attends en cours de route pour peaufiner les gestes et les actions. Je vais te dire à quoi j'ai pensé.

Marie-Ursule conserva sa mine renfrognée et ses allures distantes, pourtant elle était stupéfaite de constater que, cette fois, sa mère s'ouvrait facilement.

— De Vallon, l'anatomiste, est un homme mal marié. C'est su et connu : il a épousé une veuve qui se destinait à la religion après son premier mariage et qui vit maintenant chez lui comme dans un cloître. Elle fait carême à l'année, ne parle que lorsque c'est strictement nécessaire, s'habille comme une pauvresse et, à ce que l'on dit, elle n'ouvrirait les cuisses à son mari qu'une fois l'an, par pure obligation conjugale. À cause de son ancien mari banquier, elle est riche, et c'est pourquoi on raconte que De Vallon l'a épousée. Il ne devait pas savoir dans quoi il s'embarquait avec cette folle frigide parce que, juste à le regarder, on voit bien que c'est un homme de passions et de chair ! Tu n'es pas d'accord ?

Marie-Ursule ignora la question. Elle ne voulait pas entraîner sa mère sur un autre sujet. Elle avait évidemment remarqué une pointe de concupiscence dans le regard du chirurgien ainsi qu'une légère palpitation de ses narines lorsque Adel avait subtilement évoqué sa supposée virginité, mais cela ne faisait pas de lui un homme différent des autres.

— Sachant que c'est un habitué de certains bordels en ville, j'ai voulu savoir si une raison particulière l'amenait à fréquenter ces endroits, et Jacques Lefebvre m'a fourni la réponse après avoir enquêté pour moi.

Cette fois, Marie-Ursule ne put s'empêcher de demander des précisions.

— Quoi ! Jacques Lefebvre ! Tu avais besoin du fils de notre propriétaire pour savoir que De Vallon apprécie les ribaudes ! Et j'imagine que c'est pour ça, en plus, que j'ai dû le « récompenser », hier soir ?

Adel éprouva un malaise devant sa machination ainsi dévoilée. Exposée bêtement en ces termes crus, toute l'affaire prenait des allures de manipulation éhontée et abusive. À son avis, c'était loin d'être le cas, c'est pourquoi elle précisa ses intentions en tentant de garder son calme. Elle ne voulait pas mettre sa fille en colère. Elle avait besoin de toute sa collaboration.

— Je voulais savoir ce que nous pourrions offrir à un richard comme De Vallon pour qu'il investisse son argent avec nous, plutôt que dans ces maisons de plaisir. J'aimerais te voir avec des clients plus riches, plus attentionnés, ma fille. Un seul homme de la trempe de l'anatomiste pourrait nous faire vivre toutes les deux aisément, dans de bonnes conditions, jusqu'à la fin de nos jours, si l'on s'y prend correctement. C'est ce que je cherche à faire. Tu vaux mieux que les fonds de ruelles que tu fréquentes actuellement, tu sais.

— Si j'y suis, c'est à cause de toi, maman.

Marie-Ursule n'avait pu s'empêcher de le lui remettre sur le nez.

— J'en suis consciente, mais cela ne veut pas dire que j'aime te voir faire ce que tu fais. C'est pour cela que je te cherche autre chose. À ma demande, Jacques a enquêté puis découvert que l'anatomiste raffole des jeunes vierges. Il n'affectionne pas les enfants, comme certains, mais il semblerait qu'il ait un goût prononcé pour les jeunettes comme toi, à la vertu et à l'innocence bien préservées. Il paraîtrait qu'il paie des fortunes à la tenancière de la Grange aux Belles pour qu'elle lui en procure de temps à autre. Le plan, tu t'en doutes maintenant, c'est qu'il s'entiche de toi, ma chère. On va lui vendre ta virginité à fort prix! Dans le meilleur des cas, nous allons faire de toi sa maîtresse et ainsi, espérons-le, il nous entretiendra toutes les deux au cours des prochaines années. Voilà.

Marie-Ursule avait bien compris les intentions de sa mère, mais aurait aimé plus d'explications, plus de détails.

— C'est tout? ne put-elle s'empêcher de dire sèchement. Et qu'est-ce que l'on va faire pour que cela se produise? Je ne suis pas ce que l'on pourrait appeler une fille vertueuse! Pourquoi s'intéresserait-il à moi?

Et si, par miracle, cela finit par arriver, comment allons-nous lui faire croire que je suis vierge? Tu dois bien avoir une idée là-dessus. Je veux tout savoir, maman.

Les deux femmes avaient rejoint la maison de la veuve. Elles demeurèrent à l'extérieur pour terminer la conversation.

— C'est tout! Je n'en sais pas plus que toi, sinon que demain on retourne à la séance d'anatomie et que j'aimerais que tu fasses tout ce que tu peux pour attirer de nouveau l'attention de Gaspar De Vallon. Après, on verra où cela nous conduira, tout simplement. Peu importe la vie que tu mènes en ce moment; il n'en sait rien et c'est ce qui compte.

Marie-Ursule était perplexe. Elle aurait cru que sa mère avait constamment une manigance au creux de la manche et qu'elle n'attendait que le bon moment pour s'en servir. Au contraire, il semblait que la femme laissait libre cours au hasard la plupart du temps. Constater cet état des choses était décevant: Adel n'était finalement pas si futée. C'était plutôt une paresseuse mal organisée, mais toujours à l'affût.

En dépit de sa déception, Marie-Ursule se surprit à regarder son avenir à travers la lunette proposée par sa mère. Devenir la maîtresse d'un homme riche pouvait indéniablement avoir ses avantages et, lorsqu'elle se rappela le regard que De Vallon avait posé sur elle alors qu'elle l'avait salué, elle dut admettre que toute cette fantaisie avait des chances de se concrétiser. Marie-Ursule monta au logement à la suite de sa mère. En entrant, elle demanda tout de suite à la veuve Lefebvre si elle avait une autre toilette à lui prêter pour le lendemain.

———•———

De bonne heure, le matin suivant, un soleil radieux accompagna les deux femmes jusqu'à l'école de médecine. Marie-Ursule traversait la ville d'un pas que sa jeunesse et sa conscience d'être jolie rendaient léger. Élégamment vêtue d'une chatoyante robe bleu nuit et d'un manteau marron, elle devait régulièrement s'arrêter pour attendre sa mère qui peinait à la suivre et marchait, ce jour-là, avec une canne. On accueillit les deux femmes comme cela avait été promis. Rapidement, bien avant la plèbe ordinaire, elles se retrouvèrent séant posé en plein centre de la seconde rangée de l'amphithéâtre, au chaud, avec une vue imprenable sur le cœur de la pièce, là où se déroulaient toutes les opérations anatomiques. À l'instar de la veille, lorsque les portes s'ouvrirent à tous, les sièges se remplirent à craquer en l'espace d'un moment. La foule enthousiaste était bruyante et agitée, mais elle se calma instantanément quand le maître de cérémonie, Gaspar De Vallon, eut franchi les portes basses menant au centre de la salle. Bercé par des applaudissements de bienvenue et flanqué d'une poignée d'assistants sérieux et dévoués, l'anatomiste avait l'air majestueux d'un roi au milieu de sa cour.

Portant la traditionnelle robe noire, austère et longue des maîtres chirurgiens, la barbe et les cheveux bien taillés, il agitait ses imposantes mains aux ongles impeccables à mesure qu'il parlait. Sa voix aux notes agréables et puissantes résonnait de haut en bas à l'intérieur de l'amphithéâtre et la foule goûtait ses paroles. Autant les manants perchés aux étages supérieurs que les gentilshommes des premières rangées fixaient leur attention sur le professeur. Seuls quelques étudiants au milieu dérogeaient encore à cet accord commun de silence et d'observation en faisant grincer leur plume sur des papiers placés devant eux. À mesure que De Vallon parlait et que Marie-Ursule prenait conscience de l'ascendant de l'orateur sur l'auditoire, elle ne put s'empêcher de rougir en constatant que son regard à lui était sans cesse posé sur elle. En effet, elle avait senti que le mot de bienvenue s'adressait directement à elle, que les explications lui étaient personnellement destinées, même si elle n'y comprenait pas grand-chose. Tout à son discours, l'anatomiste la fixait si intensément qu'elle aurait cru être la seule spectatrice au milieu des gradins. Elle en fut flattée. Elle n'avait pas l'habitude d'être convoitée par un homme de sa trempe. Elle avait plutôt l'habitude des lourdauds de bas niveau, des esprits simples des gens de sa race, des autres représentants du petit peuple qui, comme elle, ne valaient guère plus que ce qu'ils portaient, à l'exemple de ce jeune homme qui était là en bas, tout près du trépassé, assis sur une chaise droite, et qui griffonnait sans arrêt sur sa planche.

L'artiste était long, maigre, mal fagoté, et ses cheveux ébouriffés masquaient en partie son visage étroit. En lui prêtant un peu plus attention, Marie-Ursule se rendit compte que lui aussi la regardait constamment au travers de ses mèches rêches et grossièrement taillées.

Il levait sans cesse les yeux vers elle, puis les ramenait à la planche. Agacée, Marie-Ursule s'obligea à l'ignorer. Il n'était pas digne qu'elle s'y attarde. Aujourd'hui, elle n'était pas une fille de la rue, mais une demoiselle de la bonne société. Comme elle n'en était qu'à sa deuxième journée à profiter de cet immense privilège, elle décida qu'il n'était pas question de se refuser ce péché mignon. L'introduction à la séance, comme celle de la veille, fut interminable. Marie-Ursule oublia vite le jeune homme et écouta sans vraiment entendre ce qui se passait autour d'elle. En proie à une vanité qu'elle ne se connaissait pas, mais qu'elle ne chercha pas à réprimer, elle se plut à rêvasser pendant de longues minutes, s'enorgueillissant de ces petites attentions que l'anatomiste lui témoignait à l'insu de tous.

La rêverie de la jeune fille prit toutefois une tournure abrupte lorsqu'elle s'aperçut soudainement que De Vallon ne se contentait plus de lui jeter des regards insistants, mais qu'il la conviait d'un geste éloquent à se rendre à ses côtés, au milieu de la pièce. En une seconde, Marie-Ursule dégringola de son nuage et se sentit comme une bête sauvage, traquée. Ses sens subitement en émoi lui firent regretter de n'avoir pas été plus vigilante, de s'être laissé prendre dans un piège qu'elle aurait peut-être pu éviter autrement. Son cœur battait à tout rompre, le sang avait quitté son visage. De Vallon l'invitait de la main à s'approcher et arborait un sourire engageant. Marie-Ursule sentit que Adel faisait pression sur son bras et qu'elle la poussait à accepter l'invitation de l'anatomiste. Horrifiée, se demandant tout à coup si elle ne rêvait pas, Marie-Ursule se tourna vers sa mère et lui jeta un regard interrogateur empli de craintes.

— Il veut que tu l'assistes. Il va enlever le cœur. Allez !

Marie-Ursule tenta de rassembler ses esprits. Elle se leva machinalement, ferma les yeux et respira à fond deux ou trois fois. Elle repensa à son histoire de la veille, à cette fable où elle avait dit souhaiter ardemment voir retirer le cœur de la poitrine du malfrat. L'invitation de l'anatomiste tombait à présent sous le sens. Le jeu devait se poursuivre. Consciente des regards tournés vers elle et de ce qu'elle s'apprêtait à faire, elle demeurait tendue, mais n'était maintenant plus affolée. « Advienne que pourra », se dit-elle.

De Vallon l'accueillit chaleureusement. La foule en fit autant en applaudissant la jeune fille courageuse à qui les assistants du professeur firent enfiler une longue chemise afin de protéger ses beaux vêtements.

Abasourdie par la surprise de se retrouver là, Marie-Ursule écouta néanmoins, comme chaque spectateur, les explications du chirurgien.

— Mes chers amis, comme je vous l'ai dit précédemment, ce jour sera long. Il nous reste bien des choses à découvrir dans le corps de ce malfrat, et bien peu de temps, je le crains. Si j'ai choisi parmi vous une assistante, c'est là un fait exceptionnel. Cette jeune personne à mes côtés, cette fille de bonne famille, aux manières distinguées, à la personnalité remarquable, a eu maille à partir avec le goujat qui est étendu derrière nous (un murmure d'étonnement parcourut la foule). Oui, je sais, n'est-il pas choquant de constater à quel point nous côtoyons chaque jour la pire racaille dans cette ville ? Mais voilà maintenant un criminel qui ne fera plus de mal à quiconque, comme vous pouvez vous-même en juger.

D'un geste large et vigoureux, bien calculé, l'homme de science souleva le drap qui recouvrait le corps. L'enveloppe charnelle s'offrit impudiquement, livrée au regard de tous, le ventre ouvert, mais presque vide de son contenu, les chairs nécrosées virant au gris, molles et plissées, suspendues sur l'ossature forte et saillante du supplicié.

La foule jubilait. L'anatomiste avait le sens du spectacle. Il n'était pas particulièrement âgé, mais possédait suffisamment d'expérience auprès de l'être humain pour savoir que chacun aime être outré, choqué s'il se croit bien en sécurité. Et quoi de mieux pour émouvoir un auditoire que de présenter un cas personnel, une histoire vraie assaisonnée d'une égale part de crime et de justice, d'horreur et de sympathie ?

— Cette demoiselle a vécu une expérience traumatisante. Je lui offre aujourd'hui, devant vous, le privilège unique de se faire justice en retirant le cœur de la poitrine de celui qui l'a agressée. Par la suite, si la jeune dame accepte, j'aimerais la voir jeter cet organe pourri depuis longtemps aux chiens affamés que voilà.

Sur l'heure, un jeune assistant ouvrit la porte et pénétra dans la pièce, tenant en laisse deux bêtes malingres et excitées. Le chirurgien s'abstint de préciser que des chiens comme ceux-ci étaient toujours gardés à proximité lorsqu'une anatomie publique avait lieu. Il ne précisa pas non plus que souvent, quand le corps du criminel était trop corrompu pour être manipulé, c'est sur l'un de ces canidés que l'on procédait à la démonstration. L'anatomiste laissa la foule croire que l'on avait traqué des bêtes affamées dans le seul but de dévorer publiquement le cœur du criminel. Les éléments étaient rassemblés, l'excitation était portée à son comble.

Marie-Ursule était debout au centre de l'amphithéâtre, tous les yeux étaient rivés sur elle et ces chiens chétifs qui tournaient en rond, léchant le sol souillé avec frénésie. Accepterait-elle de jouer dans cette mise en scène habile ? Évidemment.

— Que dois-je faire ? fut la réponse qu'elle énonça haut et fort.

Elle l'accompagna d'un pas décidé vers le corps et d'un regard de défi à l'anatomiste, qui lui répondit sur l'instant avec une œillade admirative et un sourire satisfait. La foule applaudit de plus belle, ravie de la tournure que prenait la séance d'anatomie.

De Vallon s'approcha de Marie-Ursule et profita du brouhaha général pour poser la main sur son épaule et lui souffler à l'oreille quelques paroles réconfortantes qu'il limita pourtant au strict minimum. Un malaise l'avait gagné instantanément lorsqu'il avait senti la chaleur du corps de la jouvencelle sous ses doigts, lorsque, en une fraction de seconde, il avait tâté l'ossature fragile et délicate sous la peau blanche et soyeuse de son assistante d'exception. Ce malaise aurait pu être supportable s'il n'avait pas, en plus, senti une petite mèche de cheveux blonds lui chatouiller la joue alors qu'il se penchait sur la jeune personne pour lui parler. Il avait donc coupé au plus court son intervention et était passé de l'autre côté de la table, où il put enfin se ressaisir à mesure que le silence retombait sur la pièce circulaire.

De là où elle était, Adel épiait la scène et n'en manquait rien. Elle eut connaissance de tout: des regards échangés, des sourires fugitifs, du frôlement, de l'inconfort, de l'assurance de sa fille, de la satisfaction de la foule. Silencieuse et observatrice, elle constata bien vite que le poisson mordait à l'appât, mais aussi que l'appât semblait se complaire dans son rôle. De ce dernier détail Adel ne savait trop que penser. Elle décida de faire fi de ce flou imprévu et se concentra plutôt à guetter la suite des événements qui pouvaient s'avérer cruciaux pour son avenir et celui de sa fille. Comme chaque personne qui l'entourait, elle se délecta donc de ce moment où Marie-Ursule, guidée par l'anatomiste et un assistant, plongea sa main dans le thorax du supplicié. La jeune assistante insista pour couper elle-même les boyaux qui maintenaient le cœur en place et ne vacilla guère au cours de l'opération. Avec un air fier, elle retira l'organe maudit de la poitrine de son prétendu tortionnaire et l'exposa brièvement au regard des spectateurs envoûtés. Puis, semblant s'affaiblir l'espace d'un instant, elle se replia ensuite sur elle-même, contemplant silencieusement l'appendice grisâtre et dégoulinant qu'elle tenait entre ses doigts souillés. Elle faisait mine d'avoir oublié le monde autour d'elle et cela émut grandement la foule, qui profita de l'accalmie pour partager son état d'âme. Qu'éprouvait la jeune fille? Était-ce de la colère, de la tristesse, de la joie, de la honte, un sentiment de vengeance accomplie ? Personne n'en savait rien, mais tous se sentaient solidaires de cette victime innocente. Quand Marie-Ursule sortit de son instant de torpeur mesuré, elle poussa un grand cri et propulsa le cœur à travers la pièce d'un geste vif. Les chiens se ruèrent sur l'organe qui avait atterri sur le sol dans un son mat que personne n'entendit tant on applaudissait et exprimait bruyamment son enthousiasme d'assister à une fin aussi bien ficelée.

La science anatomique n'était pas populaire depuis très longtemps à Paris. Les démonstrations publiques avaient un historique extrêmement limité ; elles dataient de quelques années à peine, mais on sentait déjà l'engouement prendre forme. Une chose était certaine, cependant, c'est que De Vallon avait créé un précédent. Jamais une séance d'anatomie aussi riche en émotions n'avait eu lieu et, pour longtemps encore, on s'en souviendrait et on en parlerait dans les chaumières.

Parvenue à la fin de sa mission, Marie-Ursule put se laver les mains, inhaler quelques parfums apaisants versés à même le mouchoir de l'anatomiste et retourner docilement à sa place pour la suite des choses. Après l'émoi exceptionnel vécu en début de séance, la foule sembla sombrer dans l'ennui lorsque tout revint à la normale. Marie-Ursule, heureuse de regagner son siège, eut peine à se calmer. Elle avait tenu le cœur d'un homme entre ses doigts ! Jamais elle n'aurait cru cela possible ! Quand, après plusieurs minutes, elle parvint finalement à retrouver une certaine quiétude, elle dut lutter contre une énorme envie de dormir. Elle était épuisée par tout ce flot d'émotions et sa mère cognait déjà des clous à ses côtés. Néanmoins, par intérêt pour leur plan et aussi par respect pour De Vallon, qui lui jetait encore des regards intenses, la jeune fille s'obligea à ne pas fermer les paupières. Elle persista alors que d'autres spectateurs dans la salle avaient abdiqué. Elle regarda autour d'elle et s'aperçut que certains avaient quitté l'amphithéâtre, que d'autres semblaient distraits et que quelques-uns, comme sa mère, profitaient de la chaleur de l'espace pour carrément piquer un somme. Plusieurs irréductibles restaient toutefois suspendus aux lèvres de l'anatomiste et ne perdaient pas un mot de l'exposé. C'était le cas de ceux qui s'intéressaient à la science par plaisir et des étudiants qui, sans relâche, gribouillaient et noircissaient des feuilles en écoutant leur maître. Le seul de la cohorte à faire exception était encore cet énergumène posté au bas des gradins qui ne se fatiguait pas de reluquer Marie-Ursule, au lieu de faire ce qu'il avait à faire, peu importe ce que cela pouvait bien être. La jeune fille, agacée par ce comportement qu'elle jugeait hautement impoli, s'efforça à plusieurs reprises de prendre un air courroucé ou de faire carrément la grimace à celui qui s'obstinait pourtant à la fixer. L'ignorer n'était plus possible, elle était trop contrariée par cet impudent qui se croyait tout permis.

La séance se termina en fin d'après-midi. Les applaudissements furent un peu moins dynamiques que la veille. Chacun semblait heureux de rentrer à la maison. Adel se leva péniblement de son siège et invita sa fille à la suivre au centre de la salle, là où l'anatomiste et les assistants s'affairaient à tout ranger et à nettoyer. Malgré le fait que l'on eût de nouveau voilé le cadavre et que, régulièrement au cours de la journée, on eût épandu de lourds parfums autour du corps, l'odeur de putréfaction qui régnait à cet étage surprit Adel. Réprimant un haut-le-cœur, elle dégaina son mouchoir et s'en couvrit rapidement le nez et la bouche, prête à affronter le pire pour s'assurer de la tournure des événements. Marie-Ursule suivait docilement sa mère. Elle avait remarqué que De Vallon et ses assistants ne se masquaient pas le visage et c'est pourquoi, même si l'odeur la prenait à la gorge, elle s'efforça de faire comme eux, de penser à autre chose, d'oublier cet air vicié qui s'infiltrait en elle à chaque respiration. Sans savoir pourquoi, elle tenait à paraître solide, capable de tout.

En voyant les deux femmes s'approcher, De Vallon s'étonna du stoïcisme de la plus jeune, mais ne put s'y attarder autant qu'il l'aurait souhaité, puisque, posant son regard sur la plus âgée des deux, il s'inquiéta instantanément de son teint verdâtre. Se précipitant pour éviter que la dame ne s'effondre sur le sol encore souillé, il lui offrit le soutien de son bras puissant et invita la mère et sa fille à passer derrière la scène, dans une salle privée. L'une flattée à la perspective d'être conduite dans un endroit aussi privilégié, l'autre décidément soulagée d'y trouver un air frais et sain à respirer, elles s'attendaient toutes deux à obtenir un entretien intime avec l'anatomiste. Allait-il déjà déclarer son intérêt pour Marie-Ursule? Allait-il se montrer prudent? Que faudrait-il alors faire ou dire pour enjôler cet homme et presser ses gestes ? Adel et sa fille ne disaient mot, mais toutes les deux se demandaient la même chose : quel stratagème fallait-il adopter ?

Lorsque De Vallon poussa le battant de la porte, les deux femmes eurent la surprise de leur vie. Elles qui s'attendaient plus ou moins à pénétrer dans un endroit calme, frais, et à discuter tranquillement avec l'homme de science se trouvèrent bien vite déçues dans leurs attentes. Au premier coup d'œil, il leur sembla que tous les spectateurs qui remplissaient préalablement l'auditorium avaient, comme elles, migré vers cette salle. En y regardant mieux, les deux femmes comprirent bientôt que ce n'était pas le cas : la pièce était exiguë, mais remplie par des hommes importants et des étudiants qui attendaient De Vallon pour le féliciter ou pour poursuivre les discussions amorcées au cours de la séance. Dès que l'anatomiste apparut, il fut accaparé de toutes parts. Sollicité d'un côté comme de l'autre, ce fut une prouesse pour lui que d'aller reconduire Adel sur un siège et de s'excuser rapidement auprès de sa fille. Laissant les deux femmes en plan au cœur de cette société masculine distinguée, il s'engouffra ensuite dans la marée humaine qui l'entourait, tout sourire, serrant la main de celui-ci, recevant fièrement le compliment de celui-là, échangeant quelques paroles avec un tel ou procédant à de longs échanges avec un autre.

Il se faisait tard. Cet abandon inopiné dérouta les femmes. Momentanément à court d'idées, elles n'eurent, de prime abord, d'autre choix que d'attendre, dans l'espoir que De Vallon songe de nouveau à elles et daigne les rejoindre. À mesure que les minutes s'écoulaient, quelques spectateurs reconnurent Marie-Ursule et vinrent la féliciter pour le courage dont elle avait fait preuve au cours de la matinée. Distingués et courtois, ils paraissaient franchement impressionnés, mais ils ne s'attardèrent pas : ils n'étaient pas là pour discuter avec la gent féminine. Malgré ces quelques irruptions spontanées, l'attente des deux femmes fut interminable. À l'origine, elles n'avaient pas prévu revenir le lendemain, mais elles étaient en train de se raviser. Peut-être devraient-elles montrer plus d'attention envers l'anatomiste pour qu'il s'intéresse à elles. Quoi qu'il en soit, elles devraient assurément réfléchir à une autre façon de procéder et, pour ce soir, elles convinrent aisément que tout espoir était vain. Se croyant définitivement abandonnées par De Vallon, désappointées, elles se levèrent et se dirigèrent vers la sortie.

Les apercevant au loin, prêtes à partir, De Vallon s'en voulut de les avoir laissées si longuement et s'excusa auprès de son interlocuteur du moment. Il se précipita pour venir les saluer. Regrettant de n'avoir pu bavarder un peu avec elles, mais surtout de n'avoir pu observer à loisir la silhouette délicate de Marie-Ursule, sa bouche rose et ses yeux de braise, il implora le pardon des dames pour avoir été si impoli. Remerciant encore Marie-Ursule de s'être prêtée au jeu de la démonstration anatomique et s'inquiétant de savoir si elle en avait retiré toute la satisfaction espérée, il la couvrait du regard et goûtait le plaisir de la voir rougir sous ses compliments. Conscient du fait que ses invités s'impatientaient, De Vallon laissa les deux femmes partir, non sans leur avoir fait promettre de se présenter quelques jours plus tard à une fête qu'il donnait chez lui pour célébrer l'achèvement de la première anatomie publique de l'année. Marie-Ursule et Adel promirent, évidemment, puis prirent congé.

En sortant, les deux femmes étaient habitées par des sentiments divers. Si l'aînée était plus que satisfaite de la tournure des événements, elle était aussi extrêmement soulagée de n'avoir pas eu à contraindre le destin. Tout était arrivé de soi-même, alors qu'elle n'y croyait plus. Elle savait y faire pour manipuler les gens, mais elle demeurait consciente des limites de son pouvoir de persuasion. Si De Vallon n'avait pas fait la démonstration toute récente de son intérêt, Adel aurait parié à l'épuisement du filon. Mais l'homme avait dévoilé ses cartes et Marie-Ursule, à n'en pas douter, saurait le prendre au jeu. Ce n'était qu'une question de temps.

Fidèle à son humeur habituelle, Marie-Ursule avait, quant à elle, écumé de colère alors qu'elle attendait que l'anatomiste daigne s'occuper d'elle. Certes, il s'était accompli au dernier moment et elle avait pour l'occasion affiché un sourire de circonstance et soigné son attitude afin de se montrer des plus avenantes et des plus disponibles. Évidemment, la ruse avait fonctionné. Heureusement. Ne restait qu'à faire sortir cette boule de rage au creux de son estomac, cette masse qui n'avait fait que grossir et grossir pendant l'attente interminable, et elle pourrait enfin savourer sa victoire, goûter pleinement aux derniers instants de cette journée où elle était une dame. L'occasion de déverser son fiel se présenta rapidement au pied de la porte où elle croisa le jeune arrogant qui avait passé l'après-midi à la reluquer. Celui-là même qui était assis auprès du cadavre, au centre de tout, et qui ne s'était même pas soucié qu'on le remarque en train de lorgner une spectatrice aux allures distinguées. Et cet impudent se trouvait là, en cet instant, à un pas d'elle. Marie-Ursule ne manqua pas sa chance de le rabrouer sans ménagement.

— N'avez-vous pas honte, monsieur, d'avoir agi toute la journée comme vous l'avez fait? Vous êtes un malfrat d'une espèce comparable à celui dont on a ouvert le corps, pauvre petit insignifiant. Comment avez-vous osé me dévisager sans arrêt, alors que je vous signifiais clairement que cela n'était pas désiré de ma part? Vous êtes un impoli, un être grotesque. Vous mériteriez que je vous dénonce à votre maître et je pense bien que c'est ce que je vais faire!

Marie-Ursule avait parlé fort et rapidement. D'un seul coup, elle avait tout déversé et devait maintenant reprendre son souffle. Le jeune homme devant elle profita de cette pause pour se défendre un peu.

— Si vous lui dites que je vous ai regardée toute la journée, il comprendra que vous aussi, vous m'avez regardé toute la journée, si je puis me permettre, madame. Et de toute façon, ce n'est pas vous que j'observais.

Tout en parlant, l'artiste prit le paquet de feuilles qu'il avait entre les mains et le retourna. Sur le papier, bien que la lumière fût parcimonieuse, un visage apparut clairement à Marie-Ursule et à Adel, qui n'avait pas manqué un iota de la conversation. À l'immense surprise des deux femmes, le jeune homme avait dessiné un front large et haut, des pommettes trop saillantes, un cou de dinde, des oreilles aux lobes étirés, une peau parsemée de sillons, bref, c'était Adel qui était représentée sous tous ses angles. On la voyait légèrement de côté, de profil, de face, tantôt souriante, tantôt l'air sérieux ou somnolente.

L'œil contrarié, l'orgueil malmené, Marie-Ursule n'ajouta rien et tourna les talons lorsqu'elle entendit sa mère admirative dire candidement au garçon :

— C'est réussi! Vous avez du talent!

CHAPITRE 7

Si on le lui avait demandé, Blaise n'aurait su énoncer clairement l'âge qu'il avait. Alors que certains étaient très au fait de leur date d'anniversaire, Blaise, comme bon nombre de ses compatriotes infortunés, ignorait tout de l'époque de sa naissance. Les rares fois où il se surprenait à évoquer les premiers instants de sa vie, il aimait penser qu'il avait vu le jour pendant la saison chaude. Être un fils de l'hiver s'avérait pratiquement inconcevable, puisque, d'aussi loin qu'il pouvait se souvenir, cette période de l'année l'avait toujours horripilé. Il avait passé son enfance à grelotter des moissons aux semences, parfois blotti dans un logis enfumé, perméable à tous les caprices de dame Nature, mais le plus souvent dehors, à travailler pour son père ou terré dans les bois, accoutré de quelques pelures de guenilles grises et trouées, pauvre simulacre de bouclier contre cette armée d'aiguillons que la bise du nord dirigeait contre sa peau jour après jour. Puis, le vent avait tourné. Maître Battisto était entré dans son existence, tel un rayon de soleil ardent distribuant sa chaleur autour de lui. La glace avait fondu. Pendant plusieurs années, Blaise avait vécu dans la touffeur de son logis, convenablement vêtu pour faire face à toutes les intempéries, et il avait enfin cessé de grelotter. À cette époque, étrangement, même lorsque les bords de la Seine se cristallisaient sous l'emprise du froid, Blaise n'en était en rien affligé : il portait la douce saison en lui. Le jeune artiste se croyait dans la mi-vingtaine, mais ses faibles connaissances en mathématiques le faisaient parfois douter de sa propre estimation. Sa vie semblait s'être déroulée en trois actes jusqu'à présent : son enfance dans sa ville natale, sa jeunesse avec maître Battisto et cet âge adulte qui venait de le happer de plein fouet alors qu'il commençait son service auprès de l'anatomiste. Cela signifiait-il qu'il avait trente ans ? En tout cas, ce matin-là, si on le lui avait demandé, il aurait sûrement affirmé être un vieillard. Comme les saisons qui se succèdent, le froid était revenu en lui et il avait été tiré de son sommeil par le bruit de ses propres dents qui s'entrechoquaient et en raison de l'inconfort causé par sa musculature trop tendue. Son mince lit de paille s'était dispersé pendant la nuit, probablement sous l'effet de ses mouvements, et voilà qu'il s'éveillait le corps posé directement sur le sol froid de la stalle. La température avait dû chuter de façon radicale pendant la nuit et, malgré les quelques couvertures chaudes qui lui suffisaient habituellement, Blaise se réveilla ce matin-là complètement transi et perclus. Il avait cent ans.

Le vieux Jaco s'était sans doute levé dès potron-minet : il avait déjà nettoyé une bonne partie de l'écurie. Quand

Blaise le rejoignit, il prit conscience que son compagnon semblait aussi avoir souffert du froid au cours de la nuit. Les mouvements de l'homme âgé étaient lents et une roideur évidente contrariait chacun de ses pas. Pris de pitié, l'artiste s'avança et lui confisqua son balai. Ensuite, il le chassa gentiment en lui intimant de se rendre aux cuisines. Il en émanait déjà une odeur affriolante de bon pain et Blaise savait que la chaleur étouffante qui régnait dans cette pièce apaiserait les douleurs matinales du vénérable écuyer. Le jeune homme s'affaira donc seul à terminer le nettoyage des stalles et ne tarda pas à rejoindre son compagnon.

Mariette, la cuisinière, était d'ordinaire taciturne et avare de gentillesses à son égard. Cependant, ce matin-là, dès son arrivée, elle lui servit un large sourire ainsi qu'une épaisse tranche de pain de la veille, qu'elle avait préalablement couverte de lard et arrosée d'un peu de crème fraîche, ce qui était franchement inhabituel. Étonné, Blaise n'émit pourtant aucun commentaire à ce sujet, trop heureux de pouvoir profiter de cette petite douceur inattendue. Jaco et lui prirent leur temps pour manger, car ils n'étaient ni l'un ni l'autre pressés de retourner accomplir leurs tâches dans la froideur du matin. Mariette avait le ton badin en ce jour et il faisait bon la regarder s'ébattre devant ses chaudrons fumants, la sueur de ses tempes faisant boucler les rares cheveux gris-jaune qui s'échappaient de sa coiffe. Le soleil levant dardait ses rayons poussiéreux dans les deux étroites ouvertures vitrées de la pièce et des parfums enivrants virevoltaient partout autour. Chacun était enveloppé dans une atmosphère de luxuriance propice à la flânerie. Pour peu, les deux hommes y auraient bien passé la journée.

Toutefois, quand De Vallon débarqua sans prévenir dans la pièce surchauffée au bas plafond de pierre, Jaco et Blaise se levèrent précipitamment de leurs sièges, prêts à déguerpir, conscients d'avoir abusé de leur temps. De Vallon leur jeta à tous les deux le regard noir qui s'imposait, puisque la culpabilité était inscrite en lettres capitales sur le front des deux larbins. L'anatomiste laissa Jaco sortir, mais retint Blaise en s'adressant directement à lui.

— Suis-moi! ordonna-t-il.

Blaise le suivit à travers la maison et ils débouchèrent dans la pièce où De Vallon effectuait son travail de rédaction du traité d'anatomie. Nichée sous les lourds combles en bois de la résidence, l'endroit n'était pas particulièrement grand, mais il était éclairé de belle façon grâce à une large fenestration qui couvrait une bonne partie du mur tout au fond. Quand Blaise y pénétra, il songea qu'à coup sûr un peintre aurait fait de cet endroit son atelier. Située au grenier, éloignée du brouhaha qui habite chaque demeure, baignée d'une lumière douce et continue, cette pièce avait tout pour plaire au travailleur solitaire avide de tranquillité. De Vallon l'avait compris et il s'y était installé. Près de la fenêtre se trouvait sa massive table de travail, surmontée de livres et de papiers griffonnés. Un lot impressionnant de chandelles éteintes s'élevaient au-dessus de cet amoncellement et laissaient à penser que l'homme de science s'échinait probablement jusqu'à tard dans la nuit, penché sur cette table, usant et abusant de son encrier, de ses plumes et pigeant sans relâche dans sa réserve de feuilles vierges. De part et d'autre de la pièce, aux murs chaulés, De Vallon avait affiché une multitude de croquis anatomiques. Si Blaise en reconnut plusieurs comme étant les siens, il remarqua que certains autres avaient été tirés d'anciens traités anatomiques. Il ignorait ce que le chirurgien pouvait bien trouver à ces croquis simplistes et réducteurs, mais il le soupçonnait de procéder à des comparaisons entre son œuvre et celle encensée par la tradition. Pourtant, si tel était le cas, nul besoin d'afficher une représentation anatomique de Ketham aux côtés des siennes : les différences étaient tout simplement flagrantes. Ketham avait édité un traité anatomique quelque quarante ans auparavant. S'il avait marqué les esprits en son temps, Blaise trouvait que ses gravures manquaient de réalisme et ne voyait pas comment on avait pu porter aux nues un travail aussi sommaire que celui-ci. Quoi qu'il en soit, Blaise réalisa bien vite qu'il n'avait pas à en faire de cas : De Vallon n'avait jamais évoqué négativement le décalage frappant entre son travail et ce que l'on apercevait dans les anciens traités. Peut-être même était-il entièrement satisfait du fait que la différence entre les croquis soit si grande. Blaise aurait aimé savoir, mais il ne connaissait pas le patron comme étant enclin à discuter avec ses domestiques et encore moins à leur témoigner une quelconque reconnaissance. Il garda donc la question pour lui.

Blaise continua de détailler la pièce en silence pendant que De Vallon allait chercher une chaise dans un coin et l'approchait près de la sienne. Cela étant fait, l'anatomiste s'installa confortablement sur son siège et s'empara d'un paquet de feuilles qui traînait sur la table, un peu à l'écart des autres, pour en faire la lecture. Blaise le regardait, mal à l'aise. Il attendait une invitation pour s'asseoir et elle tardait à venir. Dans le lourd silence qui régnait, seules les feuilles se risquaient à émettre un petit bruit de frottement quand l'anatomiste les retournait et les reposait, une à une, sur la table. De Vallon semblait avoir oublié Blaise, planté au beau milieu de la pièce. Le jeune artiste chiffonnait les pans de sa chemise avec angoisse depuis un bon moment déjà lorsque des pas se firent entendre dans les escaliers derrière lui. Trop heureux d'avoir une occasion de faire quelque chose, n'importe quoi, il se détourna pour voir arriver le visiteur. Le bonheur apporté par cette distraction fut de courte durée: il reconnut immédiatement celui que De Vallon invitait cordialement à venir s'installer sur la chaise près de lui. C'était Ulbert Grandmont, le fils unique de l'épouse du chirurgien, celui-là même qui s'était âprement moqué de lui lors de sa première séance anatomique, celui que maître Battisto avait rabroué devant ses compatriotes de l'université, celui qui, surtout, depuis ce temps, ne manquait jamais une occasion de lui faire sentir à quel point il le méprisait. D'ailleurs, en se dirigeant vers le siège que son beau-père lui avait désigné, Ulbert avait superbement ignoré Blaise, qui était pourtant aussi visible qu'un chêne au milieu d'un champ.

Laissant toujours Blaise observer la situation sans se préoccuper de sa vile personne, Gaspar De Vallon servit à boire à son beau-fils avant de l'entretenir à propos du temps qu'il faisait et de la fête qu'il comptait donner dans quelques jours. Les sujets tous plus anodins les uns que les autres semblaient se succéder indéfiniment et Blaise se demandait pourquoi on l'avait emmené là, puisque jusqu'à maintenant la conversation ne le concernait visiblement pas et qu'on faisait tout pour ignorer sa présence.

Trop mal à l'aise pour tenter une excuse qui aurait pu faciliter sa fuite, Blaise demeura campé dans sa position inconfortable à entendre toutes les banalités qui sortaient de la bouche des deux hommes, mais sans réellement porter attention à ce dont il était question. Il ne fut tiré de sa léthargie que lorsque De Vallon l'interpella directement.

— Blaise! Je veux que tu fasses tout ce que Ulbert te dira de faire. Il me faut un cadavre pour ce soir. Bien sûr, vous devrez attendre que le soleil soit presque couché, mais prenez garde à ne pas trop tarder, car les portes du cimetière seront fermées dès qu'il fera nuit noire. Ulbert, tu vas devoir expliquer à Blaise ce qu'il faut faire et aussi comment ne pas se faire prendre. Je sais que tu n'as pas beaucoup d'estime pour ce jeune homme, mais il me sera très précieux au cours des prochaines semaines, alors s'il lui arrive quelque chose, c'est toi qui en répondras!

Blaise avait apparemment manqué des bribes de la conversation, mais il avait saisi l'essentiel: il participerait à sa première chasse aux cadavres, ce soir même! L'éventualité ne lui souriait pas du tout. Il savait que c'était une entreprise périlleuse pour laquelle il risquait la peine de mort ou les galères. De plus, même si la proximité des morts lui était devenue plus supportable depuis qu'il travaillait pour De Vallon, il n'en restait pas moins qu'il n'avait pas encore eu à les toucher et que jamais il n'avait été témoin du viol de leur sépulture. Sans qu'il puisse s'expliquer la chose de façon rationnelle, l'idée de tirer lui-même un corps de la terre bénie ou de voir quelqu'un procéder à cette illicite opération le répugnait vivement. S'il avait eu le choix, il aurait certainement décliné l'offre, mais le patron n'admettait pas la discussion. La décision avait été prise pour lui ; encore heureux qu'on ait décidé de l'en informer une douzaine d'heures auparavant. Il pouvait tenter de s'y préparer.

Les étudiants se rassemblèrent dans le cagibi d'anatomie chez De Vallon pendant une bonne partie de l'après-midi et ils y échafaudèrent leur plan. Blaise les écouta attentivement évoquer toutes les éventualités de se faire prendre et toutes les opportunités de se tirer d'affaire. Le risque était encore beaucoup plus grand qu'il ne l'avait d'abord cru et il sentait une vague de nervosité le submerger à mesure que la journée avançait. On lui avait attribué la tâche dont, bien évidemment, personne ne voulait. C'est lui qui devait descendre dans la fosse commune pour ficeler un cadavre à une corde avant que les autres le remontent. Il passerait plusieurs minutes dans l'immense trou puant à fouler du pied des corps en décomposition et attendrait qu'on daigne lui lancer une corde à son tour pour le tirer de là. Il risquait gros. Dans l'éventualité où toute cette histoire tournerait mal, les autres pouvaient bien trouver un moyen de se sauver, mais lui serait condamné à demeurer dans le trou toute la nuit. Pouvait-on survivre plusieurs heures dans l'odeur suffocante de la décomposition et la poussière de chaux vive ? Mieux valait ne pas trop se questionner à ce propos.

La brigade d'étudiants transformés en petits criminels se mit en branle bien avant vêpres. Le cimetière était à quelque distance et il fallait arriver à réaliser l'entièreté du plan avant que le gardien les presse à l'extérieur des portes une fois le soleil couché. Les jeunes gens avaient emprunté une voiture et l'avaient dissimulée dans une ruelle à quelques coins de rue du cimetière des Saints-Innocents. Tous en étaient à leur première rafle dans cet endroit mythique et abondamment fréquenté par les habitants du quartier des Halles. Pendant l'après-midi, au cours des préparatifs, un garçon au regard doux et à l'allure distinguée avait remis en question le choix de ce lieu. Ulbert lui avait expliqué que, dernièrement, les alentours avaient été passablement écumés : les archers qui montaient la garde au gibet de Montfaucon ne laissaient rien passer dernièrement et plusieurs cimetières de la ville étaient étroitement surveillés, ce qui, toutefois, n'était pas le cas de celui des Saints-Innocents pour le moment. Les autorités tenaient pour acquis qu'il était pratiquement impossible de voler un cadavre dans cet endroit, peuplé à toute heure du jour et gardé comme nul autre, une fois la nuit tombée. Ni le garçon ni Blaise (qui se posait la même question) ne furent satisfaits de cette réponse. Si le jeune homme aux traits délicats avait pu battre en retraite en se proposant pour surveiller la voiture à bonne distance des lieux, Blaise allait pour sa part s'acquitter de la tâche la plus lourde et avait peine à garder son calme lorsqu'ils s'approchèrent finalement des portes de l'antre. Un des collègues d'Ulbert, ayant sans doute remarqué l'inconfort grandissant de l'artiste, lui passa une bouteille et le mit en garde :

— Reste calme ou tu vas tout faire foirer.

Blaise opina et descendit une longue goulée. L'alcool lui brûla la bouche et mit feu à son estomac, mais pendant un moment il se sentit tout de même ragaillardi. Synchronisant son pas avec celui des autres, il suivit la troupe qui venait d'entrer dans le lieu sacré.

Le sol que les jeunes gens s'apprêtaient à fouler accueillait les corps des trépassés depuis plusieurs siècles déjà. La coutume d'enterrer les morts à cet endroit remontait à la période des Gallo-Romains et des Francs, époque lointaine où Paris avait les allures d'un village et où le cimetière n'était qu'une vaste étendue herbeuse, scindée en son milieu par une route ancienne dont personne ne se rappelait l'origine. Au fil des siècles, la ville avait profité, s'était élargie. Un marché s'était établi à proximité de ce champ de sépultures et on avait dû ériger un mur pour le protéger des assauts des vivants qui y déambulaient et y marchandaient impunément, sans égard à ce qui se trouvait sous leurs pas. Mais les morts ensevelis en ce lieu n'étaient pas destinés à connaître un long repos empreint de paix et de silence. Ironiquement, le fait de construire un mur ne changea pratiquement rien à l'étrange symbiose qui s'était installée naturellement entre le monde des vivants et celui des morts : telles des conques envahissant la surface d'un rocher marin, plusieurs petits commerces assurant la survivance des plus miséreux s'étaient agglutinés tout autour du temple mortuaire fraîchement érigé, autant à l'extérieur qu'à l'intérieur, et cela occasionna un va-et-vient continuel dans le cœur de la nécropole. Fils de cette tradition séculaire qui se perpétuerait bien au-delà de leur époque, les garçons connaissaient tous intimement ce lieu pour l'avoir fréquenté abondamment.

Alors que Blaise pénétrait dans l'enceinte et promenait son regard tout autour, son attention se fixa sur un curieux aménagement architectural, une singularité qui l'étonnait chaque fois qu'il mettait les pieds au cimetière des Saints-Innocents et qui, aujourd'hui tout particulièrement, le rendait mal à l'aise et augmentait sa réticence à s'acquitter de sa mission peu honorable. À même les murs intérieurs, quatre passages avaient été aménagés. Ces passages étaient couverts, mais percés à intervalles réguliers par de larges arcades ogivales. Tout au-dessus de ces galeries aérées qui abritaient les sépultures de citoyens plus fortunés, il y avait un vaste espace ouvert sous les combles dans lequel avaient été entassés des tas d'ossements et des milliers de crânes. Si, par le passé, il n'avait jamais vraiment été intimidé par ce détail architectural inusité, à cette heure, Blaise avait l'impression que, malgré la brunante, un nombre incalculable d'orbites vides l'épiaient et jugeaient impitoyablement l'acte qu'il n'avait pas encore commis. Tout à son malaise, alors qu'il se dirigeait vers une fosse commune avec les autres garçons, il ne s'aperçut pas que ses arrogants comparses avaient baissé le ton et que leurs blagues s'étaient tues parce qu'ils partageaient son sentiment. Il y avait peu de monde au cimetière en cette fraîche soirée d'hiver et cela augurait bien pour l'exécution de leur plan. Pourtant, chacun avait la sensation que leur méfait allait être commis au beau milieu d'une foule pour le moins insolite. Cela n'avait rien de rassurant.

À l'intérieur des murs, le *campelli* était un vaste espace plat couvert de verdure, parsemé de quelques dalles commémoratives et de rares monuments à vocation religieuse. En tout temps, deux ou trois immenses fosses communes destinées à recevoir le corps des indigents perçaient sa surface. Ulbert mena sa troupe près de l'une d'elles qui se trouvait un peu à l'écart, à l'abri des regards, aux pieds de la tour Notre-Dame-des-Bois. Ce trou, bien qu'étant le plus petit des deux ouverts en ce moment dans la vaste enceinte médiévale, présentait des proportions impressionnantes. Profond d'une trentaine de pieds et pratiquement aussi large, Blaise savait que cette gueule béante pouvait avaler entre cinq cents et six cents corps avant d'être rassasiée.

Pendant que l'un des garçons s'affairait à détourner l'attention des manants qui circulaient dans les alentours en jouant à l'idiot du village, Blaise tâta la corde qui lui enserrait le torse sous son manteau et s'approcha de la fosse pour jauger l'ampleur de la tâche. L'exhalaison putride qui s'infiltra dans ses poumons au moment où il inclina la tête au-dessus du trou lui donna la nausée et il dut rapidement s'éloigner du bord, pris de violents haut-le-cœur. À quatre pattes dans l'herbe fraîche, tentant de calmer son estomac et son esprit, il ressentait une honte innommable et répugnait maintenant autant à se jeter dans ce trou puant qu'à faire face aux étudiants qui se gaussaient sûrement déjà de lui. Pourtant, quand il se releva, tous évitèrent soigneusement de croiser son regard et nul ne fit de blague ni n'émit de commentaire. Pas même Ulbert, qui fit charitablement mine de n'avoir rien remarqué. Une étrange et inhabituelle compassion semblait habiter cette bande de malfrats d'occasion. Un des garçons extirpa de son sac un épais foulard laineux qu'il tendit à Blaise. Lorsque ce dernier eut noué l'écharpe rugueuse autour de son cou, une dense odeur florale lui monta à la tête.

— Couvre ton nez et ta bouche avec ça avant de descendre. Ça va aider, pour l'odeur.

— Et bois donc encore deux ou trois gorgées, ça ne peut pas nuire.

L'étudiant à la bouteille lui avait derechef tendu sa flasque. Blaise ne se fit pas prier. C'était l'heure d'y aller.

Blaise ne portait pas Ulbert dans son cœur, mais en voyant comment chaque étape du plan se déroulait sans heurts et exactement comme cela avait été prévu, le jeune artiste ne put réprimer une petite pointe d'admiration. Pourtant, il aurait donné tous ses avoirs pour que le gardien devine leur manigance, pour qu'une foule nombreuse et inattendue soit présente auprès de la fosse, pour que les autres pilleurs de tombe se défilent un à un. Oui, vraiment, il aurait tout donné pour être ailleurs, n'importe où, en ce moment même. Pendant que l'un des étudiants faisait le guet, les autres entreprirent de faire descendre Blaise dans le trou. Ils avaient attaché la corde à un ancrage que Ulbert était venu installer sur une pierre de la tour quelques jours auparavant et faisaient lentement glisser Blaise contre les parois humides du charnier. Sous lui, une masse blanchâtre formée d'un amas de linceuls et de chaux vive laissait deviner un relief inégal. En s'approchant, Blaise aperçut ici une main, là un pied, sur la gauche un corps dénudé et un peu plus loin une chevelure éparse recouvrant une tête au visage flétri. Quand le jeune artiste posa le pied sur cette surface mouvante et instable, son estomac capitula, victime de l'étouffante odeur de décomposition qui régnait partout autour. Lui qui avait vaillamment tenté de se maîtriser jusque-là, se retrouva plié en deux, fermement agrippé à la corde qui le soutenait, vomissant sous son foulard tout ce qu'il avait ingéré au cours de la journée et même un peu plus. La crise était intense. Elle ne semblait plus pouvoir s'arrêter. Au bout de quelques minutes interminables, néanmoins, son ventre cessa de se contracter. Le reste de son corps prit alors la relève, bien décidé à ce que le malheureux jeune homme comprenne qu'une fosse remplie de cadavres et de chaux n'est pas un endroit à fréquenter. Sa pauvre enveloppe charnelle continua donc de protester en affligeant Blaise de tremblements incontrôlables qui l'affaiblissaient de minute en minute. « Ils vont me laisser là. Si je ne me reprends pas et que je ne fais pas ce que j'ai à faire, ils vont me laisser là. Je vais mourir ici si je ne sors pas bientôt. Ils vont me laisser là. » Blaise n'avait que cette ritournelle en tête. Peut-être celle-ci lui sauva-t-elle la vie, puisqu'elle le poussa à agir malgré tout le fiel qui s'infiltrait dans ses poumons à chaque inspiration. Tant bien que mal, il dénoua les cordes d'un petit ballot qu'il avait traîné avec lui dans les profondeurs de la terre. Il en retira une grande robe défraîchie et une coiffe comme on pouvait en voir sur des milliers de têtes à Paris. Puis, il se mit à la recherche d'un corps susceptible d'être anatomisé. Se soutenant constamment à l'aide de la corde, il arrivait à garder un semblant d'équilibre à mesure qu'il cheminait vers ce qui lui semblait être un amas de corps aux allures plus récentes. Parvenu à destination, il déchira quelques linceuls afin de trouver une dépouille fraîche. Ce n'était pas une mince tâche, puisque la lumière qui parvenait jusqu'à lui diminuait de seconde en seconde et rien ne ressemble plus à un cadavre de deux jours qu'un cadavre de trois jours. Pourtant, il le savait, pour des fins d'anatomie, la différence entre les deux était capitale. Indécis, Blaise était parfaitement conscient qu'il ne pouvait perdre son temps à analyser les teintes de gris et les taches qui maculaient la peau de tous les cadavres empilés devant lui. Il en prit un au hasard, préférant instinctivement un petit corps de femme à celui, plus massif, d'un homme, et le traîna de peine et de misère près de la paroi. Là, il s'évertua à défaire le linceul et à recouvrir la dépouille avec les vêtements qu'il avait apportés. Il devait ensuite utiliser la corde qui lui avait permis de descendre dans le trou pour attacher le cadavre et signaler aux autres qu'ils pouvaient le ramener à la surface. Blaise réussit à accomplir chacune de ces étapes, malgré ses tremblements et les menaces constantes de récidive envoyées par son estomac fragilisé. Il y était parvenu grâce à cette litanie qui ne cessait de lui marteler la tête (« Ils vont me laisser là, ils vont me laisser là ») et qui l'avait plongé dans un état de transe salvateur. Toutefois, alors que le cadavre remontait le long de la paroi et disparaissait entre les mains des étudiants qui se trouvaient tout en haut, Blaise perdit toute contenance. La corde envolée, ils allaient le laisser là, pour sûr.

Enfonçant ses ongles dans la paroi terreuse, Blaise s'affaissa vers l'avant et fut de nouveau violemment secoué par une série de vomissements douloureux. Le jeune artiste n'avait plus rien à rendre depuis long-temps : ce que son corps tentait d'évacuer, c'était sans doute cette peur, cette détresse innommable, qui lui comprimait la cage thoracique et lui tordait les entrailles depuis qu'il avait pénétré dans l'enceinte du cimetière des Saints-Innocents. Les yeux à demi fermés, le visage tourné vers le bas, il s'aperçut que ses pieds mal chaus-sés baignaient à présent dans un liquide foncé et que chacun des infimes mouvements qui l'agitaient provo-quait un chuintement audible sous ses semelles. Tentant de relever la tête, Blaise fut alors pris d'un étourdisse-ment et dut s'agripper plus fermement à la paroi avec son autre main. Attendant de mourir ou de recevoir la corde, il posa son front sur la terre humide et fraîche et se fit un devoir de ne plus bouger. Ce chuintement d'humeurs à ses pieds était le pire son qu'il ait jamais entendu, cette odeur de putréfaction concentrée, coupée de déclinaisons florales et de vomissures, était la pire qu'il ait jamais sentie et l'état d'esprit dans lequel il se trouvait était le plus malsain d'entre tous. L'enfer devait sûrement ressembler à cela.

S'il n'avait pas eu aussi ferme intention de maintenir sa bouche fermée à tout prix depuis le début de cette escapade morbide, il aurait sans doute crié à pleins poumons lorsqu'il se sentit heurté à l'épaule gauche. Dans un sursaut, détournant machinalement la tête pour voir ce qui l'avait ainsi fouetté, il aperçut enfin la corde pendre tout près de son visage. Ils ne l'avaient pas abandonné! Dans un effort titanesque, il tenta de délaisser la fraîcheur quasi rassurante de la paroi pour s'emparer de la corde, mais ses mains refusaient de lui obéir. Il lui semblait soudainement que toute force l'avait quitté. Il avait même peine à garder les yeux ouverts. Quand des murmures d'encouragements retentirent au-dessus de sa tête, il reprit quelque peu contact avec la réalité et fit une seconde tentative. Il parvint finalement à attraper la corde et à s'en faire un harnais de fortune. Alors qu'il se laissait mollement hisser contre la paroi du trou, il lui sembla apercevoir des corps bouger au-dessous de lui. En un instant, la torpeur dans laquelle il se trouvait s'évapora. Les battements de son cœur accélérèrent et ses yeux s'écarquillèrent afin de percer l'obscurité et infirmer (il l'espérait) cette sombre et folle impression. Oui, pas de doute, il y avait bien du mouvement là-dessous! Parvenu à la moitié du trajet, Blaise entrevit soudainement le visage de son père au-dessus de la masse inerte des corps jetés dans la tranchée et l'éclat malveillant de la lame de sa hache tout près. Il était nu et flottait doucement vers lui, un rictus à demi rieur et à demi menaçant figeant ses traits blafards. Blaise s'agita dans ses cordages, il ne pouvait rester une seconde de plus dans cet enfer.

Le jeune artiste manqua de peu de finir ses jours en allant s'écraser au fond de la fosse, car lorsqu'il fut parvenu au bord du gouffre et que deux paires de bras l'empoignèrent par les aisselles pour l'en tirer, il se mit à se débattre frénétiquement. Heureusement pour lui, les gaillards l'avaient maintenu et extirpé du trou. Le regard absent, le teint livide et les tremblements incontrôlés de Blaise effrayèrent les jeunes hommes, qui le laissèrent choir sur l'herbe humide quelques instants avant que Ulbert ordonne le départ. Du côté des charniers, rue de la Ferronnerie, le gardien du cimetière avait commencé sa tournée. Sa torche au bout du bras, il intimait aux flâneurs de quitter les lieux. Le vieil homme était encore loin et c'était le moment parfait pour s'esquiver. Deux étudiants soulevèrent le fruit de leur rapine et firent cheminer le pantin cadavérique couvert d'une cape entre eux, bras dessus, bras dessous, jusqu'aux portes de l'enceinte. Deux autres garçons entreprirent de faire la même chose avec Blaise, qui pouvait à peine mettre un pied devant l'autre maintenant qu'il était revenu à l'air libre et qu'il s'était calmé. À l'exemple du trépassé, il se déplaça sans toucher le sol, soutenu par deux étrangers, la tête mollement penchée vers l'avant, les yeux enflés, à demi clos, brûlés par la chaux, et les pensées perdues dans un brouillard épais et sombre.

Jusqu'à ce qu'il retrouve sa paillasse dans l'écurie de l'anatomiste, Blaise se laissa mener, sans avoir trop conscience de ce qui se passait autour de lui. Plusieurs jours plus tard, quand il essaya de se rappeler le retour chez De Vallon, son esprit embrouillé ne fut en mesure de lui procurer qu'une seule et brève information. Un souvenir furtif d'une précision surprenante en comparaison de tout le reste.

Blaise se revoyait, flanqué des deux étudiants, attendant que l'on place le cadavre dans la charrette avant d'y monter à son tour. Sans raison apparente, il avait porté son regard engourdi vers les profondeurs de la ruelle devant lui et avait aperçu, non loin, un homme qui soulevait une femme contre un mur et l'y poussait à répétition dans une position équivoque. Il faisait nuit noire, mais la femme avait croisé son regard au-dessus de l'épaule de l'étranger et l'artiste sut qu'elle l'avait reconnu, comprit qu'elle avait deviné son méfait. La dernière chose dont il se souvenait, c'était finalement cette expression décomposée figeant les traits de la jeune fille, lorsqu'elle avait compris que Blaise aussi l'avait reconnue et que, plus jamais devant lui, elle ne pourrait prétendre être une autre personne, et ce, malgré les beaux vêtements qu'elle porterait à l'avenir. C'était une fille de joie, une ribaude. Elle vendait son corps dans les ruelles de Paris, il n'était plus permis d'en douter. Il le savait et elle savait qu'il le savait et, dans son regard, le dernier qu'elle avait jeté à Blaise avant qu'il perde connaissance, il y avait quelque chose comme un rêve brisé qui faisait peine à voir. Blaise s'en souvenait mieux que du reste.

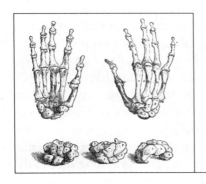

CHAPITRE 8

Jeanne-Françoise Lefebvre, la veuve chez qui logeaient Marie-Ursule et sa mère, Adel, était revendeuse à la toilette. Cette dame trapue entre deux âges et au menton piqué de poils drus avait plusieurs autres métiers, mais celui-ci était sans aucun doute le plus lucratif d'entre tous. Une pièce entière de la maison des Lefebvre, au rez-de-chaussée, était vouée à recevoir en consignation la précieuse marchandise fournie par des femmes de tous horizons qui apportaient à la commerçante leurs plus belles toilettes en échange de sommes variables dont elles avaient besoin. Celles qui pouvaient rembourser la dette ainsi que les intérêts galopants dans les temps prescrits par la veuve pouvaient espérer retrouver leurs jolies robes colorées, leurs escarpins délicats ou leurs manteaux aux étoffes de qualité. Les autres, moins chanceuses, se voyaient dans l'obligation d'abandonner leurs atours dans la minuscule boutique de Jeanne-Françoise, qui s'empressait de les revendre à bon prix.

Jeanne-Françoise Lefebvre avait beau être établie sur la rue des Prêcheurs, un endroit réputé pour servir d'abri aux miséreuses, elle comptait tout de même dans sa clientèle de nombreuses femmes fortunées qui traversaient la ville pour venir faire affaire avec elle. Du coup, le commerce de la veuve Lefebvre prenait du galon chaque fois qu'une sang-bleu, une courtisane ou une bourgeoise franchissait le seuil de sa porte, et Dieu sait qu'elles étaient plus d'une à le faire, n'était-ce que pour procéder à des échanges afin de varier leur garde-robe à peu de frais. Dans la petite boutique du rez-de-chaussée, il y avait donc toujours de nouvelles toilettes, somptueuses, de bon goût, frivoles ou classiques, tant pour les grandes que les petites, les minces que les plus rondes. Chacune y trouvait son compte et pouvait acheter, chez la veuve Lefebvre, une tenue appropriée à son rang social.

À regarder tous ces beaux vêtements dans la chambre de consignation ou en inventoriant le contenu de la petite boutique de la veuve, Marie-Ursule s'était découvert un nouveau champ d'intérêt. Elle adorait laisser glisser les étoffes soyeuses entre ses doigts et se plaisait à apporter différents morceaux près de l'étroite fenêtre afin d'en admirer les nuances à la lumière du soleil. Auparavant, Marie-Ursule ne prêtait guère attention aux chiffons. La petitesse de son existence lui avait imposé, jusqu'à tout récemment, de porter des vêtements simples faits de tissus grossiers aux couleurs fades qui avaient cependant le mérite de bien résister au passage des années. Elle n'avait jamais vraiment reluqué ou envié les tenues des grandes dames: à quoi bon prétendre à s'approprier les doux pétales de la rose lorsque l'on n'est soi-même rien de plus qu'une vulgaire fougère?

Mais maintenant, c'était différent. Pour combien de temps encore? Elle l'ignorait, mais sur l'heure tout lui était permis, ou presque. Les portes de l'élégance lui avaient été ouvertes grâce à sa mère, il lui fallait bien l'avouer. La veille de ce jour où elle l'avait traînée au théâtre d'anatomie pour la première fois, sa mère avait passé un marché avec la veuve Lefebvre: moyennant quelques travaux de couture et de nettoyage, les deux femmes pourraient avoir accès à la totalité des toilettes possédées par la veuve. Adel avait promis, en échange, des emprunts courts, occasionnels, un grand respect de la marchandise et un travail de couturière profession-nelle. La veuve avait accepté sans chercher à savoir pourquoi ces deux sans-le-sou pouvaient soudainement avoir besoin de soigner leur image à ce point. Elle leur offrait un service et elles payaient en retour. Jeanne-Françoise Lefebvre n'en demandait pas plus.

En furetant dans la pièce remplie de vêtements à pleine capacité, Marie-Ursule songeait à ce garçon qui travaillait pour De Vallon et qui l'avait surprise à exercer son métier sous les encorbellements d'une ruelle près du cimetière. Lorsqu'elle avait croisé son regard, elle l'avait tout de suite reconnu, ainsi que la bande d'étu-diants qui était avec lui. Comme son client était à la beso-gner, elle n'avait pu fuir ou se cacher des jeunes hommes qui côtoyaient tous l'anatomiste et qui risquaient de la dénoncer pour ce qu'elle était vraiment. Elle avait alors cru que son plan de conquérir l'homme de science venait de tomber à plat, que sa véritable identité allait être révélée et qu'à leur prochaine rencontre, De Vallon la repousserait avec mépris ou l'ignorerait tout simplement. Puis, en discutant de l'incident avec sa mère, elle était revenue à un état d'esprit plus optimiste : un seul garçon l'avait aperçue, et c'était l'artiste. Les autres n'avaient pas même semblé remarquer sa présence. Heureusement, d'ailleurs. En outre, en y repensant bien, elle avait trouvé au jeune homme un drôle d'air, une mine de déterré, pour ainsi dire. Il paraissait ébranlé et n'avait soutenu son regard qu'un court instant avant de perdre connaissance et de se faire embarquer dans une charrette par deux gaillards. Sa mère l'avait rassurée : « Il ne t'a peut-être même pas reconnue ! » Marie-Ursule était persuadée que oui, mais un doute planait. « Et s'il t'a reconnue, qui te dit qu'il ira tout raconter à De Vallon ? » Adel avait ensuite insisté pour qu'elles s'en tiennent au plan. Elles devaient se rendre coûte que coûte à la soirée à laquelle l'anatomiste les avait conviées. Là, elles verraient bien si le leurre avait été éventé ou non. Elles n'avaient pas grand-chose à perdre.

Ou peut-être que oui. Si De Vallon était au courant, il pouvait faire beaucoup plus que les mépriser ou les ignorer : il pouvait les dénoncer, puisque les deux femmes, en se rendant chez lui et en prétendant être d'un autre rang social, commettaient un crime passible d'amende ou de prison. L'État français avait émis plusieurs édits et il existait même une législation à ce propos qui portait le nom de « loi somptuaire ». Cette législation comprenait plusieurs principes, mais celui que tous connaissaient, y compris Marie-Ursule, condamnait de «telles excessives et superfluitez d'habillemens et accoustremens entre [...] hommes et femmes de tous estats, lesquels par ce moien l'on ne peut choisir ne discerner les uns d'avec les autres» et qui invitait les Français de partout «à la modestie des habillemens qu'ils auroyent à user et porter selon leurs estats et qualitez[1]». En s'habillant comme des courtisanes et non comme les roturières qu'elles étaient, elles couraient un risque bien réel, mais la jeune fille avait fait le choix de tenter le coup. Tant qu'il était permis de croire que le garçon avait tenu sa langue, le jeu en valait la chandelle.

Marie-Ursule sélectionna une toilette, des escarpins assortis et quelques bijoux. Ce soir, elle devait être parfaite. Le but premier était d'évaluer ses chances auprès du chirurgien et de l'ensorceler à la première ouverture. L'autre but de la soirée était de voir ce que ce garçon savait, s'il avait l'intention de parler, et cela ne promettait pas d'être une mince tâche vu la façon hautaine et injurieuse dont elle l'avait traité quelque temps auparavant, à la sortie du théâtre d'anatomie. Néanmoins, Marie-Ursule s'étonna elle-même en réalisant qu'elle était prête à tout pour s'extirper de la vie de misère qu'elle menait. S'il demeurait difficile d'admettre que sa mère avait peut-être eu l'idée du siècle, finalement, il n'était maintenant plus question de tourner le dos à

---

1. PARESYS, Isabelle. «Corps, apparences vestimentaires et identités en France à la Renaissance», *Apparence(s),* numéro 4 (Apparences vestimentaires en France à l'époque moderne), 2012. http://apparences.revues.org/1139 (page consultée le 15 mars 2014).

l'éventualité d'une existence plus douce. L'esprit combatif, c'est sans remords que la jeune femme revêtit ses atours illicites.

La résidence de Gaspar De Vallon était semblable à bien d'autres à Paris, exception faite qu'elle était particulièrement vaste, haute, et que les pans de bois qui délimitaient les sections plâtrées de sa façade peinte au sang de bœuf étaient couverts d'une multitude de jolies sculptures qui lui donnaient un air élégant et distinctif, comme une vieille dame vêtue de dentelle. De Vallon était un homme fier, il aimait la subtilité des détails, appréciait et recherchait la beauté autour de lui ; c'est en tout cas ce que l'on pouvait extrapoler de sa personne en jetant un rapide coup d'œil sur la maison qu'il habitait. Constatant cela, Marie-Ursule fut rassurée dans son choix vestimentaire : elle était maintenant pratiquement certaine qu'elle allait lui plaire. La douceur inopinée de la soirée lui avait permis de revêtir une robe de velours rose tendre, bordée de rubans, dont le décolleté carré s'ornait d'une gorgerette diaphane et de broderies. Elle avait paré sa gorge d'une chaînette au bout de laquelle pointait une jolie goutte nacrée, enlacée d'argent fin. Elle avait pris soin de porter ses cheveux bien tirés vers l'arrière dans un élégant chignon retenu en place à l'aide d'une résille perlée. Deux mèches blondes, impertinentes, faussement rebelles, venaient lui chatouiller les oreilles et la nuque quand sa tête se mouvait. Bien mise, vêtue comme une bourgeoise, adaptant avec aisance ses mouvements, sa démarche et son langage au rang que lui imposait son déguisement, elle aurait sans aucun doute été en mesure de berner le roi lui-même.

Lorsque sa mère et elle pénétrèrent dans la maison de l'anatomiste à l'invitation d'un vieux domestique, elles constatèrent que la fête battait déjà son plein : de nombreux invités circulaient à travers les vastes pièces, de la musique se faisait entendre et des discussions animées provoquaient autour d'elles des éclats de rire ou des envolées argumentaires. Alors qu'elles cheminaient parmi la foule à la recherche de leur hôte, des regards empreints de curiosité les pourchassaient : qui étaient donc ces deux inconnues ? La question tarauda de nombreux esprits, car la petite société universitaire de Paris n'avait pas l'habitude de voir de nouveaux visages dans ses rangs. Certains, plus perspicaces, se rappelaient avoir vu Marie-Ursule au théâtre d'anatomie, mais sur l'heure personne n'osait l'aborder. Se sentant observées, les deux femmes appréhendaient nerveusement le déroulement de la soirée. Il était évident que quelqu'un allait bien finir par les interroger sur leur identité. Heureusement, elles s'étaient préparées à cette éventualité.

Un moment de calme et de silence fut réclamé à la foule à l'instant même où Adel apercevait, au loin, celui que sa fille et elle cherchaient depuis quelque temps déjà. Leur quête fut suspendue. La musique se tut, les gens cessèrent de s'agiter et De Vallon grimpa quelques marches de l'escalier près duquel il se trouvait. Pour l'occasion, il avait délaissé sa longue robe noire de maître chirurgien, et c'est dans un costume d'une élégance remarquable qu'il s'adressa à ses collègues et amis de sa voix de ténor habituelle, captivant immédiatement l'attention de ses convives. Il commença par souhaiter la bienvenue à tous et entretint quelques instants son auditoire, majoritairement formé d'universitaires, à propos de la saison des anatomies qui avait officiellement débuté quelque temps auparavant et qui promettait d'être particulièrement riche et intéressante.

— Cette saison, poursuivit-il avec une pointe d'émotion, sera pour moi la dernière que je passerai avec vous, chers collègues et étudiants, puisque je quitterai temporairement ma charge de professeur afin de me consacrer entièrement à un projet grandiose que j'ai entrepris il y a plusieurs mois déjà.

Une vague de surprise, partagée entre l'approbation et le mécontentement, secoua la foule. Chacun y alla de son commentaire et, pendant un moment, l'atmosphère devint surchargée et bruyante. En bon orateur qu'il était, De Vallon récupéra l'attention de son public encore sous le choc en enchaînant avec des explications détaillées concernant ce qu'il préparait. Après avoir déclaré en être à la rédaction d'un traité d'anatomie, il fit, avec un soupçon de mépris, un bref aperçu historique de ce qui existait jusqu'alors, ne se gênant pas pour évoquer toutes les lacunes de ces précédents travaux. Puis, c'est avec une fierté non dissimulée qu'il vanta les mérites de son propre ouvrage. L'atout majeur de ce traité qu'il prévoyait faire publier à grande échelle résidait, bien évidemment, dans la description exceptionnelle des éléments anatomiques du corps humain, mais aussi dans l'adéquation rigoureuse de ces descriptions avec des images remarquables, tant par leur réalisme jamais égalé que par leur style artistique innovateur. Afin de souligner ses propos, De Vallon avait même préparé un feuillet, imprimé en deux sections, où l'on pouvait apercevoir un texte rédigé en latin d'un côté et une représentation des os de la main de l'autre. Comme le feuillet avait été produit en de nombreux exemplaires, De Vallon les fit passer et chacun se retrouva à contempler sa propre copie, un extrait exclusif de ce futur monument de la littérature anatomique, qui promettait de révolutionner à tout jamais l'enseignement de cette science de première importance.

— Rien ne vaut l'expérience, le toucher et la vue d'un vrai corps pour comprendre sa nature. Toutefois, nous savons tous que nos étudiants, ceux de chirurgie, de médecine et même ces artistes en formation, ne peuvent avoir accès à de vrais sujets autant que l'exige leur soif de connaissances. Mon traité, par sa précision, par sa magnificence, par l'exhaustivité de ses descriptions et de ses illustrations, saura suppléer à ce manque grave. L'élève qui aura devant lui la *Fabrica* pourra étudier le corps humain sous toutes ses coutures. Il ne pourra certes pas toucher, mais il pourra voir. Ma *Fabrica* sera, dès son impression, un outil pédagogique sans pareil dont il sera impossible de se passer. On l'utilisera dans toutes les universités, cela deviendra une référence incontournable dans l'enseignement des bases anatomiques. Mes amis, je vous le dis, je vous l'affirme, la *Fabrica* sera grandiose et elle sera française !

De Vallon avait appuyé sur ce dernier mot et les convives, leur chauvinisme éveillé, s'étaient emballés. Les applaudissements jaillirent des quatre coins de la salle. La fête qui s'annonçait plaisante venait de prendre une tournure surprenante. Chacun avait maintenant l'impression d'assister à un moment important, d'être un témoin privilégié de l'évolution du savoir.

L'hôte invita ensuite ses invités à lui poser des questions, s'ils en avaient. Un de ses confrères, Jacques Dubois, que tous connaissaient sous le nom de Sylvius, le questionna sur ses opinions vis-à-vis du contenu des traités anciens. Apparemment, il avait été outré d'entendre dénigrer les ouvrages de maîtres incontestés dont les savoirs millénaires constituaient la base de la science anatomique. De Vallon s'empressa de rassurer son éminent collègue en affirmant avoir un grand respect pour les anciens et ne jamais contredire les diktats reconnus de cette science qui remontaient à la civilisation grecque antique. Il argua plutôt de les enrichir par de nombreux exemples et démonstrations visuelles. Pendant que De Vallon usait presque à outrance de son talent verbeux afin de donner suite à ce commentaire possiblement litigieux, les invités, pour qui la question et sa réponse n'avaient aucune importance, avaient tout le loisir d'observer l'extrait du traité que l'anatomiste leur avait fait passer. Comme une grande partie de l'assistance ne lisait pas un mot de latin, c'est plutôt l'illustration qui capta l'attention générale. Tandis que De Vallon s'enquérait d'éventuelles questions, quelqu'un demanda à voir d'autres croquis. Sur le coup, le professeur parut légèrement dérouté, mais il s'inclina en finesse devant cette demande.

— Eh bien! il est vrai que je pourrais en afficher quelques-unes, si cela vous intéresse. Je veillerai à ce que ce soit fait au cours de la soirée et, d'ici votre départ, que mon épouse et moi souhaitons tardif, vous pourrez satisfaire votre curiosité.

Puis, sans même y être invité, un autre convive demanda à connaître l'artiste qui avait réalisé ces somptueuses planches. De concert, plusieurs voix appuyèrent cette demande, ce qui poussa De Vallon dans des retranchements où il n'était pas habituel de le voir. Regardant à gauche, à droite, cherchant visiblement ses mots, toussotant pour camoufler son malaise, il ne trouva aucun moyen d'éluder la requête qui venait de lui être faite. Il avait voulu cette soirée comme étant sienne. Il n'avait aucun désir de voir l'attention de ses invités tournée vers l'un de ses domestiques. Pourtant, il était acculé au pied du mur et il était furieux contre lui-même de ne pas avoir prévu le coup. Il devait maintenant donner à ses convives ce qu'ils réclamaient de lui.

— Le jeune artiste qui a réalisé les illustrations de mon traité est d'ici, de Paris, mais il a été formé par un maître italien.

— Comment se nomme-t-il?

— Est-il ici ce soir?

— Pouvez-vous nous le présenter?

— Il travaille à quel atelier?

Apparemment, l'esquive s'était avérée pire que la franchise. Les interrogations au sujet de Blaise fusaient de partout.

De Vallon n'avait plus d'échappatoire possible. Les regards autour de lui se faisaient plus insistants que les mots.

— Il n'a malheureusement pas pu être là pour commencer la soirée en notre compagnie, mais il ne devrait plus tarder à nous rejoindre. Je me ferai un plaisir de vous le présenter aussitôt qu'il franchira les portes de ma demeure.

Les applaudissements s'élevèrent. D'un geste de la main, De Vallon somma les musiciens de reprendre leur travail et il descendit de son estrade improvisée avec, au creux de la gorge, un goût amer.

— Vous deux, allez chercher ce bon à rien et faites en sorte qu'il soit présentable, ordonna-t-il à sa femme et à son beau-fils, qui se trouvaient tout près.

L'anatomiste ne tenait pas à ce que tout son entourage soit au courant que Blaise lui servait aussi de main-d'œuvre bon marché. Au fond de lui, il savait qu'il aurait dû traiter le jeune homme avec plus d'égard et ce n'était pas la première fois qu'il y songeait, mais il n'en était tout simplement pas capable. Blaise, bien que talentueux, n'avait pas la prestance de feu son maître Battisto. Dès leur première rencontre, il avait eu envie de lui botter les fesses, de le secouer pour qu'il se redresse et cesse de ramper comme une larve. Toutefois, ce genre de correction n'était applicable qu'en songe. Blaise avait toujours ce regard fuyant, cette voix faiblarde, cette façon agaçante de voûter les épaules lorsque l'on s'adressait à lui et cette manie d'acquiescer à tout, même à cette idée saugrenue d'aller se foutre dans une fosse commune qui avait bien failli le tuer. Oui, s'il avait eu un peu plus d'aplomb, un peu plus de vitalité et d'amour-propre, De Vallon lui aurait fort probablement accordé un peu plus de respect. Néanmoins, le jeune homme était ce qu'il était, un faible, et l'anatomiste ne voyait pas comment le traiter autrement.

Lorsque Blaise pénétra dans la pièce avec son air ahuri habituel, mais habillé comme un gentilhomme, De Vallon serra les dents. De toute évidence, il ne se sentait pas prêt à partager sa gloire avec cet insecte misérable qui ne savait même pas comment cheminer dans une foule. Malheureusement, comme cette gloire était tributaire de la reconnaissance que ses invités lui portaient, alors il fallait bien les satisfaire. De Vallon se précipita donc sur l'artiste, qu'il attrapa par le bras, et passa ainsi, de groupe en groupe, pour le présenter et éviter que le maladroit ne parle trop ou fasse des commentaires embarrassants, comme révéler qu'il avait dormi par terre, dans l'écurie, jusqu'à tout récemment ou que De Vallon ne le payait pas. Comme les invités avaient finalement été en mesure d'admirer quelques-unes des illustrations qu'il avait réalisées pour le traité, Blaise fut congratulé à de nombreuses reprises. On lui offrit à boire et on s'arracha une place à ses côtés pour le repas. De Vallon avait ordonné qu'on ajoute un couvert pour lui. Il n'avait maintenant plus le choix : Blaise était soudainement devenu un invité de marque et il aurait été mal vu de le renvoyer aux cuisines pour manger son quignon de pain noir.

La fête se déroulait magnifiquement bien dans l'ensemble, mais Gaspar De Vallon écumait silencieusement chaque fois qu'il voyait le jeune homme serrer des mains et échanger des paroles avec ceux qui étaient venus expressément pour le célébrer lui, le grand anatomiste.

————•————

Adel avait le regard perçant. Comme elle avait eu à se battre pendant des années pour survivre au sein d'une faune humaine aux vices nombreux, elle avait appris à lire le langage des corps. En observant l'anatomiste à la fin de son discours, au moment où il était question de l'artiste, elle avait perçu un malaise chez l'homme de haute stature. Lorsqu'elle le vit, plus tard, se diriger vers Marie-Ursule et elle, Adel eut d'abord le sentiment rassurant qu'il ne savait rien de compromettant à leur sujet. Elle sut aussi qu'il était charmé de revoir sa fille, que son intérêt pour elle était toujours bien vivant. Puis, quand vint le temps de leur présenter officiellement l'artiste qui collaborait à son traité et qui attendait patiemment à ses côtés, Adel perçut du mépris et de la jalousie dans l'attitude de l'anatomiste. Le jeune homme, quant à lui, semblait timide, effacé, et dégageait autre chose. Quelque chose de furtif, mais de solidement ancré, une sorte de force tranquille qu'elle n'arrivait pas à définir. Cela l'inquiéta un peu; l'artiste était difficile à cerner. Lui et les deux femmes firent comme s'ils se rencontraient pour la toute première fois. Ce fut un épisode cordial, mais bref, car écourté par la maîtresse de la maison qui convia chacun et chacune à prendre place autour de la grande table.

Le repas qui fut servi ce soir-là fut le plus copieux que les deux femmes eussent jamais mangé. Marie-Ursule avait eu l'estomac noué par la nervosité depuis qu'elle était entrée dans la résidence, néanmoins la tension s'était relâchée en constatant que De Vallon se montrait enthousiaste de la revoir et, ainsi, elle put librement goûter à tous les plats qui se présentèrent devant elle au cours des agapes. Le vin aussi était bon et doux. Si Adel, contrairement à son habitude, décida de n'en pas trop boire, Marie-Ursule, elle, y plongea les lèvres avec délice à plusieurs reprises. Quand elle se leva de table, à la fin du repas, elle se sentit à l'étroit dans sa robe, s'aperçut qu'elle avait le feu aux joues et l'esprit prêt à la conquête.

Lorsque les danses débutèrent, Marie-Ursule eut peine à demeurer à l'écart. Elle mourait d'envie de se joindre à la mêlée qui enfilait les pas au son des violons et des bois, mais ne le faisait pas par crainte d'être démasquée : le petit peuple auquel elle appartenait n'avait apparemment pas la même façon de danser que les mieux nantis. Pour ajouter à son malheur, plusieurs galants s'étaient approchés pour l'inviter à danser, mais tous, elle avait dû les éconduire, se contentant de demeurer sur les côtés, piétinant et battant frénétiquement des mains pour dissoudre son impatience. Puis, elle eut finalement son moment. À la fin d'un morceau, elle reconnut avec bonheur les premières notes d'un air populaire et constata avec félicité que les danseurs se regroupaient et bougeaient d'une manière qui lui était familière. L'étudiant qui avançait vers elle au même moment n'eut pas besoin d'ouvrir la bouche que déjà la jeune fille glissait sa main dans la sienne et semblait s'envoler jusqu'au centre de la pièce. La joie puérile qu'elle éprouvait à se trouver là n'avait son égale chez aucun autre danseur ni aucune autre danseuse. De Vallon et bien d'autres hommes qui ne quittaient pas des yeux la nouvelle venue furent ravis de voir cette fille à la beauté singulière se donner avec autant d'enthousiasme.

Au bout de quelques morceaux, Marie-Ursule s'obligea à faire une pause : ses pieds étaient au comble du supplice et elle se rappelait avoir une mission à accomplir. Le teint rougi par l'effort, une malice au coin de l'œil, elle fit onduler son harmonieuse et délicate silhouette à quelques pas de l'anatomiste et se dirigea vers la porte de derrière qui menait à la cour intérieure. Elle avait besoin d'un peu d'air frais et de calme. Elle profita d'un bref moment de solitude afin de rassembler ses idées : le temps filait rapidement et rien n'avait encore été accompli. Il fallait se mettre à la tâche et vite. La porte ouverte près d'elle lui fit soudain entendre la voix chaude de l'anatomiste. Il se dirigeait assurément dans sa direction, mais quelqu'un avait dû l'intercepter avant qu'il ne sorte. Marie-Ursule repéra un banc dans un coin, un peu à l'écart, et alla s'y asseoir. Elle retira prestement l'un de ses escarpins et s'affaira à se masser la cheville avec toute l'attention dont elle était capable. Sur l'heure, ce pied dénudé et cette cheville mise à nu devaient paraître plus importants qu'une relique de la sainte Croix.

La jeune fille entendit distinctement des pas se diriger vers elle, mais elle les ignora délibérément. Elle fit mine de sursauter lorsque De Vallon s'adressa directement à elle et, après un instant mesuré, d'un geste prude, elle couvrit ce bout de peau qu'elle avait sciemment mis au jour.

— Vous vous êtes blessée ?

C'est la question qu'elle avait souhaité entendre. La suite s'annonçait aussi prévisible que le déroulement d'un office religieux.

— Oui, enfin… pas sérieusement, avoua Marie-Ursule d'un air contrit. Je crains d'avoir un peu exagéré sur la danse ! J'ai un petit élancement à la cheville, mais j'ai surtout une ampoule drôlement douloureuse qui se forme juste là, sous mon orteil.

Et la jeune finaude de relever sa robe pour montrer exactement l'endroit d'où émanait sa souffrance. Pris au jeu, De Vallon jeta un coup d'œil autour de lui et vint s'asseoir aux côtés de la demoiselle.

— Puis-je voir ? Je sais comment soulager certains maux.

Marie-Ursule se retourna. Ce faisant, elle aperçut la silhouette de sa mère qui l'observait depuis l'embrasure de la porte. Tout se déroulait à la perfection. Lorsque la jeune fille éleva la jambe, qu'elle déposa son pied dans la main tendue de l'homme, un pan de sa robe remonta légèrement sur sa cuisse. Cette fois, au lieu de chercher à se camoufler, elle laissa sa robe exactement où elle était et fixa son regard d'ébène sur l'anatomiste. Probablement mû par une préoccupation professionnelle factice et faisant mine d'ignorer ce regard insistant qui pesait sur lui, De Vallon entreprit d'examiner le pied endolori de la demoiselle. Dans la cour faiblement éclairée et plus particulièrement dans ce coin à l'écart où la noirceur les avait enveloppés tous les deux, l'auscultation prit rapidement des allures de caresses. Alors que les mains de l'anatomiste tentaient de remonter le long de la cuisse de la jeune fille frémissante, elle freina son geste et obligea l'homme à la regarder. Sciemment, elle soutenait son regard d'une intense façon et laissait planer le silence. N'y tenant plus, De Vallon s'avança, reposa la jambe fine et douce qu'il étrennait sans en avoir la permission et embrassa la jeune fille avec une fougue qui les surprit tous les deux. Au bout d'un court moment, Marie-Ursule se détourna, préoccupée de ne pas laisser les événements se bousculer.

— Gaspar, osa-t-elle, vous me plaisez. Une telle chaleur monte en moi lorsque vous êtes à mes côtés... J'aimerais tant que nous soyons seuls...

L'anatomiste s'avança pour l'embrasser de nouveau, mais en fine stratège elle l'en empêcha.

— Nous pourrions arranger cela, ma chère.

Il songeait à l'emmener dans l'écurie, dans le cagibi d'anatomie, n'importe où pourvu qu'elle se sentît suffisamment à l'aise pour lui ouvrir ses cuisses. Cependant, elle n'entendait pas se livrer aussi facilement. N'était-elle pas censée être une vierge soucieuse de se préserver comme telle ? Elle ramena De Vallon à la réalité.

— Non, j'ai bien peur que cela ne soit pas possible. J'ai parlé de vous à ma mère. Je lui ai avoué ce que je ressens pour vous, mais elle me traite de folle. Elle croit que c'est grande inconscience que de vous fréquenter et elle craint par-dessus tout que j'y perde mon innocence. Elle dit que vous ne serez pas bon pour moi, puisque vous êtes marié, et que si je persiste dans ma détermination à vous revoir, vous entacherez mon honneur et ainsi je finirai pauvre et vieille fille.

Marie-Ursule avait joué le jeu avec une justesse désarmante. De Vallon était sans mot devant ces candides aveux. Il réalisait qu'il avait devant lui une créature délicate au tempérament de feu qui venait tout bonnement de lui avouer son désir. Elle était vierge, blanche comme neige et, qui plus est, à sa disposition. À quelques détails près. Le goût qu'il avait d'elle, son envie de la posséder sur-le-champ lui firent perdre toute contenance, à un tel point qu'il ne se reconnut pas. Était-il devenu aussi simple d'esprit que ses juvéniles étudiants? Impulsivement, il lui proposa d'être sa maîtresse. Il n'en avait jamais eu, n'avait jamais vraiment envisagé d'en avoir une, mais de nombreux hommes mariés de son entourage entretenaient des maîtresses et cela lui paraissait soudain comme étant la réponse immédiate et évidente à tous ses problèmes. Il pourrait trouver plaisir à fréquenter la petite et n'aurait plus à risquer une syphilis en se rendant à la Grange aux belles. Bien sûr, cela lui coûterait, mais ses comptes étaient très bien garnis. Il pouvait se le permettre.

Marie-Ursule fit mine de ne pas trop comprendre ce que lui proposait De Vallon, même si au fond elle exultait. Elle lui demanda si c'était là une proposition honnête et assura qu'il fallait voir avec sa mère si cela était acceptable. Mal à l'aise, De Vallon aurait voulu laisser la marâtre en dehors de tout cela, mais la dame s'approcha d'eux à l'instant même où il se passait cette réflexion.

— Maman, je te l'avais dit qu'il était honnête ! Il voudrait faire de moi sa maîtresse, qu'est-ce que tu en penses ?

Adel lui jeta un regard noir.

— Retourne à l'intérieur avant que je ne te gifle ! fut son acerbe réponse.

Marie-Ursule demeura figée un instant, puis tourna les talons en étouffant un sanglot courroucé qui se transforma en rire une fois au milieu de la foule, à l'intérieur de la maison.

Pendant que sa mère s'entretenait avec l'anatomiste et tentait de conclure un accord avec lui, Marie-Ursule arpentait les pièces à la recherche de Blaise. Elle le retrouva, assis, seul, dans un coin de la salle. Son moment de gloire était passé, mais il ne semblait pas s'en plaindre. Le regard las, il observait distraitement les invités et attendait qu'on lui permette de retourner dans le calme de son logis. Autant Marie-Ursule s'était sentie confiante de séduire l'anatomiste, autant là, à quelques mètres du jeune homme à qui elle devait absolument parler, elle était envahie par une angoisse difficile à maîtriser. C'est que De Vallon était un livre ouvert. On pouvait aisément deviner ses pensées, prévoir son comportement sans trop se tromper. Blaise l'artiste, lui, semblait toujours cacher un je-ne-sais-quoi d'indéchiffrable derrière son épaisse façade de garçon timide. Il paraissait empoté et capable de tout à la fois. Étrange.

Rassemblant son courage, elle s'approcha tout de même de lui et demanda poliment à partager son siège. Soulevant nerveusement son regard bleu ciel vers elle, il lui signifia d'un hochement de tête qu'elle pouvait s'asseoir, puis il retourna à son observation minutieuse de la foule sans lui adresser la parole. Décidément, socialiser n'était pas un talent inné chez ce drôle de personnage. Marie-Ursule fut déroutée par tant de froideur et elle dut réfléchir un moment à ce qu'elle allait lui dire, se demandant à tout instant si elle était réellement obligée de lui parler ou non. C'était vraiment la pire corvée de la soirée. Pendant plusieurs minutes, les deux jeunes gens demeurèrent donc assis côte à côte, à une distance plus que raisonnable, sur le banc de bois dur, sans échanger une seule parole et ruminant leur inconfort de se trouver là.

— Tu dessines fort bien.

C'est tout ce que Marie-Ursule avait réussi à trouver. En plus du fait que ces mots étaient sortis accompagnés d'un trémolo pas très élégant, le contenu était si peu original et engageant qu'elle se serait giflée elle-même pour se punir d'avoir osé prononcer des paroles aussi vides et absurdes. On aurait dit le discours d'une fillette de quatre ans. Pathétique.

Le compliment maintes fois répété au cours de la soirée ne trouva pas d'écho chez le jeune homme qui agissait comme s'il n'avait rien entendu. Marie-Ursule respira à fond et revint à la charge.

— C'est vrai. Ma mère était vraiment touchée que tu aies fait ce portrait d'elle, l'autre jour au théâtre.

— Ta mère ? Si cette femme est ta mère, De Vallon est mon père.

Voilà, on y était. Si toutes les nouvelles personnes avec qui Marie-Ursule et Adel s'étaient entretenues ce soir avaient semblé n'avoir aucun doute à propos de la familiarité entre les deux femmes, Blaise, avec cette remarque, démontrait qu'il n'était pas dupe.

— Tu as raison. Adel m'a adoptée quand j'étais encore bébé. Je dis que c'est ma mère et elle, que je suis sa fille. C'est plus simple que d'expliquer toute l'histoire.

— Les secrets de ton existence ne regardent que toi. Tu es libre d'ébruiter ou de taire ce que tu veux. C'est la même chose pour moi.

Le sous-entendu était de taille. Blaise n'avait pas perdu de temps et sa réaction rapide étonna Marie-Ursule. Entre les lignes, il venait sans aucun doute de lui dire qu'il était au courant de sa double vie et qu'il était préférable que d'autres ne le sachent pas. Toutefois, la jeune fille demeurait perplexe : y avait-il une pointe de menace dans tout ce non-dit ? Les demi-mots avaient l'avantage de préserver les orgueils, sauf qu'ils pouvaient aussi créer des malentendus. Ce soir, Marie-Ursule ne souhaitait pas repartir sans les avoir tous dissipés.

— Je suis d'accord. Même ce que je viens de te dire, j'aimerais que tu le gardes pour toi. Je ne connais pas trop la nature de ta relation avec De Vallon, mais si tu pouvais éviter de lui parler de moi et de ma mère, j'apprécierais beaucoup.

— Je n'ai pas de relation avec De Vallon. Il m'utilise pour illustrer ses travaux anatomiques. C'est tout. Je ne lui dis jamais rien, tu n'as pas à t'inquiéter. Ni à lui ni à personne, d'ailleurs.

L'accord venait d'être scellé. Il ne parlerait pas. Il avait prononcé les dernières phrases en regardant Marie-Ursule bien en face, d'un trait, sans hésitation. Pas de doute, il était sincère et la jeune fille fut rassurée sur-le-champ. Toutefois, elle éprouva une pointe de chagrin en constatant l'étendue de la solitude de l'artiste. Reconnaissante envers lui et inexplicablement touchée par le malheur qui paraissait l'accabler, Marie-Ursule résolut de faire des efforts pour lui parler et être gentille avec lui à l'avenir. Apercevant du coin de l'œil sa mère qui rentrait et semblait la chercher dans la foule qui se faisait moins dense, la jeune fille posa une main légère sur l'épaule osseuse du garçon.

— Merci, Blaise. Merci beaucoup.

Comme elle prononçait ces mots pourtant bien anodins, une émotion inexplicable lui fit soudainement monter un sanglot dans la gorge. Elle fit un gros effort pour le ravaler, n'ajouta rien et alla rejoindre Adel.

Sur le chemin du retour, la vieille femme ne donna aucun répit aux oreilles fatiguées de sa fille. Elle soliloqua longuement afin d'expliquer à Marie-Ursule comment elle avait réussi à faire plier l'anatomiste, combien il était épris d'elle et à quel point toute l'affaire était gagnée d'avance, ou presque. Lasse, désireuse de retrouver son lit où elle aurait le loisir de plonger dans un sommeil qui la porterait, espérait-elle, à bonne distance des manigances et des entourloupes, Marie-Ursule n'écoutait qu'à moitié, car curieusement elle n'arrivait pas à se réjouir de cette victoire tant attendue. Ce qu'elle avait en tête en ce moment, c'était Blaise. Enfin, pas tant le jeune homme en lui-même que cette étrange sensation qu'il avait imprégnée en elle au cours de leur bref entretien. Elle ne savait pas encore comment percevoir ce sentiment inédit : agréable ou non ? Déconcertant, en tout cas.

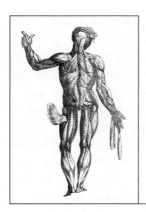

CHAPITRE 9

Depuis son escapade forcée au cimetière des Saints-Innocents, Blaise avait eu droit à deux privilèges : une chambre meublée à l'intérieur de la maison et une nouvelle paire de chaussures. Ces bontés n'étaient pas venues du ciel et ne résultaient pas d'un quelconque changement de perception de l'anatomiste à son égard. Non, De Vallon continuait de le mépriser et le honnissait peut-être même encore plus depuis qu'il se trouvait dans l'obligation de lui offrir ces douceurs imprévues.

Quand on avait ramené Blaise du cimetière, il faisait peine à voir. Inconscient, il était agité de tremblements, respirait péniblement et son visage enflammé ne présentait plus que deux étroites fentes bouffies à la place des yeux. Quand De Vallon l'avait aperçu, étendu sur la paille de sa stalle habituelle dans l'écurie, il avait craint le pire : le jeune homme, visiblement mal en point, allait peut-être mourir ou devenir aveugle sous l'effet combiné de la chaux et des miasmes putrides de l'environnement hostile dans lequel on l'avait précipité. L'anatomiste s'en voulut un peu : il aurait dû prévoir le coup. Ces imbéciles d'étudiants l'avaient sans nul doute laissé trop longtemps dans la fosse. Inquiet de perdre l'artiste sans lequel il n'aurait pu terminer son traité, il avait ordonné qu'on libère la petite chambre à côté du cagibi d'anatomie, sous les combles, qu'on y apporte un lit et que l'on appelle un collègue médecin. Blaise s'était rapidement retrouvé dans ses nouveaux quartiers. Sans que le jeune homme eût la moindre idée de ce que l'on faisait de lui, il avait été déshabillé et lavé à grande eau sur toutes les parties de son corps qui semblaient avoir été brûlées par la chaux. Les pieds, les mains et le haut du visage étaient sans aucun doute les régions les plus atteintes.

Madame De Vallon, déterminée à ne pas laisser mourir son prochain sous son propre toit, était restée plusieurs heures au chevet du malheureux, rafraîchissant sa peau endolorie, l'enduisant de pommade au miel et ouvrant la fenêtre à intervalles réguliers afin de lui faire respirer de l'air frais et sain. Pendant ce temps, son mari s'était terré, appréhendant avec angoisse la fin abrupte de son projet grandiose. Il avait passé bien du temps à écumer, seul au fond de son atelier, incapable de travailler, porté à vociférer sur le dos d'Ulbert, des étudiants et de la victime elle-même. Jamais on ne l'avait vu dans un tel état de noirceur et sa colère avait duré trois jours interminables au bout desquels on lui avait annoncé que Blaise allait finalement s'en tirer sans séquelles aux yeux, aux mains ni aux pieds. « Au diable ses foutus pieds ! », n'avait-il pu s'empêcher de dire à ce moment. « S'il est capable de voir et de dessiner, c'est ce qui compte. » Toutefois, le médecin qui avait ausculté le jeune homme, choqué par une telle remarque, n'avait pas partagé son avis : « Il importe que son corps ne garde pas de lésions, vous le savez très bien, Gaspar, même sur ces pieds dont vous ne semblez guère vous soucier. Il faut prévenir l'infection et ménager ses poumons. Je vous recommande donc de ne pas retourner ce garçon à l'écurie et de lui procurer de nouvelles chaussures. Cela le mènera très certainement à la guérison complète, d'ici quelque temps. »

Dérangé par les recommandations du médecin, De Vallon avait eu du mal à contenir un noûvel emportement. Il avait dû faire preuve d'une maîtrise de lui-même hors du commun pour ne pas foutre ce vieil homme prétentieux à la porte avec un bon coup de pied dans le derrière. Non mais ! Un dais de brocart tant qu'on y était ? De l'hydromel et des truffes pour dîner ? Qu'est-ce qu'on pouvait entendre, parfois !

Finalement, l'épouse de l'anatomiste avait insisté pour que les recommandations du médecin soient suivies. Blaise avait eu le droit de demeurer dans la petite chambre et, quand il avait été assez fort pour se lever, il avait vu qu'on avait déposé de nouvelles chaussures près de son lit. Des chaussures à sa taille et confortables par-dessus le marché. Le soir de la fête, il avait le souffle court, encore un peu de mal à marcher et à se tenir debout longtemps, mais il avait tenté de ne pas trop le montrer. Ses blessures aux yeux guérissaient bien et ne lui laissaient plus maintenant qu'un timide halo brumeux dans le pourtour de sa vision lorsqu'il était fatigué.

La peau de son visage et de ses mains ne gardait aucune trace de sa vilaine aventure, heureusement. Il s'en était tiré avec beaucoup de chance, finalement.

À la suite de cet incident, De Vallon avait décrété que les fosses communes étaient désormais interdites et il avait banni les sorties de groupe dans les cimetières. Ses étudiants étaient encore jeunes et, lorsqu'ils se regroupaient, leurs facultés intellectuelles semblaient diminuer, avait observé l'anatomiste. Il jugea plus sage de réduire ses effectifs. Dorénavant, la nouvelle consigne voulait que Blaise et Ulbert poursuivent leur quête accompagnés d'un seul complice. À raison d'une dépouille par semaine, ils devraient se succéder pour dégoter de beaux morceaux. Quelques semaines après sa mésaventure, Blaise se vit donc dans l'obligation de reprendre officiellement la chasse aux cadavres. Pour lui venir en aide, il fit appel, à contrecœur, à l'unique personne susceptible de vouloir travailler avec lui malgré son manque d'expérience et la médiocrité de sa compagnie : le vieux Jaco.

Ce n'était plus une jeunesse, il n'avait plus sa forme d'antan, mais il avait accepté fièrement la proposition de son collègue. Sous la peau ténue de ses paupières ridées, un éclair de malice avait surgi et il avait immédiatement soumis un plan à l'artiste. Blaise n'était pas un expert en la matière, loin de là, mais il trouvait que l'idée du vieux avait des allures de bon sens.

La première étape consistait à se rendre tous les jours aux limites de la ville, tout près de la Bastille et de la porte Saint-Antoine. En fin de journée, Blaise devait errer près des murs du couvent des Célestins et être attentif au son des cloches qui annonçaient vêpres. Selon les dires de Jaco, lorsqu'il y avait un décès dans leur communauté, les moines célestins procédaient à l'inhumation après cette messe d'importance et le processus funéraire était annoncé par deux coups de cloches supplémentaires à ceux que l'on entendait à l'habitude. « Deux notes longues, sourdes et plaintives, espacées des autres de cinq battements de cœur, avait expliqué le petit homme voûté. Même si tu ne les as jamais entendues, tu ne pourras pas te tromper. »

Blaise avait donc marché, trois jours de suite, jusqu'aux portes de la ville et, selon les conseils de son vieux comparse, il avait longé les murs extérieurs du monastère et avait attendu l'annonce de vêpres. Au quatrième jour, il reconnut le son distinct qui annonçait qu'on allait porter en terre un membre de la communauté. Quelle veine ! Si l'attente s'était vue prolongée au-delà de cinq ou six jours, ils auraient dû songer à une autre solution.

Sur le chemin du retour, Blaise observait le déclin de la lumière au détour des rues et des ruelles. Il analysait sans vraiment y penser les déclinaisons de tons entre les parties de bâtiments encore ensoleillées et celles plongées dans l'ombre. Il observait également les variations de couleurs dans le ciel changeant du crépuscule qui se préparait. Son cœur battait la chamade et l'effort physique n'était pas en cause, puisqu'il marchait lentement. La nervosité était plutôt à blâmer, car elle s'intensifiait à mesure que Blaise songeait à ce qu'il devrait faire. Il n'avait pas l'expérience d'Ulbert et ainsi il ne pouvait pas, comme lui, prévoir l'imprévisible. Qui plus est, celui qui l'accompagnerait n'avait plus vingt ans ; Jaco serait-il physiquement capable de le suivre jusqu'au bout ? Blaise en doutait, mais il n'avait pas d'autre option.

À son retour chez Gaspar De Vallon, l'artiste trouva Jaco en train de se sustenter dans la cuisine. En le voyant racler les bords de son écuelle avec ses dernières croûtes de pain d'une main tremblante et déformée, assis, le dos voûté, au bout de l'énorme table de bois massif, Blaise dut admettre que son compagnon avait l'allure bien frêle et cela vint ajouter à l'inquiétude qui l'accablait déjà. Était-ce sage d'entraîner ce vieil homme dans une pareille galère ? Sûrement pas ! Que ferait De Vallon s'ils revenaient bredouilles ? Si Blaise refusait désormais de lui obéir et renonçait à se prêter à cette cueillette dangereuse ? L'anatomiste serait furieux, aucun doute. Il pourrait le jeter à la rue dans un excès de fureur. Pire, il pourrait l'enfermer dans une pièce de sa maison et l'obliger à terminer ses planches anatomiques, après quoi… Le jeune homme frissonna. Sans qu'il s'explique pourquoi, il ressentait constamment une crainte déraisonnable envers le chirurgien. Il avait la vague impression que ce dernier était capable de tout pour parvenir à ses fins et il n'aimait pas penser à ce que ce « tout » pouvait signifier.

Quand Jaco aperçut Blaise figé dans l'embrasure de la porte de la cuisine, le visage blême et la sueur aux tempes, il sut immédiatement.

— Tu as entendu les cloches, n'est-ce pas ?

———•———

Le couvent des Célestins était une petite forteresse en soi. Blaise et Jaco firent le tour de l'enceinte en empruntant la rue des Célestins, qui faisait face à l'imposante église du même nom, puis ils bifurquèrent à gauche, rue de la Cerise, incapables de trouver un endroit éloigné des regards indiscrets où ils pourraient franchir le mur de pierre qui encerclait le domaine des moines. Jaco avait déjà prévenu Blaise que la seule possibilité était, selon lui, de passer par l'arrière des bâtiments en longeant les remparts de la ville. Blaise avait quand même tenu à faire un tour de reconnaissance au préalable, car il était inquiet de commettre son méfait et de se transformer en criminel à deux pas des tours de la Bastille. Mais maintenant, il devait l'admettre, Jaco avait raison. Le mur d'enceinte du couvent qui longeait les fortifications était non seulement moins haut que les autres, mais en plus il régnait entre ces deux élévations pierreuses un calme plat, presque inquiétant.

Lorsque Blaise jeta le grappin par-dessus le mur entourant la propriété des moines célestins et que l'objet métallique entra en collision avec la pierre, il fut persuadé que toute la ville avait été alertée tant le bruit émis par son geste lui semblait démesuré. Affolé, il demeura immobile un instant, retenant son souffle comme il le faisait quand il était petit et s'esquivait de la demeure familiale, l'oreille à l'affût du moindre son qui pouvait s'avérer menaçant, prêt à détaler. Pourtant, rien, sinon le roucoulement de quelques pigeons insouciants. Jaco s'impatienta et lui désigna la corde d'un mouvement de la main. Ce faisant, il présumait que Blaise était prêt pour la séance d'escalade.

Grimper sur une paroi lisse et parfaitement verticale, même avec l'aide d'une corde, n'est pas une activité accessible au commun des mortels. Blaise, qui n'avait jamais fait cela auparavant, eut toutes les misères du monde à se hisser sans heurts en haut du mur de deux mètres cinquante. Parvenu au sommet, il prit soin de rajuster son grappin et laissa pendre la corde vers l'intérieur de la cour où il se glissa furtivement. Un don du ciel le fit atterrir directement les deux pieds dans la terre meuble. Un rapide regard sur les alentours lui permit de constater qu'il avait atterri directement dans le cimetière des Célestins et que la tombe fraîche se trouvait miraculeusement à proximité. La chance lui souriait, car le cimetière aurait bien pu être ailleurs dans l'enceinte. Il lui aurait alors fallu circuler à tâtons dans cet endroit inconnu et peut-être surveillé, à la recherche d'une tombe enfouie dans une noirceur de plus en plus épaisse. Heureusement, le vent était en sa faveur. Sans perdre de temps, il observa autour et alla s'accroupir sur le lieu de sépulture. Il se mit à creuser. Trempé de sueur au bout de quelques minutes, les mains douloureuses à force de s'agripper à la petite pelle, à bout de souffle, il eut un soupir de découragement en constatant combien sa fatigue physique ne correspondait pas à la quantité de travail abattu. Le temps pressait. Il savait qu'à tout moment pouvait survenir quelqu'un de ce côté-ci de la muraille (ou de l'autre) et que cela pouvait compromettre l'affaire. Sans écouter ses muscles endoloris qui demandaient déjà un répit, choisissant plutôt de prêter attention à cette angoisse qui lui étreignait la poitrine, Blaise se remit à la tâche avec ardeur. Heureusement pour lui, la terre n'avait pas eu le temps de se tasser et il découvrit le corps dans son linceul à quatre pieds de profondeur. Il peina à le sortir de la fosse : c'était une bonne pièce que l'on avait enterrée là et, pour tout dire, la dépouille ne collaborait pas tellement. Une fois hors du trou, Blaise parvint finalement à l'attacher solidement à l'aide d'une corde qu'il avait emportée. Jaco, de l'autre côté, hissa la corde pour faire passer le cadavre par-dessus le mur. Insouciant du sort que De Vallon réservait au macchabée, le vieil écuyer n'attendit pas que son compagnon fût revenu à ses côtés pour l'aider à descendre doucement le butin : il tira avec force et le corps vint s'abattre de tout son poids sur le sol devant lui. Blaise, occupé à terminer sa descente, retint un cri de stupeur en entendant le bruit mat au-dessous de lui. Immédiatement, il sut que le cadavre serait abîmé. Comme s'il avait besoin d'une angoisse supplémentaire, il anticipa la réaction de l'anatomiste lorsqu'il constaterait que l'on avait négligé sa marchandise. À coup sûr, De Vallon piquerait une colère et il lui tiendrait longtemps rigueur de cet accident.

Pestant contre l'infortune qui semblait toujours refaire surface dans son existence, Blaise fut de mauvais poil pour le reste de l'expédition. Il savait bien que ce n'était pas la faute de Jaco pour qui un cadavre n'était qu'un tas de viande avariée, mais c'était plus fort que lui, il voulait que le vieil homme se sente tout de même un peu coupable, qu'il partage au moins son malaise. À la fin de la soirée, pourtant, l'artiste s'aperçut que cela n'avait strictement rien changé à son sentiment d'être un moins que rien. Jaco était rentré dans l'écurie, épuisé, mais fier de l'avoir aidé et l'avait même remercié chaleureusement de lui avoir fait confiance. Blaise, de son côté, regagna le cagibi d'anatomie à reculons, honteux, la queue entre les jambes, et dut écouter inlassablement De Vallon confirmer sa médiocrité à mesure qu'il trouvait des pièces brisées dans la machine humaine qu'il explorait. Dans la suite logique des choses, il fallut que Blaise dessine mal cette nuit-là. Ses traits étaient incertains ; la réalité qu'il était censé représenter ne correspondait à rien. À la fin de la séance, rompu de fatigue, il demanda timidement à conserver les croquis pour les retravailler après un peu de repos, tout en étant persuadé que l'anatomiste refuserait. Pourtant, en jetant un regard rapide sur les travaux exécutés par le jeune artiste, De Vallon ne protesta pas. D'un geste calme et soigneusement calculé, il laissa plutôt choir le paquet de feuilles sur le plancher et le piétina négligemment en quittant la pièce.

— Tu ferais mieux de revoir tout ça, oui. C'est bon pour les cochons. Si tu continues de me décevoir, il va bientôt falloir que je me débarrasse de toi.

Un long silence avait suivi cette menace.

— Je commence à en avoir assez de travailler avec un demeuré.

De Vallon était sorti en fermant doucement la porte derrière lui.

Blaise fut incapable d'utiliser à bon escient les dernières heures de la nuit. Il avait gagné son lit peu après les insultes proférées à son égard, mais l'amertume accumulée en lui au cours de la soirée agissait comme un poison et l'empêchait de fermer l'œil. Las de se tourner et de se retourner entre les draps à la recherche de quelque chose qui réalistement ne viendrait pas, il se leva au chant du coq et emporta les croquis de la veille. Se dirigeant vers les lieux de son crime, il marcha jusqu'aux murs de la Bastille, mais bifurqua à gauche. Le guet venait juste d'ouvrir l'imposante porte Saint-Antoine aux marchands campagnards qui attendaient sagement à l'extérieur et les bœufs se mettaient tranquillement en branle afin de faire entrer en ville toute une variété de denrées destinées à nourrir et habiller les citoyens parisiens. Blaise contourna cette foule matinale et entreprit de marcher jusqu'à ce qu'il déniche un boisé digne de ce nom.

Le soleil radieux était déjà bien en poste lorsqu'il s'installa finalement sur les bords d'un petit cours d'eau dégoté au bout d'un vert pâturage, habité par quelques vaches maigrelettes. Il n'avait pas trouvé le boisé qu'il convoitait, mais l'endroit était calme, les rayons qui dardaient sa peau étaient doux et réconfortants, le bruit de l'eau qui filait joyeusement entre les pierres à quelques pas de lui faisait un agréable contraste avec son état d'esprit morose et embrouillé. Lorsque, bien avant son cerveau, ses sens eurent pris conscience de tout cela, Blaise sentit une sorte de plénitude s'emparer de lui. Il s'étendit dans l'herbe naissante et, fermant les paupières, il laissa la nouvelle chaleur du printemps l'étreindre. Quelques minutes s'écoulèrent et, comme l'eau glaciale en contrebas, ses sombres pensées s'écoulèrent tranquillement le long du talus, glissèrent entre les pierres du ruisseau et cessèrent de rebondir contre les parois de son crâne. Le sommeil le gagna enfin.

Une vache passant un peu trop près le réveilla quelques heures plus tard. Constatant d'un œil entrouvert que la menace était peu inquiétante et s'éloignait déjà, il demeura plusieurs minutes étendu dans l'herbe à profiter du moment. Il savait qu'il devait se lever et travailler sur ses dessins, il savait qu'il devrait ensuite retourner en ville parce que De Vallon aurait sûrement un travail à lui confier. Il était pleinement conscient de tout cela, mais sur l'heure il était si bien, si paisible qu'il était incapable de bouger le petit doigt. Au bout d'un moment, toutefois, la raison le rappela à l'ordre. Aidé par un nuage qui était venu le priver de la douce caresse du soleil pour la première fois de la journée, il changea de position et s'installa du mieux qu'il put sur une grosse roche plate entourée de jeunes pins. Il entreprit de faire des corrections sur ses dessins. Il travailla fort et améliora de beaucoup l'apparence des muscles et des tendons de l'épaule du célestin trépassé. Il peaufina son interprétation de l'intérieur de la bouche du moine en y ajoutant des détails dont il se souvenait clairement, mais qu'il avait inexplicablement omis la veille. Pour le reste, il constata avec regret qu'il devait retourner auprès du corps ; sa mémoire avait ses limites.

En rentrant en ville, Blaise pensait trouver De Vallon dans son cagibi, penché sur le cadavre, en train de poursuivre l'étude qui ne s'éterniserait sûrement pas en raison de la température clémente. Il avait tout faux. En pénétrant dans la cour intérieure, il vit l'anatomiste qui piétinait d'impatience, vêtu de son pourpoint des grands jours et de son haut-de-chausses tailladé assorti. L'homme avait pris la peine de lisser ses cheveux vers l'arrière et avait visiblement travaillé l'apparence de ses bouclettes qui bondissaient sur sa nuque à chaque pas rageur qu'il effectuait autour de la charrette que Jaco s'affairait à préparer.

Blaise, qui rencontrait son vieux compagnon pour la première fois en ce jour, fut frappé de le voir aussi accablé de fatigue. L'expédition de la veille lui pesait indubitablement sur les épaules et l'artiste jugea qu'il devait aller se reposer. Sous les cris du patron, qui s'essoufflait à lui demander où il avait passé les dernières heures et qui le soumettait à une pluie de remontrances peu délicates aboyées à la douzaine, Blaise termina tranquillement de harnacher le cheval et il dépoussiéra les bancs de la charrette pendant que Jaco traînait le pas en direction de l'écurie. Encaissant tous les coups, fidèle à son habitude, le jeune homme s'efforça de demeurer impassible devant l'emportement de l'anatomiste qui semblait nerveux et fébrile. Quand ce dernier eut posé séant sur le siège derrière lui et que ses récriminations se transformèrent enfin en grommellements incompréhensibles, Blaise se retourna et lui demanda d'un ton neutre à quel endroit il devait le mener.

— Notre-Dame, répondit tout aussitôt l'impatient pour qui ce départ constituait un soulagement.

En homme d'action, Gaspar De Vallon avait besoin de mouvement, surtout lorsqu'il était nerveux. Maintenant que sa charrette était en marche, que le processus délicat dans lequel il s'engageait était commencé, la tension s'abaissa d'un cran. Blaise fut heureux du silence qui s'installa derrière lui.

———•———

La cathédrale Notre-Dame accueillait quotidiennement une foule bigarrée. Sur son parvis, on rencontrait beaucoup de gueux et de miséreux venus mendier leur pitance aux gens plus fortunés qui passaient par là. De fait, le lieu caractérisé par sa richesse et sa magnificence attirait aussi en son sein la «bonne société» de Paris. S'ajoutaient donc aux sans-espoirs des petits travailleurs, des marchands, des nobles, des membres de la cour. Tous se côtoyaient dans un silence rigoureux pendant les offices et s'interpellaient dans un brouhaha cacophonique une fois les obligations liturgiques dûment remplies. Sous les fameuses rosaces colorées du bâtiment, on venait prier, cancaner, marchander, courtiser. Marie-Ursule n'avait pas l'habitude de cet endroit grandiose. Pour une raison qu'elle comprenait mal, sa mère avait toujours refusé de mettre les pieds dans une église, bien qu'elle fût croyante. En conséquence, la jeune femme avait rarement visité des lieux saints tels que celui-ci. Le décor offert par les deux tours majestueuses surplombant l'île et la Seine s'écoulant en contrebas lui était toutefois familier, comme à chaque habitant de la ville, mais jamais encore elle n'avait pris le temps de venir admirer de près ce bâtiment particulier, dont la façade était habitée par des centaines de personnages de pierre. Aujourd'hui, elle en aurait peut-être finalement l'occasion, mais ce n'était pas là le but de sa visite. Un autre personnage occupait ses pensées. Celui-là était de chair et Marie-Ursule voulait justement en cultiver les ambitions charnelles.

Malgré le temps doux et la soirée remplie de promesses qui se dessinait pour les deux femmes, Adel était morose et souffrante. Depuis qu'elle habitait Paris, elle avait réitéré son aversion pour la marche et évitait autant que possible de s'adonner à cette activité avilissante. Selon elle, cela lui occasionnait de grands maux aux genoux, au dos et aux hanches. Jetant des regards occasionnels par-dessus son épaule afin de s'assurer qu'elle suivait toujours, Marie-Ursule se demandait si De Vallon allait reconnaître sa mère qui clopinait difficilement derrière elle, cramponnée à sa canne et voûtée comme une vieillarde. Marie-Ursule lui avait pourtant choisi, avant de partir, une tenue soignée et avait tenté tant bien que mal de lui arranger une coiffure digne de ce nom. Néanmoins, le teint gris d'Adel, son rictus contrarié gravé de rides profondes et les mèches grasses que le vent détachait de son chignon affadissaient sa présentation. Elle aurait été habillée de rayons de soleil que ceux-ci n'auraient pas suffi à la rendre plus présentable. Le problème venait de l'intérieur, les habits et les parures n'y étaient pour rien.

Adel connaissait un mauvais jour; cet état durait depuis au moins une semaine et se prolongerait fort probablement bien au-delà de la présente journée. Habituellement, ces périodes de douleur et de marasme émotionnel se déroulaient au milieu des couvertures, dans un lit que Adel ne quittait que pour combler ses besoins primaires : manger, évacuer, boire de la bière de jusquiame et prendre des mixtures à base d'herbes. S'adresser à elle en ces temps difficiles relevait de la témérité : ou bien elle retournait tout discours contre sa personne et vous envoyait *ad patres* sans préalable, ou bien elle était si intoxiquée par sa médecine que tout dialogue se transformait en un monologue incohérent. Devoir se présenter à ce rendez-vous si important avec une personne aussi mal en point rendait Marie-Ursule nerveuse et irritable. Avec l'accumulation de toutes ces années passées en la présence de cette souffreteuse, à force de subir ces sautes d'humeur de plus en plus véhémentes, la jeune fille n'avait plus de patience avec sa mère lorsque celle-ci était dans cet état. Les deux femmes cheminaient donc ensemble, mais maintenaient entre elles une distance raisonnable et ne se parlaient pas, car c'était, en ce jour, la règle de base implicite pour éviter un affrontement qui pouvait faire tourner au vinaigre leur plan si prometteur. Marie-Ursule avait bien tenté de savoir si sa mère était en mesure de mener les négociations, comme elles en avaient convenu peu de temps après la fête chez l'anatomiste, mais Adel lui avait clairement signifié de s'occuper de ses affaires. Ainsi, les mystères et les non-dits refaisaient surface. Cela mettait Marie-Ursule en rage, puisqu'elle était la principale concernée dans cette histoire, mais elle n'osait pas cette fois défier sa mère : si cette dernière décidait sur un coup de tête, à la suite d'une frustration quelconque, de tout abandonner (et elle pouvait fort bien le faire), c'est le plan en entier qui risquait d'échouer. Pour une fois dans sa vie, la jeune fille tenait à ce que l'audacieuse mise en scène élaborée par Adel fonctionne en sa faveur. Son rêve, le seul et unique rêve qu'elle eût jamais caressé, était de vivre loin de la misère, et Gaspar De Vallon était celui qu'il lui fallait pour atteindre ce but tant souhaité. Ne pas froisser sa mère, lâcher prise sur ce que cette dernière prévoyait faire au cours de la rencontre et attendre patiemment la suite : tels étaient les efforts que Marie-Ursule devait consentir à fournir jusqu'à ce que tout se termine aux alentours de vêpres. Un véritable tour de force, quoi !

Le rendez-vous devait s'amorcer sous le portail de la Vierge, endroit symbolique habilement choisi par Adel. De Vallon s'y trouvait déjà. Arrivé bien avant l'heure, il était tout d'abord allé se recueillir dans le lieu saint. Assis en face de l'autel, dans un silence méditatif qui ne lui était pas habituel, il avait songé à ce péché qu'il s'apprêtait à commettre. Évaluant la possibilité de s'y perdre et de devoir s'en confesser, il pensa immédiatement à l'évêque, Jean du Bellay. Il se dit que cet être puissant qu'il connaissait bien serait probablement enclin à lui pardonner sa faute, qu'il comprendrait sa faiblesse d'homme, car il était lui-même connu pour ses écarts de conduite avec les femmes. En fait, Bellay, malgré son important statut et son positionnement stratégique dans la hiérarchie ecclésiastique, n'était pas, lui non plus, porté sur les règles élémentaires de sa propre religion, puisqu'il préparait, en toute connaissance de cause, un acte hautement répréhensible en destinant la succession de ses charges à son fils illégitime, Eustache, qu'il présentait à tous comme étant son jeune cousin. Ce péché, jugea De Vallon, était à coup sûr nettement plus lourd dans la balance céleste que celui qu'il s'apprêtait lui-même à commettre ! De réfléchir à cet état de choses rassura l'anatomiste. Si l'évêque en personne ne redoutait pas le courroux divin, pourquoi lui-même devrait-il le craindre, et cela, pour une offense moindre ? Il n'y avait pas de raison, d'autant qu'il tenait le nom de celui qui l'entendrait en confession et l'absoudrait au besoin. Heureux et soulagé, il était sur le point de partir lorsqu'il songea cette fois à sa femme. La tête basse, il regagna sa place encore chaude sur le banc de bois ouvragé. Il n'était pas habitué de réfléchir autant avant de passer aux actes et cela l'irritait un peu. Il ne fallait toutefois pas bâcler cette étape cruciale du processus ; il avait pleinement conscience que ce qu'il s'apprêtait à faire pouvait avoir des conséquences autrement plus importantes que de se commander un autre pichet de vin ou de se faire tailler un nouveau pourpoint. Levant les yeux vers le Christ sur sa croix, il contempla la mine déconfite du pauvre bougre et se demanda si madame De Vallon allait prendre le même air, le jour où elle l'apprendrait. De Vallon n'était pas dupe : tout finissait toujours par se savoir. Il avait l'intention de préserver son épouse de l'ignoble vérité le plus longtemps possible, mais il devait être certain de pouvoir y faire face, le jour où son aventure extraconjugale s'ébruiterait. Les femmes n'aimaient pas être cocufiées. Supporterait-il sa tristesse, son dégoût de lui ou, pire, son indifférence ? Il avait beau être marié depuis de longues années, De Vallon était incapable de prévoir la réaction de son épouse avec exactitude. Il ignorait si elle allait se mettre à pleurer, à vociférer ou si elle risquait de sombrer dans la folie. Il était presque certain toutefois qu'elle aurait honte. Elle avait toujours honte de tout. Elle avait déjà honte d'être acoquinée avec un homme ayant des besoins d'homme et voilà qu'il s'apprêtait à réitérer haut et fort sa nature en prenant comme maîtresse une jouvencelle qui laissait entrevoir la possibilité de se délurer pour lui. Eh bien ! madame De Vallon aurait là un autre beau prétexte pour lui battre froid et se réfugier dans la prière. Un de plus, un de moins, cela ferait-il une réelle différence au bout du compte ? Pour elle, pas vraiment, songea l'anatomiste avec un brin d'amertume envers cette femme étrange, tandis que, pour lui, se priver de Marie-Ursule était déjà difficile à concevoir. Tout ce bonheur qu'il entrevoyait avec cette jeune fille pétillante, toute cette vie en elle, il en avait besoin. S'excusant auprès du Christ de son hypocrisie (il n'avait jamais sérieusement envisagé la possibilité de ne pas commettre le péché d'adultère, il s'en rendait maintenant compte), il sortit de la cathédrale en aspirant une bonne goulée d'air frais. Tout était décidé et clair dans sa tête.

Il contemplait avec sérieux les bas-reliefs qui représentaient l'histoire d'Adam, d'Ève et du péché originel lorsque les deux femmes traversèrent le parvis en sa direction. Au premier regard, Marie-Ursule fut ravie de constater que l'anatomiste s'était donné du mal pour soigner son apparence. Vêtu d'un haut-de-chausses tapageur et d'un élégant pourpoint aux manches bouffantes, l'homme semblait avoir pris de l'ampleur et dégageait un aplomb qui lui était particulier. Il se distinguait des autres dans la foule. « Pour sûr, se dit Marie-Ursule en l'apercevant, si Dieu l'avait fait loup, il aurait été le chef de la meute. »

Ce que la jeune fille ignorait, toutefois, c'est que De Vallon l'avait vue venir de loin et qu'il avait ainsi disposé d'un peu de temps pour se composer cette façade qui transpirait la confiance. À son avis, les femmes affectionnaient les gentilshommes qui n'avaient peur de rien ; c'était l'attrait du chevalier. Gaspar De Vallon se serait fait écarteler vif plutôt que de paraître nerveux et fébrile devant cette jeune créature qui avançait vers lui à pas légers. « Du calme, je ne suis pas un faiblard ! », ne cessait-il de se répéter dans l'espoir de s'en convaincre totalement.

Marie-Ursule lui trouva un drôle d'air lorsqu'il salua Adel, mais, hormis ce détail furtif, l'anatomiste se montra parfaitement courtois. Il lui avait apporté un petit bouquet composé d'un œillet rouge et de quelques pousses de muguet odorant. Il lui avait baisé la main au premier moment de leur rencontre et avait proposé de faire quelques pas autour de l'immense bâtiment. Chemin faisant, il avait offert son coude à chacune des dames et ils cheminèrent ainsi tous les trois, pendant quelques instants. Adel, contre toute attente, se montra bienveillante et avide d'entretenir la conversation. À un moment donné, Marie-Ursule soupçonna même sa mère de vouloir charmer l'anatomiste, mais elle chassa rapidement cette impression farfelue. Adel n'était pas en état de séduire qui que ce soit, elle-même devait sûrement être au courant du mal-être qui se dégageait de sa personne, malgré ses efforts pour paraître bien. Elle sonnait faux. S'en rendait-elle compte? «Évidemment, songea Marie-Ursule. Elle serait bien folle d'oser se risquer à la séduction dans l'état où elle est. Qui plus est, ce n'est pas dans les plans.»

Pour sa part, la jeune fille était dans une forme exemplaire. Elle avait minutieusement soigné tous ses atouts au cours de la banale conversation: son sourire, son étreinte autour du bras musclé de l'homme, sa démarche, le ton de sa voix, ses éclats de rire, ses regards languissants. Sa meilleure carte était toutefois celle où, faisant mine de sentir les fleurs fraîches, elle promenait doucement les fines clochettes blanches le long de ses lèvres humides. Chaque fois, visiblement, l'anatomiste était tiraillé entre le désir de prolonger le spectacle et celui de rester maître de la situation. Marie-Ursule se plaisait bien à le titiller ainsi: elle avait pris conscience depuis longtemps que les hommes appréciaient la retenue de leur épouse tout en rêvant secrètement d'une Lilith prête à tout pour satisfaire leurs envies les plus viles. De Vallon ne valait pas mieux que les autres sur ce point; c'était bien là une faiblesse évidente chez lui et Marie-Ursule voulait être pour lui cette diablesse envoûtante.

Probablement soucieux de ne pas trop faire marcher Adel, qui s'agrippait à son bras et s'appuyait lourdement sur sa canne pas après pas, De Vallon conduisit les deux femmes près de sa voiture. S'excusant auprès de Marie-Ursule, il demanda à discuter avec Adel en privé. Consciente de l'importance de ce moment, la jeune fille fit néanmoins une moue boudeuse qui signifiait : « J'aurais aimé rester avec vous ! », mais monta dans la charrette sans rechigner et s'installa près de Blaise avec un petit air de défi. De Vallon prit le geste comme une taquinerie et non comme une menace. Le lion ne redoute pas le rat.

Détournant son regard de l'étrange couple qui s'éloignait en bavardant, Marie-Ursule s'adressa à Blaise, qui ne comprenait pas trop ce qu'elle faisait là, à ses côtés. À la première parole prononcée, la jeune fille fut étonnée de constater qu'elle avait automatiquement abandonné son rôle d'ingénue enjôleuse. Apparemment, son corps et son esprit avaient saisi avant elle que le masque était superflu en présence de l'artiste. Elle ne fit aucune tentative pour retrouver son personnage : elle n'avait pas à le séduire, ne cherchait pas à le tromper, n'avait rien à lui soutirer. Il n'attendait rien d'elle non plus. Cette étrange simplicité avait quelque chose de réconfortant.

Comme à leur rencontre précédente, la conversation compta tout d'abord peu de mots et fut ponctuée de longs silences. Seulement, cette fois, Marie-Ursule ne les envisagea pas comme des instants de malaise. Blaise non plus. Il ne flottait pas dans l'air cette pression d'entendre des mots, d'en prononcer pour remplir des vides. Naturellement, au bout d'un temps, le dialogue s'engagea de façon plus soutenue. Après quelques banalités, Marie-Ursule proposa au jeune homme de lui expliquer pourquoi elle et sa mère étaient venues rencontrer l'anatomiste. Blaise déclina l'offre, affirmant qu'il s'en doutait un peu et qu'il ne voulait pas en savoir trop. Tout ce qui concernait De Vallon le répugnait. Il ne connaissait pas Marie-Ursule depuis bien longtemps, mais il l'appréciait néanmoins. Il sentait qu'il n'approuverait pas ce qu'elle préparait et il ne tenait pas à ce qu'elle le devine. Il ne s'attribuait aucune autorité pour critiquer les choix de la jeune fille et ne voulait surtout pas lui imposer son jugement. Préférant de loin aborder un sujet moins lourd, il lui demanda plutôt de lui raconter comment elle faisait pour se dégoter d'aussi ravissantes tenues et lui-même expliqua comment il avait pu acquérir les jolies chaussures qu'il portait aux pieds. Les deux jeunes gens rigolèrent un peu, puis se turent à l'arrivée de l'anatomiste, qui réclamait cette fois un entretien avec Marie-Ursule.

C'était gagné! La rencontre privée entre l'homme de science et la jouvencelle se résuma en un partage de mots tendres, de promesses mutuelles, et un baiser fugitif avait même été échangé. De Vallon avait finalement quitté les deux femmes à l'annonce de vêpres, un peu à regret et non sans avoir vivement insisté pour les conduire à leur demeure, ce qu'on lui avait refusé. Un émoi révélateur se glissa dans son expression lorsqu'il évoqua la perspective d'un imminent rendez-vous : « À très bientôt, ma chère ! » L'œil humide, la voix moins assurée qu'à l'accoutumée, il était monté dans sa charrette en ayant plus hâte que jamais de revoir Marie-Ursule.

La prochaine fois, il prévoyait passer plus de temps avec elle. Avec elle seule. Cette expectative le fit rapidement se sentir un peu à l'étroit dans ses chausses ajustées.

Sur le chemin du retour, la malade, encore plus mal en point et plus acerbe que jamais, garda le silence à propos de ce qui avait été convenu avec l'anatomiste. Pourtant, malgré sa mauvaise humeur, il était évident que ce récit lui brûlait les lèvres. Adel savait se montrer têtue et rancunière ; de demeurer ainsi muette et priver sa fille d'informations qu'elle se mourait d'entendre lui procurait un certain plaisir. Cette petite sotte égoïste ne compatissait même pas avec sa mère malade et épuisée qui aurait bien pu rester alitée. Pire, elle la regardait souvent avec un mépris non dissimulé, soupirait en sa présence et la traitait avec brusquerie. Elle méritait pleinement d'attendre un peu ce que Adel avait à lui raconter. Se languir n'avait jamais fait de mal à personne et cela prouvait clairement à la jeune fille que Adel était encore maître de sa destinée. De l'avis de la vieille femme, il était primordial que sa fille n'oublie pas ce détail.

Marie-Ursule aurait dû écumer, mais elle se sentait étrangement calme. Sa mère traînait tellement qu'un escargot l'aurait doublé sans peine. Elle grimaçait et pinçait les lèvres quand Marie-Ursule posait les yeux sur elle, probablement dans le but de se retenir de tout lui raconter de sa rencontre privée avec l'anatomiste. Elle faisait cela pour la punir. La punir de quoi ? La jeune fille ne le savait pas trop. Parce qu'elle avait gagné le cœur d'un homme riche ? Parce qu'elle ne prêtait pas attention à ses jérémiades ? Peut-être un peu des deux. Quoi qu'il en soit, Marie-Ursule était pleinement consciente que sa mère cherchait à la contrarier en gardant le silence. C'est d'ailleurs pour cela qu'en temps normal elle aurait été au comble de l'exaspération, mais ce soir elle ne ressentait rien de plus qu'un certain amusement à constater tous les efforts que sa mère mettait à faire pitié et à attiser sa colère.

Elle n'avait pas besoin de confirmation : l'accord avait été scellé avec l'anatomiste, c'était évident. Quand elle s'était retrouvée en tête à tête, il lui avait fait sentir qu'elle lui appartenait désormais. C'était tout dire. Il n'y avait rien à ajouter. Sa mère pouvait bien prendre tout le temps qu'elle jugeait nécessaire avant de lui reparler de cette affaire, car les inquiétudes de Marie-Ursule s'y rapportant s'étaient évaporées à l'ombre des clochers de Notre-Dame, avant même que ne résonne le bourdon qui annonçait l'office du soir. Son avenir était désormais presque assuré, en tout cas, autant qu'il pouvait l'être sans épouser quiconque, et cela la réconfortait. La jeune fille avançait maintenant dans la ville le cœur léger. En imaginant son prochain rendez-vous avec l'anatomiste, Marie-Ursule se surprit à esquisser un sourire dans le crépuscule lorsqu'elle évoqua la possibilité d'y revoir Blaise. Ce garçon avait indubitablement un drôle d'effet sur elle. Depuis qu'ils s'étaient parlé, une énergie nouvelle irradiait en elle, comme si, toute sa vie, elle avait grandi, telle une plante, en se nourrissant de la lumière de petites chandelles et qu'elle venait tout à coup de rencontrer le soleil. Pourtant, elle ne démordait pas de l'impression qu'elle avait gardée de leur rencontre au théâtre d'anatomie : Blaise était l'être le plus bizarre qu'elle eût jamais croisé. Sa coquille était épaisse, mais laissait entrevoir un contenu coloré. Marie-Ursule constata qu'elle était heureuse d'avoir fait plus ample connaissance avec lui en cette soirée particulière et qu'elle avait déjà hâte de le retrouver.

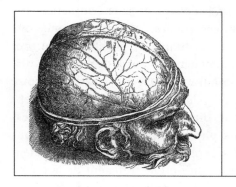

CHAPITRE 10

Qui se ressemble s'assemble, dit la fameuse maxime. Mais tout bien pesé, l'inverse est aussi vrai : les points communs entre deux personnes importent peu au départ d'une association, car à la longue ceux qui s'assemblent finissent toujours par se ressembler. Le cas de l'anatomiste et de son beau-fils en était un bon exemple. Ulbert n'était pas l'enfant biologique de Gaspar De Vallon, mais il avait grandi à l'ombre de l'homme de science et, à les côtoyer l'un et l'autre, il était aisé de percevoir entre eux plusieurs similitudes. Pour commencer, l'ambition était l'eau qui alimentait le moulin de l'existence des deux hommes ; chacun semblait toujours prêt à tout pour parvenir à ses fins. Si De Vallon tenait tellement à produire ce traité anatomique magistral, c'est qu'il était éperdument à la recherche de gloire et de reconnaissance. Ulbert, quant à lui, faisait constamment des pieds et des mains pour être dans la mire de tous les professeurs de la faculté de médecine et cherchait

259

principalement à plaire à son beau-père, dont il admirait le rayonnement, le pouvoir et la détermination. Les deux hommes avaient aussi en eux-mêmes une confiance apparemment inébranlable; ils affirmaient tout haut et fort, argumentaient devant les rebuffades, dispersaient les ordres autour d'eux, et l'un comme l'autre semblait disposer de disciples malléables qui acceptaient de suivre leurs directives sans trop poser de questions. Même leurs physiques les rapprochaient: tous deux étaient longs de corps, larges d'épaules, arboraient une chevelure brun foncé qu'ils coiffaient de la même manière et entretenaient à la même longueur. Ils avaient un regard franc, le sourcil broussailleux, le langage direct et le rire bruyant.

Néanmoins, Blaise avait remarqué quelques dissemblances entre les deux hommes. Le jeune était élancé et anguleux, l'aîné étalait quant à lui une panse remarquable, qui n'était pas la moindre de ses rondeurs. Épicurien invétéré, constamment tenté par la vie de jouir de tous ses plaisirs, De Vallon était nettement plus enclin à l'impulsivité que Ulbert. À l'opposé, il semblait bien que l'étudiant avait hérité de l'austérité de sa mère, car il versait rarement dans l'excès. Il était plus posé, plus réfléchi que son mentor dans ses gestes et ses actions.

Cette dichotomie essentielle frappa particulièrement Blaise ce soir-là. Le jeune artiste était arrivé tôt dans le cagibi d'anatomie afin de profiter des derniers rayons de soleil qui perçaient à travers la fenêtre. À son grand bonheur, il avait bénéficié d'une longue période de calme dans le déclin de la lumière du jour pour retoucher certaines planches réalisées au cours de la semaine. Il avait, à ses côtés, une choppe de petite bière, un morceau de lard et du pain qu'il grignotait de temps à autre. Sans personne pour l'interpeller, pour le pousser ou pour s'agiter autour de lui, il goûtait le plaisir d'entendre son crayon racler le papier. L'instant était doux. Le temps filait à toute allure et ainsi en était-il des pensées qui se succédaient dans sa tête.

Il devenait impératif d'allumer des bougies lorsque De Vallon fit son entrée, les bras alourdis de son matériel de dissection. D'un seul coup, il lâcha l'entièreté de son chargement sur la table et sa voix de ténor s'éleva au-dessus de la symphonie métallique des outils qui s'entrechoquaient :

— Ne reste pas là à me regarder comme un âne. Va dans la cour et rapporte ce qui reste !

De Vallon était énervé. Blaise commençait à le connaître à force de l'observer et voyait que l'anatomiste se trouvait, ce soir-là, dans un état particulier. Ses gestes étaient brusques, ses manières expéditives, enfin, plus qu'à l'accoutumée. Lorsque Blaise apporta le reste du matériel et entreprit de préparer la pièce, il s'interrogea sur ce qui pouvait bien mettre De Vallon de cette humeur, car assurément quelque chose se tramait : De Vallon arpentait les lieux d'un mur à l'autre, commençait quelque chose, s'arrêtait, entamait autre chose, s'assoyait pour réfléchir, se relevait. Il ne tenait visiblement pas en place.

Lorsque Ulbert franchit la porte du cagibi d'anatomie et déposa un corps sur la table, aidé par un autre étudiant, complies venaient à peine de sonner et l'ombre de la nuit n'était pas encore opaque. Blaise, retourné à ses planches dans un coin, fut étonné de les voir arriver de si bonne heure. De Vallon n'avait même pas tout à fait terminé la préparation de son matériel. Il afficha lui aussi une mine d'étonnement et s'empressa de féliciter son fils adoptif pour sa promptitude exemplaire. Ulbert, qui était entré dans la pièce sans tambour ni trompette, reçut l'appréciation avec un hochement de tête grave et une expression mesurée qui suintait, malgré tout, la fierté. Il ne perdit pas un mot de la salve de compliments qui suivit lorsque le drap qui recouvrait la dépouille fut défait et que l'anatomiste constata que le corps était dans un état remarquable. Le cadavre était celui d'un jeune homme miséreux. La mort l'avait fauché très récemment. Il était livide, mais, chose rare, ses membres n'avaient pas encore été frappés par la *rigor mortis*, la rigidité cadavérique. Le drap crasseux, dénué de résidus boueux, laissait à penser qu'il n'y avait pas eu de mise en terre, ce qui était tout à fait exceptionnel. Ulbert tenta de se montrer humble devant les appréciations exagérées de l'anatomiste, mais ses traits le trahissaient. Il était visiblement à deux doigts d'exploser de satisfaction. D'autant qu'il savait fort bien que les compliments à l'égard de son travail étaient en même temps des critiques envers les récentes bévues de Blaise, cela ajoutait indéniablement du bon à l'affaire. Il expliqua son exploit d'un air faussement détaché, d'une voix calme et posée, pendant que l'anatomiste buvait ses paroles : au détour de la rue des Étuves, il avait tout bonnement rencontré un employé de la ville qui remorquait quelques corps dans une charrette, en direction des fosses communes, et il avait habilement monnayé celui-là, le plus frais, pour presque rien.

Malgré le fait que Blaise étouffait, tellement la pièce puait la vanité d'Ulbert, il savait que c'était effectivement une aubaine de pouvoir disséquer viande aussi fraîche à cette période de l'année. Avec les beaux jours du printemps qui s'installait lentement, mais sûrement, la matière première de l'anatomiste se dégradait à vive allure et laissait peu de temps pour travailler efficacement. En deux jours ou moins après la mort, dépendamment de la température, des taches verdâtres ou noirâtres apparaissaient sous la peau et ensuite venait le gonflement des tissus. À ce stade, on ne pouvait plus rien faire, il était déjà trop tard. Une fois la matière détériorée, des liquides s'écoulaient, des gaz s'échappaient et l'odeur devenait tout simplement insupportable. Ainsi, lorsqu'un corps aboutissait sur la table de dissection, on profitait de chaque minute disponible à son étude. Nuit et jour on y travaillait sans s'accorder beaucoup de repos ni de distractions. De Vallon commençait par désigner la structure à observer, puis le processus se mettait en branle : écorchage, dégraissage, observation, illustration.

L'étudiant qui avait porté assistance à Ulbert fut remercié, puis congédié. Ulbert aida De Vallon à finir de préparer le matériel et il fut décidé que la tête serait anatomisée en premier. Se saisissant d'un scalpel, Ulbert incisa le cuir chevelu fraîchement rasé en suivant le contour de la tête. Soulevant ensuite la peau en quatre sections comme de vulgaires morceaux d'étoffe, il écorcha le crâne avec des gestes précis et étudiés. Ce faisant, il se trouva à exposer directement l'os du crâne. Abruptement saisi par le blanc spectral de l'os mis à nu et le rouge ferreux de la peau arrachée, Blaise eut une vive réaction à la vue du contraste violent de ces deux couleurs qui se jouxtaient. Se détournant, il préféra regarder ailleurs pendant que Ulbert poursuivait ses opérations. À l'aide d'une scie acérée, le jeune étudiant ouvrit le crâne en deux, en traçant une ligne bien nette au-dessus de l'arcade sourcilière. Au bout de longues minutes de travail minutieux et exigeant, il retira enfin la calotte et épongea le liquide qui s'écoulait afin d'apercevoir la dure-mère, puis le cerveau. De Vallon et lui observèrent, mesurèrent, discutèrent, puis ils laissèrent à Blaise un peu de temps pour dessiner la boîte crânienne ainsi ouverte sur un contenu prometteur. Lorsque Blaise eut terminé ses croquis, l'anatomiste et son assistant entreprirent d'extraire le cerveau. À les regarder faire, Blaise constata que ce n'était pas chose aisée. Les deux hommes durent rompre des os, en écarter, tailler des muscles et des nerfs, puis plonger délicatement leurs mains dans la matière visqueuse avant de déposer le fruit de leur labeur sur la table comme une porcelaine fragile. Satisfaits de la découpe ainsi que du procédé d'extraction, De Vallon et Ulbert échangèrent encore un peu et l'anatomiste s'empressa de noter ses observations dans son précieux carnet. Puis, pour la seconde fois de la soirée, Blaise s'approcha du corps pour illustrer le cerveau, mais ce coup-ci De Vallon précisa qu'il voulait un tour complet de l'organe.

En observant de plus près la chose qui se trouvait posée devant lui, Blaise nota la présence de trois parties distinctes. La plus volumineuse, deux fois grosse comme le poing, était d'un gris rosâtre et avait l'aspect plissé d'une coque de noix de Grenoble. Les circonvolutions qui caractérisaient la surface de l'organe étaient nombreuses et extrêmement complexes à illustrer. Entre elles, Blaise devait aussi représenter des vaisseaux sanguins aux ramifications multiples. La tâche n'était pas simple : il dut effacer et reprendre ses représentations à de nombreuses reprises. La deuxième partie de la structure se trouvait à la base de la première. C'était une petite masse striée, distincte de la précédente, mais qui y était tout de même rattachée. Finalement, après avoir surélevé l'organe pour pouvoir en observer le dessous, Blaise constata que la troisième partie était constituée d'un réseau de fils blanchâtres, enchevêtrés et reliés aux deux autres structures. Tous ces détails et ces enchevêtrements occupèrent l'artiste un long moment. Cette partie du corps, qu'il tentait de reproduire avec acuité pour la première fois, ne lui était pas familière. Il avait certes déjà vu des cerveaux au cours d'autres anatomies, mais jamais il n'avait eu à dessiner cet organe dans son entièreté et sous toutes ses coutures. Selon son habitude, il ne voulait rien manquer, tout faire à la perfection, même en sachant qu'il ne récolterait aucunes félicitations. Il travaillait pour lui-même, oubliait l'obligation de dédier son œuvre à un autre. Le voyant concentré, l'anatomiste et son étudiant poursuivirent leurs explorations. Ils avaient retourné le cadavre *sine caput* et lui avaient ouvert le dos, mettant ainsi à jour l'échine du trépassé qui avait été sectionnée à la base du cou.

Les minutes passèrent, peut-être même quelques heures. Affairé à son travail, Blaise ne remarqua pas le départ d'Ulbert. À un moment donné, il eut néanmoins vaguement conscience que De Vallon rangeait bruyamment ses outils, mais l'artiste ne s'en formalisa pas, faisant son possible pour ignorer ce vacarme métallique agressant. Quelques instants plus tard, lorsque des voix féminines retentirent dans les escaliers qui menaient au cagibi et qu'elles pénétrèrent dans la pièce, Blaise leva la tête, franchement déconcentré. Il comprit alors ce que cette soirée avait de particulier.

De Vallon accueillit chaleureusement deux femmes que Blaise avait reconnues aux premiers éclats de voix : c'était Marie-Ursule et sa mère, Adel. La jeune fille lui jeta un regard bref et le salua d'un discret mouvement de la tête, geste que l'aïeule imita. De Vallon, lui, récolta rapidement les politesses de la mère et une multitude de sourires vermeils de la part de la demoiselle. Au terme des habituels échanges futiles propres aux accueils et aux retrouvailles, les deux femmes se montrèrent vite intéressées par le travail de l'anatomiste. Adel posa quelques questions tout en demeurant à bonne distance du cadavre ouvert. Sa curiosité sur le sujet était très circonstancielle et relevait plus de la courtoisie que d'un intérêt réel pour la chose. Qui plus est, la vue de chairs sanguinolentes avait sur son corps et son esprit des effets pervers. Voulant s'en préserver, elle évita de trop regarder en direction de la table de dissection et se posta rapidement en retrait, laissant ainsi toute la place à Marie-Ursule.

La jeune fille, elle, n'attendit pas d'invitation pour se rendre auprès de la table de dissection. Le cadavre décapité et retourné n'offrait pas le plus attrayant des spectacles, mais Marie-Ursule avait appris à se protéger des effets néfastes de cette proximité lors des précédentes séances d'anatomie publiques. Lorsqu'elle regardait la carcasse inanimée, elle s'imposait de la percevoir comme une machine, un objet d'étude, et se gardait à tout prix d'associer ce qui gisait devant elle à un être humain. Manquer à ce principe pouvait facilement déclencher en elle une forme d'empathie malsaine et, du coup, elle se mettait à anticiper, dans sa propre chair, les douleurs atroces pouvant résulter des mutilations impressionnantes dont elle était témoin. Afin d'éviter évanouissement et sueurs inutiles, elle détournait donc efficacement son esprit et s'astreignait à le faire en imaginant que c'est ce que De Vallon et Blaise faisaient aussi quand ils voulaient accomplir leur étrange besogne. Marie-Ursule s'était convaincue dès le départ que si cette technique était bonne pour eux, elle le serait certainement pour elle aussi.

L'attitude de Marie-Ursule était inusitée et se distançait de l'opinion que l'on se faisait d'elle au premier abord. Lorsqu'on la regardait, la jeune femme dégageait une pléiade d'attributs propres à sa jeunesse : elle avait l'air délicate, naïve et facilement impressionnable, ce qui cadrait parfaitement avec l'image de la féminité prisée par l'anatomiste. Pourtant, quand elle s'approcha de Blaise pour voir l'organe qui se trouvait devant lui, elle le fit avec une aisance remarquable qui déconcerta le l'artiste et troubla le chirurgien. Ce dernier se souvenait avec émotion qu'elle avait agi de la même façon dans le théâtre d'anatomie. Il fut encore une fois étonné de cette force de caractère inattendue, très peu fréquente chez les personnes de son sexe et de son âge. Au fait, quel âge avait-elle réellement? La question effleura l'esprit de l'anatomiste, mais n'y demeura point. Il se dit qu'il le lui demanderait bien un jour, puisqu'il avait tout son temps devant lui désormais. Elle était sienne. Théoriquement, cette ravissante et étonnante créature était sienne depuis cette entrevue aux portes de la cathédrale Notre-Dame, lieu béni s'il en est un, où l'étrange femme qui servait de mère à cette petite avait consenti à un accord très particulier entre lui et elle.

Évoquer cet état de choses remuait l'anatomiste. C'était la première fois qu'il prenait officiellement maîtresse et il ne regrettait pas son choix. Marie-Ursule possédait non seulement un physique qui lui plaisait, mais elle cultivait aussi, au fond de son regard, une petite étoile qui piquait constamment sa curiosité. Elle était à la fois fragile et audacieuse et De Vallon était convaincu de n'avoir jamais rencontré quelqu'un comme elle auparavant. S'il avait été un peu plus rustre, il aurait déjà amené la petite dans la pièce jouxtant le cagibi d'anatomie, lui aurait retroussé les jupons et… Non, il valait mieux ne pas pousser trop loin toutes ces fantaisies. Il fit un effort magistral pour recentrer son attention sur la question que la belle venait de lui poser. S'accorder un peu de temps pour parler de tout et de rien, voilà ce qu'il fallait faire avant de passer à l'acte. Cette chère petite n'était tout de même pas une putain ! Il lui devait quelques égards. De Vallon y employa tous ses efforts, car ses sentiments charnels à l'endroit de la jeune fille étaient on ne peut plus envahissants. Perdu dans ses réflexions scabreuses, il voyait ces jolies lèvres minces et délicieusement dessinées remuer de façon à dévoiler des petites quenottes bien alignées. Une douce voix cristalline venait faire vibrer ses tympans, mais il n'entendait rien. Il fallait revenir à la réalité. Après l'avoir imaginée nue et haletante sous lui, il décida qu'il était allé trop loin dans ses pensées. À la suite d'un effort substantiel, son attention se recentra enfin.

— Pardonnez-moi, vous me demandiez ?

— Oui, je voudrais savoir ce que c'est exactement, répéta candidement Marie-Ursule en désignant du doigt l'encéphale déposé sur la table.

Heureux de trouver prétexte à détourner ses pensées, De Vallon se plongea de bonne grâce dans la prose anatomique. Il nomma les parties de l'organe et les pointa une à une comme il avait l'habitude de le faire en classe : *cerebrum, cerebellum, truncus cerebri*. Marie-Ursule, à qui le latin ne disait rien, se composa une mine d'admiration envers son interlocuteur et porta ensuite son attention sur les dessins de Blaise. Voyant que c'est ce qui intéressait la petite, De Vallon s'empara des croquis et en fit la critique immédiate, compara l'original et la copie en prenant Marie-Ursule à témoin.

— Vous voyez, j'ai demandé à ce que toutes les représentations graphiques soient aussi réelles que possible. Notez, mademoiselle, comme la ressemblance est frappante. La courbure du lobe frontal est bien formée, les sillons à la surface…

— … sont pratiquement les mêmes que ce que l'on aperçoit devant nous! compléta Marie-Ursule avec un air de ravissement étonné non feint, cette fois.

Regrettant immédiatement son emballement qui avait pris, sans qu'elle l'ait vraiment voulu, des allures de louange envers le travail de Blaise, qui réprimait un sourire, elle s'empressa d'ajouter:

— Il ne doit pas être facile de diriger efficacement un artiste pour qu'il exécute des schémas aussi réalistes, sans aucune fantaisie. Vous savez vous y prendre pour obtenir ce que vous voulez, professeur De Vallon.

En s'adressant à lui, elle s'était approchée jusqu'à ce que sa poitrine se presse contre le bras de l'anatomiste. Elle lui avait adressé le compliment en relevant la tête d'un air mutin et le regardait à présent sans sourciller, un demi-sourire entendu accroché aux lèvres. De Vallon se perdit quelques instants dans ce regard noir frangé d'une épaisse ligne de cils blond-blanc. La petite gueuse jouait avec lui, c'était évident, mais il fallait encore résister. La mère de la petite était là, tout de même, et il ne voulait pas avoir l'air d'un porc empressé devant elle. Il devait faire preuve de maîtrise de soi et faire durer l'attente : une véritable torture à laquelle il n'était pas habitué.

En déplaçant distraitement son regard sur le dessin qu'il tenait toujours à la main, De Vallon trouva un autre prétexte à se changer les idées. Il venait subitement de déceler une omission dans la représentation qu'il avait devant lui, un oubli si flagrant qu'il fut lui-même étonné de ne pas l'avoir remarqué avant.

S'éloignant de la douce petite flamme qui brûlait auprès de lui et qui mettait du sien pour attiser son désir, il se planta à proximité de Blaise, qui poursuivait son travail de l'autre côté de la table sans leur porter attention. L'artiste lui inspirait suffisamment de mépris pour refroidir ses ardeurs sauvages. Il allait profiter de l'erreur qu'il venait de déceler pour en mettre plein la vue à sa jeune maîtresse. Elle allait voir comment il savait mater ce jeune avorton. Brandissant la feuille directement sous le nez de Blaise, De Vallon s'adressa à l'artiste en contempteur expérimenté qu'il était. Sa voix résonna dans la pièce et fit sursauter Marie-Ursule et Adel, qui était sur le point de s'assoupir.

— Ce n'est pas complet ! Où est le *rete mirabile* ? Hein ? Réponds ! Où est le *rete mirabile* ?

Blaise regardait l'anatomiste sans réagir. Reproduire les différentes parties du corps humain, cela, il savait le faire. Pouvoir les nommer ou en reconnaître la nomenclature, en latin, ce n'était pas de son ressort. Il comprenait toutefois qu'il manquait un élément sur son illustration, mais ne voyait pas ce qu'il avait omis.

Sans un mot, il prit la feuille que De Vallon lui agitait sous le nez et compara minutieusement ce qu'il avait dessiné avec l'encéphale qui se trouvait encore devant lui. Rien ne faisait défaut. Il répugnait à l'idée de contrarier De Vallon. Néanmoins, il lui semblait avoir fait un travail des plus fidèles. Il se risqua, à contrecœur :

— Je crois… que tout est complet, monsieur.

Blaise s'était raidi. Ses muscles s'étaient tétanisés comme à chaque confrontation avec l'anatomiste. Ses mâchoires avaient peine à se mouvoir suffisamment pour qu'il puisse articuler de façon audible. Face à la table et à Marie-Ursule, qui assistait à cette scène humiliante de l'autre côté, il gardait la tête penchée sans oser la relever. Il lui était déjà arrivé de soutenir quelques instants le regard de l'anatomiste en de telles situations, mais en ce moment il ne pouvait rien envisager de pire que de croiser celui de la jeune femme. Y lirait-il de la pitié ? Du mépris ? De l'indifférence ? De la moquerie ? Il ne voulait pas le savoir. Il sentait que chacun de ces sentiments avait le pouvoir de le briser. Il aurait tout donné pour pouvoir sortir de cette pièce sur-le-champ, sans devoir accorder un regard à qui que ce soit, mais De Vallon était là, planté entre lui et la porte, et apparemment avide de savoir où était passé son fameux rété machin-chose.

De Vallon interpréta les paroles du jeune artiste comme un défi à son autorité. Son visage prit une teinte cramoisie, des éclairs jaillissaient de ses yeux et c'est d'une voix encore plus tranchante qu'il poursuivit son attaque.

— Ah non! Tu ne t'en sortiras pas aussi facilement! Tu dois dessiner le *rete mirabile*! Je vais avoir l'air de quoi, moi, à faire publier un cerveau humain dépourvu de *rete mirabile*? D'un pauvre ignorant! Je vais être la risée de mes collègues! Cette partie du cerveau est le siège de l'âme… C'est connu depuis Galien dans l'Antiquité et c'est dans tous les traités d'anatomie qui ont été rédigés jusqu'à maintenant, même les plus médiocres. Tous ceux qui ont un brin de jugeote savent qu'on devrait voir ici, à la base du crâne, un réseau vasculaire aux allures de minces filets superposés en forme d'étoile. Se peut-il que notre sujet en soit dépourvu? Non, pauvre écervelé! C'était un miséreux, certes, mais il avait tout de même une âme, il ne saurait en être autrement. Maintenant, j'exige de l'apercevoir sur tes illustrations. C'est un ordre!

L'espace d'un moment, De Vallon avait, de toute évidence, troqué sa concupiscence contre une colère passagère, mais le second sentiment avait toute la puissance du premier. Marie-Ursule était atterrée de voir la métamorphose de l'homme qui crachait insultes et vociférations à la figure de celui qui collaborait à son œuvre. Elle l'avait connu sous un tout autre jour jusqu'à présent et cette facette de l'anatomiste ne lui plaisait pas du tout. Prise d'un élan de compassion envers Blaise, qui ne méritait pas de se faire traiter ainsi, elle cherchait un moyen de faire taire cette effusion sans compromettre l'intérêt que De Vallon lui manifestait. C'était ardu: Marie-Ursule avait perçu une certaine tension entre les deux hommes par le passé et, aujourd'hui, cette animosité se matérialisait devant elle. Elle ne voulait pas l'attiser, mais ne savait trop que faire, car elle ne se connaissait aucun talent diplomatique particulier. Elle n'avait pas l'habitude de se gêner dans les confrontations avec sa mère et ne portait pas de gants blancs avec les étrangers non plus. Pendant qu'elle réfléchissait, l'escarmouche se poursuivait.

— Pourriez-vous me pointer ce… *rete mirabile* sur l'organe devant moi, monsieur?

Blaise avait osé demander, car il aurait dessiné n'importe quoi: une étoile en filet, une araignée, la figure du roi même, s'il l'avait aperçue en quelque endroit que ce soit sur le cerveau. Mais voilà, il ne voyait pas ce que le disséqueur lui avait décrit sur la structure posée devant lui. Il avait beau chercher, rien ne lui faisait penser à un filet et aucune forme sur la surface de l'encéphale ne lui rappelait une étoile. Toutefois, devant l'assurance inébranlable dont l'anatomiste faisait preuve, à savoir qu'il y avait bel et bien une structure particulière à ajouter à son illustration, Blaise en était presque contraint à mettre ses sens en doute.

De Vallon se tut un instant et observa l'encéphale, le doigt dressé, fin prêt à pointer l'évidence. Le doigt retomba au bout de quelques secondes. Sa voix tonitruante s'éleva de nouveau.

— Petit impertinent! Si tu crois me couvrir de ridicule de cette façon, tu te trompes! On ne peut pas apercevoir le *rete mirabile* parce que cette structure s'atrophie lorsque l'âme quitte le corps au moment de la mort. Tu vas tout de même devoir l'illustrer. L'homme ne peut vivre sans âme et ne peut donc se passer de *rete mirabile*;

qu'on l'aperçoive ou non, le *rete* fait partie de l'anatomie humaine. En conséquence, je veux qu'il apparaisse ici. Tu devras apprendre à aller un peu plus loin que ce que tes pauvres yeux d'ignorant peuvent voir, jeune homme.

Constatant que le ton avait quelque peu descendu, Marie-Ursule s'autorisa à intervenir.

— Excusez mon innocence (c'était un bon point de départ : De Vallon n'excusait pas seulement son innocence, il la vénérait !), mais comment fera-t-il pour illustrer quelque chose qu'il n'a jamais vu ?

De Vallon redevint soudainement tout miel. Avec un sourire dans la voix, il lui répondit :

— Ne vous excusez pas. La question est pertinente et légitime, puisque vous n'avez pas, comme moi, la connaissance de toutes ces théories qui sous-tendent la science anatomique. Il se trouve que notre jeune ami a déjà dessiné un *rete mirabile*, mais qu'il n'en a malheureusement aucun souvenir, à cause de son esprit limité. S'il prenait la peine de consulter ses illustrations de la dissection d'une chèvre, il y verrait la structure manquante et pourrait ainsi la reproduire fidèlement sur ces croquis que voilà.

Blaise soupira et piqua vers la porte qui menait directement à sa chambre sans poser de questions, même s'il ne comprenait rien à ce que De Vallon lui demandait de faire. Un organe de chèvre accolé à un cerveau humain, vraiment ? Les chèvres avaient-elles donc une âme ? Tout cela semblait ridicule et illogique, mais, comme l'avait si bien dit l'anatomiste, son esprit limité ne connaissait rien à cette science, après tout. Dans sa chambre étaient affichés plusieurs dessins sans importance, dont ceux de la dissection d'une chèvre, qu'il avait réalisés alors que maître Battisto était encore en vie. Il décrocha la feuille, repéra immédiatement la pièce anatomique manquante et retourna à son travail, bouillant de colère. Il n'osa pas regarder Marie-Ursule, mais il était reconnaissant qu'elle soit intervenue. De Vallon pardonnait son innocence à elle, mais condamnait la sienne sans pitié. S'il lui avait posé la même question – et il n'aurait pas eu le choix de le faire –, il aurait sans aucun doute attisé les hostilités à son égard. Heureusement, l'affaire était maintenant classée.

Blaise s'était rapidement remis au travail sans prononcer une seule parole. De Vallon jeta un coup d'œil à Adel, qui n'avait pas donné signe de vie depuis un certain temps, et la trouva endormie sur une chaise bancale dans un coin sombre de la pièce. Sentant qu'il avait épuisé son lot de banalités et que la petite ne pouvait guère apprécier plus de ses savoirs anatomiques pour l'instant, il décida que le moment était venu. Contournant la table, il passa près de la jeune fille et lui attrapa la main au passage.

— Voulez-vous voir les autres dessins de notre cher artiste ? demanda-t-il.

Sans attendre la réponse, il l'entraîna dans la petite chambre de Blaise et poussa la porte derrière lui. Adel ouvrit un œil à la suite du grincement des gonds et le referma aussitôt en constatant que sa fille et l'anatomiste venaient de disparaître du cagibi d'anatomie. Enfin, il se passait quelque chose d'intéressant ! Elle se rendormit avec un léger sourire aux lèvres.

Quand la porte claqua, Blaise, lui, redressa finalement le menton. Il regarda la porte close et entendit quelques minutes plus tard des bruits qui lui étaient familiers. La confrontation avec De Vallon était terminée, mais Blaise n'arrivait pas à se détendre. Sa mâchoire demeurait crispée et ses dents commençaient à lui faire mal. Néanmoins, il ne chercha pas à défaire cet étau. Il avait la nette impression que si, par malheur, il parvenait à ouvrir la bouche, une colère noire en jaillirait. Une colère telle qu'il avait peur d'être incapable de la maîtriser. Pour l'instant, le silence imposé par sa musculature tétanisée était, de loin, préférable.

—•—

La chambre de Blaise était une pièce étroite. Un lit au matelas creusé, un coffre de bois sans fioritures, une vieille chaise aux barreaux cassés : tel était l'ameublement dont l'artiste disposait. Tout cela était aggloméré sur une surface réduite, sujette aux grincements et comprise entre deux portes. L'une d'elles menait au cagibi d'anatomie, l'autre permettait de se rendre dans l'atelier de l'anatomiste. Le lit, recouvert d'un drap écru et d'une couverture de laine miteuse, occupait le mur du fond et était surmonté d'une petite fenêtre. Une chandelle allumée, posée sur le coffre, vacillait en réponse au courant d'air permanent qui circulait d'un coin à l'autre de la pièce. Avant que De Vallon referme la porte derrière elle, Marie-Ursule s'était emparée de la mince source lumineuse et parcourait déjà des yeux les œuvres que Blaise avait affichées dans son antre. L'anatomiste lui désigna distraitement quelques dessins en lien avec son ouvrage. Marie-Ursule fit mine de les apprécier, mais son regard était plutôt attiré par des illustrations d'une autre nature. Pendant que De Vallon se postait derrière elle, lui embrassait la nuque et tentait d'introduire sa main dans son corsage serré, elle découvrit que Blaise dessinait aussi des paysages magnifiques, des scènes du quotidien, des visages particuliers, des animaux, de la végétation. L'artiste n'avait utilisé aucune couleur, mais avait réussi à faire naître de la lumière en des points stratégiques de ses croquis. Il parvenait aussi à illustrer le mouvement sans que Marie-Ursule soit capable de déterminer par quel moyen il y arrivait : ici, un arbre semblait secoué par un vent violent, là, une fleur ployait gentiment sous le poids de la rosée, ici, un homme à l'allure éreintée semblait amorcer un bâillement et, là, une femme rieuse qui se retournait faisait virevolter sa chevelure et le drapé de sa jupe.

Marie-Ursule n'eut guère le temps de détailler tous les dessins qui l'entouraient. De Vallon était pressé. Il lui retira la chandelle des mains et la reposa doucement sur le coffre sans serrure.

— Je pense à vous depuis le jour où je vous ai rencontrée, mademoiselle, lui souffla-t-il en un murmure étouffé par l'émotion, pendant qu'il mettait à nu ses petits seins blancs et les goûtait du bout de ses lèvres charnues.

Consciente du rôle qu'elle avait à jouer, Marie-Ursule l'encouragea en paroles et en gestes.

— Ce jour-là, monsieur, vous avez posé la main sur mon épaule pour apaiser ma tourmente. À cet instant précis et depuis lors, je n'ai eu que l'envie de connaître de nouveau votre chaleur.

À la suite de cela, elle se détacha de l'étreinte de l'homme et s'allongea sur la couche en relevant sa jupe jusqu'à l'intersection de ses cuisses. Laissant ainsi paraître la fine toison blonde qui couvrait son bas-ventre, elle ajouta, en le regardant droit dans les yeux :

— Personne ne m'a jamais touchée là. J'aimerais que vous soyez le premier.

De Vallon était un amant aguerri. La nature l'avait doté d'un goût prononcé pour la chair et il y avait toujours cédé de bonne grâce chaque fois que l'occasion se présentait. Il fréquentait assidûment des établissements dédiés à ces plaisirs sulfureux et y avait défloré plus d'une jouvencelle. Néanmoins, il n'avait jamais connu situation aussi troublante. Il avait la nette impression d'être retourné une trentaine d'années en arrière, de n'avoir d'expérience que celle d'un gamin de quatorze ans qui souille son vêtement au contact de la peau d'une lavandière particulièrement jolie. Depuis qu'il songeait à ce moment, il prévoyait accomplir de multiples prouesses avec sa jeune maîtresse. Il s'était vu passer un long moment avec elle, avait imaginé des possibilités infinies pour lui donner du plaisir et s'en procurer. Cependant, il se voyait maintenant obligé de changer de cap. Il l'avait à peine touchée, à peine embrassée qu'il se sentait à deux doigts de perdre sa contenance. Les prouesses seraient pour la prochaine fois, il devait agir rapidement.

Puisqu'elle en avait fait la demande explicite, il caressa un instant son sexe humide, ce qui la fit gémir un peu. De Vallon aurait préféré qu'elle se taise, car cela ajoutait à son excitation qui était déjà poussée très près de sa limite. Lorsqu'elle posa les mains sur lui et qu'elle se mit à explorer avec avidité la protubérance rigide qui se trouvait sous ses doigts délicats, il décida qu'il était grand temps de procéder. Mettant un terme aux caresses de la jeune fille, il se délesta de son vêtement et libéra son sexe gonflé d'un geste précipité qui frisait la maladresse. Alors que lui-même se sentait confus et fébrile comme un adolescent, il fut dérouté par cette assurance provocante qui se dégageait de son amante. Étendue là devant lui, exposant sans aucune gêne ce magnifique et fragile petit corps blanc à son regard affolé, elle avait même au coin des lèvres une apparence de demi-sourire. Riait-elle de son emportement ? Se moquait-elle de sa faiblesse d'homme ? Voilà qui n'était pas habituel chez une vierge. Celles que l'anatomiste avait connues par le passé étaient de petites choses froides, tremblantes, fuyantes qui lui rappelaient sa femme. Rien à voir avec cette diablesse qui s'offrait à lui toutes cuisses ouvertes et qui se permettait même un demi-sourire devant son amant pressé ! Alors qu'elle l'entraînait vers elle et coupait court à ses réflexions, il décida qu'il ne la ménagerait pas. Ça n'allait pas durer longtemps, assurément, mais à la guerre comme à la guerre. La petite avait demandé, alors elle recevrait, pour sûr.

Quand ils s'accouplent, les hommes oublient tout. De Vallon avait, entre autres, oublié qu'il pesait plus de cent kilos et que la frêle créature sous lui faisait à peine la moitié de son poids. Cela rendit l'opération risquée et ardue, mais Marie-Ursule en avait vu d'autres. Écrasée sous le corps massif de l'anatomiste qui se mouvait énergiquement, elle peinait à respirer, mais elle l'encourageait à continuer. Enlaçant son amant de toute l'étendue de ses bras menus, elle le pressait toujours plus contre elle, entortillait ses jambes délicates autour de lui et gémissait sans retenue. Quand il l'avait pénétrée avec vigueur, tout au début, elle avait fait montre de surprise, de douleur, puis de volupté. L'homme avait semblé satisfait de lire cette série d'émotions sur son visage et, lorsqu'il avait cessé de l'observer en s'affaissant lourdement sur elle pour poursuivre sa besogne, elle avait aussitôt étendu le bras et farfouillé à l'intérieur de la manche de sa robe défaite auprès d'elle, cherchant à atteindre l'objet mythique et essentiel à toute femme voulant préserver une façade vertueuse au sortir du nouveau lit conjugal : l'aiguille à laine. Elle savait qu'elle disposait de peu de temps et qu'elle devait se montrer prudente, car piquer De Vallon était hors de question et porter le fin outil métallique à son regard l'était aussi.

Constatant, sans étonnement, que l'anatomiste arrivait bientôt aux limites de la retenue, elle souleva prestement sa jambe droite et enfonça violemment l'aiguille dans la chair rebondie de sa propre fesse à trois reprises. Elle poussa un petit cri de douleur chaque fois que la pointe perça son épiderme et De Vallon se répandit à ce moment précis, béatement convaincu d'avoir, finalement, procuré un grand plaisir à sa jeune maîtresse.

Pendant que l'anatomiste restait effondré sur elle, Marie-Ursule ferma les yeux et écouta la respiration de l'homme se faire plus lente au creux de son cou. Elle sentit son pouls décélérer et sa peau rafraîchir dans le courant d'air de la pièce étroite. Elle avait repiqué l'aiguille dans les plis de sa robe après avoir senti le sang couler sous sa cuisse. « Voilà, c'est fait », se dit-elle. Marie-Ursule avait maintes fois songé à ce moment où la boucle serait bouclée, son amant bien piégé et son avenir assuré. Elle avait toujours cru qu'une joie immense l'envahirait à ce moment précis ou qu'à tout le moins elle ressentirait un soulagement significatif, que le poids de son existence deviendrait soudainement moins lourd à traîner. À son grand désarroi, ce fut plutôt une vague de mélancolie qui déferla sur elle. De Vallon, qui embrassait ses clavicules, lui souriait, l'aidait à se relever en lui tendant la main, insistait pour lacer son corset, tout cela, elle ne l'avait pas prévu. Ce bijou magnifique qu'il lui glissait au cou valait probablement deux mois de loyer chez la veuve Lefebvre, mais elle répugnait déjà à l'idée de le vendre. Que se passait-il donc ?

Comme prévu, De Vallon avait jeté un coup d'œil rapide au drap et y avait découvert, satisfait, la preuve de la défloration qu'il venait d'opérer. Alors qu'il se rhabillait, il regrettait déjà cet instant trop court qui ne se reproduirait jamais, mais envisageait avec enthousiasme la suite des choses, avait hâte aux prochains ébats. Sa jeune maîtresse exerçait sur lui une fascination inexplicable, vierge ou pas, et cela lui était plutôt inhabituel. Il avait fait le bon choix et ne regrettait rien des promesses qu'il avait faites à la mère de la petite. Alors qu'il accompagnait les deux femmes à l'extérieur et les aidait à monter dans la charrette qui les ramènerait chez elles, il décida de ne pas retourner dans son cagibi d'anatomie, non plus que dans son atelier. Il avait le cœur léger et le goût de festoyer. La mort et son étude pouvaient bien attendre. En cette magnifique soirée, il était de bon ton de célébrer la vie entouré de musique, de compagnons agréables, de bière et de nourriture abondante. Si maître Battisto avait encore été en vie, c'est avec lui que De Vallon aurait aimé se rendre à l'auberge de la Porte blanche.

———•———

Blaise tourna le coin de la rue et Marie-Ursule le somma de s'arrêter. Lorsqu'il le fit, elle délaissa immédiatement la compagnie de sa mère et vint s'installer près de lui, à l'avant. Adel protesta en grommelant, mais son ingrate de fille ne lui accorda même pas un regard. Marie-Ursule lui avait remis le bijou aussitôt que De Vallon avait été hors de vue et la petite jugeait qu'elle en avait assez fait pour ce soir. Elle n'avait plus envie que de faire à sa tête. Elle aurait dansé sur les remparts de la ville si cela lui avait effleuré l'esprit en cet instant. Heureusement et beaucoup plus simplement, elle voulait s'asseoir devant, voir la route, ne demandait rien de plus. Au diable sa mère si cela ne lui plaisait pas.

Selon une tradition qui semblait vouloir s'implanter entre Blaise et elle, leur proximité ne trouva d'abord écho dans aucune parole. Au bout d'un temps, cependant, c'est Blaise qui parla le premier.

— Merci pour le réré machin-truc. Si tu n'avais pas demandé à De Vallon ce que c'était, je pense qu'il m'aurait tapé dessus tellement il était furieux que je ne le sache pas !

Marie-Ursule esquissa un sourire fatigué et prolongea son silence. Blaise la laissa faire, mais s'inquiéta un peu. Tandis qu'il cheminait dans le dédale des rues de la ville, il l'observait de biais, et elle se contentait de fixer la route droit devant. Sous la lumière de la torche qui était accrochée au chariot, l'artiste vit distinctement qu'une grande tristesse, une lassitude profonde transcendaient la physionomie de la demoiselle à ses côtés. Cela remua quelque chose en lui. Il ne l'avait jamais aperçue sous un jour si vulnérable et il n'aimait pas ce qu'il voyait. Il se serait jeté d'un bond dans la Seine si cela avait pu éclairer le regard de la jeune fille. Il ne savait que faire ni que dire. Pourtant, sa bouche, apparemment plus rapide et audacieuse que son esprit, formula une question :

— Alors, dans ma chambre, tu as trouvé des dessins qui t'ont plu ?

Le ton était ironique et la question resta en suspens quelques secondes. Tous deux savaient très parfaitement ce qui s'était passé dans cette pièce et ils savaient aussi que cela n'avait guère à voir avec une quelconque forme d'appréciation artistique. Blaise était à deux doigts de regretter son trait d'humour et il avait déjà commencé à se traiter d'idiot pour avoir osé se moquer d'une situation que Marie-Ursule trouvait, de toute évidence, bien peu risible, lorsque celle-ci éleva une commissure, puis l'autre et déclara :

— La petite, celle où il y a seulement une tache rouge sur un fond blanc, la toile sans support, celle qui est tout près de la tête de ton lit, sous la fenêtre. Elle m'a intriguée, je dois le dire. J'ai eu le temps de la regarder comme aucune autre, crois-moi, et je me demande ce que cette chose fait là...

— Tu aimes ?

— Non. C'est rien. Une tache rouge, une toile vide. Tu en as des beaucoup plus belles.

— Mais c'est de celle-là que tu as choisi de me parler...

— J'ai envie que tu m'expliques ce que c'est. Et aussi que tu me dises pourquoi je flaire le sapin ou la résine lorsque je m'approche de toi.

Devant ces demandes autoritaires, Blaise se retrancha dans son silence habituel. Heureux que sa compagne de route ait changé d'air, il se contenta de lui sourire et de lui annoncer qu'elle était chez elle.

La nuit était belle et fraîche. Marie-Ursule aurait volontiers prolongé la promenade, mais puisque cela n'en était pas vraiment une, l'arrivée à sa demeure en sonna inéluctablement la fin. Pas le temps d'insister, les questions qu'elle avait posées à Blaise ne trouveraient sans doute pas de réponses dans un avenir rapproché. Adel, qui avait soupiré d'agacement à l'arrière de la charrette pendant une bonne partie du voyage, pressa sa fille de descendre et l'entraîna prestement dans la ruelle qui donnait accès à leur appartement. Blaise regarda les deux femmes enjamber le caniveau jonché de détritus, puis s'engouffrer dans les ténèbres sans un regard en arrière. Il soupira et donna un coup sur la croupe du cheval devant lui. La charrette se remit en branle et il songea qu'il n'aurait eu aucune peine à sillonner l'entièreté des rues de la ville jusqu'au petit matin si Marie-Ursule était demeurée à ses côtés.

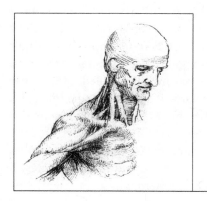

CHAPITRE 11

L'homme était assis par terre, l'échine voûtée. À côté de lui, deux petites chèvres faisaient leur travail de chèvre. L'homme profitait du fait qu'on avait pensé à offrir à ces demoiselles ovines un lit de paille fraîche et du foin bien sec à mâchouiller. Cette fortune d'ameublement dépassait la sienne et de beaucoup. Partageant leur espace à l'insu du propriétaire qui s'occupait d'un étal des plus animés du marché, l'homme levait les yeux sur les promeneurs et implorait l'aumône de ses mains jointes et de paroles soufflées entre ses gencives piquées de chicots jaunâtres. Un voile opaque masquait son regard et lui donnait un air d'outre-tombe. L'indifférence des passants à son égard laissait aussi à penser que le pauvre n'était qu'un spectre. Blaise était-il le seul à l'avoir remarqué ? Le jeune artiste s'était posté à proximité du mendiant tôt le matin. Il avait érigé son poste d'observation de l'autre côté de la rue et avait griffonné des heures durant sur le papier posé devant lui. Sa musculature saillante avait d'abord frappé Blaise. D'un âge impossible à déterminer, il était l'incarnation même de ces écorchés qui faisaient l'objet d'études approfondies tant chez les aspirants chirurgiens que chez les artistes en devenir. Son épiderme buriné par le soleil, aminci par les années et la famine, laissait apparaître une musculature fine et des protubérances osseuses partout sur son corps minimalement couvert d'une culotte étriquée et lâchement retenue par une corde qui pendait sur ses hanches. Blaise l'avait dessiné sous différents angles. Il avait illustré chacun de ses membres séparément, étudiant longuement les mouvements et leur impact sur la disposition des muscles, des articulations. Il avait observé les tendons du cou alors que le vieil homme tournait et retournait sa tête, lorsqu'il suivait à l'oreille le pas des passants qui évoluaient près de lui. Blaise avait aussi détaillé l'anatomie de ce faciès particulier aux pommettes saillantes. Ce n'était pas la première fois qu'il remarquait que les vieillards arboraient presque tous un menton reculé et pointé vers le haut. Ils avaient aussi très souvent l'orbite enfoncée, l'arcade sourcilière proéminente, le nez long et osseux. Cet homme était imberbe et chauve. Vraiment, il n'avait rien pour lui : même ses poils avaient préféré tomber sur la route plutôt que de demeurer en sa triste compagnie. Il lui en restait tout de même quelques-uns, perdus, épars, choqués de se trouver encore là, alors que presque tous les rats avaient quitté le navire. Même s'il n'était pas tout près de son sujet, Blaise avait remarqué une relique de pilosité égarée sur le torse de l'homme et une autre saupoudrée au-dessus de ses yeux laiteux. Pour lui rendre justice, l'artiste s'était fait un devoir de représenter ces petites touffes rebelles, derniers vestiges de l'habit originel du pauvre bougre.

Sous le couvert nuageux, le soleil se rapprochait de son zénith. Blaise sentit la faim le tenailler. Il empocha son crayon, fit un rouleau de ses croquis qu'il attacha avec une cordelette et passa le tout par-dessus son épaule. Il était fier de ce qu'il avait dessiné au cours de cet avant-midi de congé inespéré. Travailler pour De Vallon était une malédiction, mais lorsqu'il créait pour lui-même, Blaise se rendait compte qu'il prenait plaisir à la tâche. Si on le lui avait demandé, il aurait volontiers admis avoir amélioré son coup de crayon, sa vitesse d'exécution et son sens de l'observation depuis qu'il s'en servait autant pour illustrer des anatomies. Cela avait du bon. Il fallait s'en souvenir. Le regard encore posé sur son sujet du jour, l'artiste se passa aussi la réflexion qu'au moins il était logé et nourri, à la différence de ce misérable disetteux qui moisissait dans le caniveau comme le contenu d'un pot de chambre. Le travail avançait rondement avec De Vallon. Blaise avait déjà effectué un nombre impressionnant d'illustrations, plus qu'il ne savait les compter. Qu'arriverait-il une fois le travail achevé? Il resterait bien la gravure des planches pour l'imprimeur, mais lui confierait-on ce mandat pour lequel il n'avait aucune expérience? Quoi qu'il advienne, De Vallon n'aurait un jour plus besoin de ses services et il devrait sans doute se trouver du boulot. Qui emploierait un sans-nom pour effectuer un tableau, une fresque, un plafond? Les mécènes étaient des gens exigeants qui n'accordaient pas leur confiance au premier venu. D'autant que De Vallon ne le laisserait pas partir avec ses dessins ni ne lui ferait le cadeau d'aucune recommandation, Blaise n'aurait donc pas de preuve de ses compétences à présenter à de futurs clients. Se remettrait-il à faire des portraits dans la rue pour un temps, comme à l'époque de son enfance? Allait-il devoir recommencer la vente d'illustrations lubriques pour se nourrir et se loger? Finirait-il comme cet homme devant lui, toléré par les chèvres, mais ignoré par ses semblables? Tout était possible. Six mois s'étaient écoulés depuis la mort de Battisto, mais, à la veille de terminer son service auprès de l'anatomiste, Blaise sentait que son avenir à Paris se heurtait aux mêmes problèmes qu'en ce jour douloureux où il s'était trouvé fin seul dans la capitale. Blaise réalisa avec consternation que le temps avait impitoyablement poursuivi sa course depuis le décès de son maître et que lui n'avait pas avancé d'un iota. Battisto lui avait pourtant fait miroiter un brillant avenir. À croire que cela ne lui était pas dû. Il était né dans la misère et celle-ci semblait déterminée à le rattraper dans le détour: manger et avoir un toit au-dessus de la tête redeviendraient bientôt ses priorités.

Blaise se leva et tenta d'ignorer ces préoccupations envahissantes. Il aurait bien déposé quelques deniers au creux des mains tendues du spectre qui lui avait servi de modèle depuis le matin, mais comme De Vallon ne le payait pas, il n'avait rien pour rétribuer le travail que le vieil homme avait accompli pour lui à son insu. Enfin, si, il avait quelque chose. Il s'en souvint en tâtant le petit sac qui pendait à sa taille. De sa besace, il sortit le quignon de pain et les deux prunes qu'il avait chapardés à la cuisine en partant de bon matin. Il s'approcha du vieillard et lui fit don d'un morceau de pâte massive et croustillante, et de l'une des deux prunes. L'homme porta le bout de miche à ses narines et en reconnut immédiatement l'odeur caractéristique. Blaise se détourna rapidement. Il entendit bien derrière lui un murmure, quelque chose qui ressemblait à un « Dieu vous bénisse », mais l'expression qu'il avait lue sur le visage du mendiant en lui remettant son repas, cette expression de joie fugace, de reconnaissance, de soulagement, était démesurée par rapport à l'offrande qui n'était rien et qui pourtant était tout à la fois. Blaise n'aima pas le sentiment de culpabilité qui le submergea à cet instant. Il se mit à marcher en tentant d'oublier l'incident.

De Vallon avait été appelé à l'aube au chevet d'un illustre aristocrate qui nécessitait une chirurgie délicate. Parti tôt et rapidement, il avait négligé de donner des ordres à sa suite pour la journée. Sa femme n'ayant pu prendre la relève, puisqu'elle était allée visiter une parente en province, toute la domesticité avait vu sa tâche allégée pour l'occasion. Blaise avait profité de son avant-midi pour se rendre aux Halles dessiner pour lui-même, pour son plaisir. Maintenant que midi sonnait, il se sentait l'obligation de retourner chez l'anatomiste afin de voir si le maître était rentré et si du travail l'attendait. Le vieux Jaco semblait avoir perdu une bonne part de sa vigueur ces derniers temps et Blaise s'en voulait de le laisser besogner seul. Sur le chemin du retour, circulant dans les rues de la ville, son regard captait les formes, distillait les couleurs. En ce jour, le plafond nuageux était bas et gris opaque. Quelques stries blanchâtres ou bleutées venaient parfois rompre l'unicité du coloris, mais la lumière douce qui se diffusait partout sur la ville était constante. Sous ce couvert céleste qui ne laissait pas nécessairement présager quelques averses, l'ombre cessait d'exister et cela excitait les sens de l'artiste. On lui avait appris à peindre en visualisant le point d'origine de la lumière qui éclaire le tableau et voilà qu'en un temps semblable cette règle tombait. S'il avait eu à reproduire ce qui se trouvait devant lui en ce moment précis, Blaise aurait décrété que la lumière venait de partout et de nulle part à la fois. L'ombre n'étant plus, les reliefs s'aplanissaient, les couleurs n'avaient plus la même intensité. Tout paraissait plus doux : les visages, les drapés, l'écorce des arbres, la pierre, tout. La ville entière semblait sertie dans un écrin de grisaille.

À un coin de rue de chez l'anatomiste, Blaise aperçut avec stupeur l'un des joyaux de la ville. La précieuse petite chose faisait grise mine comme le reste, ayant même négligé de porter ses brocarts pernicieux, ses velours interdits. Elle avait pris de grands risques à attendre là, aussi près de la demeure de son amant, vêtue et coiffée comme la véritable petite souillon qu'elle était.

— Je dois aller dans la forêt. Tu m'emmènes ?

Il y avait une urgence dans sa voix claire. Elle voulait sourire, mais n'y arrivait pas. Avait-elle l'œil plus humide qu'à l'habitude ? Blaise l'aurait juré. Interprétant ce temps d'analyse comme une hésitation, Marie-Ursule expliqua :

— Ma mère a promis des herbes médicinales à la femme chez qui on loge et elle-même les a promis à deux ou trois clientes. Comme Adel fait des promesses alors qu'elle est clouée au lit, c'est moi qui me retrouve à devoir les honorer. Encore… Alors, tu m'emmènes ?

Elle avait deviné, bien sûr. C'est qu'elle était futée et probablement aussi observatrice que Blaise lui-même. Elle savait qu'il sortait de la ville, qu'il fréquentait la campagne et les forêts alentour sans qu'il ne le lui ait jamais clairement dit. Blaise eut une pensée pour De Vallon, qui était sûrement de retour, et pour le vieux Jaco, qui devrait s'éreinter tout seul encore quelques heures. Tant pis. Il n'allait pas manquer cette occasion rare de se trouver en si agréable compagnie.

— Viens, dit-il, en ne s'apitoyant pas une seconde de plus.

Il lui prit le panier qu'elle avait d'accroché au bras. D'un pas leste, les deux jeunes gens partirent côte à côte en direction de la porte Saint-Germain.

Informé du fait que la petite plante recherchée par Marie-Ursule poussait en zone humide et boisée, Blaise entraîna son accompagnatrice sur une route sinueuse. Ils n'y restèrent pas longtemps et piquèrent bientôt à travers bois sous la gouverne assurée du jeune homme, qui savait exactement où il comptait aller.

— Souviens-toi bien de ce que tu vois là, l'artiste, parce que tu ne me verras pas souvent marcher dans une forêt ! annonça Marie-Ursule au bout d'un moment.

Blaise s'arrêta en entendant ces paroles qui venaient d'un peu trop loin. Sans s'en rendre compte, il avait distancé la jeune fille, qui cheminait derrière lui avec une peine évidente. Sa jupe s'emmêlait dans les fougères, ses pieds butaient contre les aspérités du sol et, à tous les trois pas, elle devait repousser une branche qui menaçait de lui fouetter le visage. Lorsqu'elle s'arrêta aussi et releva la tête vers lui, Blaise vit qu'elle avait les joues rougies par l'effort. Mal à l'aise, il s'excusa de marcher si vite et argua qu'il n'avait pas l'habitude d'être accompagné.

— Aimerais-tu mieux demeurer sur le chemin? Nous finirons par trouver un point d'eau, mais ce sera plus long.

La jeune fille déclina l'offre par orgueil. Elle convenait qu'elle n'avait pas une démarche de cerf comme son guide, mais elle n'avait pas envie de passer pour une couarde ni pour une paresseuse. De toute façon, le chemin ou le beau milieu de nulle part, cela ne faisait pas tellement de différence. Rejoignant Blaise en quelques enjambées laborieuses, elle lui expliqua sa remarque.

— Mes parents ont été tués par une bande de brigands dans une embuscade au cœur de la forêt. J'étais très jeune et je ne m'en souviens pas, mais chaque fois que je me retrouve entourée d'arbres et à bonne distance de la civilisation, je me sens oppressée, juste là (elle pointa son estomac du doigt en esquissant une grimace évocatrice). Avant d'arriver à Paris, Adel et moi, on a fait bien de la route et c'était immanquable : lorsque nous traversions des forêts, on aurait dit que je devenais moi-même une bête sauvage, à l'affût de tous les bruits, toujours prête à détaler à la moindre menace... ce qui, je l'admets, n'aurait pas servi à grand-chose, vu la façon pitoyable dont je me déplace en dehors du sentier!

Le trait d'humour rassura Blaise. Soit il s'était mépris sur l'humeur initiale de sa compagne, soit cette sortie en forêt lui plaisait, malgré ses craintes. Blaise attendit qu'elle retrouve son souffle et ils reprirent la marche côte à côte. Comme toujours, Blaise ne trouvait rien d'intéressant à dire. S'il ne faisait pas de cas de son manque d'éloquence en d'autres occasions et surtout en d'autre compagnie, à cette heure, il s'en voulait, car il appréciait Marie-Ursule plus qu'il n'osait se l'avouer. Le jeune artiste craignait qu'elle ne se lasse rapidement de lui s'il ne la divertissait pas, s'il ne la faisait pas rire. C'est ce qu'aimaient les filles, non? Qu'on les fasse rire? Ulbert aurait su comment. Il aurait su quoi dire. Il aurait certainement souri à pleines dents, trouvé un sujet de conversation approprié, raconté quelques histoires drôles, aurait peut-être même déposé un bras protecteur autour des épaules. Elle aurait passé un bon moment. Au lieu de cela, accompagnée par le terne petit Blaise, elle luttait contre les branchages en silence, s'essoufflait à dépêtrer ses sabots de la mousse et fixait son regard au sol sans mot dire, tentant d'éviter une chute douloureuse. Il aurait aimé lui prendre la main ou, à tout le moins, lui offrir son bras. Lui rendre la promenade plus facile et peut-être aussi plus agréable était-il si compliqué? À croire que oui. Il aurait voulu la rassurer par ce contact physique élémentaire, mais le geste pouvait être porteur de sens et il n'avait pas la confiance suffisamment musclée pour l'assumer. Terne petit Blaise, terne petite promenade. Le jeune artiste pesta intérieurement contre lui-même et ne songea pas un instant que Marie-Ursule appréciait peut-être cette distance entre eux, cette douce retenue qu'elle n'avait que trop rarement rencontrée chez un homme.

Parvenus aux abords d'une rivière étroite, calme et peu profonde, ils trouvèrent enfin ce qu'ils cherchaient, mais en maigre quantité. Ils entreprirent de longer le cours d'eau afin de remplir le panier. Enveloppés par les seuls bruits de la forêt et le babil délicat de l'onde paresseuse, ils se déplaçaient lentement et se penchaient régulièrement pour récolter quelques brins odorants. Marie-Ursule était concentrée sur sa tâche et s'étonnait elle-même du calme qui l'avait gagnée. Avec consternation, elle s'aperçut même qu'elle éprouvait un bien-être étrange au cœur de cette forêt. Jamais elle n'aurait cru cela possible. Comme elle était loin, cette petite fille qu'elle était jadis, qui suppliait sa mère adoptive de courir avec elle le long des routes forestières afin d'échapper au plus vite à la menace des bois! Elle ne se reconnaissait plus. Le panier se remplissait à mesure que les deux jeunes gens cheminaient, mais pour profiter encore un peu du moment, Marie-Ursule délaissa soudainement la cueillette, se déchaussa et traversa à gué la petite rivière jusqu'en son milieu, où elle grimpa sur le dos herbeux d'une immense pierre. Elle s'y étendit et contempla un moment la voûte sylvestre qui se déployait de part et d'autre de son champ de vision. Elle ferma les yeux, satisfaite du calme qui s'installait confortablement en elle alors qu'elle fixait son attention sur le chant répétitif d'un oiseau au loin. Elle n'avait pas oublié Blaise : elle savait qu'il l'observait depuis la berge. La jeune fille se doutait bien que l'instant de sérénité auquel elle goûtait en ce moment était dû à la présence de l'homme à ses côtés et que la forêt, sans lui, aurait été tout aussi inquiétante qu'à l'habitude. C'est que l'étonnante, l'inexplicable confiance qui émanait de l'artiste alors qu'il évoluait à travers les bois était contagieuse. C'était simplement cela, purement et simplement cela. Et c'était délicieux.

— C'est un rêve. Un très mauvais rêve.

La rivière n'était pas large. Blaise était assis en tailleur sur une pierre, au milieu des joncs, sur la berge, et sa voix avait facilement porté jusqu'aux oreilles de Marie-Ursule. La jeune fille se tourna sur le côté, posa sa tête sur son coude replié et demanda du regard des précisions à propos de cette assertion sortie de nulle part.

— La peinture. Celle que tu as vue dans ma chambre, au-dessus de mon lit. C'est un mauvais rêve que je faisais tout le temps quand j'étais plus jeune.

Et Blaise raconta. Il parla de lui, de son passé, relata son histoire comme cela se collait à sa mémoire depuis tant d'années. Non seulement n'avait-il jamais eu la chance de se livrer ainsi auparavant, mais, en plus, jamais il n'avait parlé aussi longuement de toute son existence. Il parla d'Ameline, de ses pauvres petits doigts coupés qui dormaient encore sous les branches d'un haut conifère. Il évoqua le sang, tout ce sang sur la neige immaculée qui avait marqué son esprit au point de troubler sans relâche chacune de ses nuits. Il parla de maître Battisto qui l'avait recueilli (acheté, aurait été un mot plus juste) et qui lui avait enseigné la peinture. Il utilisa des termes élogieux pour parler de cet homme qui était parti trop vite et qui lui manquait toujours terriblement. Il expliqua d'où lui venait son talent pour le dessin, avoua son amour pour la peinture et sa peine de ne plus s'exercer à travers ce médium, inutile à De Vallon. Enfin, il raconta comment, un jour, il avait eu une vision : celle de peindre ce fameux cauchemar qui le hantait, nuit après nuit, de le fixer sur la toile en espérant ainsi libérer son esprit. Cela n'avait pas été chose facile. Il avait bien tenté de représenter la scène dans son ensemble avec les personnages, le décor, la neige et tout, mais il avait constaté avec amertume qu'il n'arrivait pas à reproduire avec exactitude les traits de son père, de sa mère, de sa sœur. Il manquait toujours cette lueur de folie sauvage dans le regard de son père, les traits de sa mère n'exprimaient jamais le juste mélange de dégoût et d'indifférence que Blaise avait aperçu ce jour-là et surtout, d'aucune façon, il n'était parvenu à recréer la terreur et la douleur sur le visage si innocent de sa sœur agenouillée dans la neige. Il avait bien essayé par tous les moyens, mais jamais il n'était satisfait de son rendu et conséquemment le cauchemar persistait. Il avait persisté jusqu'au jour où, furieux de peiner ainsi vainement et sans relâche sur une commissure de lèvres, sur l'angle d'une paupière, sur la courbure d'une pupille, il s'était fâché et avait barbouillé de carmin sa toile impossible. À grands coups de pinceau rageurs, il avait voilé pour toujours les visages imparfaits et oubliés des membres de sa famille. La large tache rouge et informe qui s'était agrandie sur le fond blanc lui avait aussitôt rappelé le sang dans la neige et, du même coup, il avait ressenti tout le pouvoir salvateur de cette image qui n'était rien, mais qui était tout à la fois. Il l'avait longuement contemplée, avait beaucoup pleuré (détail qu'il omit de raconter à Marie-Ursule, qui ne perdait pas un mot de son récit douloureux) et avait finalement décidé de suspendre cette toile au-dessus de son lit, persuadé de tenir là un remède efficace à ses cauchemars incessants. Cela fonctionna et il n'en fut pas surpris, néanmoins maître Battisto avait exécré la toile sitôt qu'il l'avait aperçue et avait sommé son jeune apprenti de jeter ce détritus immonde au plus vite.

Blaise n'avait eu d'autre choix que d'obtempérer. Il n'avait pas eu la force d'expliquer l'importance de la chose à son bienfaiteur et, de toute façon, ce dernier n'était pas du genre à s'apitoyer. Il n'aurait probablement pas compris. Blaise avait découpé un petit carré dans la toile où l'on apercevait de l'écarlate et du blanc, l'avait placé sous son oreiller et, pendant quelques années, il y avait systématiquement jeté un œil avant de s'endormir le soir. Le reste du tableau, Blaise l'avait balancé à la rivière et cela aussi lui avait fait grand bien. Le courant boueux avait rapidement engouffré au cœur de ses flots cette image de sang et de neige, ces souvenirs vénéneux dont il ne voulait plus.

Maintenant, le petit bout de toile carmin et blanc était affiché au mur chez De Vallon, puisque ce dernier se souciait bien peu de ce manque d'esthétisme. Comme il abhorrait tout ce qui provenait de l'artiste, à l'exception de ses illustrations anatomiques, la toile ne se démarquait pas du reste malgré son incongruité.

Marie-Ursule fut émue par ce récit. Blaise avait parlé longtemps. Elle ne l'avait pas interrompu et n'avait pas bougé d'un cheveu de peur de briser cet instant précieux. Maintenant, elle se rendait compte qu'elle était tout ankylosée. S'asseyant sur la roche, elle invita d'un geste le jeune homme à venir partager son trône de fortune. Comme il s'installait près d'elle en prenant soin de garder entre eux une distance raisonnable, il l'entendit dire :

— Ça fait de nous deux enfants trouvés !

Marie-Ursule manipulait nerveusement le bord de sa robe. Blaise sentait qu'elle voulait aussi se lancer dans la confidence, mais n'y arrivait pas. Il lui laissa le temps. Tous les deux, ils n'en étaient pas à un silence près.

— Mais la différence entre nous, c'est que toi, tu as goûté la paix après avoir quitté tes parents. Pour moi, c'est le contraire. Je pense que ma vie aurait été bien plus douce si ma famille avait survécu à cette attaque dans les bois.

Marie-Ursule était lancée. Comme Blaise avant elle, elle parla d'un air résigné, les yeux fixés sur les eaux sombres de la rivière, sa voix calme faisant le récit de son existence comme si elle s'adressait à elle-même. Blaise n'en détachait pas son regard, buvait chaque parole qui sortait de cette bouche vermeille. Plus encore que lorsqu'elle était vêtue en bourgeoise, il la trouvait belle. Ses vieux habits couleur de terre et de bois s'harmonisaient à l'environnement. Sa peau blanche faisait un contraste lumineux avec les alentours verdoyants, avec l'eau sombre à leurs pieds, et il sentait que cette lumière l'éclairait, lui. De tout son éclat.

Selon ce que lui avait dit Adel, Marie-Ursule était la fille d'un marchand prospère. Adel ignorait tout de cette famille et, de fait, la jeune fille ne connaissait même pas le nom qu'on lui avait donné à la naissance. Chose certaine, ce n'était pas Marie-Ursule, puisque ses parents étaient Anglais et qu'Adel avait fini par lui attribuer ce prénom alors qu'elle avait déjà trois ou quatre ans et que toutes deux se trouvaient en territoire français. Sa mère adoptive, qui jusque-là ne l'avait appelée que « fille », s'était vue obligée de la nommer, après qu'une dame patronnesse qui lui avait apporté quelques soins, dans un hôpital, s'était scandalisée de constater que la fillette n'avait pas de nom. Marie-Ursule était le prénom de la femme indignée et Marie-Ursule devint dès lors celui de l'enfant sans identité. Adel avait fait simple ; c'était une femme d'inspiration limitée.

Sauf lorsqu'il s'agissait de gagner son pain.

Adel avait fait tout ce qu'elle pouvait, en toute saison, pour pouvoir se nourrir et nourrir sa fille adoptive. Si on le lui avait demandé, la femme n'aurait pas été capable d'énumérer tous les menus travaux qu'elle avait exercés afin d'assurer leur subsistance. Quand Marie-Ursule avait été en mesure de rapporter elle-même quelques deniers, Adel n'avait pas hésité à la faire mendier, à lui faire filer de la laine, à la faire travailler à la teinturerie, à lui faire vendre des plantes médicinales, à lui faire porter des sacs de farine, des sacs de grains, à lui faire laver des vêtements à la rivière ou à lui faire vendre des cailloux aux vertus douteuses. Puis, quand Marie-Ursule avait été en âge de le faire, Adel lui avait fait rencontrer des hommes et cela s'était avéré plus lucratif que tout le reste, dès le départ. Dès lors, les deux femmes avaient pu se nourrir chaque jour et Adel avait progressivement abandonné l'idée de travailler elle-même, sauf pour un commerce un peu factice, et surtout très occasionnel, de plantes aromatiques et médicinales. Errant de ville en ville, le but d'Adel était toujours, selon ses dires, de rejoindre Compostelle pour expier une vieille faute dont Marie-Ursule ignorait la nature. À la vérité, depuis environ quinze ans elles étaient en territoire français et, si sa mère adoptive se présentait constamment comme une pèlerine, l'intention véritable de se rendre en Espagne n'existait que dans ses palabres fantaisistes. Quelques mois auparavant, elles avaient fini par aboutir à Paris, presque par hasard, et maintenant que sa mère s'y était acoquinée avec la veuve Lefebvre, elle ne semblait plus vouloir en partir, d'autant que son état de santé se détériorait depuis quelque temps.

L'orpheline ne s'était jamais sentie aimée ni détestée par sa mère adoptive. Par contre, elle avait souvent eu l'impression que Adel la supportait comme un fardeau. Un fardeau qui était là, dont elle ne pouvait se défaire et qu'elle avait appris à intégrer à son existence. De son côté, Marie-Ursule éprouvait des sentiments semblables. Elle étouffait en présence d'Adel, qui

requérait constamment des soins, des attentions exagérées, qui avait toujours quelque chose à lui demander, à
lui imposer. La jeune fille ne comprenait pas cette mère
adoptive qui agissait souvent comme une enfant. Elle
sentait qu'elle n'existait que pour satisfaire ses nombreux besoins. D'un autre côté, Adel vieillissait, dépéris-
sait, elle lui avait sauvé la vie et Marie-Ursule ne pouvait
se résoudre à l'abandonner. La vieille femme lui faisait
de l'ombre, l'empêchait de déployer ses racines par sa
présence, mais Marie-Ursule continuait de voir en elle
sa seule famille.

Quelques années avant d'arriver dans la capitale du
royaume français, Marie-Ursule avait failli s'en faire
une bien à elle, une famille. Des suites de son travail,
l'inévitable s'était produit et elle était tombée enceinte.
Elle n'avait été ni euphorique ni craintive confrontée à
cet événement qui s'inscrivait dans l'ordre des choses.
Les femmes avaient des bébés, il était normal qu'elle
finisse par en avoir elle aussi. Le contraire était bien plus
inconcevable ! La jeune fille avait donc accueilli l'idée
très simplement. Dans son milieu, les petits bâtards
étaient légion et la perspective d'en élever un la rebutait
moins que de se chercher un mari à la sauvette. Elle était
encore jeune et voulait prendre le temps d'en trouver
un qui ne la frapperait pas en toute occasion. Entre-
temps, le bon Dieu avait voulu faire d'elle une mère et
elle entendait bien s'y soumettre, jusqu'à ce que Adel
remarque son ventre qui s'arrondissait. La vieille
femme était entrée dans une colère noire et avait battu
sa fille adoptive pour lui avoir caché aussi longtemps
cette nouvelle d'importance. Quelques jours après, elle lui

avait fait ingurgiter une décoction infecte au goût amer. Après des heures interminables de douleurs intenses et de saignements abondants, Marie-Ursule avait accouché beaucoup trop tôt d'un minuscule bébé garçon, mort-né, qu'elle n'avait pas eu le temps de regarder avant qu'on le jette au feu. La convalescence avait été longue : la jeune femme avait bien failli y passer, et ce, par sa faute, lui avait dit Adel. « Il faut faire ça le plus tôt possible, plus on attend, plus c'est dangereux. » Marie-Ursule n'avait jamais souhaité mettre un terme à sa grossesse et Adel ne l'avait pas informée qu'elle lui faisait avaler un bouillon abortif. Selon son habitude, elle avait agi pour préserver ses acquis, avait fait des cachotteries, avait soumis Marie-Ursule à sa volonté. « On n'aurait pas eu de quoi le faire vivre, c'est mieux comme ça. » Telles avaient été ses excuses. Elle refusait de partager leur maigre fortune et avait, seule, décidé que sa fille n'engendrerait pas, n'engendrerait plus jamais. C'était une des conséquences inéluctables de son intervention tardive sur le corps de la jeune femme. Évidemment, Marie-Ursule lui en voulait amèrement pour cela aussi.

Comme elle racontait tout cela pour la première fois, elle s'arrêta, gênée d'avoir abordé un sujet aussi personnel avec un garçon. Néanmoins, le malaise s'estompa lorsqu'elle vit qu'il ne semblait pas partagé. Blaise la regardait fixement et son regard bleu était empreint de compassion. Dans le moment de silence qui suivit, les deux jeunes gens réalisèrent que cette conversation venait de créer un lien particulier entre eux. Pour l'instant, la confidence s'arrêtait là, mais ils savaient qu'il y aurait une suite.

— On devrait retourner en ville, il se fait tard. À moins qu'on s'enfuie à travers les bois et qu'on ne remette plus jamais les pieds à Paris ? Qu'est-ce que tu dirais de devenir bergère dans les Alpes ou dans les Pyrénées ?

Marie-Ursule esquissa un sourire un peu las. Prendre la fuite était une possibilité envisageable, c'était même une excellente idée, mais cela exigeait du courage. Elle n'en avait pas. Elle savait que Blaise ne parlait pas sérieusement non plus. Elle se contenta de se lever en même temps que lui et de lui tendre la main afin qu'il l'aide à descendre du rocher, ce qu'il fit avec un plaisir évident.

—•—

Quand Blaise poussa la porte du cagibi d'anatomie, il avait encore la tête remplie des détails de cette journée exceptionnelle. L'odeur caractéristique de la pièce lui fit toutefois instantanément plisser le nez et, telle une gifle, le ramena à la réalité. Décidément, il ne s'y habituerait jamais : ni à l'odeur ni à sa réalité. Le corps étendu sous le drap empestait. Selon toute probabilité, l'anatomiste réclamerait de lui qu'il parte à la chasse dès ce soir. De fait, ayant entendu ses pas dans l'escalier ou le gémissement des gonds de la porte, De Vallon avait deviné sa présence et l'appelait déjà depuis son atelier de travail. Blaise s'y rendit et découvrit que son patron n'était pas seul. Avec lui, un homme ventripotent au front dégarni était assis au bord de la longue table et étudiait avec minutie des illustrations anatomiques, parcourait à la loupe des textes écrits par son éminent confrère.

— Jeune homme, j'ai besoin d'un autre sujet pour ce soir et il faudrait impérativement me débarrasser de celui-ci. Quand Ulbert arrivera tout à l'heure, il t'aidera à le mettre dans la charrette. La rivière, cette fois.

Les explications étaient sommaires, mais Blaise avait compris qu'il devrait balancer le cadavre dans la Seine pour s'en défaire. C'est un détail auquel il était maintenant habitué. Il s'apprêtait à prendre congé afin de réfléchir à un plan pour sa cueillette du soir, quand l'anatomiste ajouta une précision importante.

— Les autorités nous ont à l'œil. Il y a eu des plaintes pour des tombes profanées. Oublie tous les cimetières où tu as l'habitude d'aller. Il va falloir que tu fasses preuve d'imagination ! termina De Vallon dans un grand rire et en jetant un regard amusé à son collègue.

Ce dernier esquissa un sourire poli, mais la déconfiture de Blaise à la suite de cette recommandation sembla plutôt lui inspirer de la compassion. Les cadavres ne se cueillaient pas comme les pommes à l'automne. La chasse était périlleuse, le transport de la marchandise aussi. Aucun des trois hommes présents dans la pièce n'ignorait cet état de fait, mais chacun le percevait à sa manière : ce qui faisait s'esclaffer l'anatomiste paniquait Blaise et consternait l'autre. La mine déconfite, visiblement embêté par cet écueil inattendu, l'artiste s'apprêtait de nouveau à quitter la pièce lorsque le visiteur, sensible et empathique, l'interpella.

— Va donc à l'Hôtel-Dieu. Un ami à moi pourra sans doute t'aider. Sois-y à la noirceur et demande à voir Nicholas LeGros. Je vais m'arranger pour qu'il soit au courant de ta visite.

Blaise remercia l'homme plus d'une fois. Il se permit même de s'avancer pour lui serrer la main. Ce faisant, il arborait un sourire de triomphe irrépressible qui énerva bien vite l'anatomiste. Sur un geste impatient de ce dernier, l'artiste quitta la pièce en pleine possession de ses moyens. Ce serait si simple, cette fois ! Il en aurait presque pleuré de joie.

———•———

L'Hôtel-Dieu était, depuis plusieurs siècles, un lieu d'hospitalité et de charité pour les pèlerins, les indigents et les malades. Construit sur l'île de la Cité et jouxtant le parvis de la cathédrale Notre-Dame, l'hôpital était administré par les sœurs augustines qui, comme des fourmis infatigables, arpentaient avec énergie les corridors de l'immense édifice jour et nuit. Désarçonné par cet environnement où la maladie et la misère s'entendaient et se respiraient, Blaise, sitôt entré par la grande porte, hésita à aller de l'avant et interpella la première augustine qui croisa son regard. Il demanda à voir Nicholas LeGros. Après l'avoir fait patienter un moment afin de tenir un conciliabule avec une supérieure, la novice voilée revint vers le visiteur et lui ordonna de la suivre. Elle le fit cheminer à travers quelques corridors, puis le guida sans surprise en direction du sous-sol. Blaise l'aurait parié.

Juste en bas des escaliers se trouvait une pièce fermée par une lourde porte. L'augustine frappa et entra sans attendre de réponse, mue par une confiance qui jurait avec son jeune âge. Elle entraîna Blaise à sa suite, le laissant ensuite intimidé et hésitant devant celui qui l'attendait.

— Un visiteur pour vous, monsieur LeGros, lança-t-elle à la volée, avant de repartir par où elle était venue.

L'homme qui se retourna rendait bien peu justice à son patronyme. Il était long, mince et noueux. Il portait une couronne de cheveux blancs et présentait un visage affable qui plut tout de suite à Blaise.

— Entrez, entrez! Je vous attendais, dit Nicholas LeGros avec un sourire cordial et une voix veloutée.

L'accueil était plus chaleureux que l'endroit. Heureusement. La pièce aux murs de pierre était faiblement éclairée et des ombres démesurées se mouvaient tout autour, dans un silence inquiétant qui contrastait abruptement avec ce que l'on entendait sur les étages au-dessus. Posés sur des tables, des draps blancs ficelés serrés laissaient entrevoir des formes familières au jeune homme. Les cadavres de la journée étaient là. Alignés. Immobiles. L'un d'eux était bien petit et semblait se perdre dans le linceul qui l'enveloppait. Blaise le regardait sans le voir, éprouvant un malaise étrange.

— Alors, comme ça, tu travailles pour cet anatomiste… Gaspar De Vallon, c'est bien cela?

Blaise acquiesça. Il sentait que l'homme aurait aimé faire la conversation. Lui-même aurait voulu échanger quelques paroles, mais quelque chose l'en empêchait, l'opprimait. Et ce n'était pas sa maladresse sociale habituelle qui faisait là son œuvre. Blaise avait plutôt l'impression qu'il y avait quelque chose dans cette pièce trop calme, dans cet homme trop posé, une chose qui l'incommodait au point de lui nouer la gorge.

— Eh bien! mon jeune ami, je crois que nous côtoyons le même genre de personnes! De quelque côté que nous nous tournions, la mort est aux aguets, n'est-ce pas?

L'homme avait désigné les corps en énonçant sa curieuse mais juste sentence. Après un court épisode réflexif, il poursuivit du même timbre feutré.

— Remarque que, peu importe le métier que l'on pratique, en réalité, puisque Dieu nous a faits hommes, la mort est toujours là, aux aguets. Aujourd'hui eux (il désigna les corps ficelés de son index), demain moi, toi. C'est troublant, je sais, je ne m'y fais pas non plus.

Blaise ne s'attendait pas à un tel discours dogmatique. Les dernières paroles le dérangèrent particulièrement. Son malaise était-il si apparent, malgré les efforts qu'il déployait afin de ne rien laisser paraître? Pourtant, il en avait vu, des cadavres. Peut-être autant que cet homme devant lui. Il en avait été incommodé au début, c'est vrai, mais il s'y était fait rapidement, ce qui avait d'ailleurs épaté maître Battisto, à l'époque. Il ne croyait pas que la mort puisse encore l'émouvoir. Ce devait être autre chose. Ne faisait-il pas trop chaud dans cette pièce? Peut-être n'avait-il pas assez mangé au cours des dernières heures… À moins que le manque de sommeil…

— Moi aussi, j'ai perdu quelqu'un.

Nicholas LeGros ne semblait pas se formaliser du fait qu'il était le seul à discourir. Il s'était assis sur une chaise, ses longues jambes déployées nonchalamment devant lui, les bras croisés sur sa poitrine.

— Tu ne me croiras peut-être pas, mais souvent, à travers les draps, comme ça, j'ai l'impression de reconnaître ma femme ! J'en ai défait plus d'un, au cours des dernières années, et chaque fois je me suis rendu compte que c'était quelqu'un d'autre, évidemment, puisque c'est moi-même qui les emballe, ces pauvres gens ! Maintenant, tu vois, j'évite d'ouvrir les paquets… Je me suis fait une raison, il faut croire. Et toi, dis-moi, qui reconnais-tu au travers de ce drap ?

Blaise s'étonna de la question. L'homme semblait lire dans ses pensées. Il avait raison. Muet, il fixait le petit paquet depuis son arrivée dans la pièce et il était persuadé que sa sœur, Ameline, se trouvait sous ce satané drap, que ce fumier d'Elzar avait fini par la tuer. Maintenant qu'il prenait conscience de cette pensée aussi absurde qu'abjecte, il n'avait plus qu'une envie : défaire les nœuds qui retenaient le linceul en place et voir ce petit visage une bonne fois pour toutes.

— Vas-y, mon gars. On le remballera après, ce n'est pas plus grave.

Encore une fois, LeGros avait deviné cet étrange sentiment qui l'avait envahi, sans qu'aucune parole ne soit prononcée. Il avait lancé l'invitation avec bonhomie, en sachant pertinemment que Blaise n'était déjà plus en mesure de la refuser, malgré l'aspect irrationnel qui entourait cet acte qu'il s'apprêtait à perpétrer, ce dont le jeune homme était pleinement conscient. Si Ameline vivait toujours, elle était une adulte maintenant, ce ne pouvait être elle d'aucune façon ! Pourtant, il fallait qu'il voie. Sans plus attendre, Blaise se rua. Sa respiration était précipitée, ses gestes gourds. Il avait le cœur au bord des lèvres et transpirait comme un cheval de trait sous un soleil de juillet. Lorsqu'il parvint enfin à découvrir le coprs de l'enfant posé sur la table devant lui, il s'aperçut qu'il ne s'agissait pas d'Ameline, mais d'un jeune garçon. Le blondinet était crotté, couvert de haillons. Ses petites mains étaient croisées sur sa poitrine sans vie et Blaise remarqua que son pouce et son index étaient noircis. Cela lui rappela ses propres mains, du temps où son père le faisait dessiner avec des morceaux de charbon. Elles étaient constamment sales, comme celles du gamin. Peut-être était-ce un artiste lui aussi. Reportant ensuite son regard sur le visage de l'enfant, Blaise constata avec horreur qu'on lui avait transpercé l'œil droit avec un objet qui lui rappelait vaguement un des scalpels de Gaspar De Vallon. Comment diable n'avait-il pas remarqué cette horrible chose quelques secondes auparavant ? Perdait-il la raison ? Alors qu'il se posait justement la question, il s'aperçut que l'autre œil du garçon était grand ouvert et qu'il était bleu azur comme les siens. Le garçonnet étendu là, à moitié recouvert d'un linceul, c'était lui, en plus jeune, assassiné, l'œil crevé, le cerveau défoncé sans pitié.

Comment pouvait-on faire cela à un enfant ? Qui lui avait fait cela, à lui ? Blaise s'entendit pousser un cri, puis ce fut le noir.

L'instant d'après, il était assis sur la chaise de Nicholas LeGros et l'homme agenouillé auprès de lui s'évertuait à lui faire de l'air avec un feuillet plié en deux, le regard inquiet et rivé sur son sa figure blafarde. Blaise se sentait las, mais il se leva, vacillant plus qu'il ne marcha jusqu'à la table, où il avait découvert son propre corps sous un drap blanc. LeGros n'avait pas eu le temps de « remballer le paquet ». Un jeune garçon gisait bien là, mais son visage émacié était propre, paisible et n'était défiguré par aucun objet tranchant. C'était un pur inconnu. Évidemment.

Blaise n'avait toujours pas les idées en place. Avait-il vraiment vu ce qu'il avait vu ? Avait-il rêvé ? Peut-être. Il se sentait d'ailleurs comme si on venait de le tirer d'un lourd sommeil. Néanmoins, il avait réellement mis au jour le visage de l'enfant, puisque celui-ci était là, devant lui.

— L'artiste ? réussit-il finalement à articuler en regardant autour de lui pour voir s'il ne s'était pas trompé de cadavre.

LeGros l'observa d'un air peiné.

— Un artiste, dis-tu ? Si jeune ? Quel dommage ! Les artistes sont des gens fascinants. Leur tête contient des histoires que nul n'a jamais racontées, leurs yeux voient des choses que les autres ne voient pas et on dit qu'ils ont constamment de la musique aux oreilles. Peux-tu le croire? Personne ne pourra jamais créer comme il l'aurait fait. Tu te rends compte?

L'homme esquissa un sourire contrit et porta la main à sa tête comme s'il venait de s'apercevoir qu'il était le roi des idiots.

— Excuse-moi, à être toujours tout seul, j'en perds mes bonnes manières! Certainement que tu t'en rends compte! Je vois bien cette tristesse dans ton regard. Comme tous ceux qui sont alignés ici ou entassés au cimetière des Saints-Innocents, il est irremplaçable, tu as raison! Irremplaçable pour une mère, un père, un mari, une femme, pour un ami. Un artiste… irremplaçable aussi pour un inconnu qui, peut-être, aurait reçu la grâce par lui? On ne le sait pas. On ne le saura jamais. *Ininvestigabiles viae Domini.* Les voies du Seigneur sont impénétrables. Aide-moi à le remballer, s'il te plaît.

Blaise s'exécuta machinalement. Complètement atterré par l'étrange expérience qu'il venait de vivre, il avait l'impression que ses sens exigeaient de lui qu'il prenne rapidement congé de cet endroit lugubre, de cet homme clairvoyant. Qui plus est, il se sentait épuisé. Lorsque LeGros lui fit choisir quel corps il souhaitait prendre avec lui, il le fit à la hâte, en évitant le garçon. Il n'aurait pas été en mesure de le voir découpé en morceaux et, de toute façon, De Vallon n'aimait pas anatomiser des enfants. «Tout est trop petit là-dedans», avait-il dit un jour. Blaise s'en souvenait bien.

Le chemin du retour fut périlleux. À deux reprises, Blaise aperçut des miliciens qui fouillaient les charrettes, fort probablement à la recherche de cadavres. Par chance, ils étaient chaque fois à bonne distance et occupés de surcroît. Blaise avait donc pu transporter son butin à bon port, mais il était exténué lorsqu'il entra dans le cagibi d'anatomie.

Après avoir essuyé les remontrances auxquelles il s'attendait concernant son retard, il se rendit à sa chambre et se laissa choir sur son lit. Il comptait bien prendre quelques minutes de repos pendant que De Vallon et Ulbert procédaient à la préparation du corps et entamaient leurs études. La tête posée sur son oreiller, les yeux clos, il se remémora cette journée forte en émotions. Il y avait eu cet instant plus qu'agréable, passé en compagnie de Marie-Ursule en forêt. Il y avait eu cette rencontre mystérieuse et étonnante avec Nicholas LeGros. L'homme avait semblé lire dans ses pensées, lui avait dit des choses qui l'avaient secoué, qui allaient lui donner matière à réflexion à propos de sa propre existence, pour sûr, lorsqu'il aurait enfin la tête reposée. Puis, il y avait eu cette vision de lui-même, enfant mort, et cela lui avait fait mal. Comme il avait trouvé injuste de se voir là, étendu, sans vie, peut-être assassiné par De Vallon, alors qu'il y avait encore un avenir pour lui! Heureusement que cela n'était qu'une vision... Mais que s'était-il passé dans cette pièce? Tout cela était bien flou dans ses souvenirs et ces détails auxquels il tentait de se raccrocher n'avaient pas, finalement, une si grande importance, décréta-t-il en poussant un bâillement digne d'un ours. En sombrant dans le sommeil, Blaise sentit que cette soirée particulière allait très certainement laisser son empreinte quelque part sur son existence.

Blaise rêva. Dans son rêve, une patrouille de nuit interceptait la charrette qu'il conduisait. Un milicien fouillait l'amoncellement de draps qui constituait son chargement, tandis qu'un autre lui hurlait : « Où sont les vivants ? Où sont les vivants ? » Blaise allait se défendre en alléguant qu'il ne transportait jamais de vivants, que tout était mort, même lui, mais de très loin lui parvint l'ordre formel de se lever. Il ouvrit les yeux. De Vallon était là et tenait par le bras sa jeune maîtresse venue le rejoindre.

— Quel paresseux ! Tu vas te bouger, enfin ! Ulbert t'attend. Tu dessines l'appareil urinaire. Dans le corps et de façon isolée. Il me faut ces croquis pour demain matin.

De Vallon n'utilisait aucun mot superflu. Ses paroles allaient droit au but, étaient sans équivoque, puisqu'il avait toujours l'impression de s'adresser à un idiot. De fait, Blaise se sentit comme tel. D'un coup, tout le mysticisme de cette journée semblait envolé. Il échangea un bref regard avec Marie-Ursule, espérant y déceler quelque chose de probant, de rassurant, mais la jeune fille s'empressa de porter son attention ailleurs. Blaise savait qu'elle ne pouvait agir autrement, néanmoins cette attitude glaciale le blessa. Confus entre la réalité et le rêve, il souhaita brièvement n'être que le personnage d'un cauchemar qui se terminerait bientôt. Il se rendit finalement auprès de la dépouille, traînant sa propre carcasse comme un fardeau.

CHAPITRE 12

— Y a pas comme une odeur ?

Surpris par la question de Blaise, le vieux Jaco suspendit ses activités un moment et huma l'air.

— Évidemment qu'il y a une odeur ! Moi, je sens pas la rose, lui, il pue la charogne, par là, ça sent le poisson et, un peu plus bas, ce sont les ordures qui nous empestent. Ne me dis pas que tu ne flaires pas tout ça, petit ! claironna le vieil homme en rigolant et en joignant un geste évocateur à chacune de ses paroles.

Blaise sourit. Bien sûr, il discernait tout cela, mais il parlait d'autre chose. D'une odeur particulière qu'il ne savait pas nommer. Il fit un nouvel essai.

— Le macchabée, il sent la pourriture, mais autre chose aussi, tu ne trouves pas ?

Le vieux Jaco fit la grimace, puis poussa le cadavre lesté qui tomba à la rivière.

— Non. Il pue et y a rien à ajouter.

Déçu, Blaise balança dans l'eau un drap noué et maculé de sang. Ce sac de fortune contenait toutes les parties de corps découpées par l'anatomiste. En plein jour, il aurait déclenché une panique générale si on l'avait aperçu en possession d'un pareil butin. Heureusement, la nuit était sans lune et chacun pouvait porter à sa guise des déchets à la rivière. La présence des deux hommes sur les berges de la Seine n'était donc pas illégale et Blaise agissait en confiance. Depuis presque un an qu'il vaquait à ce genre de tâches ingrates pour De Vallon, il en avait maintenant l'habitude. Néanmoins, cette odeur provenant du corps sortait de l'ordinaire. Il n'en démordait pas.

Jaco et lui grimpèrent dans la charrette et prirent la direction de l'hôpital afin de voir Nicholas LeGros, qui leur fournissait des cadavres frais. C'était une largesse profitable autant pour l'artiste, qui ne risquait plus sa vie, que pour l'anatomiste, qui disposait en tout temps d'une matière première de qualité. Désormais, Blaise sentait qu'il « cueillait » plus qu'il ne « chassait » les dépouilles.

Jaco prenait souvent part aux expéditions nocturnes. Il n'y était tenu d'aucune façon, mais Blaise le suspectait d'aimer ces aventures qui lui donnaient sans doute un petit coup de jeunesse. L'artiste ne s'en plaignait pas : il aimait bien son vieux compagnon de travail et le fait d'être accompagné réduisait le péril encouru. La « cueillette » avait beau être moins hasardeuse que la « chasse », les deux employés de Gaspar De Vallon continuaient néanmoins à se montrer très prudents. Fidèle à un mode de fonctionnement réfléchi et savamment établi, Blaise déposa Jaco devant l'Hôtel-Dieu, puis contourna l'immense bâtisse pour rejoindre une petite porte, sur le côté. Nicholas LeGros attendait la venue du jeune visiteur, puisque, au premier coup frappé à la porte, il ouvrit, accueillant Blaise avec sa chaleur habituelle. Se fréquentant ainsi depuis quelques mois, les deux complices devisèrent un peu dans l'embrasure. Blaise appréciait LeGros et ce dernier le lui rendait bien, mais le jeune homme préférait ne plus entrer dans la pièce où les corps étaient alignés. Il y était retourné à quelques reprises au début, mais il avait chaque fois éprouvé un grand malaise et des hallucinations troublantes. Sans retenue, il en avait discuté avec Nicholas, qui avait parfaitement compris son inconfort et ne s'en était pas étonné le moins du monde. Ils avaient dès lors convenu que Nicholas emmènerait, à l'avenir, les dépouilles près de la petite porte et que Blaise en prendrait livraison en ce lieu précis. Ce soir, comme à l'habitude, le corps était là, derrière Nicholas, sur une table roulante, enveloppé et prêt à être « cueilli ». Blaise s'apprêtait à le réclamer et à prendre congé lorsqu'un bruit particulier parvint à ses oreilles. Ses sens automatiquement mis en alerte, il annonça prestement à Nicholas qu'il ne prendrait, finalement, livraison d'aucune marchandise ce soir-là et le pressa de retourner à l'intérieur et de verrouiller à double tour la porte derrière lui. Un long sifflement avait retentit, son caractéristique que le vieux Jaco était censé émettre en cas de danger. Blaise ne l'avait jamais entendu auparavant, mais il fut heureux de l'avoir reconnu aussi rapidement.

Sautant dans la charrette, il fit faire demi-tour au cheval. Alors qu'il repassait devant la façade de l'Hôtel-Dieu, deux hommes à cheval l'encadrèrent et le sommèrent de s'arrêter. Pour la première fois, Blaise venait de se faire surprendre par une patrouille. Pendant que le plus jeune milicien plaçait sa monture de façon à empêcher Blaise de poursuivre son chemin, le plus vieux effectuait des cercles autour du véhicule et camouflait mal sa colère de se trouver devant une absence de chargement aussi flagrante. L'homme écumait, son cheval piaffait. En voyant le regard amusé du jeune sergent, Blaise tentait de réprimer sa nervosité. « Après tout, se disait-il, je n'ai rien fait d'illégal ce soir et mon chariot vide est là pour en témoigner. » Malheureusement, les gardes ne l'entendirent pas de cette façon. Les hommes qui s'acquittaient de cette fonction se prenaient parfois trop au sérieux et certains éprouvaient un malin plaisir à tabasser des innocents, sous prétexte d'un doute, d'une suspicion vague qui tenait généralement à bien peu de chose. Blaise n'ignorait pas cette mauvaise réputation et pesta lorsque le vieux milicien lui intima l'ordre de descendre de la charrette. En s'exécutant, l'artiste s'exhorta à relever les yeux. Jusqu'à maintenant, il les avait gardés baissés, selon son habitude, vieux réflexe, mais il ne voulait pas donner l'impression de se sentir coupable. L'effort fut gigantesque, mais il parvint à fixer son regard sur les prunelles foncées de l'homme qui était, lui aussi, descendu de son cheval. Sous le faible éclairage des falots, les deux adversaires se toisèrent, face à face, pendant quelques secondes. L'artiste était tendu. Sans s'en rendre compte, il avait serré les poings, écarté légèrement les jambes et fléchi les genoux. Il ne s'était pas battu depuis longtemps, mais il se rappelait comment faire. Un mouvement sur sa droite attira subtilement son attention. Sans baisser sa garde, il tourna la tête et paf! le jeune sergent qui avait délaissé sa monture sans que Blaise s'en aperçoive était parvenu à sa hauteur en moins de deux enjambées et il venait de lui asséner un violent coup de poing au visage. Blaise, qui était prêt à se battre l'instant d'avant, fut totalement désorienté et une vive douleur se propagea rapidement le long de sa mâchoire, jusqu'à son œil droit. Pendant qu'il tentait de reprendre ses esprits, il sentit qu'on lui ligotait les mains. Instinctivement, il se débattit, mais il était à la merci de ses assaillants qui le rouèrent de coups, cherchant à le mater. Impuissant, lorsque les coups cessèrent, il s'immobilisa enfin et tenta de reprendre son souffle, l'oreille contrainte de porter attention à ce que le garde avait à lui dire.

— On a eu des tas de plaintes : des cadavres dans des charrettes, des trépassés à la flotte qui refont surface tout gonflés, ouverts comme s'ils avaient rencontré une meute de loups affamés ou vidés comme des poissons. Des fouilleurs de cimetières comme toi, les habitants de Paris, ils aiment pas ça, tu comprends? Et voilà que tu viens rôder autour de l'hôpital, maintenant? Vaudrait mieux pas parce qu'il y en a qui veulent plus s'approcher d'ici à cause de toi. Les gens ont peur et moi, je suis là pour les rassurer. T'as bien d'la chance qu'on t'ait trouvé bredouille ce soir, pilleur de tombes, parce que si j'avais dégoté un macchabée dans ton chariot, j't'aurais payé un p'tit voyage au cachot!

Le milicien cracha par terre. Blaise ne le lâchait pas des yeux. Il le vit faire un signe à son acolyte qui le maintenait toujours par-derrière. Instantanément, ce dernier asséna un coup de genou dans la fourche de Blaise, qui s'affaissa au sol, pétri de douleur. Alors qu'il gémissait et attendait vainement que le feu dans son entrejambe diminue, Blaise sentit qu'on le libérait de ses liens. Incapable de faire autre chose sur le moment, il rabattit ses mains sur ses testicules. Il eut vaguement conscience du fait que les gardes s'éloignaient, c'est pourquoi il sursauta lorsque, un instant plus tard, il fut tiré de sa torpeur par le son mat d'un fardeau qu'on laisse tomber sur la chaussée. Ouvrant les yeux, il constata avec horreur qu'on avait déposé près de lui le corps ensanglanté du vieux Jaco, qui semblait inconscient.

— Si j't'e reprends, tous tes complices vont subir le même sort, peut-être même pire. J'espère que le message est clair.

Le message était très clair, en effet. Blaise regarda les gardes s'éloigner pour de bon sur leurs chevaux et, faisant fi des douleurs qui continuaient d'irradier en divers endroits de son anatomie, il chargea péniblement le corps du vieux Jaco dans la charrette, pressé de retourner à la maison pour y trouver du secours. Chemin faisant, il songea qu'il était peut-être suivi. À regret, à l'encontre de son immense désir de retrouver la sécurité de son logis et de voir son camarade promptement soigné, il se mit à serpenter dans les rues de la ville. Il maintint sa conduite erratique un long moment, jusqu'à ce qu'il soit persuadé de ne pas avoir été pris en chasse.

Finalement, la mort dans l'âme et peut-être aussi lovée au fond de sa charrette, il regagna la demeure de l'anatomiste.

————•————

Les jours où elle visitait De Vallon, Marie-Ursule s'abstenait de vendre son corps à d'autres, aussi avait-elle profité de cette journée pour faire des courses et pour ajuster la robe qu'elle comptait porter le soir venu. Alors qu'elle s'habillait dans la chambre qu'elle et sa mère partageaient, Adel était couchée sur le lit et épiait chacun de ses gestes.

— Tu mets bien de l'ardeur à te parer, ma fille. Inutile d'en faire autant, il est déjà gagné.

— Je sais, mère, mais si je veux qu'il conserve ses sentiments pour moi, je dois m'arranger pour lui plaire à chaque rencontre !

— Pfff ! si c'est ce que tu crois ! Je trouve que tu en fais trop, mais j'imagine que mon avis ne compte pas pour toi.

— Mais oui, il compte, ton avis. Toutefois, je n'ai pas envie de discuter de cela avec toi.

Marie-Ursule désirait éviter ce sujet trop de fois abordé déjà. En toute occasion, Adel se fâchait devant le mal que sa fille se donnait pour demeurer dans les bonnes grâces de l'anatomiste. C'était là la moindre des attitudes incompréhensibles de sa mère, car cette dernière savait bien que De Vallon, avec ses moyens enviables et sa propension à la générosité, valait tous les efforts investis. C'est que Adel s'était mis en tête que Marie-Ursule agissait ainsi par amour pour le riche chirurgien ; cela l'horripilait tant qu'elle en oubliait presque les avantages indéniables qu'elle en retirait. Dans l'esprit d'Adel, l'amour n'était rien, que du vent. La beauté de sa fille se ternissait implacablement jour après jour, même si cela ne se voyait pas encore. À l'instant où cela commencerait à paraître, De Vallon jetterait son dévolu sur une autre et Marie-Ursule aurait le cœur brisé. Voilà à quoi était destiné le cœur de la femme qui aime. L'amour était un poison, Adel cherchait à dissuader sa fille de s'en gaver.

— Soit, mais sache que pour lui, malgré ses petites attentions, sa fortune et ses belles paroles, tu ne vaux pas plus que ce que tu as entre les jambes. Rappelle-t'en.

— Maman ! Je t'ai dit que je ne veux pas en discuter. Je ne suis pas éprise de Gaspar et nous n'allons pas revenir là-dessus.

— Ah non ? Alors, tu essaies de me faire croire qu'une jeune fille qui met des heures à coudre ses vêtements, à se faire belle, une jeune fille dont les yeux brillent lorsqu'elle sort rencontrer un homme n'est pas amoureuse ? À d'autres qu'à moi. J'en ai trop vu pour y croire !

Marie-Ursule ne répliqua pas instantanément. Sa mère avait raison. Elle avait passé une bonne partie de l'après-midi dans la boutique de la veuve Lefebvre à enfiler des robes et avait eu bien de la peine à arrêter son choix. Elle avait ensuite cousu, essayé et cousu encore jusqu'à ce que les retouches effectuées soient parfaites.

Elle avait pincé ses joues, mordillé ses lèvres pour y faire affluer le sang et être jolie. Oui, elle anticipait positivement le fait de se rendre à son rendez-vous avec l'anatomiste, mais Gaspar n'en était pas la raison.

— Je te le répète pour la dernière fois : je ne suis pas amoureuse de Gaspar De Vallon, maman.

Cette affirmation était vraie. Gaspar, comme elle se plaisait à l'appeler, lui inspirait de drôles de sentiments. Dès les premiers contacts qu'elle avait eus avec lui, elle avait compris qu'il serait d'agréable compagnie. Au théâtre d'anatomie comme dans la vie, c'était un homme de spectacle, un véritable divertissement sur pattes. Il parlait sans cesse, s'exclamait, passait de la joie à l'indignation en moins de temps qu'il n'en faut pour le dire, riait aux éclats ou tonitruait pour des broutilles. Marie-Ursule le savait capable de se montrer particulièrement désagréable et méchant envers Blaise, mais, avec elle, il était toujours demeuré courtois. Il la désirait dès l'instant où il l'apercevait, elle en était pleinement consciente et cela lui procurait une certaine satisfaction. Avec ce qu'il était, il arrivait à la faire se sentir spéciale. C'était bien difficile de ne pas l'apprécier. Était-il amoureux d'elle ? Marie-Ursule le croyait, car, même après l'amour, il continuait de la couver du regard avec une tendresse qu'il ne cherchait pas à dissimuler. Cela mettait parfois la jeune fille mal à l'aise, puisque ses sentiments à elle n'allaient pas aussi loin. De Vallon lui avait été imposé par sa mère, comme le reste. Ne serait-ce que pour cela, elle savait qu'elle ne pourrait jamais l'aimer avec une passion égale à la sienne.

Marie-Ursule songea alors à Blaise et le feu lui monta aux joues. Elle devait certes en mettre plein la vue à l'anatomiste, mais, au fond d'elle, c'est à l'artiste qu'elle désirait plaire. Pourtant, elle savait fort bien que l'attention que lui portait le jeune homme n'avait pas grand-chose à voir avec ses vêtements ou sa coiffure. Ces regards dérobés qu'il lui lançait, le ravissement qu'elle lisait sur son visage lorsqu'ils se rencontraient, cette expression de dureté qui se peignait sur ses traits lorsqu'il l'apercevait au bras de l'anatomiste et, surtout, ce qu'elle sentait au creux de son cœur lorsqu'elle était avec lui, tout cela la poussait à agir d'une façon qui déplaisait à Adel. Elle n'avait pas de mots pour décrire ce sentiment qui l'accablait de délicieux vertiges depuis quelque temps ou, plutôt, elle en connaissait un, mais se refusait à l'évoquer en toute conscience, comme le faisait sa mère si hardiment.

Marie-Ursule jeta un dernier coup d'œil à ses vêtements et se retourna vers sa mère qui boudait encore. Elle avait l'intention de la saluer, mais la mine renfrognée d'Adel lui déplut. Elle décida plutôt de l'ignorer et de partir sans un mot. Comme souvent dans ces cas-là, Adel la retint d'un cri alors qu'elle franchissait le seuil de la porte, comme un enfant qui sent sa dernière chance s'envoler.

— Marie-Ursule, avant de t'en aller, apporte-moi quelque chose à manger !

La jeune femme s'arrêta et roula des yeux furibonds en poussant un soupir agacé. Si elle avait été seule avec sa mère, elle aurait tout simplement ignoré sa requête et serait partie en la laissant se débrouiller. Adel venait à peine de sortir de table : elle n'avait pas vraiment faim. Le véritable problème était que Marie-Ursule s'en allait ailleurs, le cœur joyeux, et sa mère, jalouse, cherchait à la retenir encore un peu, supportant mal d'être délaissée pour d'autres. Comme Jeanne-Françoise et ses enfants étaient là à regarder Marie-Ursule en train de tergiverser, celle-ci n'eut d'autre choix que d'obtempérer.

Pendant qu'elle grillait un bout de pain au-dessus du feu, la jeune femme sentait toujours le regard de la veuve pointé sur elle.

— Tu as encore pris une de mes robes. Quand on a passé l'accord, les emprunts devaient être occasionnels.

— Je n'emprunte pas de robe chaque jour, alors cela reste occasionnel pour moi, répliqua Marie-Ursule sur le même ton tranchant que la veuve.

Constatant avec dépit qu'elle n'aurait pas la haute main dans cette discussion, l'usurière décida de se concentrer sur l'essentiel. En matrone qu'elle était, elle ne put toutefois s'empêcher de le faire avec une autorité qu'elle savait déplaisante aux oreilles de la jeune fille.

— Tu devrais sortir moins et t'occuper un peu plus de ta mère.

— Comme vous le voyez, je sors, mais je m'en occupe aussi. Ne suis-je pas en train de lui préparer un goûter ? D'ailleurs, pour votre information, sachez que je sors aussi dans le but très précis de m'occuper d'elle. L'argent qui paie votre loyer hors de prix ne tombe pas du ciel, madame. Si je reste ici pour cajoler la malade, allez-vous nous héberger gratuitement ? Si tel est le cas, dites-le tout de suite, que je retourne à son chevet !

La veuve Lefebvre n'en était pas à sa première escarmouche avec la fille d'Adel. Cette jeune effrontée avait la langue bien pendue ! La femme en avait vu d'autres, toutefois, et elle ne se laissa pas démonter. Son message devait être entendu.

— Ta mère ne va pas bien, petite sotte ! Elle dort presque tout le jour, se lève pour marcher la nuit, une fois sur deux, elle est incohérente et est incapable de tenir une conversation sensée. Elle répète sans cesse les mêmes âneries à propos de feu son mari apothicaire, de Christchurch, son ancien village, elle nous parle de toi lorsque tu étais enfant…

— Ce n'est rien de nouveau pour moi. Elle fait cela de temps en temps, et puis cela lui passe, faites-moi confiance.

— Eh bien ! moi, je te dis qu'elle est franchement bizarre ! Elle est peut-être possédée. Elle se plaint constamment de douleurs et elle prend toutes ces mixtures étranges… Tu dois lui faire voir quelqu'un. Un médecin, un prêtre, je ne sais pas, mais tu ne peux pas la laisser comme cela. Elle inquiète même certains clients qui viennent ici. Tu dois faire quelque chose, ma fille.

— Je vais commencer par aller lui porter ce goûter. Pour le reste, on verra bien. J'ai déjà essayé plusieurs choses pour la guérir par le passé et c'est peine perdue. Il n'y a que le temps qui puisse y faire.

Marie-Ursule se leva et retourna à la chambre d'un pas décidé, ne laissant pas à la veuve la chance de renchérir. Dans l'intervalle, Adel s'était assoupie, ou faisait simplement semblant d'être endormie, comme cela lui arrivait parfois. La jeune fille déposa brusquement le bout de pain au fromage fondu sur la table, éteignit les chandelles et tourna les talons. D'humeur morose, elle sortit sans saluer personne.

—•—

Blaise était assis par terre, le dos appuyé contre le mur. Le regard fixe, il semblait contempler les morceaux épars de la chaise en bois qu'il avait fracassée quelques instants auparavant. Il avait fait un sacré boucan. Il avait crié comme un perdu, grondé comme un ours, juré comme un charretier, puis il s'en était pris au mobilier. Les débris avaient volé, le plancher en avait été irrémédiablement abîmé tout comme la table d'anatomie. Tant pis. Son vieil ami aussi avait été irrémédiablement abîmé, et cela, par la faute de Gaspar De Vallon. L'anatomiste avait été trop gourmand ces derniers temps : de nouveaux corps chaque semaine ! Qui pouvait prétendre y arriver sans se faire prendre ? C'était de la folie ! Sans compter tous ces autres professeurs et ces étudiants avides qui jouaient au même jeu, aux quatre coins de la ville. Pas étonnant que la population soit méfiante. Et tous ces corps anatomisés ? Blaise voyait à présent qu'ils s'étaient montrés négligents lorsqu'ils en avaient disposé. Il avait souvent suggéré de faire brûler les restes de cadavres au lieu d'aller les jeter à la rivière, mais chaque fois on avait ri de sa proposition. Peut-être serait-elle considérée maintenant. En tout cas, Blaise se jura de ne plus tremper là-dedans. Il était un artiste, pas un fossoyeur du dimanche, pas un négociant de chair humaine, un artiste. Il se promit d'agir uniquement en tant que tel désormais.

Lorsque De Vallon pénétra dans le cagibi d'anatomie, il demeura un instant figé à l'entrée, Ulbert sur les talons. L'anatomiste observa en silence l'étroite pièce sens dessus dessous et le jeune artiste tapi tout au fond, dans un coin. Sous son regard, De Vallon eut l'image d'une bête traquée. Il déglutit, tentant de ne rien laisser paraître du malaise qui le gagnait lentement. Étaient-ce les yeux bleu vif que Blaise braquait sur sa personne, la défiance qui y pointait, le sang sur son visage dénudé de toute peur ou l'atmosphère de chaos qui régnait tout autour? Gaspar De Vallon ne sut pas exactement ce qui le dérangeait. Quoi qu'il en soit, il n'aima pas du tout ce sentiment et se fit la réflexion qu'il devait hâter son travail. Il devenait de plus en plus pressant de se débarrasser de ce jeune artiste effarouché et instable, et De Vallon songea même à le jeter à la rue sur-le-champ. Il se retint pourtant. Il fallait auparavant terminer le traité d'anatomie, priorité absolue.

L'anatomiste se garda aussi de passer quelque commentaire. Cela ne lui ressemblait pas, aussi ce ne fut pas sans peine qu'il y parvint. Il s'en trouva contrarié, mais du même coup il considérait cela comme étant plus prudent. Le jeune artiste avait été mis à mal ce soir et De Vallon le sentait réactif comme du lait sur le feu.

L'animal blessé avait l'air prêt à bondir au moindre prétexte, disposé à mordre celui qui l'approcherait de trop près. Pendant que l'anatomiste soignait son vieux valet, il avait pourtant préparé un laïus pour faire prendre à Blaise le blâme qu'il méritait. Il était en colère que l'artiste se soit fait pincer, que lui-même doive se priver de cadavre pour un certain temps et qu'en plus cela lui ait coûté de la main-d'œuvre. Il avait prévu accabler de reproches son laquais insouciant et le faire de façon spectaculaire. Oui, cela aurait très certainement soulagé une partie de sa colère, mais maintenant que Blaise était devant lui et qu'il constatait que quelque chose s'était métamorphosé à l'intérieur du jeune homme, il n'osa rien dire, préféra même se tenir à distance.

— Ulbert, jette un œil sur ses blessures.

Laissant à son beau-fils l'odieux d'amadouer la bête sauvage, De Vallon se retira dans son atelier de travail.

La séance d'anatomie fut annulée ce soir-là. Après que Ulbert eut décrété que Blaise n'avait que des lésions superficielles, ce dernier se rendit aux écuries pour veiller sur son compagnon. Il nettoya le sang séché sur son visage ridé et lui apporta une couverture supplémentaire. Le vieil homme avait reçu un coup à la tête et avait des côtes cassées. Il gémissait dans son sommeil et paraissait au bord de l'évanouissement lorsqu'il lui fallait se mouvoir, tousser ou éternuer. Blaise avait grand peine à le voir ainsi. Il regrettait amèrement d'avoir mêlé Jaco aux traficotages illégaux que lui imposait l'anatomiste. Le pauvre homme avait bien failli le payer de sa vie.

Tard dans la nuit, De Vallon retourna à l'écurie, cette fois accompagné de sa maîtresse. Blaise fut surpris de la voir. Il ne s'attendait pas à cette visite, ne l'avait pas entendue arriver. Il lui fut demandé d'atteler le cheval et de reconduire chez elle la jeune dame, ce qu'il s'empressa de faire, malgré son inquiétude pour Jaco, qui devrait rester seul un moment. De Vallon tendit le bras à Marie-Ursule pour qu'elle grimpe dans la charrette, à l'arrière, baisa le dos de sa main avec toute la galanterie dont il était capable, puis recula d'un pas, le regard fixé sur celle qui s'éloignait déjà. Lorsque le véhicule fut hors de sa vue, il demeura tout de même un instant seul, dans le noir. La nuit était belle, les jours étaient beaux, tout semblait parfait depuis que Marie-Ursule était entrée dans son existence. Il n'avait certes pas oublié la bévue de Blaise, mais tant que la jeune fille s'était trouvée à ses côtés, il n'y avait pas songé. C'était comme ça, lorsqu'elle était avec lui, les malheurs semblaient moins terribles, les joies plus vives. Il contrôlait mieux ses élans de colère et ne tempêtait plus pour un oui ou pour un non. L'amour avait bon effet sur lui : même sa femme l'avait remarqué, ce qui n'était pas peu dire, elle qui levait à peine les yeux quand il entrait dans une pièce où elle se trouvait déjà. Le cœur léger, il traîna encore un peu en repensant avec délice aux ébats de la soirée. Quelle créature surprenante ! Comme il faisait sombre, il ne tenta pas de camoufler le sourire niais qui lui barrait le visage lorsqu'il s'étendit dans la couche auprès de sa femme depuis longtemps endormie.

Marie-Ursule avait enjambé le siège de devant pour venir s'asseoir près de Blaise aussitôt qu'ils avaient tourné au coin de la rue. L'artiste n'avait pas été surpris. Ils avaient l'habitude maintenant. Ils agissaient comme de purs étrangers lorsqu'ils étaient chez l'anatomiste, mais, une fois seuls, ils se comportaient comme des amis de longue date. Enfin, c'est ce que supposait Blaise, étant donné qu'il n'avait jamais vraiment connu l'amitié auparavant. L'amitié, est-ce que c'était même cela ? Il ne le savait trop. Il ne savait pas non plus ce qu'il convenait de dire ou de ne pas dire aux dames. Cela le préoccupait, mais devait-il en être ainsi avec une amie ? Du coup, il disait n'importe quoi, car avec le temps il s'était aperçu que Marie-Ursule aimait bavarder et qu'elle ne se formalisait d'aucun protocole. Étrangement, parler avec Marie-Ursule était plus facile qu'avec quiconque. Blaise ne comprenait pas pourquoi, mais il était heureux qu'il en soit ainsi. Ce soir-là, après avoir fait le récit des périls de sa soirée à la jeune femme qui s'était inquiétée devant son visage tuméfié, Blaise posa une question qui le dérangeait depuis un moment.

— De Vallon ne t'a jamais offert de venir te conduire lui-même ?

— Oui, souvent, mais je refuse toujours. Je ne veux pas qu'il voie où j'habite. Il me prendrait pour une pauvresse !

Les deux jeunes gens s'esclaffèrent. Marie-Ursule était, de fait, une pauvresse.

— Ouais, mais il est tenace. Tu dois lui donner une sacrée bonne raison pour qu'il n'insiste pas. Remarque, je ne dis pas ça pour me plaindre !

— En effet, je lui ai raconté des trucs assez convaincants, qui frôlent la vérité : que je n'ai pas de grands moyens, que ma maison est humble, que je suis gênée de lui imposer une telle simplicité, que ma mère est malade, qu'il ne faut pas la déranger, enfin, tu vois le genre. Le pire dans tout ça, c'est que non seulement ça fonctionne – Dieu merci! –, mais cela l'incite à se montrer plus généreux envers moi. Il a proposé de me payer un nouveau logement, mais j'ai décliné par politesse et, surtout, parce que ma mère est trop mal en point ces derniers temps pour bouger d'où elle est. En plus, chez la veuve Lefebvre, au moins, elle voit des gens, il y a un peu d'action et d'autres que moi peuvent la surveiller. Quoi qu'il en soit, comme j'ai refusé le logement, maintenant, il m'offre des bijoux. On règle le loyer avec ça, c'est bien.

— Et tu y arrives ? Vous vivez convenablement, ta mère et toi ?

— Oui, mieux qu'on a jamais vécu. J'en garde même un peu pour moi, tu sais. J'ai un peu honte de le dire, parce que peut-être que je ne devrais pas, mais j'essaie d'accumuler un peu d'argent.

Marie-Ursule se fit soudainement plus grave. Une pointe de culpabilité perçait dans sa voix, mais une grande détermination se lisait dans son regard.

— Je vais m'en aller, Blaise. Ces bijoux, un jour, je vais les vendre. Je vais prendre l'argent et quitter Paris, aussitôt que cela sera possible.

— Ah…

Blaise n'eut soudain plus envie de badiner. Il connaissait Marie-Ursule depuis six mois. Six mois qui lui auraient paru des siècles si elle n'avait pas été là, à ses côtés. Il se rendit compte qu'elle comptait pour lui. Envisager de la voir partir ne lui faisait pas plaisir. Regardant droit devant, il laissa un lourd silence s'immiscer entre eux. La jeune femme, qui n'avait jamais fait part de ses plans à quiconque, ressentit aussi un malaise. Le fait d'évoquer à haute voix son projet lui avait fait comprendre, soudainement, ce que tout cela impliquait. Abandonner sa mère malade, Blaise et De Vallon ne se ferait pas sans heurts. Elle avait déjà mal d'y penser et souffrit encore plus en songeant à la peine qu'elle ferait à ces gens. Était-elle assez égoïste pour s'enfuir aussi lâchement ? Peut-être. Elle n'était pas fière de parvenir à cette conclusion. Ne laissant pas l'absence de paroles se transformer en froid entre Blaise et elle, elle avança doucement le bras et agrippa la main du jeune homme. Elle glissa sur le siège jusqu'à ce que leurs épaules se touchent. Blaise frissonna à ce contact inopiné. Elle poursuivit, sa main accrochée à la sienne, comme si rien ne venait de se produire :

— De Vallon m'a dit que ton travail tire à sa fin. Il ne t'estime pas et te respecte encore moins. Je crois qu'il va te jeter comme une vieille chaussette quand il en aura fini avec toi. Qu'est-ce que tu vas faire ?

Blaise était assez en peine de répondre et ce n'était pas faute d'y avoir réfléchi. À son grand désarroi, rien de bon ne semblait se dessiner devant lui. En revanche, il aimait bien ce qui se trouvait à ses côtés. Tout près.

CHAPITRE 13

De Vallon était un oiseau de nuit. Ses activités illicites nécessitaient le couvert de l'obscurité et modulaient son rythme de vie. Blaise était devenu comme lui, il n'avait pas eu le choix. La lumière du petit matin lui manquait, lui qui, si matinal autrefois, puisait son énergie à même la naissance du jour. Désormais, il venait souvent de fermer les yeux lorsqu'à l'horizon l'astre diurne pointait. Il y avait si longtemps qu'il ne s'était pas imprégné des coloris du ciel au levant, si longtemps… Depuis qu'il travaillait pour l'anatomiste, les couleurs avaient été bannies de son existence. Comme les dessins sur lesquels il s'échinait jour après jour, les grands traits de sa vie étaient noirs, le fond, gris terne… enfin, à une exception près.

Blaise ne savait plus trop s'il devait en être bouleversé ou s'en réjouir, mais il savait très bien que cette obscure période de sa vie allait bientôt prendre fin. Il le sentit particulièrement en ce jour de juillet où Gaspar

De Vallon l'appela dans son atelier de travail aux aurores. Tiré abruptement de son sommeil et habillé à la hâte, l'artiste se précipita dans la pièce attenante à sa petite chambre. L'anatomiste l'y attendait, debout devant la fenêtre ouverte sur la rue. Par les losanges vitrés, le soleil pénétrait doucement dans l'atelier et réchauffait l'atmosphère. Des oiseaux citadins piaillaient avec entrain à l'extérieur. C'était une superbe matinée. Blaise aurait trouvé l'instant délicieux s'il ne l'avait pas partagé avec De Vallon. Ce dernier semblait d'ailleurs nourrir les mêmes pensées, puisqu'en se retournant vers le jeune homme, il avait déjà son air acrimonieux des jours ordinaires.

La grande table de travail qui séparait les deux hommes avait une allure rangée inhabituelle. Le fouillis perpétuel de papiers épars qui y régnait en temps normal avait été remplacé par un classement sévère et étudié : quelques piles de feuilles parfaitement alignées, une plume, un encrier, des livres disposés méthodiquement et une liste. Cette liste était posée bien au centre de la table, face à la chaise qu'occupait habituellement l'anatomiste. De Vallon la désigna et expliqua :

— Ceci est une énumération des planches qu'il te reste à illustrer, celles qui manquent à mon ouvrage. J'ai fait le décompte hier : c'est bien peu considérant tout ce que nous avons déjà accompli. Si tout continue d'aller rondement, nous devrions avoir terminé d'ici au début de l'hiver. En plus des organes et systèmes précis qui sont énumérés sur cette liste, je veux aussi avoir quelques vues d'ensemble du corps : musculature et ossature, dans ces poses étranges que tu leur donnes et qui font penser à la danse macabre illustrée au cimetière des Saints-Innocents... tu vois ce que je veux dire?

Blaise voyait très bien. Il y avait au cimetière cette œuvre mystérieuse et colossale qui courait tout le long d'un pan de mur. On y voyait des gens de toutes les classes sociales dansant avec des squelettes animés. Le paysan et l'évêque gambillaient côte à côte dans les bras de la grande faucheuse, le vieillard et l'enfant en faisaient tout autant. Blaise avait toujours été fasciné par cette œuvre centenaire et s'en était effectivement inspiré pour quelques-uns de ses dessins. Cependant, il n'aurait pas cru que ceux-ci plairaient à De Vallon, car la danse macabre était censée rappeler aux hommes à quel point ils sont égaux dans la mort. Blaise y avait volontairement fait référence par dérision envers celui pour qui il travaillait, puisque l'égalité des hommes devant quoi que ce soit ne semblait pas une évidence pour l'anatomiste. Toutefois, la référence était subtile, Blaise en convenait, et De Vallon n'était pas un homme de subtilité. Il aimait les postures pathos prises par les personnages écorchés mis sur papier, il avait saisi la référence à la danse macabre, mais n'avait rien capté de la critique sous-jacente. Tant pis pour l'ironie et tant mieux pour l'art, car Blaise aussi affectionnait ces personnages étranges qui oscillaient entre l'existence et le trépas.

Blaise acquiesça donc à la demande de l'anatomiste. Puis, chose rarissime, il demanda à son tour quelque chose. Il le fit comme cela, sous le coup d'une impulsion, ignorant que cela allait plus tard changer le cours de sa vie. C'était une requête simple et honnête, déposée en cet instant précis sans aucune arrière-pensée.

— Puisque vous achevez votre ouvrage, monsieur, me permettriez-vous de revoir tous les dessins? J'aimerais m'assurer que chacun d'entre eux soit au meilleur de sa qualité et peut-être aussi en reprendre quelques-uns, au besoin, et ainsi profiter des derniers corps pour faire les retouches.

De Vallon réfléchit un instant. Il ne s'était pas attendu à pareille requête. Il avait jusqu'à maintenant conservé tous les croquis dans une armoire verrouillée, à l'abri du vol ou du vandalisme. Comme au premier jour de leur rencontre, l'anatomiste était encore incapable d'accorder sa confiance au jeune artiste. Qui pouvait lui assurer que cet idiot n'allait pas se rebeller et mettre ses dessins au feu? Il était difficile de ne pas se montrer méfiant quand on voyait quel sauvage sommeillait au fond de ce garçon. N'avait-il pas démoli tout le mobilier du cagibi d'anatomie dans un accès de fureur? Nonobstant cet épisode troublant, De Vallon poussa la réflexion en se disant que, s'il avait lui-même procédé à une rétrospective de son œuvre, il était légitime que l'artiste fasse de même avec la sienne. C'était la logique même, la procédure normale à suivre si l'on désirait un travail bien fait. Et Dieu sait que c'est ce qu'il voulait, un travail bien fait! Mieux: il voulait un résultat parfait. Dans l'idéal, il aurait aimé tout faire seul pour mériter, seul, le crédit de ses efforts et atteindre, par lui-même, le sommet de la gloire. Toutefois, le Seigneur avait fait de lui un homme de science dénué de talent pour le dessin. Pour faire son recueil, il avait donc eu besoin d'un artiste, et voilà que ce sous-fifre était apparu dans son existence. Il ne l'avait pas payé, ne prévoyait publier son nom nulle part ni lui témoigner de la reconnaissance : c'était là sa grande chance d'avoir contraint cet apprenti à travailler pour lui, dans son ombre. C'était pratiquement comme de travailler seul ! Toutefois, depuis le début, il attendait de lui qu'il agisse en professionnel, qu'il voie à chaque détail, comme s'il avait été chèrement payé pour le faire, et c'est exactement ce qu'il faisait, là, maintenant qu'il réclamait le droit de revisiter son travail.

— D'accord, mais les illustrations ne doivent pas sortir de la maison.

Par cette phrase anodine, le destin des deux hommes venait d'être scellé.

Depuis l'incident avec les gardes aux abords de l'hôpital, la cueillette de cadavres avait été temporairement suspendue. Blaise avait profité de cette accalmie impromptue pour veiller sur son vieux compagnon blessé et accomplir à sa place ses tâches quotidiennes. De Vallon, de son côté, s'était pleinement investi du sentiment d'urgence né dans son esprit au moment où il avait été confronté à cet homme nouveau, étrange et menaçant, ainsi qu'à la dure réalité associée au manque de cadavres. Dans le but de ne pas compromettre ses chances de terminer son ouvrage, il avait revu son plan de travail tout entier, avait compilé ce qui avait été fait, ce qu'il restait à faire, s'était donné des objectifs à atteindre à court terme. Il s'était aussi résolu à traiter

Blaise autrement afin d'éviter un débordement qu'il sentait imminent. Le temps pressait désormais: les variables de l'équation qui mènerait au résultat attendu portaient de mieux en mieux leur nom et l'anatomiste craignait ce qu'il ne pouvait contrôler. Ainsi, grâce à Ulbert, il avait mis au point une technique de cueillette de cadavres qu'il espérait moins risquée.

Comme à l'habitude, on tint Blaise informé de peu de choses. De Vallon prit toutefois sur lui de rassurer le jeune artiste à l'effet qu'il ne courrait, à l'avenir, aucun danger, puisque les cueillettes effectuées selon le nouveau mode de fonctionnement allaient être plus ou moins légales. Blaise n'avait pas apprécié le «plus ou moins», mais Ulbert s'était proposé pour faire les premières expéditions avec lui afin de lui prouver combien le plan était infaillible. De Vallon et Ulbert parlaient même d'agir en plein jour! Blaise avait peine à croire à toute cette histoire, d'autant qu'il s'était juré de ne plus faire la chasse aux cadavres. Devant son hésitation, De Vallon joua de ruse d'une voix mièvre que Blaise ne lui connaissait pas, lui qui, à peine quelques jours auparavant, se serait sans doute contenté de crier contre lui.

— Le travail est maintenant si simple que j'enverrai Jaco dès qu'il ira mieux. En attendant, il faut le remplacer et, comme c'est toi qui t'acquittes de toutes ses tâches, il me semble logique que tu t'occupes de cela aussi. Si tu ne veux pas, ce n'est pas plus mal: Jaco va déjà beaucoup mieux. On m'a dit, ce matin même, qu'il marche de nouveau! C'est qu'il se rétablit rapidement! Je compte bien l'envoyer dès demain commencer cette cueillette.

Blaise n'était pas dupe. Il avait perçu la manipulation, mais, les ficelles aux poignets, il n'eut d'autre choix que de se diriger là où De Vallon voulait le mener. Jaco n'allait pas mieux. Ce matin-là, il s'était levé, certes, mais s'était effondré de fatigue après avoir aligné deux pas. Blaise ne pouvait imaginer de le voir conduire la charrette dans son état, alors il acquiesça à la demande de l'anatomiste, bouillant de colère de s'être fait jouer une fois de plus.

Ulbert respecta ses engagements. Dès le lendemain, il demanda à Blaise de l'accompagner jusqu'à la rue des Gravilliers, dans le sud de la ville. Blaise attela le cheval et les deux hommes se mirent en route au beau milieu de l'avant-midi, au vu et au su de tous. L'artiste cheminait dans les ornières des rues étroites et sinueuses, animé de deux sentiments qui n'avaient rien de plaisant: le doute (va-t-on vraiment chercher un cadavre en plein jour?) et l'angoisse (comment éviter d'apeurer la population? Comment éviter de se faire prendre par les autorités?).

Rue des Gravilliers, Ulbert demanda à Blaise d'arrêter la charrette devant l'atelier d'un charpentier. Le jeune médecin y entra seul, après avoir martelé la porte avec vigueur pour couvrir le bruit des marteaux qui s'affairaient à l'intérieur. Il ressortit peu de temps après. Aidé par un homme à la barbe rousse, il portait une longue caisse, munie d'un couvercle, qu'il déposa à l'arrière du véhicule. Devant l'aisance des deux hommes à manipuler la boîte, Blaise comprit qu'elle était vide, mais destinée à accueillir un mort. Les cercueils étaient un luxe que peu de gens pouvaient se permettre. Qui donc allaient-ils chercher? De Vallon s'était-il développé un goût particulier pour le sang bleu? C'était difficile à croire. Blaise tentait de trouver des réponses, mais n'accumulait, en fait, que d'autres questions.

Rue de Parisis fut la destination suivante. L'artiste fut apaisé de voir que c'était une voie calme et assombrie par des encorbellements particulièrement saillants, comme s'il regrettait intérieurement l'époque de ses escapades nocturnes où l'illicite de ses gestes se fondait dans la nuit. Les méandres pierreux des édifices décalés, inégaux, furent difficiles à franchir avec la charrette, mais Blaise avait maintenant l'habitude des manœuvres périlleuses avec le cheval et son chargement, ainsi il parvint à la maison que Ulbert cherchait avec un soupir de satisfaction. À bon port, il espérait qu'il allait enfin connaître les rouages de cette nouvelle stratégie d'acquisition de corps humains qui était, pour reprendre les termes de celui qui l'employait, « plus ou moins légale ». Comme rien n'est moins rassurant que d'ignorer, Blaise avait grand hâte de savoir.

Quelle qu'elle soit, en tout cas, l'innovante méthode avait eu le mérite de convaincre Ulbert. Le jeune médecin faisait preuve d'une contenance remarquable dans chacun de ses gestes et agissait comme s'il avait cent fois perpétré la chose. Il demanda tout d'abord à Blaise de l'aider à transporter le cercueil. Il frappa ensuite à la porte où une femme malingre vint l'accueillir. Il ne se présenta pas. Blaise comprit qu'on le connaissait. On leur fit déposer la caisse au centre de la pièce principale et on les pria d'attendre près de la porte qui était demeurée ouverte. Un silence lourd régnait dans la maison exiguë qui sentait le navet, le chou et la fumée. Occupé à se tenir droit, silencieux et à entretenir un visage solennel qui se voulait peut-être légèrement empathique, Ulbert ne sembla pas remarquer les trois femmes qui le dévisageaient en murmurant imperceptiblement depuis le fond de la pièce. Ces filandières sans âge jetaient aux deux hommes des regards suspicieux qui eurent tôt fait de rendre Blaise mal à l'aise. Heureusement, l'instant ne dura pas. Au son de pas feutrés, accompagnés de quelques sanglots étouffés, deux brancardiers sortirent d'une chambre. Ulbert s'écarta cérémonieusement afin de les laisser passer. Ils étaient suivis de quelques haillonneux couverts de crasse, aux joues partiellement lavées de larmes. Les deux porteurs déposèrent le brancard sur le sol et Ulbert fit signe à Blaise de l'aider à soulever le couvercle du cercueil. Le mort enveloppé d'un linceul d'une blancheur incongrue en ce lieu étrange, terne et gris, fut installé dans la boîte. La famille se recueillit autour de lui et le prêtre de la paroisse, que Blaise n'avait pas remarqué jusque-là, officia une courte cérémonie d'adieu au trépassé. Pendant qu'il parlait, Blaise ne put s'empêcher de noter que les manches de sa soutane avaient subi l'assaut de mites voraces et que, malgré son statut d'ecclésiastique, il n'avait pas meilleure mine que ceux attroupés près du cercueil. Le lieu, les gens, l'atmosphère, tout suintait la grande pauvreté et lui rappelait douloureusement son enfance. Il fut heureux lorsque l'on ferma la boîte et qu'ordre lui fut donné de la porter à l'extérieur, dans la charrette.

Alors que Ulbert était monté à ses côtés et que Blaise s'apprêtait à cravacher son cheval, une enfant surgit auprès de lui et tira sur sa culotte afin d'attirer son attention. Baissant les yeux, Blaise fut surpris de rencontrer un regard aussi sérieux chez gamine de cet âge. Elle avait dans chaque main un bout de fil, qu'elle tendit l'un après l'autre dans l'intention de les lui donner. De sa petite voix, elle précisa :

— Quand vous retournerez chez vous, remettez celui-ci à votre maître. L'autre, c'est pour vous.

Blaise accepta ces deux présents singuliers avec une incompréhension certaine et une gratitude qu'il trouva lui-même complètement démesurée. Bien sûr, il voulut savoir qui lui faisait cette offrande originale et, surtout, pourquoi. La petite aux yeux trop grands pointa derrière lui. Blaise se retourna et aperçut, parmi la foule rassemblée pour voir partir le cercueil, les trois femmes qu'il avait remarquées plus tôt, à présent serrées dans l'embrasure de la porte. Celle de gauche portait l'écheveau d'où provenaient les fils que Blaise tenait devant lui. Celle qui se trouvait au milieu lui lança quelques paroles *a priori* banales, mais qui, passées à la réflexion, s'avéraient franchement énigmatiques :

— Son fil est court, le tien est long. La route qu'il te reste à parcourir est longue, elle aussi. Tu vas devoir partir.

La troisième femme, celle complètement à droite, lui fit un signe d'adieu de la main et toutes trois retournèrent à l'intérieur sans rien ajouter. Les amis et la famille du

défunt en firent tout autant, et Blaise et Ulbert demeurèrent seuls, leur charrette avançant à pas d'homme
dans la rue déserte.

Blaise n'avait pas l'habitude de discuter avec Ulbert.
Il mourait d'envie de savoir pourquoi on leur avait
remis ce corps aussi simplement, mais dans son esprit
quelque chose primait sur cette question. N'y tenant
plus, il demanda au jeune médecin :

— Tu connais les Parques, tu sais… dans la mythologie ancienne ?

— Non, pourquoi ?

— Pour rien.

Blaise avait en fait la nette impression qu'il venait
de les rencontrer, mais il se garda bien de le mention-
ner. On le mésestimait déjà assez comme cela, il n'allait
pas en plus prétendre que des divinités de l'Antiquité
venaient de lui assurer qu'il avait encore une longue
existence devant lui. Il était fou, mais pas tant que cela.
Il se contenta donc de clore la discussion avec une
réplique à la portée d'Ulbert :

— De vraies dérangées, ces bonnes femmes !

Ulbert rigola et Blaise enfonça les fils dans sa poche.

—•—

Le stratagème, finalement, s'avérait assez complexe. Blaise
finit par en comprendre tous les rouages au fil des expéditions. Première étape : Ulbert se promenait dans les
quartiers les plus miséreux et offrait gracieusement ses

services en tant que médecin. Deuxième étape : après avoir distribué trois ou quatre conseils sommaires et réglé quelques cas bénins, il se faisait inviter au chevet de quelqu'un de gravement malade. Troisième étape : constatant que la personne se trouvait au seuil de la mort, il promettait de tenter l'impossible pour la sauver, mais exigeait une promesse en retour. Puis, Ulbert faisait signer un document notarié à la famille qui précisait que le corps, advenant le décès du patient, devrait lui être remis pour une période de trois jours, au bout desquels il serait remis aux proches, dans un cercueil de qualité scellé, pour les funérailles. Finalement, le malade déjà condamné mourait. Ulbert ou Blaise en étaient informés et revenaient chercher la dépouille que De Vallon anatomisait à l'intérieur des trois jours prescrits. Blaise expédiait ensuite le cercueil fermé à la famille, qui procédait à l'inhumation de leur proche, fière de le savoir logé comme un aristocrate pour l'éternité.

Blaise était prêt à parier que Ulbert était à l'origine de ce plan aux rouages bien graissés. Gaspar De Vallon n'aurait jamais songé lui-même à toutes ces étapes qu'il aurait jugées *a priori* trop nombreuses et fastidieuses : faire fabriquer des cercueils, faire rédiger des papiers notariés, retourner les dépouilles aux familles, tout cela était trop procédural et de longue haleine pour lui. L'anatomiste préférait, et de loin, les choses moins compliquées, quitte à ce qu'elles soient plus risquées. Il aimait à combler ses besoins rapidement, faisait fi des conséquences que cela pouvait entraîner. Ulbert était plus prudent, plus méthodique. Au contraire de son beau-père, c'est la conséquence de chacun de ses gestes qu'il évaluait en premier. De fait, l'idée de déterrer des cadavres frais, le soir même d'une anatomie, était de De Vallon. Celle d'«emprunter» les corps aux familles était d'Ulbert. Après quelques semaines de mise à l'essai, Blaise convenait que c'était une ruse efficace, et même sécuritaire. S'ils se faisaient poser des questions par les autorités, ils n'avaient qu'à brandir la permission parafée pour se sortir du pétrin. De toute façon, Blaise avait remarqué que le seul fait d'opérer en plein jour leur procurait une certaine immunité, sans compter qu'ils n'avaient plus à profaner des tombes ni à se débarrasser des corps. Certes, il fallait être plus patient et De Vallon s'y était résolu, comme il s'était résolu à débourser de sa poche afin de pouvoir mener à bien son entreprise. Maintenant que le projet tirait à sa fin, il avait trop à perdre pour agir autrement, agir comme sa nature profonde l'y poussait. Heureusement pour lui, l'anatomiste s'en rendait compte et Ulbert était probablement arrivé au bon moment avec son idée.

Blaise ne se plaignait pas des changements. Jouer au voleur ne lui manquait pas. Il avait maintenant l'impression d'effectuer un travail honnête, enfin… peu s'en fallait. Bien sûr, il n'aimait pas ce moment où il s'immergeait de force dans la douleur des familles. Chaque fois qu'il attendait près de la porte qu'on mette le défunt dans le cercueil, il détestait les aléas de son cerveau qui lui faisaient visualiser le destin de ce corps qu'on lui confiait avec tant de peine. Si ces gens savaient! Lui savait que l'être aimé allait finir en morceaux et cela était déjà trop. À tous coups, il éprouvait un serrement dans l'estomac et le goût acide de la culpabilité lui venait instantanément aux lèvres. À l'époque, il n'aurait jamais accepté que l'on charcute la dépouille de son maître adoré, ce cher Battisto. Il était persuadé qu'il en allait de même pour ces familles éplorées et il s'en voulait de les tromper aussi vilement. Néanmoins, il se taisait. Il faisait son travail et se taisait, comme toujours.

Parfois, il arrivait que des gens viennent lui parler. C'était rare et toujours très embarrassant pour lui, qui préférait se murer dans son silence coupable. Ce jour-là, on lui avait ouvert la porte et on l'avait immédiatement invité à s'asseoir, pendant que les hommes qui s'étaient saisis du cercueil s'occupaient d'y déposer la trépassée. Blaise n'avait eu d'autre choix que de poser séant aux côtés d'une grand-mère aussi racornie qu'une pomme trouvée au sol pendant l'hiver. Ses rares cheveux blancs tombaient sur ses épaules frêles, son menton tremblait en permanence et, même assise, elle s'appuyait des deux mains sur un solide bâton qui la maintenait en place. Pas plus grande qu'une enfant, elle semblait particulièrement fragile. Lorsqu'elle s'adressa à lui, Blaise constata toutefois qu'elle avait conservé sa verve de jeune fille.

— Tu travailles pour le docteur Mortifère ? Je suis surprise, tu m'as pourtant l'air d'un bon garçon.

— Qui ?

— Le jeune docteur. On l'appelle le docteur Mortifère, par ici. Chaque fois qu'on le voit au chevet d'un malade, on peut être certain qu'il va trépasser le surlendemain. J'avais d'ailleurs prévenu mon neveu de ne pas le faire venir, mais vous savez ce que c'est, les dires d'une vieille peau, ça ne vaut même pas ce qu'il y a dans le caniveau !

— Je crois que ce sobriquet est injustement attribué au docteur, madame. Il visite ceux qui sont très malades. Il fait de son mieux. Il essaie de sauver les cas désespérés, mais je crains que cela ne fonctionne pas souvent.

— Les cas désespérés, dites-vous ? Fadaises ! La pauvre Louise ne tenait pas la forme, pour sûr, mais elle était encore loin du trépas !

— Selon vous, elle n'était pas mourante ?

— Non point. Une autre saignée, un peu de repos, de la citronnelle et zou ! le malaise aurait passé, à mon avis. Mais elle était si geignarde que son mari a voulu la faire voir, et le docteur Mortifère était le seul qu'il pouvait se permettre. Alors, voilà le résultat de sa visite et de ses petites potions odorantes…

— Ses potions odorantes ?

— Oui. La pauvre Louise sent encore un peu, d'ailleurs, vous ne trouvez pas ? Mais je devrais me taire. Comme mon neveu, vous allez croire que je suis folle.

L'aïeule, en effet, garda le silence un court instant et se détourna. Blaise commençait à trouver que les hommes mettaient bien du temps à installer la défunte dans son cercueil. Il était troublé, de plus en plus mal à l'aise. Il avait hâte de s'en aller. La vieille dame avait-elle aussi senti cette odeur particulière sur le cadavre ? Il aurait aimé qu'elle en dise plus sur le sujet, mais il craignait d'éveiller des soupçons qui, ultimement, se retourneraient contre lui. Il était plus sage de partir. Comme il allait se relever, la vieillarde tendit son bras maigrelet devant lui pour le retenir.

— S'il vous plaît, au moins, ne la découpez pas en morceaux. On dit que les corps qui reviennent de chez vous portent des marques d'entailles. Pas Louise, s'il vous plaît, pas Louise. Elle ne mérite pas cela…

Le ton de la vieille dame avait changé. Ses yeux s'étaient remplis de larmes et elle implorait Blaise de préserver sa parente. Comme les hommes sortaient avec le cercueil, une jeune fille vint s'asseoir auprès de son aïeule pour la calmer d'une voix chaude et rassurante. Heureusement pour Blaise, tout le monde dans cette famille semblait croire que la vieillarde perdait la boule. Tout de même, à la lumière des révélations qu'il venait d'entendre, l'artiste comprit que le sentiment de sécurité qu'il entretenait nouvellement à l'égard de son travail n'était qu'une fragile construction de paille.

——•——

— Tu penses qu'il les empoisonne ?

L'été était à son paroxysme. Un air chaud et humide soufflait sur Marie-Ursule et Blaise, qui s'étaient arrêtés aux abords de la tour de Nesle pour se reposer un peu. Ils se voyaient comme cela, à l'occasion, marchaient ensemble dans la ville lorsque le hasard le leur permettait, se donnaient même parfois rendez-vous. Assise en tailleur tout près de lui, la jeune fille laissait ses cheveux blonds presque blancs voler autour de sa coiffe légère de laquelle ils s'étaient échappés. Elle n'avait pratiquement pas de sourcils. Blaise avait noté ce détail particulier de son anatomie dès leur première rencontre. Il s'en étonnait toujours, mais, au-dessus de cette rangée de cils cendrés et de ces yeux noirs qui, en toute logique, auraient dû être bleus, l'effet était magnifique. Magnifique et unique, comme elle. Il ne se lassait pas de la regarder.

— J'en sais rien, mais avoue que c'est étrange. En peu de temps, trois personnes m'ont raconté des histoires très semblables au sujet du docteur Mortifère. Le dernier, en tout cas, ne semblait avoir aucun doute. Il a juré que son frère n'était pas malade au point d'en mourir pour ensuite m'accuser de travailler avec un empoisonneur. Il était tellement furieux qu'il a bien failli refuser de me livrer le corps. Je lui ai mis le contrat sous le nez et sa famille l'a convaincu par crainte de représailles, mais il était tout de même moins une.

— Et ce corps-là, il sentait la même chose que les autres ?

— Oui, pas de doute, mais on dirait que ce n'est pas tout le monde qui peut détecter cette odeur.

— Si c'est vrai que Ulbert empoisonne les malades et qu'il se fait prendre, ce ne sont pas vos papiers officiels qui vont vous protéger, ni toi ni lui. Commettre un meurtre, c'est pas légal et toi, tu es son complice dans cette histoire. Et Gaspar aussi. Vous risquez tous vos vies.

Blaise vit à son air grave que Marie-Ursule entretenait de sérieuses craintes à son égard. Elle avait raison, évidemment. Les gens commençaient à avoir peur d'eux. Leur réputation lugubre se répandait dans tout Paris comme les bubons de la peste. Les citoyens les plus démunis continuaient néanmoins à recourir aux services du docteur Mortifère, car il était le seul à travailler gratuitement, sans compter qu'il était, en plus, un habile baratineur. Lorsqu'il rencontrait un malade alité, il déclarait tout d'abord aux proches qu'il ne pouvait rien faire en raison de la gravité de l'état du patient. Ensuite, il semblait éclairé par un trait de génie et promettait à la famille d'essayer une nouvelle approche pour sauver l'être aimé. Qui pouvait refuser cela ?

Blaise sentit qu'il pouvait difficilement continuer à fermer les yeux sur cette affaire. Marie-Ursule avait dit tout haut ce qu'il pensait tout bas depuis quelque temps. « Commettre un meurtre », ce sont les mots qu'elle avait employés, c'est ce que Ulbert faisait et lui, par son inaction, cautionnait le tout. Il était complice. Il se dégoûtait. Cependant, il ne voyait pas comment se sortir de cette impasse. S'il refusait de se prêter au jeu, De Vallon enverrait Jaco à sa place. Le vieux avait déjà payé bien cher pour les imprudences de Blaise, ce dernier voulait donc éviter à tout prix que son ami finisse ses jours au bout d'une corde. S'il dénonçait lui-même Ulbert, il risquait sa vie, car on l'accuserait d'être son complice. De tous les côtés, il était coincé.

— La vieille Lachésis t'a laissé entendre que tu avais encore une longue existence devant toi, non ?

Blaise avait raconté à Marie-Ursule l'histoire des dames âgées qui lui avaient offert un long fil en cadeau. Afin qu'elle saisisse l'état d'esprit dans lequel il s'était trouvé ce jour-là, il lui avait aussi narré l'histoire des Parques ; Clotho, Lachésis et Atropos, ces trois filandières issues de la mythologie grecque qui, maîtresses de la destinée humaine, achevaient à coups de ciseaux impitoyables l'existence des hommes et des femmes en coupant symboliquement le fil de leur vie. Elle avait été captivée par le rapprochement, convaincue qu'il s'agissait là d'un symbole divin. Ou païen, plutôt.

— Oui, dit-il en souriant de façon indulgente devant cette douce naïveté. Mais je ne crois pas que ce long fil me prémunisse contre la justice.

— Pars! Sauve-toi pendant qu'il est encore temps. Disparais sans laisser de traces, c'est la seule solution. C'est de cela que la filandière parlait lorsqu'elle t'a dit qu'une longue route t'attendait. Gaspar ne mettra personne à ta poursuite, car, maintenant que le traité est pratiquement achevé, tu n'as plus aucune valeur à ses yeux. Tu pourras refaire ta vie ailleurs.

Blaise y avait songé, mais n'osait pas. Il ne possédait rien et pire, il était lâche: la vie de mendiant lui faisait peur. En outre, il ne pouvait s'empêcher de s'inquiéter pour son amie.

— Si on te surprend avec De Vallon et si on l'accuse de meurtre, toi aussi, tu peux avoir des problèmes.

L'émotion avait transparu dans les paroles qu'il venait de prononcer bien malgré lui. Marie-Ursule en fut visiblement troublée, puisqu'elle détourna un instant les yeux pour les porter au loin, en direction de la rivière. Elle resta silencieuse un certain temps, puis reporta son regard de braise sur l'artiste.

— Alors, partons ensemble.

Paroles insensées. Blaise demeura coi pendant de longues minutes. C'était absurde, mais il ne pouvait s'empêcher d'envisager la chose avec un étrange enthousiasme. Lorsqu'il ouvrit la bouche, il proposa à Marie-Ursule d'en discuter. Un sourire délicieux se dessina sur le visage de la jeune fille, qui acquiesça avec empressement. Elle avait déjà un plan.

CHAPITRE 14

Jeanne-Françoise Lefebvre savait se montrer stoïque. Pour lui rendre parfaite justice, disons qu'un cœur sensible avait autrefois battu dans sa large poitrine, sauf que la prêteuse sur gages qu'elle était maintenant ne pouvait plus se permettre cette faiblesse. La misère collait à la peau de tous ceux qui venaient frapper à sa porte, en conséquence, elle évitait à tout prix les écarts de sensiblerie, car les sentiments étaient une tare qui avait le potentiel de nuire à ses affaires. Au cours des années, elle avait réussi à se mouler une carapace, à ériger un mur entre elle et les autres, qui avait, jusqu'à présent, résisté à tout. Devant tous, elle affichait la même attitude : un mélange de cordialité distante, de méfiance et d'autorité. Cela avait son effet. Son entreprise allait rondement, on n'abusait point d'elle et elle se sentait respectée. Néanmoins, depuis quelque temps, elle était préoccupée par l'état de ses défenses. Celles-ci avaient commencé à s'affaiblir à l'instant même où elle avait accepté de loger Adel et sa sans-cervelle de fille.

Pour être honnête, la première fissure était sans doute apparue lorsqu'elle avait rencontré Adel. À cette époque, l'Anglaise et sa fille se cherchaient une chambre à louer et personne n'y consentait dans le voisinage, fort probablement à cause de leurs origines obscures et du travail de Marie-Ursule. Toujours à l'écart du lot, Jeanne-Françoise avait immédiatement accepté de les héberger chez elle. L'usurière ne versait pas dans la même hypocrisie que ses voisins. Elle ne voyait pas comment une femme avec la prestance d'Adel pouvait être une menace et admettait même, du bout des lèvres, qu'une prostituée devait bien se loger quelque part. Les règles avaient été claires dès le départ : le loyer devait être payé religieusement chaque semaine et aucun acte de débauche ne devait être commis entre les murs de sa demeure. Adel avait accepté sans condition, les deux femmes s'étaient serré la main et Jeanne-Françoise avait éprouvé un frisson de plaisir incongru en songeant que cette femme au port altier et aux longs cheveux gris allait désormais partager son quotidien. En contrepartie, elle aurait volontiers abandonné sa fille sur le pavé.

Dès les premiers jours, Jeanne-Françoise s'était laissé attendrir de façon inattendue par Adel et son humour, Adel et sa bonne humeur, Adel et sa charmante conversation, Adel et ses histoires fabuleuses, Adel et son intérêt pour tout ce qu'elle faisait, Adel et sa gentillesse envers elle et ses enfants. Évidemment, elle n'avait pas compris pourquoi Marie-Ursule battait froid à cette femme si sympathique qui lui semblait pourtant dévouée. Comme les racines de l'arbre qui finissent par fendre la pierre, Adel avait lentement et subtilement glissé les siennes sous le mur de défense de Jeanne-Françoise, sans que cette dernière puisse offrir une quelconque résistance. Toute sa vie, pourtant, elle s'était entraînée à mener ce combat ultime à l'encontre de ses penchants saphiques. Elle en avait écrasé, des envies de peaux douces, des désirs de poitrines rondes, et toujours, jusqu'à maintenant, jusqu'à Adel, elle avait triomphé. Fière et un peu plus amère chaque fois, elle avait éteint ces feux qui naissaient en elle, dans son ventre et dans son cœur, épaississant du même coup cette armure qui l'érigeait en forteresse au milieu de la masse faible qu'elle côtoyait au quotidien. Jusqu'à ces premières fissures, ces lézardes minces comme des cheveux d'ange, Jeanne-Françoise n'avait eu de faiblesses que pour ses enfants, des faiblesses de mère qui aime. Avec tous les autres, elle s'était crue infaillible, mais devant Adel, désormais, elle faillait sans possible retour en arrière, même en sachant que l'Anglaise ne nourrissait pas envers elle des sentiments de même nature.

Au bout de quelques mois qui passèrent beaucoup trop vite, une eau glaciale et acide s'était insinuée au cœur des fondations affaiblies de la veuve, promettant de faire s'écrouler son magnifique château d'Espagne avant l'arrivée des grands froids. S'attaquant à sa victime avec une lenteur reptilienne, la maladie avait frappé sans que Jeanne-Françoise soupçonne l'ennemi. Les changements avaient été subtils au début : Adel ne mangeait plus autant, ne riait plus aussi fort, s'isolait un peu plus. Jeanne-Françoise avait tout d'abord cru, avec tristesse, que son amie était lasse de sa compagnie, puis, lorsque Adel en était venue à avoir de graves sautes d'humeur, à dormir toute la journée et à se plaindre incessamment de douleurs au corps, la veuve avait compris que la santé de son amie était plutôt en cause. Sur le coup, se savoir non responsable du malaise d'Adel l'avait soulagée; ensuite était apparue l'inquiétude. Le mal était étrange et ne semblait pas se tarir.

Constatant que l'état d'Adel empirait et que sa fille ne semblait rien y voir, Jeanne-Françoise avait tenté de se barricader derrière son mur fissuré et d'aborder la situation avec le stoïcisme qu'on lui connaissait. «Après tout, se disait-elle, qui donc est cette femme si récemment apparue dans mon existence? Une voyageuse, une chambreuse, une étrangère, quoi!» Sa défense désormais poreuse menaçait pourtant de s'écrouler. «S'il fallait qu'il lui arrive quelque chose!», ne pouvait-elle s'empêcher de penser. Et elle s'éveillait la nuit, elle qui, de toute époque, avait toujours dormi d'un sommeil de loir. Voilà qu'elle était maintenant rongée par l'inquiétude à toute heure et écrasée par le fardeau quotidien de devoir ne rien laisser paraître de sa détresse; elle était le pilier et elle voulait le demeurer. Il lui arrivait de verrouiller sa porte au milieu de la journée pour passer du temps au chevet de la malade qui gémissait à lui briser le cœur lorsqu'elle cessait de lui tenir la main pour aller vaquer à ses autres occupations. Tout à l'opposé, quand Adel restait tout un jour silencieuse, sans sortir du lit, Jeanne-Françoise s'inquiétait encore plus, finissait immanquablement par tourner en rond près de sa porte, comme un petit chien attendant le retour de son maître. Lorsqu'un éclair de lucidité venait à la frapper, Jeanne-Françoise ne comprenait rien à ce qu'elle devenait. Jamais elle ne s'était fait tant de souci pour quelqu'un qui ne soit pas de sa famille! La maladie d'Adel s'éternisait, empirait et tout cela était en train de la rendre folle, sans compter que Marie-Ursule, toute à ses frivolités de jeune fille dépravée, semblait être complètement détachée de la situation. Jeanne-Françoise se sentait donc bien seule devant ce mal qui rongeait sa douce amie et, pour la première fois de son existence, elle était désemparée.

Son rempart s'écroula définitivement par une chaude journée d'août. Elle avait tenté de recevoir des clients au cours de l'avant-midi, mais elle avait dû fermer sa porte avant le dîner, car les râles d'Adel effrayaient ceux qui se présentaient à son logis. À l'heure du repas, les râles s'étaient transformés en longs sanglots sonores. Jeanne-Françoise, la gorge nouée, n'avait rien pu avaler et ses enfants avaient mangé dans un silence inquiet et consterné. Lorsqu'ils avaient filé dehors, trop heureux de s'échapper de cette maison des lamentations, Jeanne-Françoise avait entendu des coups sourds et répétés en provenance de la chambre. En y entrant, elle avait découvert Adel qui se frappait l'arrière de la tête sur le mur. «J'ai si mal! (bang!) Aidez-moi! (bang!) J'ai si mal! (bang!)» Avant qu'elle se blesse, Jeanne-Françoise était allée recoucher son amie, puis était rapidement sortie de sa chambre, soudainement incapable d'en supporter plus. Adel était dans un piètre état, littéralement méconnaissable, n'était physiquement et mentalement plus que l'ombre d'elle-même. Sa fille ne voulait peut-être rien faire, mais elle, Jeanne-Françoise Lefebvre, n'en pouvait plus de voir souffrir ainsi cette pauvre femme sans broncher. Elle avait déjà attendu trop longtemps, attendu trop longtemps que sa fille prenne ses responsabilités et qu'elle s'occupe enfin de sa mère. Il n'était plus question d'attendre, car la veuve elle-même se sentait sur le point de basculer. Sortant dans la ruelle, elle héla l'un de ses enfants et lui intima l'ordre d'aller quérir un médecin. Connaissant la nature économe de sa mère, le petit voulut lui faire plaisir et il lui en dénicha un dont les services étaient très peu coûteux.

—•—

Marie-Ursule se frotta les yeux. Allongeant les bras, elle délia ses doigts fatigués. Le soleil sur son déclin avait disparu derrière les bâtisses, juste en face ; il faisait maintenant trop sombre dans la pièce pour continuer à coudre. La jeune femme déposa donc la robe sur la chaise près d'elle et se leva pour activer son corps ankylosé. Elle n'avait pas bougé depuis le midi où elle s'était assise là, sur le petit banc rond, juste en dessous de la fenêtre. Son aiguille n'avait pas chômé. Elle avait piqué et repiqué maints tissus colorés, refait une manche, un ourlet, une boutonnière. Hormis le pas des visiteurs occasionnels à l'étage, seul le bruit du fil s'était fait entendre au cours de l'après-midi. Shhhht. Shhhht. Ce petit brin qui se faufilait à travers la fibre produisait une musique singulière. Shhhht. Shhhht. Les gestes de la jeune couturière se succédaient toujours au même rythme, un rythme envoûtant qui invitait au sommeil, sinon à la rêverie. Marie-Ursule s'y laissa prendre du début à la fin, ne tenta même pas d'y échapper. Ces moments trop rares où elle avait la chance d'être avec elle-même avaient leurs propres règles du jeu, valait mieux s'y plier de bonne grâce si on voulait en retirer quoi que ce soit qui vaille. Cela, Marie-Ursule l'avait bien compris, d'autant qu'il y avait plusieurs choses auxquelles elle devait réfléchir. Entre autres, elle songea qu'elle était heureuse d'avoir fait part de son «plan d'évasion» à Blaise. Elle n'était pas encore certaine d'arriver à le mettre à exécution et encore moins certaine de voir son ami y participer, mais au moins cela avait eu le mérite de concrétiser l'affaire. Assise dans le rayon de lumière que la petite fenêtre laissait filtrer, Marie-Ursule avait donc cousu et réfléchi jusqu'à ce que ses yeux se plissent, que ses doigts se crispent et que son cerveau s'empêtre dans un embrouillamini de pensées de plus en plus insensées dont certaines avaient cette faculté inusitée de faire apparaître un sourire sur ses lèvres pincées.

Jetant un regard autour, elle se trouva satisfaite du travail qu'elle avait abattu sans trop s'en rendre compte. Elle avait réparé plusieurs robes, quelques habits aussi, et elle les suspendit tous dans un coin particulier, se promettant d'aller faire aérer tout cela dès le lendemain. Les robes d'occasion étaient de jolies choses, mais elles empestaient la plupart du temps. Leurs coquettes propriétaires les portaient et reportaient sans cesse, puisque leur garde-robe, règle générale, se composait de fort peu de morceaux. L'exception, bien entendu, était ces femmes de la haute noblesse qui pouvaient se permettre l'achat de plusieurs toilettes par année, le luxe de vêtements parfumés. Toutefois, celles-là comme les autres moins fortunées ne lavaient jamais leurs jolies tenues de peur d'en voir les couleurs s'affadir. Du coup, les fournitures qui parvenaient dans l'échoppe de la veuve Lefebvre portaient l'odeur d'années de sueur et de relents de nourriture accumulées. L'air frais ne privait pas les vêtements de leurs effluves particuliers, mais cela avait, à tout le moins, l'avantage de les rendre plus respirables.

Marie-Ursule devait maintenant aller voir sa mère. Ces derniers temps, Jeanne-Françoise n'avait de cesse de la pourchasser avec ses commentaires et ses conseils à propos de l'état d'Adel qui, selon elle, ne faisait qu'empirer. « Ta mère va mal, petite. Elle dépérit chaque jour. Tu devrais rester avec elle, le Seigneur aura vite fait de te l'enlever, tu sais. » La veuve l'ennuyait avec ses remontrances, mais il y avait du vrai dans ce qu'elle disait. Marie-Ursule avait pleinement conscience que Adel ne tenait pas la forme. Depuis quelques semaines, la santé de sa mère se détériorait de jour en jour. Marie-Ursule refusait néanmoins de trop s'inquiéter. Contrairement à la veuve Lefebvre, qui connaissait sa mère depuis peu, Marie-Ursule avait partagé toute son existence avec elle et se souvenait d'épisodes semblables où Adel avait longé les abîmes sans toutefois s'y précipiter. La veuve avait peur que son amie ne trépasse, qu'elle se laisse mourir, qu'elle devienne complètement folle ; Marie-Ursule croyait, pour sa part, que la malade finirait par retomber sur ses pattes, comme elle avait l'habitude de le faire. L'usurière traitait la jeune fille d'ingrate, d'égoïste. Elle ne savait pas que Marie-Ursule avait tout essayé par le passé pour tenter de sortir sa mère de ce marasme immonde. Qu'elle avait veillé sur elle, qu'elle avait pleuré avec elle, qu'elle avait requis les soins coûteux de tous les charlatans croisés au détour des routes, qu'elle avait même demandé à ce qu'on l'exorcise, que tout cela avait été fait en vain et que cela l'avait laissée vide et brisée. La veuve ne savait pas que broyer du noir jusqu'à en éprouver les effets sur son corps était le lot d'Adel. Elle ne savait pas que, par extension, c'était aussi le lot de Marie-Ursule qui, malgré les apparences, portait cette affliction terrible comme un boulet.

Se faufilant à l'arrière de la boutique, Marie-Ursule gagna les escaliers qui menaient à l'étage. Elle était presque rendue en haut lorsqu'elle s'immobilisa afin d'identifier une voix familière qui lui parvenait depuis la cuisine où la veuve Lefebvre avait l'habitude de s'installer pour traiter ses affaires.

— Vous auriez dû me faire venir avant. Cette femme aurait eu besoin d'une saignée il y a des semaines! Quoi qu'il en soit, madame, j'ai fait tout ce qu'il était possible de faire. Il ne reste plus qu'à attendre pour voir si cela aura un effet positif. Signez ici, s'il vous plaît, comme convenu.

Le ton était froid, autoritaire. Marie-Ursule entendit la plume grincer sur le papier alors que la veuve apposait sa signature. Un élan d'angoisse secoua alors la jeune fille. Elle reconnaissait la voix. C'était Ulbert. C'était le docteur Mortifère.

Le cœur battant à tout rompre, Marie-Ursule se risqua à monter quelques marches de plus afin de s'assurer de l'identité du visiteur. Osant un regard sans se dévoiler, elle reconnut le jeune homme au premier instant.

— Tenez, monsieur. Je sais que vous n'exigez rien d'autre que cet arrangement, mais je tiens à vous donner ceci. Pour vous remercier. La pauvre vieille me fait bien pitié et je vous suis vraiment reconnaissante d'être ici à tenter l'impossible.

Contre toute attente, la veuve Lefebvre, débordante d'émotions incontrôlables, s'était laissée aller à une générosité improvisée envers le jeune médecin. Celui-ci était resté coi quelques instants devant cet objet déposé au creux de sa main. Si Jeanne-Françoise crut à l'effet de la surprise, Marie-Ursule, elle, sut que Ulbert avait reconnu cette petite pièce d'orfèvrerie particulière. Ce bijou appartenait à madame De Vallon. Il semblait à Ulbert avoir déjà entendu sa mère se plaindre de l'avoir égaré et voilà qu'entre ses propres mains il réapparaissait. Ulbert ne tentait pas de cacher sa surprise, regardait autour de lui afin d'accumuler des indices, cherchait visiblement à comprendre.

Faisant de grands efforts pour se calmer, Marie-Ursule continuait d'épier la scène. Elle ne voulait en fait qu'une seule chose : courir à la chambre de sa mère pour s'assurer qu'elle n'était pas en danger. Sa propre respiration s'accélérait de minute en minute, elle devait lutter contre elle-même afin de rester tapie dans les escaliers, car sa vie dépendait de sa capacité à se sortir de ce pétrin. Sur l'heure, elle n'avait aucune idée de la manière dont elle allait y parvenir. Chose certaine, elle ne pouvait se permettre de croiser Ulbert, qui exigerait très certainement des explications. Il n'avait peut-être pas reconnu

Adel, mais elle, il ne la manquerait pas ! Elle devait gagner du temps pour réfléchir. Elle devait attendre qu'il parte, mais il s'attardait.

— Pardonnez ma curiosité, madame, mais j'aimerais savoir comment vous avez obtenu ce bijou.

La veuve Lefebvre pardonnait certes la curiosité, mais n'y satisfaisait jamais. C'était là un principe de base de son métier et elle n'entendait pas y faire entorse.

— Ma foi, comment me rappeler l'origine de tout ce qui franchit cette porte derrière vous, je me le demande ? Tout Paris m'apporte des objets, monsieur. Maintenant, il vous appartient, voilà ce qui compte réellement, n'est-ce pas ?

— Comme vous dites.

Ulbert jeta un dernier regard plein de suspicion en direction de la chambre d'Adel. Marie-Ursule distingua une expression malveillante sur son visage. Il mit le bijou dans sa poche de même que le papier parafé par la veuve et sortit avec empressement.

N'y tenant plus, Marie-Ursule se précipita dans la chambre de sa mère. Adel reposait dans son lit, le teint blafard, des pansements serrés sur ses bras tailladés. Elle avait les yeux fermés et sa respiration était lente. Marie-Ursule aperçut les deux bols maculés d'écarlate qui avaient servi à la saignée. Ceux-ci étaient posés sur une table de chevet et attendaient d'être lavés. Tout près, il y avait une petite fiole de verre opaque qui attira rapidement l'attention de la jeune fille. La saisissant, elle remarqua tout de suite qu'une étrange odeur s'en dégageait. Paniquée, elle alla renifler la bouche entrouverte d'Adel et son nez lui confirma l'inimaginable : sa mère avait ingéré le poison dont lui avait parlé Blaise. Ne pouvant y croire, elle se rua à la cuisine et demanda à l'usurière ce que disait le papier qu'elle venait de signer pour le médecin.

La veuve Lefebvre n'aimait pas Marie-Ursule. Elle la trouvait impolie, trop émotive, trop revendicatrice et surtout trop détachée de ses obligations familiales. Encore en cet instant, la jeune personne se montrait fort déplaisante. Elle qui négligeait sa mère depuis des semaines, voire des mois, osait maintenant crier dans sa demeure, exiger d'elle qu'elle lui rende des comptes sur son intervention. Non mais, quel culot !

Marie-Ursule s'était plantée devant la veuve, qui avait croisé les bras et la dévisageait d'un air buté. La jeune fille était bien décidée à lui faire comprendre à quel point elle venait de commettre une erreur irréparable, mais l'histoire était si longue qu'elle ne savait pas par où commencer, voulait à la fois de l'aide pour sa mère qui allait mourir et pour elle-même qui allait sous peu être confrontée au courroux de l'anatomiste, mais elle hésitait à tout révéler à l'usurière. Le temps pressait, pourtant. Elle tentait de rassembler courage et idées lorsque quelqu'un frappa à la porte et entra sans qu'on l'y invite.

— Vous ! Je m'en doutais bien !

Ulbert se tenait dans l'embrasure, menaçant. Il pointait un doigt accusateur en direction de Marie-Ursule, qui demeura figée devant lui, l'œil agrandi par l'angoisse et la surprise.

— Donnez-moi cela immédiatement!

Ulbert se rua sur la jeune fille, essayant de lui arracher la petite bouteille odorante qu'elle avait à la main. Paniquée, Marie-Ursule recula d'un bond et Ulbert ne put saisir cet objet incriminant qu'il était revenu chercher. Dans un second élan, il tenta ensuite d'agripper le poignet de la jeune fille, qui le déjoua encore par hasard, dans un réflexe de panique. En voyant le visage de l'homme qui s'emplissait de fureur, elle se projeta vers l'arrière et prit la fuite. Elle courut vers le petit escalier qui menait à la boutique du rez-de-chaussée et elle le dévala sans presque toucher terre. Louvoyant habilement entre les amoncellements de linges posés un peu partout, les vêtements accrochés, les souliers à la traîne, elle parvint à sortir dans la rue. Son assaillant était tout près. Il voulait la bouteille, mais aussi, fort probablement, l'emmener chez De Vallon ou la livrer à la justice. Elle ne tenait pas à savoir quelle option il envisageait réellement. Chose certaine, il avait compris qu'elle était pauvre et croyait probablement qu'elle avait volé la famille De Vallon. Marie-Ursule souleva sa lourde jupe afin de libérer ses jambes et piqua à gauche au pas de course. Elle n'avait aucune idée d'où elle s'en allait, mais elle y allait avec toute l'énergie dont elle était capable.

Alors qu'elle courait en sillonnant les ruelles, Marie-Ursule découvrit deux présences en elle. L'une était gravement paniquée et l'obligeait à fuir comme un chien errant qu'on menace du bâton. Cette partie d'elle-même cherchait un moyen de déjouer son poursuivant, espérait trouver où aller avant que ses jambes ou ses poumons ne la lâchent. Au même moment, une autre partie d'elle-même se félicitait de connaître aussi bien le dédale des ruelles parisiennes. Cette voix était plus posée, presque moqueuse : « Ton métier t'aura au moins servi à ça ! À force de fréquenter ces coins sombres, on finit par s'y retrouver ! » Tout cela était trop éprouvant. Marie-Ursule se dit qu'elle était probablement en train de devenir folle, comme sa mère. « Cesse de geindre et cours ! », lui intima la voix qui prenait la fuite en charge.

Avec quelques longueurs d'avance sur Ulbert, elle déboucha sur la rue de la Lingerie. La plupart des échoppes étaient sur le point de fermer, mais il restait un bon nombre de badauds dans cette avenue qui bordait le cimetière. Marie-Ursule zigzaguait entre eux et tentait de se frayer un chemin dans cette rivière humaine. À bout de souffle, elle sentait qu'elle n'en avait plus pour longtemps. Elle jeta un regard par-dessus son épaule pour mesurer son avance et aperçut une tête brune qui avançait rapidement vers elle en bousculant ceux qui se trouvaient sur son passage. Étouffant un petit cri, elle se retourna pour poursuivre sa course lorsque, bang !, elle entra en collision avec un mur. Du moins, c'est ce qu'elle crut tellement le choc fut brutal. Pourtant, le mur l'empoigna par les deux épaules et la souleva de terre comme si elle eût été un vulgaire sac de marchandise. Marie-Ursule s'apprêtait à hurler à pleins poumons en voyant qu'un homme à la carrure de géant la tenait à sa merci. Avant qu'elle n'ait le temps de le faire, ce dernier lui décocha un sourire édenté, agrémenté d'un vague clin d'œil, puis la projeta sans délicatesse dans une voiture remplie de foin. Marie-Ursule s'y enfonça d'un seul coup à en avoir par-dessus la tête, soudainement consciente que le géant venait fort probablement de lui sauver la vie. Lorsqu'elle sentit que la charrette se mettait en branle, elle comprit que c'était effectivement le cas. Bien cachée, la fiole au creux de la paume, elle avait semé Ulbert et elle s'en réjouissait, mais toute cette histoire était loin d'être terminée. La jeune fille décida de se laisser bercer quelques instants dans l'odeur et la chaleur du foin, question de reprendre son souffle et ses esprits. Elle ferma les yeux. Elle savait que, lorsqu'elle émerge- rait de ce cocon douillet, elle n'aurait plus de repos avant longtemps.

—•—

Les quiproquos étaient légion dans le quartier du cimetière des Saints-Innocents. Les uns et les autres se cherchaient noise, se tapaient dessus ou cancanaient sournoisement sur le dos de leurs congénères. Les forces de l'ordre devaient souvent intervenir afin de calmer les eaux pour éviter les débordements. C'était un milieu difficile et il fallait avoir l'échine bien solide pour y évoluer sans perdre trop de plumes. Les gens qui s'y côtoyaient étaient capables du pire, mais du meilleur aussi. Marie- Ursule venait d'en avoir la preuve. Le géant avait arrêté sa charrette un peu plus loin et l'avait aidée à s'extirper du ballot. Il avait ri en voyant sa tignasse piquée de brins de foin et lui avait souhaité bonne chance en lui donnant une grande claque dans le dos. Il ne lui avait pas posé de questions, n'avait rien voulu lui soutirer en échange du précieux service qu'il venait de lui rendre. Marie-Ursule l'avait regardé s'éloigner avec un énorme sentiment de gratitude.

Lorsque le géant disparut à son regard, elle repartit en direction de chez elle. C'était risqué, elle le savait, mais elle ne pouvait rien faire d'autre pour le moment. Elle observa la maison et ses alentours pendant longtemps avant d'y entrer. Relativement certaine que Ulbert n'y était pas retourné, elle monta directement à la chambre de sa mère. Jeanne-Françoise était au chevet d'Adel qui, visiblement, n'en avait plus pour un long moment. Son visage torturé exprimait une souffrance qui faisait peine à voir. Faisant fi de la veuve qui s'était levée d'un bond, l'accablant de questions et de remontrances toutes plus absurdes les unes que les autres, Marie-Ursule se dirigea vers sa mère. Elle s'allongea auprès d'elle dans le lit et prit sa main dans la sienne. Ses doigts étaient froids, sa main, molle.

— Je suis désolée, maman, désolée de l'avoir laissé te faire ça.

Marie-Ursule murmura ces mots à l'oreille de sa mère et celle-ci lui répondit par un faible gémissement. La jeune fille sentit que Adel serrait sa main. Elle se mit à pleurer. Elle ne pouvait rien pour elle, encore une fois, mais ce coup-ci, c'était pire que tout. Adel ne s'en sortirait pas.

— Si vous m'aviez mise au courant de toutes vos sottises, peut-être qu'on n'en serait pas là aujourd'hui !

La veuve Lefebvre cherchait une coupable, c'était évident.

— Mieux : si tu t'étais convenablement occupée de ta mère au lieu de laisser les autres le faire, c'est certain qu'on n'en serait pas là !

La grosse femme était visiblement bouleversée, mais Marie-Ursule n'avait pas la force de supporter ses épanchements ni de lui expliquer les tenants et aboutissants de toute l'affaire. L'important, c'était que la veuve sache que Adel avait été empoisonnée par Ulbert et qu'elle la laisse tranquille. Le reste n'était que du vent. Alors que l'usurière continuait de la marteler, la jeune fille dut faire un effort monumental afin de ne pas la frapper.

— Ferme-la !

Marie-Ursule avait crié sur un ton qu'elle ne se connaissait pas. La veuve en fut saisie et se tut.

— Le médecin, il l'a empoisonnée parce qu'il voulait avoir son cadavre. Ça, c'est la preuve. Il faudra le dénoncer.

Elle tendit à la femme la petite fiole à l'odeur particulière.

— Maintenant, laisse-moi seule avec elle.

L'usurière n'avait pas l'habitude de se faire ordonner quoi que ce soit, mais elle obtempéra en grommelant. Lorsqu'elle sortit de la chambre, Marie-Ursule claqua la porte derrière elle.

Seule avec la mourante, Marie-Ursule s'agenouilla auprès d'elle et pria. Cela n'était pas dans son habitude, mais sur le coup cela lui sembla la seule chose à faire. Entre deux sanglots, elle l'embrassa et s'excusa une fois de plus.

— Je suis désolée, maman. J'aurais souhaité que nous nous aimions mieux. Merci d'avoir été sur ma route.

Adel poussa un autre gémissement et Marie-Ursule vit une larme rouler sur sa joue fripée.

— Va-t'en. J'ai payé : ta vie contre la sienne. Tu dois vivre. Pour le salut de mon âme.

Ce n'était qu'un souffle, néanmoins la jeune fille avait bien entendu. Elle tenta de comprendre ce que sa mère voulait dire lorsqu'elle parlait de payer une vie contre une autre, mais elle se dit finalement que c'était sans importance.

— Sauve-toi, répéta Adel en mobilisant le peu d'énergie qu'il lui restait.

Marie-Ursule décida que c'était l'instant où jamais d'écouter sa mère. Elle n'était pas en sécurité ici ni nulle part ailleurs à Paris. Elle devait fuir et Adel, dans un dernier éclair de lucidité, le lui avait rappelé. À contre-cœur, elle se leva et alla droit vers sa propre paillasse dont elle défit la couture d'un geste vigoureux. De la paille se répandit sur le sol, encerclant la jeune fille qui fouillait dans le trou, à la recherche d'une pochette de tissu finement cousue. Lorsqu'elle mit la main sur ce qu'elle cherchait, elle laissa tomber sa paillasse et retourna embrasser sa mère une dernière fois. Elle la trouva complètement immobile, comme endormie. Elle la quitta sans même savoir si c'était le sommeil ou la mort qui l'avait gagnée. Bon plan ou pas, prête ou pas, l'heure était venue de s'enfuir de Paris. Elle lança une pièce à la veuve Lefebvre en sortant dans le crépuscule.

— S'il vous plaît, offrez-lui des funérailles décentes.

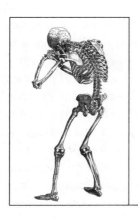

CHAPITRE 15

Pour les peintres, certains travaux requéraient un grand degré d'habileté. Ces exécutions particulières exigeaient de l'artiste de nombreuses études, des heures de pratique, de l'observation, de la patience. Parmi les choses les plus difficiles à réaliser, il y avait, bien entendu, les visages. Par exemple, une paupière tombante pouvait être signe de douceur lorsqu'elle était combinée à un sourire tendre et mesuré, mais si ce sourire s'étirait un peu trop, voilà que la madone qui l'esquissait prenait un air d'ivrogne. Une pupille mal alignée pouvait faire loucher un conquérant et une pommette trop haute ou trop large pouvait enlever toute sa majesté à une déesse. La science du visage était longue à acquérir, mais essentielle à la crédibilité des personnages. Un autre élément pouvait donner du fil à retordre aux artistes : les drapés. Pour celui qui ne fait que regarder, il est impossible de mesurer le degré de difficulté de cette tâche de première importance. Les humains sont en permanence recouverts d'étoffes aux couleurs vives et aux textures variées, or quel défi que d'en représenter la souplesse, la robustesse ou la délicatesse! Et tous ces plis! Nul autre que le peintre en formation ne remarque à quel point les plis d'un drap de lin tombent différemment de ceux d'une chape de brocart. Puis, encore faut-il transposer ces différences infinitésimales et néanmoins fondamentales sur une toile, à l'aide de pinceaux hérissés et de pigments instables, ce qui relève pratiquement du prodige. Finalement, les mains. Une entité somme toute assez simple pour le commun des mortels, mais un agrégat de structures mobiles, étroitement liées pour l'œil averti de l'artiste aguerri : quatre doigts, un pouce, quatorze phalanges, cinq métacarpes, des veines, des muscles, des ongles, des poils, des plis, des zones foncées, des zones diaphanes, des zones charnues, des zones osseuses. Les mains avaient toujours été la bête noire de Blaise en peinture ; elles l'étaient toujours et encore en dessin anatomique.

La table de dissection avait été libérée. Blaise s'y était installé pour travailler. Encerclé par un nombre impressionnant de chandelles frémissantes, il bénéficiait de suffisamment de lumière pour pouvoir dessiner toute la nuit, ce qu'il comptait faire. Il avait demandé à De Vallon de lui laisser une main et c'est le seul élément anatomique qui se trouvait devant lui à cette heure. Elle était là, inerte (fort heureusement!), coupée net juste au-dessous du poignet, débarrassée de sa peau et de sa couche graisseuse. Elle n'était pas très fraîche, mais Blaise n'allait pas s'en plaindre. Il avait vu pire.

Ses crayons, quelques papiers vierges et des instruments chirurgicaux qu'il maniait de mieux en mieux l'entouraient de part et d'autre. Il était prêt à abattre le travail. Blaise avait, en cette soirée, plus d'autonomie qu'il n'en avait jamais eu et il se surprit à apprécier l'instant. Il observa le faramineux empilement de feuilles gribouillées qui trônait à ses côtés. L'entièreté de son œuvre anatomique se trouvait là. Le *corpus imago* qui allait illustrer le traité de De Vallon. C'était impressionnant, il devait l'admettre.

Se saisissant de la pile, il entreprit de revisiter tous les croquis de main, car c'étaient ceux-là qu'il voulait retravailler. Page après page, il se réappropria son œuvre. Il était fier de la plupart des dessins, même s'il pouvait sans peine retracer les premiers qu'il avait faits. Ceux-ci manquaient de précision, d'assurance, mais ne méritaient tout de même pas d'être jetés. Il fallait seulement les améliorer un peu. Blaise s'attela à la tâche.

Il ne travaillait pas depuis longtemps lorsque des pas se firent entendre dans les escaliers. C'était Ulbert. Blaise le reconnaissait au son de sa démarche assurée. Comme prévu, le jeune médecin poussa la porte. Il traversa la pièce en coup de vent et fonça tout droit, en direction de l'atelier de son beau-père. L'artiste remarqua que ses gestes étaient plus théâtraux qu'à l'accoutumée : ses bottes fracassaient le plancher à chaque enjambée, les portes volaient au-devant de lui, il soufflait comme un bœuf attelé à la charrue. Ulbert revint vite sur ses pas vers le cagibi d'anatomie. D'une voix impérieuse, il demanda :

— De Vallon. Où est-il ?

Croyait-il que l'anatomiste rendait compte de tous ses déplacements ? Blaise haussa les épaules nonchalamment en signe d'ignorance, ce qui piqua Ulbert, déjà profondément énervé. Ce dernier fusilla l'artiste du regard et brandit un index rageur en sa direction. Ravalant des paroles que Blaise ne souhaitait pas nécessairement entendre, il tourna les talons et dévala les escaliers sans refermer la porte derrière lui.

Blaise demeura pantois quelques instants. Il n'avait jamais vu Ulbert dans un tel état d'émotivité. Cela l'inquiéta. Sans porter la réflexion plus loin, il décida de le suivre.

Dans son emportement, Ulbert s'était déplacé rapidement. Lorsqu'il fut à l'extérieur, Blaise ne le trouva nulle part. Il devait certainement être entré dans la maison. Blaise hésita un instant face à la grande porte : s'il la franchissait, il lui serait difficile de passer inaperçu et Dieu était témoin qu'il n'était pas le bienvenu entre les murs de cette demeure. Il devait voir ou, du moins, entendre sans être vu. Il songea alors à la cuisine et s'y dirigea sans plus attendre. À cette heure, elle était déserte. Comme un chat aux pattes de velours, il emprunta l'escalier de service qui montait à l'étage sans trop craindre d'y faire une mauvaise rencontre. Il cheminait à l'aveuglette, car il faisait noir comme chez le diable et ces lieux où on ne l'invitait jamais ne lui étaient pas particulièrement familiers. Cependant, la direction qu'il devait prendre était claire : il n'avait qu'à se laisser guider par les éclats de voix qu'il entendait déjà.

— Vous croyez que ces femmes nous ont volés ?

Madame De Vallon, habituellement froide et posée, criait. Elle semblait totalement outrée.

— Je ne vois pas d'autre explication, ma mie. Elles ont sûrement commis leur méfait le soir de la grande fête.

Gaspar De Vallon essayait d'adopter un ton persuasif, mais Blaise y décelait un glissement. L'homme tentait de convaincre son épouse tout en craignant qu'elle n'adhère pas à son raisonnement.

— C'est épouvantable, Gaspar ! Cela vous apprendra à inviter tous ces païens sous votre toit ! Des gens que vous connaissez à peine, des femmes de petite vertu dont personne n'a jamais entendu parler, des misérables qui vous ont roulé, qui m'ont humiliée ! Quelle honte !

Persuadée d'avoir été volée, madame De Vallon avait un trémolo dans la voix. Son indignation aurait pris des proportions démesurées si elle avait su le fond de l'affaire, mais son anatomiste d'époux se garda bien de lui révéler l'accablante vérité. Blaise entendit la femme reculer sa chaise et marcher en sa direction. Affolé, il se recroquevilla à côté d'un meuble massif. Il vit la longue silhouette passer devant lui sans même soupçonner sa présence. L'épouse du chirurgien monta les escaliers et un claquement de porte annonça qu'elle s'était retirée dans ses appartements. Le cœur battant la chamade, l'artiste recentra son attention sur la conversation qui se poursuivait entre l'anatomiste et son beau-fils.

— Sa mère est probablement déjà morte. Je lui ai fait une saignée et je lui ai fait boire tout le contenu de la fiole. La fille, elle, s'est volatilisée. Je lui ai couru après, mais je l'ai perdue près du cimetière. Que devrait-on faire maintenant ?

— Elles sont pauvres, dis-tu ? Vraiment pauvres ?

Ignorant délibérément la question d'Ulbert, De Vallon s'était arrêté sur cette information sensible, au détriment du reste. Il avait l'air complètement atterré, peinait à y croire. Il fallait, bien sûr, faire quelque chose pour le prétendu vol, mais pour l'instant l'anatomiste se contentait de remâcher cette assertion inconcevable : elles étaient pauvres. Le fait que Ulbert ait retrouvé un bijou qui appartenait à sa mère chez Marie-Ursule et Adel lui importait peu en comparaison, car l'offrande était de lui. Il se souvenait parfaitement de l'avoir offert à sa jeune maîtresse quelque temps auparavant. La surprise venait d'autre part. Elles étaient pauvres. Elles l'avaient mystifié.

— Puisque je vous l'affirme ! Ne voyez-vous pas qu'elles vous ont trompé ? Elles se sont jouées de vous pour avoir votre protection, pour profiter de votre fortune, trouver l'occasion de vous soutirer vos avoirs, voilà tout ! Deux vraies traîne-misère, je vous dis !

Ulbert trépignait de colère et d'impatience. Il connaissait les liens qui unissaient son beau-père à la jeune fille et il bouillait de savoir que l'homme qu'il admirait s'était fait berner aussi facilement par deux gueuses. D'autant que lui-même n'y avait vu que du feu. Comment avaient-ils pu se montrer aussi stupides ? Il fallait retrouver Marie-Ursule et lui faire payer cet affront.

De Vallon n'y tenait pas réellement. Cependant, en réfléchissant un peu, il comprit qu'il y était contraint. S'il laissait filer la petite sans rien tenter, Ulbert, sa mère et bientôt tout Paris verraient la faiblesse en lui. Cette idée était insupportable. En aucun cas, il ne voulait être perçu comme étant celui qui s'acoquine ou, pire, qui s'amourache d'une pauvre voleuse. Il en allait de sa réputation. D'ailleurs, son inclination à prendre Marie-Ursule en pitié n'était pas justifiée. N'avait-elle pas revendu ce bijou à une prêteuse sur gages, alors que lui-même avait mis tout son cœur dans ce don hautement symbolique ? Avait-elle fait la même chose avec tous les cadeaux qu'il lui avait offerts ? Probablement. Ulbert avait raison : elle n'avait jamais cherché son affection, seulement son pécule. Peut-être avait-elle aussi piégé d'autres hommes vulnérables comme lui. Envisager qu'elle lui avait été infidèle était pire que tout. Elle ne méritait pas sa clémence.

— Toi, tu vas à la police expliquer toute l'affaire. Ces femmes ont enfreint plusieurs lois en nous volant, mais aussi en nous faisant croire qu'elles étaient de notre rang. Leur tromperie leur en coûtera, pour sûr ! On ne pourra rien faire contre cette vieille Adel qui se meurt, mais il faut impérativement coincer cette jeune effrontée, la faire payer. Insiste pour qu'une recherche soit lancée immédiatement. Il faudra affirmer qu'elles nous ont volés le soir de la fête, cet hiver, et que nous ne les connaissons pas outre mesure. Je ne veux pas qu'on vienne à ébruiter la nature de ma liaison avec cette jeune gueuse !

Ulbert exultait. C'est l'ordre qu'il attendait depuis le début.

— Et vous, que ferez-vous ?

— Je me propose d'aller en personne chez ces fripouilles. La petite y est peut-être retournée pour veiller sur sa mère. Si elle n'y est pas, j'interrogerai la femme qui les loge afin de vérifier si elle sait où la jeune fille se cache. Avant de partir, tu devras me dire où elles habitent.

— Très bien, mais Blaise pourrait aussi vous y conduire. Nous gagnerions du temps. Il...

Ulbert marqua une pause. Au moment où il prononçait ces paroles, De Vallon et lui réalisèrent que Blaise connaissait depuis le début la nature mensongère de Marie-Ursule et de sa mère. L'artiste était leur complice ! L'abomination devenait de plus en plus difficile à digérer. De Vallon, qui avait miraculeusement réussi à conserver un semblant de calme jusque-là, haussa le ton et bouscula le mobilier pour évacuer sa colère.

— Je savais bien qu'il cachait quelque chose ! Je m'en occupe, de celui-là !

Ulbert n'allait manquer cette scène pour rien au monde. Il repoussa le moment de se rendre à la police pour suivre son beau-père en furie jusqu'au cagibi d'anatomie. Tous deux passèrent à grandes enjambées devant l'imposant meuble en bois, mais Blaise ne les vit pas, puisqu'il n'était plus recroquevillé contre sa paroi massive. Depuis quelques minutes déjà, il avait décidé que ce jour était celui où il allait définitivement prendre ses distances de Gaspar De Vallon pour mettre à exécution le plan de Marie-Ursule. «Voler de mes propres ailes, même sans le sou, vaut mieux pour ma santé», s'était-il dit dans un élan de grande sagesse. Courant à sa chambre pour ramasser quelques affaires, il avait ensuite salué Jaco à la hâte, puis il était parti.

——•——

Dès qu'il avait mis les pieds dehors, Blaise s'était senti mieux. Comme au temps de son enfance, lorsqu'il s'extirpait de la demeure familiale au beau milieu de la nuit, il avait fui au pas de course à travers les rues et les ruelles en jetant des regards nerveux par-dessus son épaule. Plusieurs fois, il s'était arrêté net et avait guetté la venue de lointains poursuivants en suspendant sa respiration, l'oreille tendue, à l'affût de bruits de pas résonnant sur le dallage. Ses vieux réflexes le rassurèrent: il ne semblait pas avoir été pris en chasse ou, s'il l'avait été, on ne le cherchait visiblement pas au bon endroit.

Sorti de la ville sans encombre, il avait pris la direction des bois. S'il ne courait plus en traversant la campagne, il maintenait un pas rapide et restait sur le qui-vive, marchant sous la timide lumière d'un fin croissant de lune. Il n'avait pas déambulé dans une forêt la nuit depuis plus d'une décennie, mais il constata rapidement que son instinct était demeuré vif. Aussitôt sous l'arcade sylvestre, ses mouvements s'étaient faits fluides au point de rendre ses déplacements presque silencieux, ses sens s'étaient mis en éveil jusqu'à le rendre ultra conscient de tout ce qui l'environnait : les ombres, les sons, les odeurs, les craquements, tout était instantanément absorbé par son cerveau et son corps, qui réagissait au moindre stimulus pour suspendre un geste ou en précipiter un autre. Confiant en ses moyens, certain de la direction qu'il devait prendre, il aimait être plongé dans cet état animal où les seules convenances à respecter, les seuls ordres qu'il devait suivre venaient du fond de lui-même. Au cœur des bois, il était un autre. Il était celui qui regardait droit devant, qui ne baissait pas la tête, celui qui savait affronter tous les périls. Cet autre lui était familier, il l'accueillait à cette heure comme une vieille connaissance qui lui avait terriblement manqué. Il ignorait de quoi demain allait être fait, mais le moment présent lui plaisait, l'euphorisait. D'autant qu'il venait de commencer à entendre, un peu plus loin, des craquements et un souffle dont il devinait aisément l'origine. Il sentit que cette nuit périlleuse allait certainement prendre une tournure agréable.

—●—

Affolée, Marie-Ursule l'était complètement. Il y avait déjà un bon moment qu'elle avait cessé sa course folle, mais son cœur ne s'en remettait toujours pas. Il cognait dans sa poitrine avec une telle force ! Elle savait qu'elle devait se calmer, cependant elle n'y arrivait pas. S'enfuir de la ville en laissant derrière elle sa mère mourante (ou morte ?) avait été une chose éprouvante et, ce qu'elle faisait là, maintenant, l'était tout autant : déambuler, seule, la nuit, au beau milieu de la forêt silencieuse et menaçante. Chaque ombre autour d'elle ressemblait à une bête prête à lui sauter à la gorge, chaque son évoquait la venue d'un indésirable, hors-la-loi ou représentant des forces de l'ordre, prêt à la trucider. Elle sursautait pour un rien, tremblait comme une feuille, réprimait constamment des sanglots de terreur et sa puissante envie de se remettre à courir, consciente du fait qu'il était préférable de cheminer silencieusement, chose difficile à faire, puisqu'elle n'y voyait presque rien. Ignorant de surcroît si elle avançait dans la bonne direction, elle fut plusieurs fois tentée de se laisser choir par terre le temps que ses sens trouvent de meilleures dispositions ou que des fauves affamés viennent la dévorer. Constamment, son esprit vacillait entre le besoin impérieux de s'extirper de cette situation où elle sentait sa vie menacée et le désir d'embrasser la mort sans plus attendre pour que cessent de tourbillonner en elle toutes ces émotions qui lui donnaient la nausée.

Alors qu'elle luttait frénétiquement contre une ronce qui venait d'agripper le bord de sa robe, elle entendit soudainement une sorte de cognement sur sa droite. Retenant son souffle et agrandissant les yeux, elle se pétrifia. Tentant de percer l'obscurité sans attirer l'attention d'un agresseur potentiel, elle tourna légèrement la tête afin de déterminer d'où exactement provenait la menace. Au même instant, elle sentit que quelqu'un s'abattait sur elle par-derrière. Elle ouvrit la bouche pour crier, mais une main ferme vint se plaquer contre son visage pour l'en empêcher. Persuadée que sa dernière heure était venue, elle tenta de se débattre afin de se défaire de l'étau puissant qui la maintenait prisonnière, jusqu'à ce qu'à ce qu'elle finisse par entendre :

— Chhuuuutttt ! Du calme, c'est moi !

Son assaillant fut obligé de répéter cette litanie plusieurs fois avant qu'elle se calme effectivement et qu'elle comprenne qui murmurait ainsi à son oreille. Sentant que Blaise desserrait enfin son emprise, elle le bouscula et se retourna pour lui faire face. Soudainement, toute sa peur venait de s'envoler. En elle bouillait un nouveau sentiment et c'était si fort qu'elle ne pouvait faire autrement que d'y laisser libre cours. S'avançant vers le jeune homme avec des gestes qu'elle peinait à mesurer, elle fixa un regard intense sur lui et s'élança avec toute la force dont elle était capable. Clac ! Le plat de sa main vint s'abattre avec précision contre la partie charnue de la joue de Blaise, le son fut net et fit l'effet d'une détonation au cœur de la paisible forêt : la gifle avait été assénée selon les règles de l'art. Complètement envahie par la colère, Marie-Ursule poursuivit son attaque sans se préoccuper de rester silencieuse. Au diable les loups et les brigands ! Fâchée comme elle l'était, elle aurait facilement mis tout un bataillon d'armée en déroute. Elle continua de frapper Blaise à la volée, agrémentant le geste d'insultes qu'elle jugeait pleinement méritées.

— T'es vraiment qu'un sale idiot ! Demeuré ! Pauvre taré sans cervelle ! Tu pensais à quoi ? Tu m'as foutu la trouille de ma vie, imbécile ! Comme si j'avais besoin de ça ! Crétin de fond de ruelle !

Blaise avait battu en retraite dès le premier assaut. Replié sur les flancs d'un gros arbre à l'écorce rugueuse, il protégeait d'une main son visage et ses testicules de l'autre, réflexe archaïque. Les coups pleuvaient, mais il ne faisait aucun effort pour les faire cesser. Sa carcasse avait encaissé plus dur au cours de sa vie, sans compter qu'il jugeait l'avoir tout de même un peu mérité.

Il avait repéré Marie-Ursule depuis un moment, car elle était aussi silencieuse qu'une taure du printemps prise dans un bosquet de chardons. Comme un prédateur qui traque sa proie, il l'avait épiée pendant un certain temps. Il avait souri de la voir murmurer pour elle-même, il avait été attendri de la voir faire des efforts pour se reprendre et dominer sa peur. Surtout, il avait été attiré par cette peau iridescente sous les pâles rayons de lune qui filtraient de temps à autre au travers de la canopée. En émettant de petits sons, il avait bien essayé de capter son attention avec douceur, mais ses tentatives étaient demeurées vaines, car la jeune fille avait l'esprit préoccupé. L'occasion était trop belle. L'enlacer, plaquer son corps contre le sien, sentir ses cheveux fins lui chatouiller le visage : il n'avait pas pu résister. La bête en lui avait bondi. Le Blaise des bois agissait à l'instinct. Maintenant, la bête recevait du bâton, c'était le juste retour des choses. La réalité faisait mal, ce n'est pas ce soir qu'il l'apprenait.

Lorsque Marie-Ursule se calma d'elle-même, elle s'effondra sous un trait de lune un peu plus loin, silencieuse. Blaise la laissa cuver sa colère un moment, puis s'excusa timidement. Cela n'apaisa pas la jeune fille.

— J'espérais que tu me retrouves. Je croyais que tu mettrais des heures à te rendre compte de mon départ et que j'arriverais bien avant toi à notre point de rencontre. Je pensais que ce serait agréable de fuir, comme ça, avec toi, mais maintenant j'ai des doutes. T'es qu'un lèche-caniveau mal élevé.

— Je ne voulais pas te faire peur. S'il te plaît, crois-moi.

Blaise ne savait pas comment se faire pardonner. Il aurait bien volontiers étoffé une thèse sur le sujet, s'il en avait eu le loisir, mais comme on les poursuivait peut-être, il valait mieux ne pas s'attarder. Il alla vers la jeune fille et lui tendit la main. Fâchés ou pas, ils devaient avancer. Marie-Ursule grogna un peu, puis saisit néanmoins la main qui lui était offerte. Ils reprirent ensemble leur avancée dans la forêt.

Ils n'échangèrent aucune parole jusqu'au petit matin. Comme ils s'étaient arrêtés près d'un ruisseau pour se désaltérer, Blaise remarqua les traits tirés de la jeune fille. Elle paraissait à bout de forces. L'endroit était calme et semblait éloigné de tout, aussi le jeune homme lui proposa de dormir un peu afin de pouvoir continuer à marcher le reste de la journée. Marie-Ursule n'attendit pas plus formelle invitation pour se rouler en boule sur un tapis de fougères émeraude. La tête posée sur le petit sac qu'elle avait apporté, elle regarda Blaise se délester d'un fardeau de forme cylindrique qu'elle connaissait bien. Comme il enlevait ses chaussures pour laisser tremper ses pieds dans l'onde fraîche, elle désigna le cylindre placé près de lui, réprima le sourire qui lui venait aux lèvres et lui demanda :

— Ne me dis pas que tu as fait ça ?

Blaise évalua la taille imposante de ce précieux rouleau qui constituait son unique bagage. Lui aussi ne put s'empêcher de sourire, triomphant, étonné. Il ne se serait jamais cru capable d'une telle chose. Pourtant, il l'avait fait.

— Ouais… j'y crois pas encore. De Vallon non plus ne doit pas y croire. Tous ses précieux croquis : volatilisés. Il doit être en plein cauchemar !

—•—

Un véritable cauchemar. Le mot était faible. On l'avait trompé, roulé dans la farine, volé, dépouillé de ce qu'il avait de plus précieux : son honneur, son projet grandiose, son amour-propre. Tout avait été réduit à néant par cette bande d'abrutis sans vergogne. Marie-Ursule, Blaise et même Ulbert, d'une certaine façon, avaient abusé de lui, de sa confiance. Ah ! Comme il s'était cru supérieur à ces jeunes écervelés ! Il s'était tellement vu au faîte par rapport à eux qu'il n'avait même pas songé à regarder au bas de la montagne pour guetter l'ennemi qui, sournois, avait fini par ramper jusqu'à lui. Quelle naïveté ! Quelle imprudence ! Assis dans un amoncellement de paille aux odeurs d'urine rancie, Gaspar

De Vallon fixait les murs de sa cellule avec incrédulité. Comment la vie pouvait-elle basculer ainsi en l'espace d'une nuit?

Trop occupé à vouloir récolter seul tous les lauriers, il s'était montré négligent. La première faute lui revenait donc indéniablement. Il le voyait maintenant et cela était clair comme de l'eau de roche! Pressé par son étude, il s'était plus ou moins préoccupé de l'approvisionnement en cadavres. Il en avait exigé trop, en trop peu de temps, mais, surtout, il avait laissé Ulbert gérer toute l'affaire sans pratiquement y jeter un œil critique. Il lui avait aveuglément fait confiance et voilà qu'il s'apercevait bien trop tard que l'idiot avait failli! Pourtant, de nombreux indices auraient dû lui mettre la puce à l'oreille, il aurait dû se rendre compte que cet étudiant vaniteux et suffisant avait mal calculé les risques, mais non. Il avait vaguement écouté ses plans compliqués, les avait approuvés en toute hâte, avide qu'il était de poursuivre son étude. Les cadavres s'étaient ensuite succédé sur sa table de dissection et il ne s'était pas soucié d'autre chose. Comme il avait été négligent! Presque autant que Ulbert qui, distrait ou troublé, avait oublié la fiole de poison au chevet de la mourante. La tâche avait été trop lourde pour ce jeunot. De Vallon s'en voulait de ne pas l'avoir mieux guidé, car il avait laissé des détails au hasard et voilà où cela les avait menés: en prison. Et là n'était pas le moindre de leurs soucis, puisqu'il allait y avoir procès. Allait-il échapper à la torture, à la corde? De Vallon l'espérait, car il y avait encore une chance pour lui, mais pas pour Ulbert. La populace réclamait à grands cris la tête du docteur Mortifère.

— Quel gâchis! Quel gâchis! se lamenta l'anatomiste déchu, la tête entre les mains.

Il ne comprenait pas comment toutes les fautes du passé pouvaient maintenant lui paraître si évidentes, alors qu'il n'avait même pas soupçonné leur existence jusque-là.

Lorsqu'il avait découvert la disparition de Blaise et le vol des dessins anatomiques, De Vallon était entré dans un état de fureur aveugle. Non seulement il venait de souffrir la trahison de Marie-Ursule, qui l'avait humilié devant sa famille, mais voilà qu'il se voyait, en plus, confronté à la honte devant ses pairs scientifiques par la perte de son œuvre, et cela, par la faute de cet ignoble avorton d'artiste en qui il n'avait jamais réellement eu confiance. C'en était trop! Il avait renversé la table de dissection et fait voler en éclats ce qui restait du mobilier dans la pièce. Ulbert sur les talons, il s'était ensuite rendu dans son atelier et, sur un coup de tête, il avait choisi dans sa panoplie d'instruments chirurgicaux un long couteau à la lame bien affilée. « Il va me le payer! », avait-il persiflé entre ses dents serrées avant d'ordonner à Ulbert de l'emmener au plus vite chez Marie-Ursule, convaincu qu'il y trouverait là quelqu'un sur qui décharger sa fureur. Ulbert, excité par toute cette agitation et ces revirements inattendus, avait obtempéré docilement. De Vallon avait soufflé par les narines, comme un taureau enragé, jusque chez la veuve Lefebvre, où il était entré sans frapper. « Où sont-ils? », avait-il tonné de sa grosse voix, en brandissant devant lui son impressionnant couteau chirurgical à la lame d'argent.

«Qui cherchez-vous donc comme cela, monsieur?», avait demandé de façon autoritaire un homme moustachu qui se tenait debout, devant lui, au centre de la pièce, la main fermement agrippée au pommeau de son épée et le torse bombé. De Vallon, interloqué, n'avait pu répondre sur-le-champ. Il s'était attendu à avoir affaire à des femmes ou à cette larve d'artiste. La présence inopinée de gardes dans la pièce l'avait dérouté. Deux autres hommes armés se trouvaient devant lui. Derrière eux, une dame corpulente au visage mouillé de larmes était attablée et tenait entre ses mains une petite fiole que De Vallon avait reconnue au premier regard. Il avait dès lors senti le vent tourner. Dans un frisson d'angoisse, il avait réalisé qu'il marchait sur un fil. Il était d'un côté la victime, de l'autre, le coupable. Il allait tomber à coup sûr, alors il s'était mis à prier pour que le sort lui fût favorable. En vain. Ce qui devait arriver arriva donc, et ce, avant même que De Vallon eût pu faire quelque tentative pour s'expliquer: la femme avait levé un doigt accusateur au-dessus de sa table de cuisine et, de son appendice boudiné, elle avait désigné Ulbert sans hésiter. «C'est lui dont je vous parlais, messieurs. C'est le docteur Mortifère.» Ulbert, qui se tenait près de l'anatomiste, s'était figé. Lorsque De Vallon s'était retourné vers lui, il avait aperçu son visage blême et sa mine décomposée. Si les hommes présents dans la pièce avaient pu entretenir quelques doutes quant à la véracité de l'histoire racontée par la veuve Lefebvre, ceux-ci furent presque entièrement dissipés quand Ulbert tourna les talons et prit la fuite comme le coupable qu'il était. Deux gaillards étaient rapidement partis à sa poursuite et l'avaient rattrapé, tandis que l'autre s'était occupé de l'anatomiste, qui n'avait pas résisté à son arrestation, trop abasourdi par les événements. De Vallon et Ulbert avaient tous les deux abouti dans une cellule crasseuse.

«Adieu veaux, vaches, cochons, couvée», écrirait un homme d'esprit environ un siècle plus tard. Cela s'appliquait pourtant bien à l'anatomiste, qui semblait avoir tout perdu en une nuit: sa douce existence n'était plus, sa réputation enviable était anéantie, ses rêves de gloire définitivement partis en fumée, sa vie amoureuse en ruine. Ne restait plus maintenant qu'à s'en mordre les doigts, puisque de toute façon, dans cette prison, les criminels comme lui n'avaient que cela et une bouillie infecte à se mettre sous la dent.

—•—

Ensemble, Marie-Ursule et Blaise avaient décidé de cheminer en direction sud-est. Le sud parce qu'ils cherchaient des cieux plus cléments, l'est parce que c'était à l'exact opposé du lieu où la mère adoptive de Marie-Ursule avait toujours prétendu vouloir se rendre. Tout le jour, Blaise avait forcé la cadence. Il espérait abattre le plus de distance possible entre eux et la capitale du royaume, puisque sans aucun doute ils y étaient recherchés comme des criminels. Malgré la fatigue qui s'accumulait, Marie-Ursule avait aligné les pas sans se plaindre. De fait, en s'éloignant de Paris, elle désirait aussi s'affranchir de ce qu'elle appelait déjà «sa vie d'avant». Cette vie-là n'était pas encore très loin, mais lorsque le soleil descendit derrière les arbres au terme de cette première journée de marche, Blaise décréta qu'ils en avaient assez fait. Marie-Ursule se laissa tomber au pied d'un arbre, éreintée.

Pendant qu'elle était là à somnoler, Blaise s'affairait autour d'elle. Il cassait des branches, arrachait de la mousse, fauchait des fougères. Marie-Ursule crut tout d'abord qu'il préparait un feu, car la nuit promettait d'être fraîche. Pourtant, elle réalisa rapidement que le jeune homme se consacrait plutôt à la construction d'un abri de fortune.

— Ça va nous protéger un peu du froid, dit-il avec un air confiant inhabituel.

Marie-Ursule, qui ne lui avait jamais remarqué cette prestance auparavant, s'amusa un peu de cette transformation, y trouva un certain réconfort : il était bon de savoir que quelqu'un s'occupait de l'expédition avec assurance. Cela compensait son propre manque de débrouillardise, car, seule au milieu de tous ces arbres, elle évaluait son espérance de vie à deux jours, tout au plus. Blaise, lui, semblait dans son élément.

— Un feu ne serait pas plus efficace, contre le froid ? demanda-t-elle tout de même en s'enveloppant de la couverture qu'elle avait apportée dans son minuscule bagage.

— Oui, c'est certain. Mais une lumière comme ça, on peut l'apercevoir de loin dans l'obscurité de la forêt. Je n'ai pas envie d'attirer l'attention sur nous.

Marie-Ursule non plus. Si les gardes parisiens leur mettaient le grappin dessus, la prison et les châtiments les guettaient. Si des hors-la-loi les surprenaient, ils pouvaient être faits captifs, être violés ou tués. Aucune de ces possibilités ne lui souriait. À l'invitation de Blaise, elle se glissa donc dans le petit abri où elle se lova sous sa couverture. À peine eut-elle posé la tête sur le lit d'aiguilles odorantes qu'elle s'endormit profondément.

Au beau milieu de la nuit, elle s'éveilla en sursaut. Elle n'en était pas certaine, mais il lui semblait qu'un bruit l'avait tirée de son sommeil. Le cœur battant, elle demeura immobile et écouta en tentant de contrôler sa respiration qui cherchait à s'accélérer. Clac-clac-clac-clac! Silence. Clac-clac-clac-clac! Silence. Ce n'était pas un animal, comme elle l'avait tout d'abord imaginé. Le son venait de si près qu'elle comprit avec soulagement que c'était Blaise qui l'émettait. Clac-clac-clac-clac-clac! Lorsqu'elle se tourna vers lui, elle l'aperçut recroquevillé sous un ridicule couvert de branches de pin, en train de frissonner et de claquer des dents. À ce moment, elle réalisa qu'il faisait en effet un froid de canard. Elle-même avait les mains et les pieds frigorifiés. Blaise faisait peine à voir, mais elle ne pouvait rien pour lui. Elle n'avait qu'une seule couverture et elle n'envisageait pas de s'en départir. « Pauvre idiot! Il n'a qu'à se recouvrir avec ses précieux dessins! » Encore un peu amère de l'affront de la veille, elle se recoucha et tenta de retrouver le sommeil. Impossible. Il faisait trop froid. Elle-même grelottait vigoureusement maintenant. Pendant de longues minutes, complètement enfouie sous la couverture, elle essaya de se réchauffer en soufflant sur ses doigts, en enroulant ses jambes dans sa jupe. Bientôt, elle dut néanmoins se rendre à l'évidence: son manège ne servait à rien. Il ne restait plus qu'une solution. Elle y avait songé depuis le début, mais se refusait encore à la mettre en application. Elle se souvenait avoir fait cela avec sa mère, lorsqu'elle était plus jeune. Avec sa mère, ça allait, mais, avec un homme, c'était une tout autre histoire ! Il allait s'imaginer qu'elle s'offrait à lui. Ce n'était pas le cas. Elle l'aimait bien, elle l'aimait beaucoup en fait, et de plus en plus, et c'est pourquoi elle tenait à sa réputation avec lui. Enfin… s'il lui était encore permis d'y tenir… Depuis leur première rencontre, il la traitait d'égal à égale, sans rien lui demander, malgré ce désir qu'elle lisait parfois dans son regard bleu. Elle ne voulait pas qu'il commence à la percevoir comme la putain qu'elle était dans sa « vie d'avant ». Elle en avait fini avec ça.

Les beaux principes de Marie-Ursule s'effondrèrent bien avant le petit matin. Lasse de grelotter et peu fière d'en arriver à ce dernier recours, elle repoussa rageusement les branches inefficaces qui recouvraient le dos de son ami. Brusquement éveillé, Blaise ne comprit pas tout de suite ce qui se passait.

— Marie-Ursule ? Qu'est-ce qu'il y a ?

— Rien. Tu claques des dents et tu m'empêches de dormir… et le temps est glacial… Tu n'as pas froid ?

— Évidemment ! Tu l'as dit : je claque des dents. C'est pas par plaisir. Pourquoi t'enlèves mes branches ?

— Je… Nous aurions plus chaud si nous passions la nuit côte à côte.

— C'est vrai.

— Sous la couverture.

— C'est vrai.

— Seulement…

— T'en fais pas.

Dans le noir de la nuit, Marie-Ursule avait épié ce qu'elle pouvait voir de la physionomie de son compagnon. Rien. Pas un haussement de sourcil, pas l'esquisse d'un sourire, pas de déglutition suspecte. Il n'y avait eu aucune inflexion dans sa voix. Le moindre indice aurait pu être associé à une lubricité sous-entendue et cela aurait incité Marie-Ursule à se rétracter, mais il n'y avait rien eu. Parfait. Parfait, mais étrange. Un peu à contre-cœur, la jeune fille souleva la couverture en guise d'invitation et Blaise se glissa rapidement en dessous. Il était transi et n'entendait pas manquer sa chance. Comme elle se tournait pour lui faire dos, il se blottit contre son corps sans hésitation. Il sentait bien son malaise, mais le froid mordant l'incita à l'ignorer. D'autant qu'il avait depuis longtemps cette envie tenace de la tenir tout contre lui, l'occasion était trop belle! Il passa donc le bras autour de sa taille fine et déposa son front contre sa nuque. Il ferma les yeux, respira son odeur avec délice et frissonna encore pendant de longues minutes au bout desquelles il s'aperçut que Marie-Ursule s'était finalement détendue. Elle tenait sa main et respirait régulièrement. Une douce chaleur s'était installée entre leurs deux corps. Blaise avait des braises au creux du ventre, mais il se contraignit à les ignorer. L'instant était délicieux. Vraiment, la forêt était bonne pour lui.

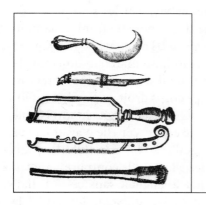

CHAPITRE 16

Lorsqu'ils l'entamèrent, leur deuxième journée de cavale ressembla aux nombreuses autres qui allaient suivre. De la marche en forêt, de la marche sur la route, de la marche dans les champs. Ils évitaient de se faire voir et, quand cela était inévitable, ils se faisaient discrets.

Ils se nourrissaient principalement de menus larcins chez des paysans et de ce qu'ils pouvaient trouver dans les bois au hasard de leur chemin. Avec ses maigres économies, Marie-Ursule achetait parfois une miche, du lard ou un navet lors de leur passage dans un village. Toutefois, ces écarts demeuraient limités, car sa fortune était bien humble. La jeune femme se souvenait d'avoir connu plusieurs périodes difficiles au cours de ses pérégrinations avec Adel, mais jamais elle n'avait autant éprouvé la faim. Blaise aussi souffrait de cette privation de nourriture; son ventre criait parfois si fort qu'il faisait lever le petit gibier. Néanmoins, il ne s'en plaignait jamais, alors Marie-Ursule faisait de même.

Chacun à leur manière, ils vivaient les souffrances de leur estomac, la fatigue de la route, le froid de la nuit. Après la semaine nécessaire à l'adaptation à ce régime d'efforts et de privations, Blaise marchait au cœur de la forêt avec un entrain qu'il arrivait à faire grandir, malgré tout. Il avançait le corps droit, se faufilait, sifflotait gaiement, blaguait. Oui, il blaguait. Marie-Ursule devait se le répéter pour le croire, car elle n'avait jamais connu son ami aussi guilleret à Paris. Elle l'enviait d'ailleurs, parce que chez elle, tout le contraire semblait se produire. Les pas qu'elle alignait sans cesse l'affaiblissaient, l'air trop pur de la campagne lui irritait la gorge, la lumière trop vive fatiguait ses yeux. Elle aimait la compagnie de Blaise, qui l'aidait à garder, en dépit des circonstances, le cœur joyeux, mais, en secret de celui qui s'animait de jour en jour d'être ainsi devenu le maître de sa destinée, elle rêvait du moment où elle pourrait enfin se poser quelque part.

Au bout d'une dizaine de jours, alors qu'ils marchaient depuis le matin à travers des bois quasi impraticables, ils débouchèrent sur le sommet dégagé d'une colline pour découvrir devant eux un vaste dallage de champs colorés. Sous leurs pieds, ces étendues rectangulaires clairement délimitées, tantôt verdoyantes, étaient le plus souvent déclinées en teintes de jaune qui allaient du crème à l'ocre, rappelant ainsi aux voyageurs que le temps des moissons était non seulement arrivé, mais qu'en plus il touchait à sa fin. Silencieux, Blaise contempla avec ravissement cet or végétal, baigné ici et là par le soleil sur son déclin qui étendait ses couleurs radieuses loin devant eux. Respirant à grandes goulées cet air chargé des effluves délicieux du foin que l'on coupe, il constata avec un frisson de plaisir qu'il avait enfin retrouvé un sens depuis longtemps perdu : celui de la succession des saisons. Plus jeune, lorsque son existence se déroulait entre les champs, la forêt et un logis offerts aux quatre vents, il vivait dans sa chair les changements saisonniers qu'apportait la course des jours. Les matins brumeux, les rosées abondantes, l'humidité de l'air, la force avec laquelle le soleil frappait sur sa drôle de tête, la durée du jour, la fraîcheur des nuits étaient des indices qui jadis, en son patelin originel, annonçaient la venue de l'automne. À Paris, il était facile de passer à côté de ces signes qui ne s'imposaient pas avec autant d'intensité au milieu des quartiers surpeuplés. Si, récemment, en cette ville, il avait été parfois surpris par un froid cinglant non anticipé ou, au contraire, par une journée de canicule imprévue, ce temps était maintenant révolu. Blaise sentait qu'il avait repris sa place parmi les êtres qui savent, qui flairent et qui voient. Les contraintes étaient grandes lorsque l'on adoptait ce mode de vie, mais Blaise constata, pour une énième fois depuis le début de ce voyage, que vivre en forêt comme une bête lui plaisait.

En contrebas, de nombreux paysans s'activaient aux champs. Hommes, femmes et enfants étaient à la tâche. On profitait visiblement de ces jours de beau temps pour achever la fenaison. D'immenses meules circulaires ponctuaient l'agreste espace et on s'affairait à rentrer ce fourrage aux bâtiments à l'aide de charrettes menées par des bœufs. La journée tirait à sa fin, mais les ouvriers de cette communauté ne semblaient pas las de leur ouvrage; ils continuaient de s'y adonner avec énergie et des éclats de rire parvenaient fréquemment aux oreilles de Marie-Ursule et de Blaise, qui s'étaient assis au sommet de la colline afin de se reposer et profiter du paysage.

— Si on allait leur proposer notre aide, dit Marie-Ursule, à qui la société manquait un peu, on pourrait peut-être se faire loger et nourrir? Peut-être même qu'on serait payés!

— Tu as déjà fait des moissons? Tu sais comment t'y prendre, avec une faux, une fourche ou des bœufs? Moi, je n'y connais rien, confia Blaise, anxieux de se mettre dans une nouvelle situation où on le traiterait de bon à rien.

— Non, je n'y connais rien non plus, mais ça ne doit pas être sorcier! Je pourrais certainement apprendre.

— Sûr, tu pourrais apprendre, mais il faut être fort physiquement aussi. Ce sont des costauds, ces gens-là, ils ont l'habitude des gros travaux, même les femmes.

Marie-Ursule envoya un coup sur l'épaule de son compagnon, outrée de son commentaire.

— Qu'est-ce que tu insinues? lui dit-elle d'un ton mi-figue mi-raisin. Que je ne suis pas assez forte?

— Non, jamais je n'oserais! répliqua Blaise sur la défensive. Mais je crois que présentement tu n'es pas assez bien nourrie pour aller t'éreinter dans un champ de l'aube au crépuscule. J'aurais peur que tu ne t'effondres avant les douze coups de midi!

Sur ces paroles, Blaise se releva avec la ferme intention de remédier à cette situation. Les privations donnaient une triste mine à sa compagne et il venait d'avoir une idée. Il demanda à Marie-Ursule de l'attendre, sans plus de précisions, assura qu'il n'en avait pas pour longtemps. Songeant à un appel de la nature, la jeune fille n'en fit pas de cas. Cependant, après avoir prolongé l'attente au-delà de ce à quoi son compagnon l'avait habituée, elle commença à s'inquiéter. Où était-il donc parti ? Et pourquoi était-ce si long ? Puis, comme elle se posait ces questions, elle y trouva réponse. Auprès du bâtiment de ferme, au loin, elle apercevait Blaise qui trônait impunément dans le potager, profitant du fait que les résidents de l'endroit étaient aux champs pour leur voler un peu de nourriture. Préoccupée de savoir l'artiste aussi vulnérable, elle se mit à épier les mouvements des travailleurs en contrebas, priant pour qu'aucun ne vienne à quitter le groupe pour se diriger vers la ferme et élaborant un plan, bancal à tous les points de vue, afin de réussir à sauver Blaise si cela venait à se produire. À son grand soulagement, Blaise ne s'attarda pas et quitta enfin l'enclos, les bras chargés de denrées fraîches, avant que quiconque ne se rende compte de son indésirable présence. La jeune fille dut attendre un long moment avant de le voir réapparaître au sommet de la colline, triomphant, lourd de provisions et d'un poulet au cou tordu accroché à sa ceinture.

— Tiens, c'est pour toi ! Ce soir, tu dois te gaver comme une oie !

C'était bien plus qu'il n'en fallait ! Il y avait si long-temps qu'elle n'avait pas mangé à satiété ! Ils pourraient sans doute même en mettre un peu de côté. Elle remercia Blaise plusieurs fois, émue qu'il ait couru un tel risque pour lui offrir cette douceur, fière de ses habiletés de maraudeur. Lorsqu'il eut déposé sa brassée de légumes et de fruits frais, elle l'agrippa pour lui donner une accolade. Hormis l'étreinte obligée des nuits froides, c'était la première fois qu'elle s'autorisait un contact physique avec lui. Blaise, d'abord surpris par cette effusion, décida rapidement qu'il n'allait pas s'en plaindre. Il serra Marie-Ursule contre lui et tous deux se plurent tant dans cette position qu'ils y demeurèrent un long moment, trop longtemps pour que cet épisode conserve son caractère anodin. Lorsqu'ils s'extirpèrent de cet enlacement, ce fut, de part et d'autre, à contrecœur, mais ils se gardèrent bien tous les deux de se l'avouer.

— Je vais chercher du bois, dit seulement la jeune fille en s'éloignant rapidement, les yeux rivés au sol.

Pris du même trouble, Blaise ne la regarda même pas partir, déjà affairé à se trouver un bon emplacement pour plumer sa volaille. Lorsque Marie-Ursule revint avec un fagot généreux de petites branches bien sèches, le malaise s'était dissipé, mais quelque chose de cette étreinte entre eux demeurait et semblait vouloir s'installer. C'était doux, fugace, presque imperceptible, comme des perles de rosée accrochées à une toile d'araignée qui finissent par en modifier sensiblement les angles et la structure. Être ensemble n'allait plus être pareil, désormais.

Ils firent leur feu tout en bas de la colline, sur l'autre versant, celui qui était boisé, car ils craignaient toujours d'attirer l'attention sur eux. Ils étaient loin de Paris, mais préféraient tous les deux continuer à se montrer prudents. Ils mangèrent avec délectation la poule volée que Blaise avait pourtant grillée à outrance et rangèrent les légumes frais dans le petit bagage de Marie-Ursule en prévision des prochains jours. Ils se chauffèrent auprès du feu sans trop parler jusqu'à ce que la noirceur les enveloppe complètement. Au-dessus des flammes dansantes, Blaise regardait souvent sa compagne. Il avait un autre présent à lui offrir. Juste avant d'éteindre les dernières braises et de la prendre par la main, il ne put s'empêcher de lui dire combien il la trouvait magnifique.

Marie-Ursule en fut troublée. Ivre de toute cette nourriture, de la chaleur du feu qu'elle n'avait pas connue depuis longtemps, de ce sentiment de plus en plus oppressant qui lui vrillait l'estomac lorsque ses yeux et ceux de Blaise se rencontraient, elle se laissa atteindre par le compliment. Elle l'avait pourtant déjà entendu. Mille fois. Dans sa vie d'avant, elle était plus jolie que bien d'autres filles communes et ses clients ne s'étaient pas privés de le lui dire, tous persuadés que cela ajoutait du bon à l'affaire. Marie-Ursule avait entendu bien des éloges, mais cela n'avait jamais provoqué un tel émoi en elle. Sur l'instant, elle ne sut quoi répondre ni quoi faire, alors elle se contenta de sourire et de laisser ce petit bonheur rayonner en elle. De toute façon, Blaise avait déjà éteint le feu et, s'étant emparé de sa main, il la guidait de nouveau à travers les bois, vers le haut de la colline.

Au sommet, l'endroit n'était plus le même. La nuit était tombée. La lune pleine dépassait à peine l'horizon et inondait les champs désertés par les travailleurs de sa lumière argentée. L'air était glacial. Marie-Ursule constata avec amertume qu'un panache de fumée s'accrochait à la cheminée de la ferme en contrebas. Cette nuit, certains auraient froid et d'autres allaient dormir bien au chaud. La jeune femme savait qu'elle faisait partie de ceux qui étaient condamnés à grelotter. Blaise tenait toujours sa main dans la sienne. Il regardait devant lui, immobile, détaillant une fois de plus ce paysage particulier. Marie-Ursule ignorait où il voulait l'emmener. Elle espérait secrètement qu'ils allaient bientôt s'arrêter pour la nuit, parce qu'elle était épuisée. Blaise, apparemment, disposait de réserves d'énergie d'une tout autre ampleur, car lorsqu'il se retourna vers elle, il lui demanda en souriant si elle était prête à courir.

— Courir ?

Marie-Ursule était interloquée, mais elle opina.

— C'est parti ! murmura Blaise avant de lui coller un léger baiser sur la joue et de se mettre à courir en l'entraînant joyeusement à sa suite.

Ils dévalèrent ensemble le flanc de la colline et avancèrent ainsi jusqu'en son milieu. Le bruit de leurs pas foulant les brins drus de paille sèche et celui de leur souffle précipité éveilla malencontreusement la vigilance du chien de ferme qui se mit à aboyer un peu plus loin. Blaise stoppa net. Il ne voulait pas attirer les soupçons de la maisonnée, alors il annonça à sa compagne qu'ils étaient parvenus à destination. Marie-Ursule, qui ne savait rien de ses intentions, s'étonna de voir l'artiste plonger dans le ventre de la meule de foin auprès de laquelle ils s'étaient arrêtés. Au loin, le chien aboyait encore, mais son ardeur semblait diminuer à mesure que le silence s'installait tout autour. Marie-Ursule décida de rester seule un instant dans cette immensité déployée autour d'elle : tout était calme et immobile. La solitude lui aurait pesé bien lourd si Blaise ne l'avait pas suivie dans cette folle aventure, songea-t-elle et, à son tour, elle s'engouffra dans l'immense amoncellement de foin.

À l'intérieur, c'était agréablement chaud et douillet. Ça sentait bon. Blaise avait l'impression de se trouver dans le nid d'un oiseau gigantesque. À tâtons, il repéra Marie-Ursule qui tentait de se frayer un chemin jusqu'à lui. Il l'entraîna à ses côtés dans l'obscurité la plus totale et, fidèles à leurs habitudes nocturnes, ils se lovèrent bientôt l'un contre l'autre.

— J'ai pensé que tu aimerais sans doute dormir au chaud cette nuit. J'espère que ça te convient, murmura Blaise avant de plaquer son nez sur la nuque de sa compagne, ne pouvant se retenir de la couvrir de baisers. Frissonnant au contact des lèvres chaudes de Blaise sur sa peau froide, Marie-Ursule sentait qu'elle aurait pu ronronner de bonheur.

— C'est parfait, assura-t-elle dans un souffle.

Au loin, le chien s'était remis à aboyer. Blaise s'en aperçut tout de suite, mais sur l'heure, comme ses préoccupations étaient tout autres, il préféra l'ignorer. Continuant à couvrir sa compagne de doux baisers, il désespérait qu'elle se retourne enfin, qu'elle l'embrasse en retour. Ah! Comme il avait envie de goûter à ses lèvres vermeilles! Pour être honnête, il avait plusieurs autres tentations, mais aucune n'allait trouver satisfaction cette nuit-là, puisque soudainement Blaise fut pris d'un malaise. Saisi par une angoisse viscérale, il stoppa net tous ses gestes, posa une main ferme sur la bouche de sa compagne, lui intima le silence et retint sa respiration. Un peu plus loin, le chien aboyait frénétiquement, d'une inquiétante façon et, tout près, autour de la meule, des halètements se faisaient entendre. De légers piétinements dans la paille laissaient croire à Blaise qu'ils étaient encerclés de visiteurs nocturnes. Réalisant cela, l'artiste prêta une oreille encore plus attentive et il entendit les moutons, les poules et les chevaux s'agiter près de la ferme. Il comprit avec horreur qu'ils avaient en effet de la compagnie: les loups.

Pour chaque habitant du royaume, le mot «loup» était rapidement associé à la terrible réputation de l'animal. On le disait solitaire ou chassant en meute, impitoyable et acharné. À Paris, il existait uniquement dans les histoires que l'on racontait aux enfants et dans les faits divers qui parvenaient de la lointaine campagne. Cependant, presque partout ailleurs, le loup vivait non seulement dans la forêt, mais aussi dans l'esprit des gens qui le craignaient comme la peste. Il prenait plusieurs formes. Parfois, il était aussi gros qu'un bœuf, d'autres fois, il était affublé de deux têtes et d'autant de gueules voraces qui cherchaient à se nourrir de chair humaine. On le disait pourvu de griffes effilées comme des poignards, de dents aussi longues que des lames de rasoir et certains affirmaient même que sa salive était empoisonnée. L'hiver, il s'attaquait aux troupeaux et pouvait à l'occasion s'en prendre aux pauvres petites vachères qui les gardaient. Sans pitié, il venait s'emparer des enfants que les paysans laissaient jouer dans les champs au temps des semailles ou des moissons, poussait l'audace à perpétrer son rapt sous le regard horrifié des parents impuissants. On suspendait aux arbres les nourrissons dans leur maillot bien serré pour prévenir leur ravissement par ces bêtes féroces, on évitait de sortir la nuit venue ou de se promener seul en pleine forêt ; les soldats sur le champ de bataille ne restaient jamais bien longtemps au bord des fosses communes qui attiraient ces animaux redoutables, et des villages entiers remerciaient le ciel d'être entourés de fortifications, prémunissant ainsi la population contre des attaques qui en avaient décimé d'autres moins adéquatement protégées lors d'hivers trop rigoureux.

Comme tout le monde, Marie-Ursule et Blaise craignaient les loups. Autour de la meule, il semblait y en avoir plusieurs, aussi ils demeurèrent tous les deux pétrifiés à l'idée d'être confrontés à ces créatures de cauchemar qui grognaient en fouillant la paille de la patte et du museau. À la ferme, le chien continuait son raffut de tous les diables. Blaise ne savait que faire. S'ils restaient là, les loups finiraient bien par les débusquer comme deux lièvres dans leur terrier. S'ils sortaient d'eux-mêmes, le résultat ne serait guère meilleur. Blaise n'avait qu'une petite dague élimée en sa possession pour les défendre, Marie-Ursule et lui. Rien pour impressionner quelque grand carnassier que ce soit, rien pour mettre en déroute une meute affamée, juste de quoi animer un peu le combat et faire durer le plaisir de ceux qui allaient, de toute façon, finir par les dévorer entiers.

Tentant de contenir sa frayeur, Blaise ne relâchait pas son étreinte et sentait Marie-Ursule trembler d'effroi entre ses bras.

— Écoute…, lâcha-t-elle soudain, attirant l'attention de Blaise sur le fait que les aboiements s'étaient rapprochés.

De fait, Blaise imagina que celui-ci devait être bien près d'eux à présent, puisque les loups s'étaient mis à grogner avec plus d'intensité et à hurler eux aussi. À coup sûr, un combat allait s'engager. Comme prévu, dans les secondes qui suivirent, des sons distinctifs annoncèrent qu'une rixe à l'issue sanglante s'était amorcée. Blaise ne savait pas combien de loups devaient affronter le chien, mais il espérait que cette diversion allait leur donner le temps de s'enfuir, à Marie-Ursule et lui. C'était bien là leur unique chance de s'en sortir. Tirant la jeune femme à sa suite, il s'extirpa de l'amoncellement de foin, sa dague à la main, prêt, autant qu'il pouvait l'être, à repousser une attaque.

Lorsqu'il émergea du nid douillet, la vision que lui offrit le clair de lune lui glaça le sang. Le chien, un molosse de carrure appréciable, faisait face à quatre loups qui se relayaient pour l'enquiquiner et le mordre de toutes parts à la moindre occasion. L'attaque avait les allures d'un jeu pour cette meute expérimentée, mais Blaise comprit d'un seul coup d'œil que le chien y jouait son existence. Alors qu'il tentait de reculer lentement pour contourner la meule, obligeant Marie-Ursule derrière lui à faire la même chose, un cinquième loup fit soudainement irruption devant lui, grognant, montrant les crocs et adoptant cette position basse qui ne laissait à Blaise aucun doute quant à l'imminence d'un assaut contre sa compagne et lui. Prenant instinctivement une posture similaire, le dos voûté, les genoux fléchis, les bras éloignés du corps, le menton rivé sur sa poitrine, Blaise soutint le regard de la bête en tentant vainement d'avoir l'air aussi féroce qu'elle. Avide de défendre sa vie ainsi que celle de Marie-Ursule, il transforma même son souffle rapide en un grognement sourd qui sembla désarçonner l'animal au point de le faire reculer d'un pas et puis d'un autre. Blaise profita de cette retraite inopinée pour gagner du terrain. Il s'avança vers le loup et grogna de plus belle. Le canidé sauvage changea alors brusquement de position, tourna la tête en direction du reste de la meute, puis, lançant un dernier regard à son adversaire, il fit un bond de côté avant de s'enfuir à travers champs, suivi par ses congénères.

Blottie derrière Blaise, Marie-Ursule comprit avant lui que ce qui leur avait sauvé la vie à tous les deux n'avait rien à voir avec les grognements émis par son ami. Armée de fourches et de piques, de haches et de torches, une poignée de paysans, sans doute alarmée par les aboiements du chien, était venue chasser les loups dans l'espoir de prémunir les animaux de leurs fermes contre une éventuelle attaque. Une dizaine d'habitants se trouvait maintenant tout près de la meule et cherchait à comprendre ce que deux inconnus aux allures de souillons pouvaient bien fabriquer dans leurs champs à cette heure tardive. Suspicieux, ils toisèrent un bon moment les deux jeunes gens avant que le plus vieux d'entre eux prenne la parole.

— Qui êtes-vous ? Que faites-vous là ?

Marie-Ursule et Blaise avaient du mal à reprendre leurs esprits. Leur cœur battait encore la chamade et l'un comme l'autre n'arrivait pas à croire qu'ils étaient toujours en vie. Ils hésitaient à répondre à l'homme devant eux, mais comprenant que leur silence ne pouvait être éternel, Marie-Ursule s'avança timidement et prit la parole d'une voix tremblante d'émotion :

— Nous sommes de pauvres voyageurs. Nous ne voulions que trouver un peu de repos dans votre champ, mais les loups nous ont attaqués. Vous êtes arrivés au bon moment, nous ne saurons jamais comment vous remercier assez pour ce que vous avez fait.

La famille du vieux paysan vivait dans cette contrée depuis des générations. Lui-même ayant atteint un âge vénérable en avait trop vu pour se laisser attendrir par de douces paroles et un joli visage. Dans ce pays, on n'était sûr de rien.

— Des voyageurs, hein ? Ben moi, j'dirais des voleurs, plutôt ! Montrez-moi ce que vous transportez !

Marie-Ursule et Blaise échangèrent un regard de panique. Devant ces mines patibulaires armées de fourches et de piques qui les dévisageaient à la lueur des torches, c'était difficile de s'opposer à quelque demande que ce soit. Ils étaient pris au piège.

L'homme s'approcha de Marie-Ursule et s'empara de son baluchon sans délicatesse. Lorsqu'il défit les nœuds, deux gros navets, quelques oignons, des pommes et trois carottes tombèrent sur le sol dans un son mat. Il ne servait à rien d'expliquer quoi que ce soit. Les preuves étaient accablantes. Marie-Ursule baissa la tête, honteuse et apeurée du châtiment qu'on lui réservait.

— Voyez! s'écria l'homme d'un ton satisfait en s'adressant à sa suite. Des voleurs! J'vous l'avais bien dit! Et toi, mon garçon, qu'est-ce que tu traînes là?

Fort de sa précédente victoire, l'homme s'avança sans hésiter vers Blaise pour lui prendre son cylindre de cuir, mais le jeune artiste recula, un air de défi au visage. Marie-Ursule dévisagea son compagnon, complètement désarçonnée par sa réaction. L'heure n'était pas à la bravade!

— Il n'y a rien là-dedans qui vous appartienne! claironna pourtant Blaise, qui n'entendait pas céder aussi facilement.

— C'est ce qu'on va voir!

L'homme fit un geste et deux gaillards vinrent à sa rescousse. À trois, ils réussirent à prendre le précieux bagage de Blaise pendant que ce dernier tentait vainement de se débattre et conserver son bien. Vaincu, la rage au cœur, le malheureux regarda le paysan s'éloigner de quelques pas avec le cylindre entre les mains. Ses dessins étaient sa seule possession, la seule preuve existante de son talent, seule preuve du fait qu'il était capable de quelque chose dans la vie. Il ne savait pas encore ce qu'il allait en faire, mais il entretenait à l'égard de cette œuvre une affection particulière qui affûtait son instinct de préservation. Chose certaine, il ne traînait pas ce lourd fardeau depuis Paris pour se le voir enlever et mettre en pièces par une bande d'ignorants. Planté devant eux dans le clair de lune, impuissant, il fulminait de s'être fait prendre dans un tel guêpier. Pourquoi avait-il couru de tels risques, dévaliser un potager, faire cuire un poulet dont l'odeur avait sûrement ameuté les loups et dormir aussi près d'une ferme ? Quelle mouche l'avait donc piqué ? Blaise connaissait la réponse. Elle était là, tremblante et honteuse à côté de lui. Finalement, il ne regrettait rien. En tout cas, pas pour le moment.

Le vieux paysan ouvrit le cylindre qui avait des allures de carquois et extirpa avec peine les grandes feuilles roulées serrées qui se trouvaient à l'intérieur. Blaise ne savait pas quelle illustration tomberait sous le regard des paysans en premier, mais il était certain qu'ils seraient troublés par ce qu'ils allaient voir. Si le savoir anatomique était source d'orgueil et de pavoisement à Paris et dans d'autres grandes villes d'Europe, en province, il en allait d'une tout autre façon. Ici, à l'évidence, on ne considérait pas que les corps humains écorchés étaient la fine fleur du raffinement intellectuel. D'ailleurs, le raffinement existait-il seulement dans cette région reculée ?

En voyant les yeux s'arrondir et les rictus afficher le dégoût, Blaise comprit que son hypothèse s'avérait juste. Attendant que l'on fît quelque chose d'eux, Blaise laissa les paysans regarder à loisir ce qu'ils avaient entre les mains et il se rapprocha de Marie-Ursule, qui semblait tétanisée. Passant un bras autour de sa taille, il tenta de la rassurer, sans lui-même trop y croire. Il n'y avait pas un seul endroit dans ce royaume où l'on tolérait le vol et, partout, il y avait des fouineurs en mal de gloire qui aimaient à dénoncer les fugitifs. Qu'allait-on faire d'eux?

Décidant qu'il en avait assez vu, le patriarche froissa les feuilles et les laissa tomber par terre, au grand désarroi de Blaise, qui anticipa immédiatement l'effet néfaste de la rosée sur ses croquis. Pointant l'index en direction des deux jeunes gens, l'homme les accusa formellement d'une voix sombre et sur un ton sans appel:

— Vous êtes des voleurs, mais encore pire: vous êtes les suppôts de Satan! Ces images horribles le prouvent sans l'ombre d'un doute! Sorcier et sorcière, vous en avez fini de répandre votre magie noire sur ce pays, vous avez terminé de vous repaître de chair humaine! Qu'on les attache à un arbre au bout du champ, les loups sauront quoi faire d'eux!

Excités par la tournure des événements, les paysans galvanisés par les propos de leur chef s'avancèrent pour s'emparer des deux voyageurs. Visiblement, la justice était aussi expéditive que l'intellectualisme absent, sur ce territoire. Terrifiée, Marie-Ursule poussa un hurlement qui arracha le cœur de Blaise. Non, cela ne devait pas se terminer ainsi. Il ne fallait pas les laisser faire!

— Ce n'est pas de la sorcellerie! Attendez, je vous en prie! Ce n'est pas de la sorcellerie! Je suis chirurgien!

Blaise avait hurlé ce mensonge éhonté au-dessus de la mêlée. Les rustres personnages qui s'en prenaient à eux feraient-ils un lien entre chirurgie et anatomie? Y croirait-on? Cela ferait-il une différence? Blaise n'en avait pas la moindre idée, mais c'était là sa dernière chance, leur dernière chance à tous les deux.

Partout, en campagne ou en ville, on connaissait les chirurgiens, bien que tous ne fussent pas également en mesure de profiter de leurs précieux services. Dans les petites agglomérations, on faisait parfois appel à un barbier en lieu et place du spécialiste de la chirurgie, à défaut de mieux. Habituellement formés par compagnonnage, les barbiers étaient aussi, à l'occasion, auto-proclamés, surtout dans les régions éloignées, ce qui en faisait des intervenants aux compétences variables et discutables. Les chirurgiens, qui avaient appris leur métier par compagnonnage et à l'université, jouissaient d'une meilleure réputation, qu'ils ne méritaient pourtant pas toujours. Grâce à leurs études, ils avaient de bonnes connaissances anatomiques, mais celles-ci n'étaient que très peu sollicitées dans le cadre de leur pratique, qui se limitait surtout à des amputations, à l'enlèvement de calculs, d'abcès, à des réductions de fractures, de luxations, au soin des blessures causées par les armes à feu, les flèches et les épées. Aussi étonnant que cela puisse paraître, le savoir-faire ancestral et les coutumes prévalaient sur les connaissances anatomiques lorsque venait le temps d'accomplir des gestes chirurgicaux. Blaise savait tout cela parce qu'il avait maintes fois suivi De Vallon chez des patients qui requéraient ses services et qu'en le voyant agir, il avait vite compris que l'anatomie et la chirurgie étaient bel et bien deux disciplines distinctes. Le vide qui, à cette époque, séparait les deux domaines d'études allait se combler avec le temps et l'évolution de la pratique chirurgicale, néanmoins, ce soir-là, les paysans semblèrent aussitôt accorder une certaine crédibilité au lien que venait d'établir Blaise entre ses dessins anatomiques et le fait qu'il était soi-disant chirurgien. Lui-même, quelques années plus tôt, n'aurait pu remettre en doute la logique de la chose.

Le patriarche calma alors sa troupe emballée et vint se planter devant l'étranger afin d'obtenir plus d'explications. Blaise narra qu'il arrivait du Nord et qu'on l'avait mandé à Montpellier pour exercer son métier auprès d'un notable de cette ville. Il raconta que la voiture qui les y menait avait essuyé une attaque par des brigands et que, depuis ce temps, sa femme et lui avançaient bravement à pied, sans le sou, vers leur destination.

Ayant terminé son récit, Blaise se tut et attendit, raide d'appréhension. Le patriarche tint conciliabule avec ses semblables et, avec un doute persistant au coin de l'œil, il revint vers le couple terrorisé.

— Si votre histoire est vraie, vous allez devoir faire quelque chose pour nous avant de nous quitter.

———•———

La maison où on emmena Marie-Ursule et Blaise était basse et sombre. Dans l'âtre, un feu brûlait timidement et la petite femme revêche qui les avait accueillis ne cessait de l'alimenter de verts branchages, ce qui avait pour effet d'enfumer toute la pièce. Elle était nerveuse. Elle espérait que le jeune voyageur qu'on lui avait amené allait parvenir à soigner son mari, mais elle en doutait. La blessure datait et ce chirurgien avait l'air d'un enfant avec son regard bleu de poupon apeuré. Faisait-on confiance à des gens aussi peu expérimentés dans la capitale du royaume ? Quoi qu'il en soit, elle n'avait pas de choix. Le barbier du village affirmait qu'il ne pouvait rien pour son mari, mais c'était un couard. Il renonçait à lui couper la jambe, pourtant même elle qui n'y connaissait rien savait qu'il ne restait que cela à faire pour le sauver. Le jeune allait-il avoir le cœur assez solide pour exécuter cette intervention barbare ? Son mari allait-il en réchapper, lui qui était déjà si faible ? Elle l'aurait bien amputé elle-même depuis longtemps si elle n'avait pas eu si peur qu'il survive et qu'il la tue, une fois remis, pour avoir osé le priver d'un de ses membres. C'est qu'il avait le poing vif et la rancune facile, le bougre ! Et il l'avait déjà tabassée à lui faire voir les étoiles pour bien moins que cela ! Elle le craignait, certes, et c'était comme cela depuis le jour de leur mariage alors qu'elle n'avait que treize ans, mais sans lui elle n'était rien. Tous leurs enfants étaient morts et les années lui avaient enlevé le peu de beauté qui lui avait été attribuée à la naissance. Veuve, elle ne trouverait jamais à se remarier. La maison ne lui reviendrait pas et la femme serait jetée à la rue sitôt son mari en terre. Vraiment, elle n'avait que lui. Il fallait qu'il survive. S'il mourait, elle mourrait aussi. Nerveuse de voir le jeune chirurgien consulter ses illustrations étranges, elle se pencha pour mettre encore quelques branches sur le feu.

Blaise tentait de réprimer son anxiété. Il avait peine à croire qu'il en était arrivé là. En tournant les pages afin de trouver le dessin de la jambe et de la cuisse, il remarqua que ses mains tremblaient. Ce n'était pas bon, il devait avoir l'air confiant et sûr de lui. Évidemment, lorsqu'il dénicha finalement le croquis qu'il cherchait, il le consulta sans trop le voir. C'était de toute façon inutile. Son esprit était ailleurs. Il tentait de se rappeler ce qu'avait fait De Vallon lors de l'amputation du pied d'un marchand de vin un peu trop porté sur la dégustation de sa propre marchandise qui avait fini par attraper la goutte. Il avait pourtant assisté à l'opération, aux côtés de ce véritable chirurgien, mais à l'époque il n'avait pas supporté de regarder tout le déroulement de l'affaire. Maintenant, il payait bien cher sa faiblesse.

L'homme avait été blessé à la jambe par un cheval, on lui avait raconté l'histoire, mais Blaise ne se souvenait déjà plus des détails. Beaucoup de temps s'était écoulé depuis l'accident. Le barbier avait déclaré forfait immédiatement après avoir constaté l'ampleur du traumatisme. Quelques herboristes avaient tenté de soulager l'infection et les douleurs du pauvre homme, sans succès. À cette heure, Blaise avait ordonné qu'on assoie le blessé sur une solide chaise en bois. L'éclopé s'y tenait de peine et de misère, le teint gris et les yeux mi-clos. Blaise avait installé un garrot au-dessus de l'articulation. Il l'avait serré au maximum et le patient qui aurait dû hurler de douleur à ce moment était demeuré muet. Cela n'augurait pas bien pour la suite.

— Il est vraiment très faible. L'amputation risque de l'achever, vous savez.

Blaise s'était adressé autant à la femme qu'au patriarche qui l'avait amené en cette triste demeure. Il souhaitait ardemment que l'un ou l'autre change d'idée et qu'on les laisse partir, Marie-Ursule et lui, emportant au loin leur mensonge avec eux.

— Mon frère est un survivant. Il n'en est pas à sa première ni à sa dernière bataille, tu peux me croire, mon garçon. Coupe-lui cette jambe, répondit le patriarche d'un air confiant que Blaise ne partageait pas.

— Allez-y! encouragea à son tour la maîtresse des lieux en se tordant les mains, le regard à l'oblique.

Poussant un soupir, Blaise demanda à ce que trois hommes l'assistent pour maintenir le blessé en place. Une fois que tous furent en poste, il s'agenouilla et observa attentivement le membre gangrené. De la chair putride sur un corps animé. La vision de cette abomination de même que l'odeur qui s'en dégageait étaient insupportables, mais l'idée de devoir charcuter un être vivant l'était plus encore. Blaise doutait de pouvoir y arriver. La scie était près de lui, mais son éclat métallique le rebutait. Il ne se décidait pas à prendre l'objet. Poser cette lame dentelée et froide sur la jambe de cet homme était pratiquement impensable.

Du coin de la pièce où elle se trouvait, Marie-Ursule observait la scène depuis plusieurs minutes. Le mensonge de Blaise à propos de sa profession les avait sauvés temporairement, mais il pouvait tout autant contribuer à leur perte si le chirurgien d'occasion ne se montrait pas à la hauteur de ses élucubrations. À mesure que le moment d'agir se rapprochait, Marie-Ursule sentait son compagnon fléchir. Elle comprenait fort bien qu'il en soit ainsi, elle n'aurait pour rien au monde voulu se trouver à sa place, cependant elle sentait qu'il devait impérativement se ressaisir. Si Blaise ne s'avérait pas être un chirurgien à la hauteur, on les considérerait de nouveau comme des voleurs, on les traiterait d'escrocs et de charlatans. Marie-Ursule se rappela qu'on avait menacé de les offrir en pâture aux loups; elle ne voulait pas voir cette offre réitérée ni mise à exécution. Jugeant que l'atmosphère était un brin trop tendue, que les attentes envers son compagnon étaient trop lourdes à supporter, la jeune femme décida qu'il était temps pour tous de fonder leurs espoirs sur quelque chose de plus solide, d'irréfutable. Fouillant au creux de sa poche, elle mit rapidement la main sur ce qu'elle cherchait.

Alors que Blaise s'apprêtait à se saisir de la scie qu'on lui avait apportée, Marie-Ursule s'approcha doucement du malade et lui glissa un caillou au creux de la main, qu'elle referma ensuite. Sous le regard interloqué des autres personnes dans la pièce qui l'observaient dans un silence médusé, elle alla voir le patriarche et fit de même avec lui, puis recommença avec la femme du blessé. Lorsque le vieux paysan bourru lui demanda ce qu'elle foutait avec ces cailloux, elle lui répondit calmement que ces pierres venaient directement de la crypte de l'église Saint-Côme-Saint-Damien à Paris, et que ces deux saints devaient être invoqués par les proches pour favoriser la guérison des malades. Elle précisa qu'il s'agissait aussi, évidemment, des saints patrons de tous les chirurgiens. Clouant le bec du patriarche qui n'osa pas s'insurger contre ces saints dont il n'avait jamais entendu parler, cela calma aussi, d'un seul coup, l'apparente nervosité de la petite femme qui se trouva soulagée d'avoir quelqu'un de fiable vers qui diriger ses prières. Marie-Ursule alla ensuite déposer un doux baiser sur les lèvres pâles de Blaise. Ce n'était pas le meilleur moment, mais elle avait besoin de se rassurer, de le rassurer aussi. Les gestes sont parfois plus puissants que les paroles. Prenant quelques secondes de plus pour fixer ses prunelles noires sur le regard azur inquiet de son compagnon d'infortune, elle posa la main sur sa joue et l'assura par ce seul geste de toute sa sollicitude, espérant que cela allait lui redonner un peu de courage. Grisé par cette attention délicieuse, un brin ragaillardi d'avoir enfin eu droit à cette délicatesse qu'il espérait depuis si longtemps, Blaise passa à l'action.

Au cours de l'opération, l'artiste se demanda à plusieurs reprises s'il n'aurait pas été plus simple de couper le membre avec une hache bien affûtée. Le geste de va-et-vient dans la chair était laborieux et pénible pour lui comme pour le blessé. Si ce dernier n'avait pas bronché lors de la mise en place du garrot, il s'agitait maintenant dans tous les sens et hurlait à pleins poumons. Blaise aurait préféré amputer un noble. On disait que ceux-ci se contentaient de serrer les dents, même dans les pires douleurs. Ce devait être moins perturbant pour le chirurgien, qui pouvait ainsi mieux se concentrer sur sa tâche. L'homme qu'il avait devant lui n'était visiblement pas de haute naissance, car son sang était bien rouge et il gémissait comme une truie qu'on égorge. Blaise faisait de son mieux, mais les mouvements et les cris du vilain rendaient son travail difficile. Il avait chaud, son cœur battait à tout rompre, il était désolé d'infliger pareille torture à un être humain et il n'avait qu'une seule envie : que cela se termine.

Lorsque le membre céda enfin, il demanda à ce qu'on lui apporte l'huile bouillante qu'il avait fait préparer. Dans le court laps de temps où il sembla attendre indéfiniment la marmite et son contenu, ses yeux se fixèrent sur le moignon à vif. L'os blanc et la chair sanguinolente lui rappelèrent cruellement Ameline et ses petits doigts. Et ces cris qui ne cessaient pas… étaient-ce ceux d'une enfant étendue dans la neige ? Blaise se sentit vaciller. Cette fois, c'était lui, le bourreau.

Le fumet de l'huile bouillonnante le ramena à la réalité. La marmite avait été déposée devant lui. Il regarda le malheureux qui était à bout de souffrance et éprouva une grande pitié de le trouver encore vivant devant lui, car le supplice n'était pas terminé : il fallait encore tremper le moignon dans l'huile pour cautériser la plaie et faire arrêter les saignements.

— • —

Le lendemain, lorsque les paysans retournèrent aux champs afin d'achever les moissons, chacun ne parlait que de ce qui était arrivé la veille et au cours de la nuit. Apparemment, les cris du blessé avaient résonné jusqu'à une centaine de lieues à la ronde et l'odeur du sang aurait attiré les loups jusqu'aux abords du village. On disait qu'il avait fallu cinq hommes pour maîtriser le patient qui agonisait pourtant le jour d'avant, et on disait du même souffle que le chirurgien de la grande ville n'avait même pas bronché devant les tourments de ce taureau en rage. On admirait Blaise, son calme et sa science; on le craignait presque, tant son stoïcisme semblait inhumain. Et comme le frère du patriarche était encore vivant et capable de parler en cette belle matinée, on ne pouvait non plus passer sous silence les vertus prodigieuses des cailloux parisiens. «Saint Côme et saint Damien les ont bénis de leurs mains», affirmaient certains, enthousiastes et avides de savoir si la femme du chirurgien en possédait suffisamment pour leur en vendre quelques-uns.

Le patriarche ne se rendit pas aux champs ce jour-là. Il veilla sur son frère toute la matinée et, plus tard, il accompagna personnellement Marie-Ursule et Blaise jusqu'aux limites du village, où il leur remit un sac de provisions ainsi qu'une couverture supplémentaire. Il remercia Blaise du bout des lèvres, comme s'il entretenait encore un doute à son égard, puis tourna les talons sans un regard en arrière.

—•—

Les deux jeunes gens ne couvrirent pas une grande distance ce jour-là. Épuisés, ils marchèrent en silence un long moment. Ils avaient le pas traînant et l'esprit occupé à ressasser tous les événements des dernières heures. Avaient-ils vraiment vécu tout cela en si peu de temps? À mesure qu'ils s'éloignaient de ce village étrange, ils se mirent à en douter l'un comme l'autre. Pourtant, les nouveaux habits de Blaise agissaient comme un témoin irréfutable de ce qui s'était produit. Comme il était couvert de sang à la suite de son intervention chirurgicale, la femme du blessé avait insisté pour lui offrir une chemise, une pèlerine et des chausses. Marie-Ursule regardait son compagnon évoluer dans ses nouveaux vêtements trop amples et songeait à quel point elle était fière de lui. Grâce à ce qu'il avait réussi à accomplir, ils s'en étaient non seulement sortis tous les deux indemnes, mais en plus ils y avaient gagné des provisions additionnelles ainsi qu'une couverture! Et quelques sous aussi, mais cela, c'était grâce à elle.

— Qu'est-ce que tu fais? demanda Blaise, alors que la jeune femme se penchait sur la route une énième fois afin de cueillir un caillou.

— Je refais mes provisions. J'ai vendu tous ceux que j'avais ramassés précédemment. Les gens de ce village vont abondamment prier saint Damien et saint Côme, désormais!

— Tu veux dire que ces cailloux, tu les trouves sur les routes? Je pensais qu'ils venaient de la crypte de l'église à Paris! Tu les as leurrés, alors?

Blaise semblait étonné, presque choqué de constater ce fait. La croyait-il donc si vertueuse qu'il la jugeait incapable de mentir? Avait-il déjà oublié cette vie de courtisane qu'elle avait menée à Paris? Marie-Ursule se sentit piquée: elle ne savait certes pas survivre au milieu de la forêt, mais parmi ses semblables c'était une autre histoire. Là où il y avait des humains, là elle pouvait vivre, par tous les moyens, bons ou mauvais. Elle n'était tout de même pas totalement dépourvue de ressources !

— Et toi ? Tu ne leur as pas menti, je suppose, monsieur l'éminent chirurgien ? Ne me juge pas. J'ai fait ça pour nous, tu le sais bien. Et tous ces nouveaux cailloux, je les vendrai aussi si l'occasion se présente. Celui-là, je dirai qu'il protège les voyageurs, car il a été foulé par les pieds de saint Jacques le Majeur, celui-ci, je vais lui attribuer des vertus contre les maux de ventre et les diarrhées en prétendant qu'il vient des thermes de Bath en Angleterre, et cet autre-là, je dirai que, si on le place sous la tête d'un enfant qui dort, saint Gilles le délivrera des mauvais rêves.

Marie-Ursule rangea sa poignée de cailloux aux formes et aux couleurs particulières au creux de sa poche d'un geste brusque, puis se détourna, fâchée. Blaise, conscient de l'avoir blessée, la rejoignit en deux enjambées. Ouvrant la main devant elle, il lui montra un autre caillou, gris, poussiéreux, de grosseur et de forme quelconques.

— Et celui-là, que vas-tu en faire ? demanda-t-il à Marie-Ursule, qui jeta un regard dédaigneux à la pierre.

— Rien. Je vais le laisser sur la route parce qu'il est trop ordinaire.

— Il est comme moi, alors. S'il te plaît, pardonne-moi et ne nous laisse pas sur la route, mon caillou et moi !

Marie-Ursule s'arrêta. Se saisissant de la petite pierre, elle la dépoussiéra et la regarda plus attentivement.

— Il n'est pas totalement ordinaire, finalement, ce caillou, corrigea la jeune femme d'un ton autoritaire. Regarde : ici, sa surface brille en certains endroits, là, on dirait qu'il lui manque un bout, qu'il a été cassé, et là, cette saillie que tu vois, elle pique et peut être très désagréable, parfois ! Tu vois, ce caillou, il a l'air ordinaire, mais il n'est comme aucun autre, quand on le regarde bien. Comme toi. Je te pardonne et je ne laisserai pas ce caillou sur la route. Je le prends avec moi. Quant à toi...

Marie-Ursule déposa le caillou ordinaire au creux de sa poche, celle qui ne contenait rien, et glissa sa main dans celle de Blaise. Heureux de ne pas s'être fait dévorer par les loups ni lyncher par les paysans, ils poursuivirent leur route jusqu'à ce que la nuit les empêche d'avancer.

CHAPITRE 17

Les nuits étant de plus en plus froides, Marie-Ursule et Blaise dormaient enlacés, comme au premier soir, ménageant ainsi, comme ils le pouvaient, un minimum de chaleur entre leurs deux corps. Cette chaleur indispensable et agréable se fit aussi insidieuse en enflammant leurs esprits au cours des jours suivants. Sous les couvertures mitées, le corps des deux jeunes gens bouillait et grelottait à la fois. Étendue sur le côté, dans leur abri de fortune fait de branchages, Marie-Ursule goûtait avec bonheur ce nez froid posé sur sa nuque, ces bras rassurants et solides qui l'entouraient, et ce membre qui se dressait parfois contre sa cuisse. Blaise appréciait aussi grandement ces instants de tendresse, quoiqu'il lui fallût constamment déployer de grands efforts afin de calmer son esprit créatif qui lui jouait de vilains tours. Quand cela arrivait, et cela arrivait presque toutes les nuits, Blaise devait momentanément délaisser la proximité de ce corps chaud qui l'attirait tant. Il quittait alors l'abri et revenait plus tard, lorsque la tension était retombée. Le désir planait constamment sur eux comme les astres au-dessus de leur tête, mais Blaise n'insistait pas et Marie-Ursule n'encourageait pas. Pour l'instant, cette ardeur commune se nourrissait d'elle-même, tout comme elle les privait souvent d'un sommeil réparateur.

Un bon matin, ils s'éveillèrent le ventre creux et constatèrent sans surprise qu'ils avaient épuisé leurs provisions. Le soleil était déjà haut lorsqu'ils parvinrent, affamés, aux portes closes d'une petite ville fortifiée. D'eux-mêmes, ils entrèrent en poussant tout bonnement la porte, étonnés de ne se faire questionner par aucun garde. À la recherche d'une échoppe de boulange, Marie-Ursule et Blaise se mirent rapidement à arpenter les rues étroites, prenant à gauche, puis à droite, sinuant entre les bâtiments à colombages sur un sol jonché de détritus. Au moment où ils débouchèrent sur la place centrale sans avoir trouvé ce qu'ils cherchaient, Blaise fit remarquer à Marie-Ursule à quel point la ville semblait inanimée.

La jeune femme regarda autour d'elle. À cette heure du jour, il aurait été normal de croiser des enfants dans les ruelles, des chalands sur la place du marché, des vendeurs derrière leurs étals, des hommes aux portes des tavernes et des bordels, des femmes en train de papoter près des fontaines publiques ; cependant, il n'y avait personne. L'immense lieu circulaire était désert et balayé par un vent du sud. Il n'y avait même personne d'attaché au pilori, c'était tout dire ! Marie-Ursule leva les yeux et regarda les bâtiments autour. Les fenêtres et les portes de toutes les maisons étaient closes. Par une journée aussi douce que celle-ci, c'était là une particularité bien singulière. Elle fronça les sourcils. Quelque chose clochait.

Cette ville était en tout point semblable aux autres qu'ils avaient croisées au fil de leur route. Fortifiée d'un mur de pierre haut et ancien, elle était traversée du nord au sud par un cours d'eau aménagé en canal auprès duquel poussaient, çà et là, des arbres crochus. Des maisons à deux ou trois étages se disputaient âprement l'espace disponible entre les murs, faisant naître entre elles d'étroits passages assombris où même Blaise n'aurait pu faire rouler un chariot tiré par un cheval. Les quelques artères plus larges que les deux jeunes gens finirent par découvrir étaient bordées de boutiques, mais toutes étaient fermées. La ville était silencieuse. Ou plutôt, elle était exempte de voix humaines, car au-dessus des bâtiments, dans le ciel gris monolithique, s'élevaient les plaintes de centaines de corbeaux.

Lorsque Marie-Ursule et Blaise prirent conscience de ce qui se déroulait au-dessus de leur tête, le mauvais pressentiment qui les assaillait depuis un moment déjà se métamorphosa en panique.

— On sort d'ici, ordonna Blaise en prenant la main de Marie-Ursule.

Tous les deux se mirent à courir en direction de la porte par laquelle ils étaient entrés et, chemin faisant, Blaise remarqua un détail encore plus inquiétant : on avait peint un X à la chaux sur la porte de plusieurs résidences.

Blaise avait vu ce symbole une seule fois auparavant au cours de son existence. C'était lorsqu'il était encore très jeune et qu'il venait d'arriver à Paris. À cette époque, tout un pâté de maisons sur la rive droite s'était vu affublé de cette terrible marque qui désignait les lieux contaminés par la peste. Maître Battisto l'avait bien averti de ne jamais s'approcher de ces lieux maudits, il ne l'avait pas oublié, mais ce symbole aux implications désastreuses était aujourd'hui partout autour de lui. Il fallait vraiment sortir de cette ville.

Dans le dédale des rues et des ruelles toutes plus semblables les unes que les autres, les deux jeunes gens paniqués eurent peine à retrouver leur chemin. Lorsque Marie-Ursule aperçut tout à coup une femme voûtée marcher devant eux au détour d'une ruelle, elle s'élança naturellement à sa rencontre. Avide de savoir quel mauvais sort avait été lancé sur cette ville, elle voulait aussi qu'on lui indique où elle pouvait trouver de la nourriture et comment sortir de ce labyrinthe.

Ayant deviné trop tard son intention, Blaise ne put retenir sa compagne, qui tomba rapidement nez à nez avec un personnage digne d'un conte pour enfants. La femme courte et corpulente avait le dos déformé par une vilaine bosse, elle était habillée d'une longue robe couleur charbon qui lui couvrait tout le corps, du cou jusqu'aux pieds. À sa ceinture, elle avait suspendu des brins odorants de romarin et de lavande qui embaumaient l'air autour d'elle. Sa tête était étroitement enveloppée dans un voile serré sous son menton et son visage était recouvert d'un masque étrange qui ne laissait voir que ses yeux. Ce masque n'était en fait qu'un morceau d'étoffe sombre enroulé maintes fois autour de sa tête, mais sa particularité résidait dans le fait qu'on y avait cousu, à l'endroit du nez et de la bouche, un grand triangle, blanc pur. La femme avait un drôle d'air ainsi affublée, et il devait en être de même pour Marie-Ursule et Blaise qui la dévisageaient, muets de stupeur. La femme les semonça sans prendre leur malaise en compte :

— Retournez d'où vous venez, malheureux ! Portez vos masques ou vous mourrez, comme les trois quarts de cette ville !

Trop ébranlée pour questionner plus amplement la dame, Marie-Ursule prit le conseil au pied de la lettre et détala. Pendant qu'ils cherchaient encore la sortie, Blaise se rappela une parole que Nicholas LeGros avait prononcée le soir de leur première rencontre, ce soir de tous les mystères où Blaise s'était vu lui-même, enfant, mort assassiné sous un drap à la morgue de l'Hôtel-Dieu. Cet homme qui l'avait aidé à se procurer des cadavres frais et qui était doté d'une clairvoyance particulière lui avait dit : « De quelque côté que nous nous tournions, la mort est aux aguets, n'est-ce pas ? » Blaise se souvenait de cela comme du reste. Lorsqu'il s'était vu étendu, sans vie, dans cette pièce lugubre, il avait été pris de pitié envers lui-même. Il s'était dit, un peu plus tard, qu'il fallait qu'il agisse pour se préserver de la mort qui l'attendait s'il demeurait auprès de Gaspar De Vallon et, de fait, il s'était ouvert à ce plan de libération que Marie-Ursule lui avait ensuite exposé. Il l'avait fait pour lui, mais aussi pour les autres, ceux qui, aux dires de Nicholas

LeGros, ne pourraient jamais être inspirés par ses œuvres s'il mourait. De croire à un destin plus grand que lui-même lui avait fait du bien. Cela avait stimulé son instinct de survie qui jusque-là avait été anesthésié par le départ de maître Battisto. Il avait alors fui et cru, pendant un moment, qu'il mettait aussi de la distance entre lui et tous ces cadavres, mais voilà que la mort était encore là, aux aguets! De toute évidence, LeGros ne parlait pas uniquement de dépouilles écorchées ce soir-là, non, il l'avait plutôt mis en garde contre tous les périls de l'existence. Il l'avait prévenu, à sa manière, des aléas qui allaient surgir sur sa route, peu importe les choix qu'il ferait. Et maintenant, son choix, c'était de les sortir tous les deux de ce pétrin dans lequel ils s'étaient fourrés, encore une fois bien malgré eux. La mort était aux aguets, certes, mais il pouvait encore éviter qu'elle leur saute dessus.

Lorsqu'ils parvinrent enfin à retrouver la porte par laquelle ils s'étaient introduits dans la ville, elle était fermée. Deux gardes qui n'étaient pas là à leur arrivée leur intimèrent l'ordre de s'en éloigner depuis le sommet de leur tourelle.

— Personne n'entre, personne ne sort, par ordre du prévôt de la ville.

— Mais nous venons de franchir cette porte, justement, il y a de cela moins d'une heure et personne ne nous en a empêchés. Nous ne sommes pas d'ici, nous sommes venus acheter des vivres, tenta Marie-Ursule.

Les deux gardes échangèrent un regard. De toute évidence, l'un d'eux n'était pas insensible à la cause de la jeune femme. L'autre, pourtant, demeura ferme et prit la parole :

— Les ordres sont les ordres, madame. Je suis désolé que vous ayez pu vous faufiler si facilement. Nous verrons à renforcer la vigilance de la garde au prochain changement, mais maintenant que vous êtes entrés, vous devez rester. La ville est en quarantaine.

— Oui, nous avons compris cela. C'est la raison pour laquelle nous voulons partir ! Nous n'avons nulle part où loger, ici ! implora de nouveau Marie-Ursule.

— Écoutez, nous ne pouvons rien pour vous. Restez loin de quiconque, ne vous approchez pas des maisons peintes en blanc. Quand la quarantaine sera terminée, vous pourrez repartir, si vous êtes encore en vie. D'ici là, ce n'est que les pieds devant que nous vous laisserons franchir ces portes. Maintenant, disparaissez !

Le ton était sans appel. Sentant que leur cause était perdue, Blaise entraîna Marie-Ursule au pied des tourelles, où ils s'assirent par terre, le dos contre le mur. Blaise ne voulait pas « disparaître » comme l'avait ordonné le garde. Il voulait demeurer à l'affût de la moindre ouverture de porte ou d'esprit qui pouvait survenir à cet endroit. Il fallait qu'ils sortent.

Affamés, contraints à l'immobilité, ils somnolèrent un peu, puis, en fin d'après-midi, un mouvement éveilla leur vigilance. À travers les croassements de corbeaux qui volaient toujours, nombreux, au-dessus de leur tête,

Marie-Ursule et Blaise entendirent tout d'abord un grincement répétitif. Peu de temps après, ils aperçurent un pauvre bougre famélique, affublé d'un masque similaire à celui de la femme qu'ils avaient rencontrée, en train de pousser une énorme brouette dont on devinait aisément le contenu, même si un drap crasseux couvrait pudiquement l'ensemble. L'immense portail gronda à l'approche de l'homme et de son chargement. On le laissait sortir.

Voyant cela, Blaise bondit sur ses pieds et courut vers la sortie.

— Halte ! crièrent ensemble les deux gardes, le menaçant cette fois d'arcs et de flèches pointés en sa direction.

Marie-Ursule se précipita alors sur lui pour le faire reculer ; les gardes n'entendaient pas à rire et Blaise avait la bravade facile depuis quelque temps. Elle eut du mal à le faire revenir sur ses pas ; sa patience était à bout et il ne comptait visiblement pas demeurer sur place pendant les jours prescrits.

— Il a le droit de sortir, lui ? Pourtant, il a l'air plus malade que nous !

Blaise n'avait pu s'en empêcher. Le garde lui rétorqua que c'était l'heureux élu qui transportait tous les cadavres à la fosse commune et qu'il pourrait sûrement avoir sa place dans quelques jours s'il se montrait patient, étant donné que tous ceux qui s'étaient vu attribuer cette tâche avant lui étaient morts, désormais. Blaise retourna s'asseoir en grognant. Il avait épuisé ses réserves de patience et il détestait se faire narguer par un idiot qui se croyait tout permis là-haut, juché bien en sécurité dans sa tourelle.

Coincés, ils virent le fossoyeur revenir à petits pas avec sa brouette vide. Il s'engouffra au cœur de la ville sans un regard pour eux et le grincement de sa roue se perdit rapidement dans le croassement incessant des corbeaux qui tournoyaient sans relâche au-dessus d'eux, comme un mauvais présage.

Au bout d'un moment, Marie-Ursule lança une idée :

— Si nous faisions exactement ce que le garde vient de nous suggérer ? Fabriquons-nous un masque avec nos couvertures, trouvons une brouette, une charrette, n'importe quoi et empilons-y des cadavres. On se rendra ensuite à une autre porte, puisqu'il doit bien y en avoir une autre, et nous dirons que nous sommes fossoyeurs. Ils nous laisseront passer et on sortira !

L'idée avait du bon, mais, ainsi présentée, elle parut à Blaise trop risquée. Dénicher des cadavres et de quoi les transporter ne serait pas si simple, et il faudrait entrer dans des lieux infectés. Par ailleurs, la peste qui ravageait cette ville semblait particulièrement virulente : les trois quarts de la population y étaient déjà passés et les vivants étaient confinés à domicile. L'adversaire paraissait redoutable et Blaise voulait à tout prix éviter de s'y mesurer.

Marie-Ursule ne se laissa pas démonter par les réserves de Blaise. Ce dernier avait raison. Se trouver en présence de cadavres atteints de la maladie les exposait à un trop grand risque, cependant il devait y avoir une autre solution. S'ils passaient par le canal? Non, pour cela il fallait savoir nager et la jeune fille était plutôt du genre à couler à pic. Et s'ils essayaient de trouver une faille dans le mur d'enceinte? Ils pouvaient bien chercher, mais ils n'en trouveraient probablement pas, puisque les fortifications semblaient rigoureusement entretenues. Était-ce possible de grimper au mur à la nuit tombée? Il faudrait pour cela une échelle d'une longueur démesurée... Soudoyer les gardes? Avec quoi? Marie-Ursule secoua sa tête aux reflets d'argent. C'était peine perdue, ils devraient rester là.

Blaise entendit sa compagne pousser un soupir de découragement. Au même instant, un éclair enflamma son esprit et, d'un seul coup ragaillardi, il s'exclama:

— On va faire comme tu as dit, Ursule!

— Mais non, tu avais raison, on va attraper la peste, nous aussi, si on fait ça! C'était une mauvaise idée.

— Pas si on oublie les cadavres. On va suivre ton plan à la lettre, sauf en ce qui concerne cette partie. Viens avec moi, dit-il en se levant, on doit trouver de quoi transporter des corps!

Blaise aurait difficilement pu être moins précis. Il parlait «d'oublier les cadavres» et exprimait son désir de trouver «de quoi transporter des corps» dans un même souffle. Marie-Ursule ne comprenait rien à ce qu'il racontait, mais il avait l'air si décidé qu'elle le suivit sans rechigner, d'autant qu'elle n'avait pas l'énergie nécessaire pour protester. Pendant qu'il l'entraînait à sa suite dans le dédale des rues de cette ville agonisante, la jeune femme s'amusait de voir son compagnon aussi animé. À Paris, elle l'avait connu neutre, triste, renfrogné, humilié et quelquefois heureux, lorsqu'elle apparaissait dans son champ de vision. Cela l'avait d'ailleurs touchée dès leurs premières rencontres, ce changement d'attitude à son approche, comme si elle avait été une éclaircie inattendue au milieu d'un jour de pluie. Elle se rappelait aussi la colère dans son regard toutes les fois où l'anatomiste posait les mains sur elle, elle avait senti en lui cette rage latente lorsqu'elle franchissait le pas de la porte de sa chambre au bras de Gaspar. Cependant, à cette époque, toutes ces émotions semblaient constamment tiédies par la froideur d'un contrôle surhumain qui étouffait la vie en lui et la préservait en même temps. « Le jour où je vais cesser de me retenir, Ursule, je vais le tuer », lui avait-il confié, à demi-mot, un soir où elle lui avait fait remarquer à quel point il avait l'air détaché de tout, particulièrement de Gaspar qui le malmenait continuellement. Heureusement, depuis qu'il avait quitté la capitale, depuis ce tout premier soir où il l'avait surprise dans la forêt en fondant sur elle comme une bête sauvage, un voile s'était levé. Il marchait désormais libre dans les bois, libre sur les chemins, libre dans les champs et dans sa tête. Maintenant qu'ils écumaient les routes, Marie-Ursule apprenait à connaître ce nouveau Blaise, qui pouvait se montrer colérique, enthousiaste, empressé, charmeur, décidé, attentionné. Chaque jour, elle découvrait en lui une facette inconnue qui le rendait plus humain, plus vivant, plus aimable, plus désirable. Alors qu'elle le suivait à travers la ville, elle aurait dû être inquiète, pressée de dénouer cette impasse, pourtant elle regardait cet homme qui la devançait avec confiance. Au train où il marchait, au regard qu'il avait, elle savait qu'il allait les sortir de là.

À l'arrière d'une maison marquée du sceau infâme, Marie-Ursule et Blaise découvrirent finalement ce qu'ils cherchaient. Renversée contre le mur d'une écurie, intacte et fonctionnelle, la brouette semblait les attendre. Blaise la fit basculer d'un geste et la déposa sur le sol.

— Maintenant, il faut trouver de quoi la remplir, annonça-t-il en se dirigeant vers l'écurie.

Marie-Ursule le regarda, perplexe. Que voulait-il mettre dans cette brouette ? Ils avaient écarté la possibilité d'y entasser de vrais cadavres, alors quoi ? Elle suivit son compagnon à l'intérieur du bâtiment et en ressortit tout aussitôt les bras chargés d'objets hétéroclites : un seau, un sac rempli de paille, une petite boîte carrée. Blaise entassa avec méthode toutes ces choses sur la surface plane de la brouette. Après lui avoir apporté quantité d'autres articles, plus qu'il n'en fallait, Marie-Ursule regarda Blaise s'affairer à peaufiner son assemblage. Concentré, l'œil perçant, critique, il déplaçait un objet, en retournait un autre, faisait pivoter le suivant d'un quart de tour. L'artiste était à l'œuvre. Quand il se recula, contemplant le résultat avec satisfaction et semblant avoir terminé, Marie-Ursule le questionna du regard : croyait-il que les gardes allaient les laisser sortir lorsqu'ils verraient cet assemblage méthodique dans la brouette ? Non pas, pour sûr. Blaise lui fit signe de s'approcher.

— Joli, n'est-ce pas? Je crois qu'avec la touche finale les gardes n'y verront que du feu!

— La touche finale? Que du feu? Qu'est-ce que tu racontes? Ma foi, je pense que le manque de nourriture m'empêche de réfléchir, car honnêtement je ne vois pas ce que tu vois dans cet empilage savant. Qu'est-ce que l'on va faire de tout cela?

— Regarde attentivement, je vais te faire la démonstration. Tu me diras ce que tu en penses.

Blaise confia son précieux et lourd cylindre à Marie-Ursule, s'assura que les roues de la brouette étaient adéquatement calées, que l'engin était stable, puis, d'un bond agile, il y grimpa. Avec d'infinies précautions, il s'étendit entre les objets en prenant une drôle de position et demanda à Marie-Ursule de le recouvrir entièrement, ainsi que tout le contenu disposé autour de lui, avec leurs couvertures. Retenant un fou rire devant cette situation incongrue, Marie-Ursule obtempéra et aussitôt elle comprit. Se reculant à son tour, elle admira le chef-d'œuvre, étonnée et satisfaite de constater qu'en effet les gardes n'y verraient que du feu tant l'illusion était parfaite. Blaise avait disposé les objets de telle façon qu'on aurait dit plusieurs corps humains entassés les uns sur les autres en dessous de la couverture. Le subterfuge était renforcé par le fait qu'une main, une jambe et le bout de la tête de Blaise dépassaient en des endroits stratégiques ou pendaient mollement sur le côté, de manière à laisser croire que des morts se trouvaient bel et bien là-dessous.

Satisfait autant par son accomplissement que par les exclamations de Marie-Ursule, Blaise s'extirpa laborieusement de la brouette. Le soleil était déjà bas, l'heure était parfaite. Ils devaient se mettre en route. Le jeune homme regarda son amie. Elle avait le teint blafard et des cernes sous les yeux. Il aurait fallu trouver de la nourriture avant de partir, mais ils n'avaient plus le temps, car à la nuit tombée les gardes ne les laisseraient plus sortir.

— C'est toi, la touche finale, dit doucement Blaise à sa compagne.

— Oui, je le pensais bien. Aide-moi.

Blaise soutint Marie-Ursule tandis qu'elle escaladait l'improbable monticule. Lorsqu'elle parvint au sommet, elle retira une chaussure, son bas et laissa pointer son pied blanc à l'extérieur de la brouette. L'effet était saisissant. Blaise recouvrit tout le contenu de la brouette de leurs deux couvertures, déposa une pelle sur le dessus et empoigna les brancards. Il fallait maintenant dégoter une autre porte où mettre leur ruse à exécution, car, là d'où ils venaient, on les reconnaîtrait à coup sûr et la tentative se solderait par un échec inévitable.

Exténué, en nage, affamé, Blaise parvint à trouver cette fameuse porte. La tâche n'avait pas été simple. Il était retourné sur la place centrale, avait choisi une voie plus large, bordée de petits commerces fermés, pensant que celle-ci le mènerait dans la direction opposée, mais il s'était trompé : la rue s'était terminée en se scindant en deux ruelles inquiétantes qui ne semblaient conduire nulle part. Il avait dû retourner sur ses pas et essayer une nouvelle avenue, passer un pont pour finalement parvenir jusqu'aux fortifications. Lorsqu'il se présenta devant les gardes, il avait une mine presque aussi terrible que le véritable fossoyeur, il en était convaincu.

De ce côté de la ville, il n'y avait pas de tourelle pour abriter les gardes. Ils étaient simplement postés en face de la lourde porte qui était cependant moins large et moins haute que celle par laquelle les deux fugitifs étaient entrés par hasard. Lorsqu'ils aperçurent Blaise poussant son chargement, ils lui intimèrent l'ordre de s'arrêter à bonne distance, ce qu'il fit.

— La fosse commune est de l'autre côté. Retournez sur vos pas.

— Le prévôt m'a pourtant ordonné de me rendre ici. Il m'a dit de commencer à creuser un nouveau trou, car le premier est plein. Il va envoyer des renforts pour m'aider, mais seulement demain. Entre-temps, je dois m'occuper de ceux-là avant la nuit.

Les gardes écarquillèrent les yeux : le trou était déjà plein ! C'était presque impossible ! Et pourquoi le prévôt ne les avait-il pas prévenus ?

À voix basse, ils tergiversèrent un peu, puis convinrent d'attendre les ordres de leur supérieur. Ils en informèrent Blaise, qui hocha la tête d'un air compréhensif.

— Parfait, moi, je rentre dormir. Je reviendrai demain à la première heure.

Sur quoi, il avança son chargement jusqu'à la porte, faisant reculer les gardes, qui le menacèrent instantanément de leur épée affûtée. Effrayés de se trouver à proximité de cadavres porteurs de peste, ils sommèrent Blaise de faire marche arrière. Docile, celui-ci obtempéra, abandonnant son chariot derrière lui, à l'endroit exact où il venait de le déposer. Saluant effrontément les gardes de la main, il partit tranquillement en direction de la ville.

— Hé! Qu'est-ce que tu fais? Ne laisse pas ça ici! Reviens!

Les deux gardiens ne voulaient pas du chargement à leurs côtés, Blaise le savait bien. Il se retourna vers les deux hommes et il leur présenta autrement la situation.

— Je vais revenir demain, mais en attendant, comme je ne peux pas aller enterrer tout ça hors des murs, il faut bien que quelqu'un surveille ce chargement, alors je le place sous votre bonne garde.

— Non! Tu ne peux pas laisser ça ici.

— D'accord, et qu'est-ce que j'en fais? Il est hors de question que je l'emmène chez moi. Est-ce que je le dispose sur la place centrale comme banquet pour les corbeaux, les rats et les chiens? Ou peut-être voulez-vous que j'aille le placer directement sous la fenêtre du prévôt en lui disant que vous préférez attendre à demain pour discuter avec lui de ses ordres avant de me laisser passer. Dites-moi, messieurs, que dois-je faire?

Blaise se tut, attendant une réponse. Les gardes devisèrent entre eux un court moment, ils jetèrent un regard noir au jeune homme et lui ouvrirent la porte sans un mot. Ils ne voulaient ni froisser le prévôt ni passer la nuit à côté de cadavres infestés. Ils regardèrent Blaise circuler devant eux en poussant son lourd chargement et ils refermèrent la porte derrière lui, heureux de s'en être débarrassés.

Blaise suivit la route un moment, mit une bonne distance entre lui et cette ville de malheur avant de stopper son avancée. Jetant un regard autour de lui, il découvrit que la brunante s'était épaissie, qu'on ne voyait presque plus rien de cette cité maudite. Lui tournant le dos d'une façon qu'il espérait définitive, il tira les couvertures et annonça à Marie-Ursule qu'ils étaient hors de danger. La jeune femme soupira de soulagement : immobile au milieu de son amoncellement, elle avait assisté, totalement impuissante, à cette joute décisive entre Blaise et les gardes. Elle avait tenu son rôle malgré son angoisse, son inconfort et voilà qu'elle était maintenant prête à battre la route jusqu'à… jusqu'à quoi exactement, elle ne le savait pas, mais elle espérait qu'ils trouveraient bientôt. Cette vie de cavale n'était pas pour elle. Ébranlée par cette autre aventure qui se terminait bien, mais qui aurait facilement pu mal tourner, elle avait de la difficulté à savourer leur victoire, au contraire de Blaise, qui rayonnait de fierté comme un phare au bord de la mer.

Avant que sa complice saute de la brouette, Blaise, soucieux de la voir si sérieuse, l'arrêta dans son élan. Avec un sourire qui lui barrait le visage d'une oreille à l'autre, il la fit s'asseoir devant lui, confiant, et il s'empara de son bas troué qu'elle avait enfoui au creux de son poing. Relevant doucement le bord de sa robe, il caressa un instant sa jambe du bout des doigts et il lui enfila son bas, puis son soulier avant de la saisir par la taille pour la poser par terre. Lorsque les pieds correctement chaussés touchèrent le sol, Blaise maintint son étreinte de façon à garder la jeune femme auprès de lui. Marie-Ursule leva son visage et explora pendant un moment ce regard clair qui la dévorait. Quand il s'avança pour l'embrasser, elle fut parcourue d'un frisson de plaisir et elle s'y abandonna de bonne grâce, obligée d'admettre que cette vie de cavale avait aussi du bon.

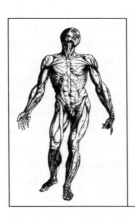

CHAPITRE 18

Désormais, il leur arrivait de se tenir la main lorsqu'ils marchaient. En dehors des sourires complices et des regards éloquents qu'ils surprenaient parfois chez l'autre, c'était le seul rapprochement qu'ils s'autorisaient durant le jour, comme s'ils craignaient d'être vus ou jugés au beau milieu des bois. C'était pitoyable! Ils se conduisaient comme des enfants! La nuit venue, ils ne faisaient guère mieux. Ils se frôlaient, s'enlaçaient, s'embrassaient à l'occasion, mais jamais ils n'allaient plus loin. Marie-Ursule acceptait et retournait langoureusement les caresses de son compagnon, mais y mettait un terme lorsque l'envie de l'avoir en elle devenait trop pressante. Pauvre Blaise, c'était torture que de lui imposer cela, mais elle ne savait que faire d'autre! Dans sa vie d'avant, elle avait toujours agi selon la volonté d'un autre. Avec Blaise, elle tenait à ce que ce soit différent. Elle ne le voyait pas comme tous ces hommes qui lui étaient passés dessus, elle éprouvait tout autre chose en sa présence. Au contraire de toutes ces bêtes qui ne lui avaient inspiré que de la froideur, du mépris ou de la pitié, elle voulait le désirer tant que ça en soit insupportable. Elle voulait que cet attrait immense l'habite à un point tel qu'il puisse faire la différence, le moment venu, entre ce qu'elle ressentait jadis en tant que fille commune et ce qu'elle éprouverait bientôt en tant que femme ordinaire qui aime et se laisse aimer. Elle n'était pas naïve, elle savait que les gestes seraient les mêmes avec Blaise qu'avec ses clients, néanmoins elle tenait à ce que *quelque chose* soit différent en l'honneur de ce lien singulier qui les unissait. Et ce quelque chose ne pouvait être que le désir. Plus grand serait le désir, plus importante serait la différence, moindres seraient les chances de retrouver des mécanismes profondément ancrés en elle qui, autrement, risquaient à tout moment de refaire surface : depuis l'âge de douze ans qu'elle ouvrait ses cuisses à tout venant avec toujours la même mimique au visage, les mêmes répliques encourageantes en bouche, les mêmes postures affriolantes. Elle n'avait pas envie de servir ce plat réchauffé à Blaise. Elle voulait s'abandonner à lui et ne pas agir comme l'objet de location qu'elle était auparavant, et seul son désir de lui pouvait l'aider à y parvenir.

Ce désir qui, selon ses espoirs, pouvait tout changer, elle n'avait de cesse de vouloir le faire grandir, au grand dam de son compagnon qui ne comprenait rien à cette attitude d'acceptation et de rétractation, à cette alternance entre le oui et le non qui manquait à tous les coups de le rendre fou. Savait-elle au moins ce qu'elle lui faisait endurer ? Même marcher à ses côtés devenait difficile à supporter ! Il avait constamment des visions d'elle, nue, au milieu des bois, nue au bord de la rivière, nue étendue dans un grand champ fleuri, nue tout le temps, éternellement et dotée de ce regard profond qui, comme aucun autre, avait ce pouvoir de lui faire perdre la tête. Et dire qu'à Paris les femmes ne l'avaient pas spécialement préoccupé ! Vraiment, ces quelques semaines à travers bois l'avaient transformé du tout au tout. Heureusement qu'il avait conservé sa patience, car c'était devenu un outil indispensable pour continuer à avancer aux côtés de cette créature maligne qui l'affligeait de tous les tourments !

Par une triste journée grise, alors qu'ils cheminaient main dans la main dans une sente étroite et boueuse, Marie-Ursule sentit le besoin de rassurer son compagnon qui s'était levé de mauvais poil et demeurait silencieux depuis le matin.

— Tu dois trouver que la fille commune est devenue bien chaste ? lança-t-elle timidement en fixant le sol.

Blaise figea net. Comme il semblait s'entêter dans son mutisme, la jeune femme s'arrêta aussi et leva les yeux vers lui afin de voir sa réaction. Le visage dur, il la regardait sans sourciller. Lentement, il pointa l'index en sa direction et il lui rétorqua, d'une voix autoritaire qu'elle ne lui connaissait pas, qu'elle n'était PAS une fille commune et qu'il ne voulait plus jamais l'entendre parler ainsi d'elle-même. Marie-Ursule demeura interloquée un moment. Elle ne s'était pas attendue à cela. La réaction de Blaise remua quelque chose en elle.

— Tu as raison, dit-elle. Je voulais juste que tu saches que je… que nous… enfin, je veux dire, bientôt, je pense que…

Marie-Ursule ne trouvait pas les mots, n'arrivait pas à concrétiser sa pensée pour pouvoir l'exprimer clairement. Irritée devant sa propre incapacité à dire ce qu'elle voulait, elle soupira, puis s'y prit autrement.

— Tu as l'air contrarié ce matin. Je suis désolée si c'est à cause de moi.

Blaise se sentit fondre à la vue de ce joli minois peiné. Il attira Marie-Ursule à lui et il la serra dans ses bras. Lorsqu'ils reprirent la marche, il s'expliqua :

— Tu n'y es pour rien. Enfin, si, mais ce n'est pas ta faute. Je suis contrarié parce que je déteste te voir aussi maigre, parce que je n'aime pas te voir à bout de souffle comme c'est le cas en ce moment, je n'aime pas t'entendre tousser comme tu le fais depuis quelques jours, je n'aime pas te voir économiser des bouts de carottes noircies, je n'aime pas te voir de plus en plus fatiguée chaque soir. Je m'inquiète pour toi, Marie-Ursule. Je suis contrarié parce que je t'ai vue te tirer péniblement du sommeil dans lequel tu étais plongée ce matin, parce que j'aimerais tellement faire plus et mieux pour te rendre la vie facile et que je n'y arrive pas.

À ces paroles, Marie-Ursule dut déglutir pour ravaler un sanglot. C'est vrai qu'elle avait peine à trouver ses énergies pour continuer à avancer ces derniers temps, mais comme elle avait bien pris garde de s'en plaindre, elle fut touchée par la perspicacité de son compagnon. Pourtant, elle aurait dû se douter qu'elle ne pouvait rien lui cacher : c'était un artiste, il avait l'œil aiguisé.

Désireux de vouloir dissiper cette ombre qui venait de s'installer, Blaise ajouta, avec un sourire en coin, que malgré tout cela il ne pouvait s'empêcher de la trouver extrêmement jolie. La remarque eut l'effet escompté et Marie-Ursule lui rendit son sourire. La conversation prit instantanément un ton plus léger.

Au sortir d'un tournant de la route, ils aperçurent au loin quelques maisons sagement alignées au bord du chemin. S'approchant avec précaution, ils constatèrent rapidement que le lieu semblait animé, ce qui les rassura. Cette bourgade était la quatrième qu'ils croisaient depuis leur fuite de la ville pestiférée et, comme les autres, elle avait l'air habitée par des gens jouissant d'une santé satisfaisante, ce qui laissait à penser que la peste ne s'était pas propagée ailleurs dans la région.

Face à une chapelle aussi grise que le reste des bâtiments qui composaient ce village, il y avait un petit marché. Quelques légumes, de la viande fumée, des pommes, des poires, de l'eau-de-vie et des fromages attendaient patiemment qu'on les emporte pour quelques sous. Les étals étaient peu nombreux, mais ils offraient tout de même un spectacle alléchant pour Marie-Ursule et Blaise, qui avaient dû se contenter de bien peu depuis leur départ de Paris, particulièrement au cours des derniers jours. La couleur des aliments attira leur regard et les effluves parfumés leur firent tourner la tête, les obligeant vite à ralentir le pas, puis à s'arrêter. Marie-Ursule donna, avec un pincement au cœur, ses dernières miettes d'économies au marchand devant elle. Tout sourire sous sa moustache fauve, il lui tendit en retour une belle pièce de viande séchée, des légumes, quelques pommes et même une pointe de fromage qu'elle n'avait pas demandée. Tels des voleurs, les deux jeunes gens allèrent se réfugier à l'abri des regards pour dévorer ce magnifique repas.

Ils poursuivirent leur chemin après avoir fait une courte sieste. La forêt au cœur de laquelle ils pénétrèrent peu après avoir quitté le village était sombre, et les arbres résineux y poussaient si serrés qu'ils avaient décidé de continuer à marcher sur la route. Ils s'y autorisaient de plus en plus souvent à présent, puisqu'ils jugeaient s'être considérablement éloignés de Paris et de leurs potentiels poursuivants. Ils cheminaient donc tranquillement, silencieux, recueillis, chacun songeant à la suite des choses, dans cette cathédrale végétale aux odeurs sauvages qui les protégeait de la pluie fine qui commençait à tomber. Il restait quelques bijoux à Marie-Ursule, mais ils n'avaient plus d'argent. La fatigue les gagnait et l'hiver approchait. Il devenait impératif de penser à l'avenir. Alors qu'ils étaient affairés à cette même tâche sans en être conscients, deux hommes émergèrent soudainement des fourrés et se plantèrent devant eux, l'air menaçant. Sursautant, Marie-Ursule poussa un petit cri et plaqua ses mains sur sa bouche ouverte. Blaise, instinctivement, se dressa devant sa compagne, bombant le torse, serrant les poings. Les ribauds face à lui avaient piètre allure. Leurs vêtements en loques permettaient d'entrevoir leurs corps chétifs et laissaient supposer des privations alimentaires subies depuis fort longtemps. Ils avaient les joues creuses et le corps couvert de crasse. Un des goujats arborait malveillance et détermination au creux du regard, tandis que l'autre paraissait effrayé. Le plus long des deux était armé d'un gourdin. C'est lui qui s'adressa aux voyageurs :

— Si vous voulez la vie sauve, va falloir déposer là toutes vos possessions.

D'un doigt crochu, il désigna le centre de la route.

Marie-Ursule, prête à obtempérer, défit les nœuds qui retenaient la couverture en place sur son dos. Les malotrus constatèrent alors que le petit sac contenait d'intéressantes provisions. Heureusement, les bijoux que la jeune femme transportait étaient cousus dans une doublure de son corsage. Cela ne s'entendait ni ne se voyait. Elle espéra en tremblant qu'ils n'iraient pas jusqu'à la fouiller. Elle s'apprêtait à lancer son butin là où le brigand avait indiqué quand Blaise s'en empara. Il le jeta tout près de ses pieds à lui et y ajouta le précieux cylindre qu'il transportait sans relâche depuis Paris. S'ils voulaient son bien (et son mal), ces saligauds allaient devoir venir le chercher ! D'un bras ferme et assuré, il repoussa Marie-Ursule derrière lui.

C'était pour l'heure un duel de regards. Les adversaires se jaugeaient en silence. Au-dessus d'eux, les grands pics verdoyants ondoyaient doucement sous l'effet d'un vent tout droit descendu des montagnes. Blaise n'avait obéi qu'à moitié et cela inquiétait le détrousseur qui se trouvait devant lui. Pire, le jeune homme ne semblait pas avoir peur. Cela augurait mal. L'homme long envoya son compagnon ramasser le maigre butin au sol. Ce dernier sentait le danger, n'aimait visiblement pas que chacun de ses gestes soit scruté par Blaise, qui paraissait prêt à bondir. Il avançait lentement. Parvenu à une certaine distance, ne pouvant plus supporter ce regard impitoyable que Blaise portait sur lui, il fit demi-tour.

— Je m'occuperai des prochains. Celui-là, ça va mal tourner. J'aime mieux manger encore des racines.

Le petit homme laissa son acolyte sur la route et s'engouffra dans les bois. L'autre ribaud pesta, mais ne s'avoua pas vaincu. Il profita de la diversion que venait de créer son couard d'ami pour se jeter sur l'étranger. Brandissant son gourdin, il pourfendit l'air deux ou trois fois sans atteindre sa cible. Le loqueteux n'avait pas la force de ses ambitions; il s'essoufflait rapidement, au grand soulagement de Blaise qui s'était néanmoins déjà connu plus vigoureux. Le manque de nourriture affectait les deux belligérants, mais Blaise avait l'avantage de la jeunesse et d'un dernier repas plus soutenu. Il parvint à saisir le bras de son adversaire et à lui faire lâcher le gourdin. Ce faisant, il exposa ses côtes à une volée de coups qui le firent grimacer. Se retournant, il réussit à asséner un coup de poing au visage de son agresseur. Celui-ci recula, la bouche en sang, mais il n'avait pas dit son dernier mot. Tenace, il fit une feinte comme s'il voulait poursuivre la rixe, mais, au dernier moment, il se rua sur le bagage des deux voyageurs. Accroupi pour se saisir du butin, il ne fut toutefois pas assez vif pour éviter la chaussure de son opposant qui vint impitoyablement s'abattre sur ses doigts déformés. L'homme hurla de douleur pendant que Blaise maintenait la pression. Marie-Ursule en profita pour soustraire son baluchon et le cylindre de cuir à l'emprise brisée du voleur. Elle s'éloigna à la hâte. Constatant qu'il menait la bataille, Blaise retira son pied et porta un dernier coup à la canaille, qui s'effondra sur la route. Inspectant rapidement les alentours, il s'assura que la menace était passée, que d'autres voleurs ne se trouvaient pas dans le coin. Heureusement, l'escarmouche semblait bel et bien terminée.

À bout de souffle, fourbu, Blaise rejoignit Marie-Ursule, qui avait pris quelque distance et qui n'arrivait plus à contenir ses sanglots. Le jeune homme lisait la peur sur son visage. Il la prit dans ses bras. Il aurait aimé la rassurer, l'inviter à continuer, mais il était lui-même assez ébranlé. Les brigands étaient souvent en plus grand nombre et surtout plus aguerris dans l'art de détrousser les voyageurs. Ceux-là n'étaient visiblement que des amateurs, des souffreteux acculés à la misère depuis un bon moment, pourtant Blaise sentait qu'ils avaient échappé de peu à ces scélérats. Cette route avait mauvaise réputation, comme bien d'autres qu'ils avaient fréquentées auparavant, et la forêt tout autour était le repaire des criminels qu'on pouvait y rencontrer. Que faire? Blaise ne se sentait plus le cœur à poursuivre leur avancée dans ces conditions. La menace avait toujours plané au-dessus d'eux, mais soudainement le jeune homme ne put davantage supporter de savoir

Marie-Ursule en danger. Il lui proposa donc de rebrousser chemin jusqu'au précédent village, d'y trouver asile et de réfléchir ensemble à la suite des choses.

——•——

Avant de leur attribuer une chambre, la femme empocha le petit bijou doré serti de deux pierres précieuses qui valait bien plus que le prix exigé pour dormir chez elle. Elle leur jeta un œil suspicieux. Marie-Ursule et Blaise se figèrent. Ils craignaient qu'elle les prenne pour des voleurs, qu'elle menace de les dénoncer. Contre toute attente, la logeuse était préoccupée par autre chose.

— Vous êtes mariés ? leur demanda-t-elle.

— Évidemment ! répondit Marie-Ursule en arborant instantanément un air outré.

En la voyant si convaincante, Blaise retint un sourire. Si seulement ! La femme les dévisagea encore un moment, comme si elle cherchait dans leur physionomie un signe qui aurait prouvé le contraire. Reniflant pour marquer sa défaite, elle leur montra finalement le chemin jusqu'à une pièce étroite qui possédait un lit et où un bon feu crépitait dans l'âtre.

La femme les laissa s'installer, puis leur apporta rapidement un repas, une bassine et du savon. Les deux jeunes gens mangèrent avec appétit tout ce qui se trouvait dans leur assiette et redemandèrent même un peu de pain lorsque la femme vint récupérer leurs gamelles. Doucement, la tension s'atténuait, mais l'événement de la journée ne s'effaçait pas de leur mémoire. Ils pensaient aussi à tout le reste, à tout ce qu'ils avaient dû traverser, à tout ce qu'ils avaient enduré avant d'en arriver là.

— Je n'ai plus d'argent. Il me reste quelques bijoux, c'est tout. Il faudra bientôt nous trouver du travail, nous établir quelque part. Pour un temps du moins. C'est possible, tu crois?

Ils n'avaient pas échangé un mot depuis leur mésaventure sur la route. Cette conversation qui s'amorçait s'annonçait pragmatique. Marie-Ursule visait juste. Il fallait trouver de quoi vivre.

— Il faudrait nous rendre encore plus loin. Je… je crois que j'aimerais aller en Italie parce que nous y serions réellement en sécurité, et c'est là-bas qu'un artiste comme moi pourrait obtenir une seconde chance. Enfin, je ne sais pas trop. Il y a des tas d'écoles de peinture et peut-être qu'on voudra m'engager dans un atelier si je mentionne le nom de feu mon maître Battisto.

Cela semblait logique. Marie-Ursule n'avait elle-même aucune préférence. L'Italie, ailleurs, cela lui importait peu. Sa seule aspiration concernait une vie paisible. Et heureuse, si possible.

— Et tu crois qu'on y est presque, en Italie? demanda-t-elle.

— Non. Je pense que c'est encore loin. Selon ce que j'en sais, on en a pour un mois peut-être, au rythme où on va. Peut-être plus. Et il va falloir traverser les Alpes… ça ne sera pas facile.

— Un mois? Les Alpes?

— À pied, à moitié affamés, oui.

Marie-Ursule sentit une vague de découragement déferler sur elle. Ils marchaient depuis maintenant plus de six semaines et un trajet presque aussi long se dessinait devant eux. La jeune femme n'avait pas l'étoffe d'une voyageuse, n'avait pas l'âme d'une pèlerine, elle en était persuadée. Jadis, avec sa mère, elle avait déjà suffisamment donné. Elle n'en pouvait plus de ce trajet sinueux, vallonné, exposé au froid, au vent, aux loups et aux brigands, cette route qui traversait des villages hostiles, des lieux pestiférés, des forêts aux mille dangers, cette route sans fin. « Une vie paisible et heureuse, par pitié, rien d'autre », se dit-elle en tentant de déglutir ses derniers morceaux de pain qui tendaient à lui rester au travers de la gorge. Qu'allaient-ils devenir ? Elle s'était sentie si proche de Blaise dernièrement et voilà que cette conversation avait fait pousser entre eux une chaîne de montagnes insurmontable ! Jamais elle ne traverserait les Alpes. Si elle s'y risquait, elle savait qu'elle mourrait à essayer de sillonner ces cols aux périls infinis qui avalaient chaque année des voyageurs plus aguerris. Fâchée de se voir contrainte de choisir entre les aspirations de Blaise et les siennes, triste de ne voir qu'une impasse à cette situation, elle ne put retenir une larme de rouler sur sa joue. Celle-ci n'échappa pas au jeune homme.

Blaise supportait mal les larmes de Marie-Ursule. Il ne savait jamais quoi en faire. Ces gouttelettes qui s'accrochaient fréquemment aux cils de son amie le désarmaient complètement. Il se sentait toujours idiot en leur présence. Il décida cette fois de leur donner le champ libre, ne tenta rien pour lutter contre elles, pour les faire cesser. Approchant la bassine et le pain de savon auprès de sa compagne, il déposa un léger baiser sur sa tête et sortit, la laissant seule avec son chagrin, ses vêtements sales et sa peau crasseuse.

Dehors, il ne pleuvait plus. L'air était doux et rempli d'humidité. La femme qui les logeait avait laissé la porte ouverte «pour voir le couchant», avait-elle claironné fièrement, comme si l'astre sur son déclin lui appartenait en propre. Blaise décida de profiter un peu de ce magnifique spectacle de couleurs. Il se posa sur le pas de la porte et s'imprégna un instant de toute cette lumière bienfaisante. Ocre, rose, lilas, azur, vert : décidément, les couleurs lui manquaient. Il voulait peindre de nouveau. Oui, c'est ce à quoi il rêvait depuis le début, depuis sa fuite de Paris qui lui avait ouvert un monde de possibilités. Cela était-il réaliste de l'envisager ? Peut-être pas, mais, après tout, le rêve était bien la seule chose qu'il lui restait. Le rêve et Marie-Ursule. Pourrait-elle le suivre jusqu'en Italie sur les traces d'Hannibal ? La route était encore longue et elle semblait si fatiguée. Comment feraient-ils ? Blaise ferma les yeux.

Marie-Ursule. Blaise aurait aimé la protéger, l'installer dans un écrin de velours écarlate, la trimballer avec lui où qu'il aille, l'admirer, la chérir pour le reste de ses jours. Il l'aurait voulue heureuse et sereine. Il aurait voulu entendre son rire chaque jour, la toucher chaque nuit jusqu'à sa mort. Déjà, il réussissait souvent à lui soustraire un éclat de rire ; le soir, il enroulait aussi son bras autour de ses épaules, elle était à ses côtés quotidiennement, mais quelque chose manquait. Elle n'était pas heureuse. Aucune femme en cavale ne pouvait l'être. Elle avait peur, elle avait faim, elle était fatiguée et peut-être malade. Blaise n'y pouvait rien et cela le rendait fou. Pire, en proposant d'aller en Italie, il imposait une prolongation au calvaire de son amie. Quel idiot! Ce sentiment n'était pas nouveau. Depuis leur toute première rencontre, c'est ainsi qu'il s'était le plus souvent senti en sa présence: comme un idiot. La forêt était le seul lieu qui avait amené une exception à cette règle. Lorsqu'ils y étaient, il savait miraculeusement comment se montrer efficace et confiant. Hélas! cet homme aux qualités remarquables disparaissait comme neige au soleil dès qu'ils émergeaient dans la civilisation. Ses paroles, ses gestes, tout redevenait vite discordant. Telle la luciole qui veut aider le voyageur à percer l'obscurité d'une nuit sans lune, il sentait que toute sa bonne volonté ne servait à rien. Il n'était vraiment qu'un idiot. Il redoutait de demeurer en France à cause de ce qu'il avait volé à De Vallon. L'anatomiste était un homme acharné qui pouvait fort bien dédier vie et fortune à sa poursuite. L'Italie semblait, en comparaison, un lieu plus sûr, d'autant que les possibilités de villes comme Florence ou Venise étaient multiples. L'artiste savait qu'il devrait encore voyager longtemps, mais personnellement cela ne lui faisait pas peur. Enfin, il avait peur de perdre Marie-Ursule. Qu'elle tombe malade, qu'elle meure de faim ou de fatigue, qu'elle se fasse violer au cours d'une attaque, ça, il ne pourrait le supporter. Peutêtre devait-il alors mettre un terme aux pérégrinations, se faire berger ou apprenti forgeron, quelque part dans une bourgade perchée sur les montagnes, et épouser Marie-Ursule. Ils auraient une maison et un feu auprès duquel ils passeraient leurs soirées. Cela serait bon pour elle.

Il n'était vraiment qu'un idiot. Ils n'avaient pas d'argent. Les gens des villages n'engageaient pas les tout-venant, sauf pour la période des récoltes. Il y avait des hordes de travailleurs itinérants affamés de cet acabit sur les routes. En restant en France, Marie-Ursule et lui ne feraient que grossir leurs rangs. D'un côté comme de l'autre, le calvaire de Marie-Ursule ne semblait pas près de s'achever.

— Votre femme m'a l'air pas mal éreintée, si je puis me permettre. Vous savez que la malle-charrette de la poste passe demain au petit jour ? Peut-être que l'postillon voudra vous prendre pour vous faire faire un bout de chemin. Je vous conseille de l'attendre à la borne, à la sortie du village, si ça vous intéresse.

La femme se tenait debout près de lui et essuyait ses mains sur son tablier crasseux à mesure qu'elle parlait. Comme il ne répondait pas, elle lui demanda de se lever.

— Quand l'soleil se couche, j'ferme à double tour. Y a des bêtes qui rôdent dans l'coin. Vous feriez bien de r'gagner votre chambre, pis de vous faire un brin de toilette, monsieur. Le matin va venir vite.

Blaise remercia la femme, puis monta, suivant son conseil.

Marie-Ursule était enfouie sous une montagne de couvertures. Sa respiration régulière laissait supposer un sommeil déjà profond. Le feu se consumait avec entrain dans l'âtre et l'air sentait bon le savon. Des ombres joyeuses dansaient sur les vêtements que Marie-Ursule avait suspendus tout autour de la pièce. La bassine encore pleine, posée à même le sol, était invitante. Blaise s'en approcha et se déshabilla. Agenouillé au-dessus du bol en métal, il plongea ses mains dans l'eau qu'il fut étonné de trouver tiède. Il s'en aspergea la figure et frotta avec énergie. Immergeant ensuite la tête jusqu'au fond du récipient, il remua sa tignasse comme il le pouvait dans l'eau savonneuse. Comme il se redressait, il fut surpris de sentir une petite main se poser sur son épaule. La caresse d'un pétale qui tombe sur la pierre. Blaise frissonna et sentit son pouls s'accélérer. Qu'est-ce qui se passait ? La longue attente était-elle enfin terminée ? Marie-Ursule allongea un bras blanc pour saisir l'éponge qui traînait par terre, au bord de la bassine. Demeurant derrière Blaise, mais se serrant contre lui, elle plongea l'objet dans l'eau et le tordit d'une poignée de main vigoureuse. Blaise sentit dans son dos la peau nue et chaude de la belle qui l'enlaçait. Il ferma les yeux et s'enivra de ce précieux moment auquel il rêvait depuis longtemps.

Faisant glisser l'éponge savonneuse sur la surface du corps du jeune homme, Marie-Ursule demeurait silencieuse, observait avec attention la fine musculature de celui qui se trouvait devant elle. Elle aimait le voir tressaillir sous ses mains, entendre sa respiration s'accélérer. Parvenus au point culminant de cette attente grisante qui persistait depuis qu'ils avaient fait connaissance, ils arrivaient encore tous deux à endosser leurs rôles. Elle savait que cela ne durerait plus bien longtemps, mais elle tenait à le faire languir de ses caresses, de la vue de son corps dénudé.

Blaise ne se contenait plus. Il n'avait jamais rien vécu de semblable auparavant. Elle était si belle! Plus encore que dans ses fantaisies! Il se sentait sur le point de défaillir et s'efforçait vainement de penser à autre chose. Cela était-il possible? Marie-Ursule était passée au-devant de lui et lui baignait les pieds. Complètement nue. Cette vision était magnifique, insoutenable. Pourtant, il en avait vu, des corps dénudés, mais celui-ci lui faisait un effet particulier. En ce moment, il n'était plus question de se contenter d'observer comme un artiste consciencieux devant son modèle. Il voulait ardemment posséder, toucher, sentir, goûter. Il avait su se montrer patient jusque-là, mais il n'en pouvait tout simplement plus. Comme elle avait entrepris de faire remonter l'éponge le long de sa cuisse, il posa la main sur son poignet et l'attira vers lui avec empressement. Elle s'y laissa mener jusqu'à ce que leurs lèvres se touchent, jusqu'à ce que leurs corps s'emmêlent et que leurs ombres se fondent en une seule.

Quand Blaise ouvrit les yeux, la clarté s'insinuait déjà sous les volets. Confortablement calé au fond du lit douillet, il tenait la jeune femme entre ses bras. Elle était encore nue, lui aussi, et sur le coup il fut tenté de rejouer la scène de la veille, lorsqu'un éclair lui traversa l'esprit. Instantanément, il se projeta hors du lit, se rua sur ses vêtements et intima l'ordre à Marie-Ursule de se lever immédiatement. Surprise par tant de précipitation, Marie-Ursule bondit à son tour.

— La malle-charrette pour le prochain relais de poste! Elle doit passer à l'aurore près de la borne. Dépêche-toi!

Marie-Ursule obtempéra. Main dans la main, Blaise et elle dévalèrent les escaliers en trombe, saisirent un quignon de pain et une pointe de fromage en faisant un rapide détour par la cuisine, puis s'élancèrent dans la fraîcheur de l'aube brumeuse, aussi vite que cela leur était possible. Comme ils arrivaient à la borne, à la sortie du village, ils aperçurent la malle-charrette qui s'éloignait déjà, les ayant devancés de peu. Blaise hurla pour attirer l'attention du conducteur qui, heureusement, s'immobilisa. En voyant le bijou que les jeunes gens lui proposaient, l'homme les invita cordialement à s'installer à l'arrière. Sur l'heure, Marie-Ursule et Blaise étaient les seuls voyageurs. Blottis l'un contre l'autre sous la couverture mitée de Marie-Ursule, ils laissèrent la malle-charrette les emporter.

S'ils avaient déjà gravi quelques collines alors qu'ils étaient encore à pied, la malle-charrette évoluait maintenant en terrain franchement montagneux. L'air était frais, le soleil radieux. Les paysages qui s'étendaient devant les deux jeunes gens étaient de parfaites splendeurs. De son œil vif et acéré, le peintre n'en finissait plus de détailler les couleurs, les formes et les impressions qui naissaient de cette succession de visions enchanteresses. Marie-Ursule se délecta aussi de ces douceurs offertes au regard, mais elle s'en lassa plus vite que son compagnon. Délaissant bientôt le spectacle paysager, elle se mit plutôt à scruter le profil de Blaise, pensive. Elle aimait ce garçon, c'était indéniable. Il l'aimait aussi, elle en était presque certaine. Étrangement, néanmoins, depuis la veille, elle était convaincue de devoir le quitter. Elle devait le laisser aller en Italie, car là était sa place. C'était un artiste. Tout en lui le criait. Ce regard azur qu'il avait, le soir d'avant, posé sur elle comme sur un chef-d'œuvre, ces yeux avides qui scrutaient l'immensité devant lui à cette heure, sans parler de ce talent brut qu'elle-même avait pu apprécier dans sa petite chambre chez De Vallon. L'empêcher d'aller en Italie, c'était l'empêcher d'être artiste, l'empêcher d'être lui. C'était impensable. Et elle, elle savait bien qu'elle n'irait pas jusque dans ce pays, même s'ils avaient de quoi se payer quelques jours de transport en malle-charrette. C'était trop pour elle, son corps fatigué, exténué, avait même de la peine à endurer les cahots de la route. Elle devait s'arrêter, prendre racine quelque part par tous les moyens et au plus vite. Elle sentait que c'était là une question de survie. D'un autre côté, elle ne voulait pas imposer ce choix de vie à Blaise, pour la même raison. Elle avait été un boulet pour sa mère et elle ne supporterait plus jamais de l'être pour quelqu'un d'autre. En contemplant son compagnon, elle pensa avec une pointe au cœur à tout ce qu'il était pour elle. Fallait-il qu'elle soit folle pour songer à l'abandonner? Triste, mais résolue, elle continua de regarder la route qui s'étendait devant elle. Son chemin était là, quelque part. Elle ne devait pas le manquer.

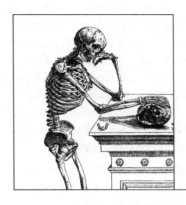

CHAPITRE 19

Aux alentours de midi, le postillon arrêta la malle-charrette pour une pause. Marie-Ursule et Blaise en profitèrent pour se délier un peu les jambes et escaladèrent la paroi verdoyante qui surplombait la route, jusqu'au pied d'un énorme rocher. Là, ils posèrent séants sur l'herbe grasse et dévorèrent en silence leurs provisions de la journée. Lorsque les vivres furent épuisés, Blaise s'allongea et vint poser sa tête sur les cuisses de Marie-Ursule. La fixant de son regard bleu ciel, il détailla avec intensité chaque centimètre de la physionomie de ce visage qu'il trouvait si beau. Il aurait aimé la peindre, là tout de suite. Il avait bien déjà tenté de faire son portrait, le premier jour, à l'amphithéâtre, mais il n'avait pas été satisfait de son rendu. L'encre noire et le gris du charbon ne seyaient pas à sa beauté particulière. Comme aucun autre modèle, elle appelait la couleur, exigeait la couleur. Et maintenant plus que jamais, sous cette lumière, dans cet endroit magnifique, elle était une déesse venue des temps anciens, une fleur exotique poussée sur les gris et froids rochers des montagnes qu'ils parcouraient. Il aurait aimé la contempler ainsi pour l'éternité, aussi se promit-il de faire son portrait dès qu'il trouverait une place dans un atelier de Venise ou de Florence. Oui, dès qu'il le pourrait, il la peindrait, encore et encore, jusqu'à satiété. En attendant, il comptait bien rassasier sa vue autant que possible, de même que ses autres sens qui, depuis la veille, étaient dans un état d'effervescence inouï.

Marie-Ursule caressait la joue barbue de son compagnon, tandis qu'elle essayait de percer son esprit, de comprendre ses pensées. Habituée à décoder le langage du corps des hommes, elle remarqua surtout que Blaise ne masquait plus ses envies d'elle. Elle en fut flattée et se pencha pour l'embrasser longuement, car c'était tout ce qu'ils pouvaient s'offrir pour le moment. L'instant était doux, et cette proximité nouvelle qu'ils s'autorisaient, absolument délicieuse. Marie-Ursule pria pour que ce sentiment de plénitude l'accompagne encore longtemps, mais elle fut vite ramenée à la réalité par le postillon qui leur annonçait son départ imminent.

Lorsqu'ils se réinstallèrent à l'arrière de la malle-charrette, Marie-Ursule avait les yeux humides. Blaise qui n'avait de cesse de la regarder s'en aperçut rapidement et, la serrant contre lui, il voulut savoir pourquoi elle était au bord des larmes.

— C'est que je suis si bien avec toi, Blaise ! Je ne voudrais jamais que ça s'arrête. Merci d'avoir été là avec moi à Paris et merci d'être encore là, aujourd'hui, à mes côtés. Merci.

Réprimant un sanglot, la jeune femme cessa de parler et posa la tête sur l'épaule de son compagnon. La malle-charrette se remit en branle et, cette fois, ce fut Blaise qui remercia.

— Merci à toi, Ursule, d'avoir mis de la couleur dans mon existence, de m'avoir ouvert les yeux, de m'avoir sorti de cette ville où je n'étais qu'un fantôme. Merci de m'aimer et de me laisser t'aimer.

Marie-Ursule fut sensible à l'inflexion qu'elle perçut dans la voix de son ami. Elle se blottit encore plus contre lui et n'ajouta rien. Tout avait été dit.

Le soleil chaud de l'après-midi et les grincements réguliers de la malle-charrette eurent tôt fait d'entraîner les deux voyageurs dans une douce léthargie. Blaise s'y laissa aller de bon gré et sombra dans un sommeil profond. Marie-Ursule lutta de longues minutes contre l'envie de dormir. Elle devait se tenir éveillée afin de ne pas manquer sa chance. Profitant de «l'absence» de son compagnon, elle dégrafa la pochette dans son corsage et en extirpa les quelques bijoux qu'il lui restait. Délicatement, elle les glissa dans la poche de Blaise, qui ne s'aperçut de rien. Repoussant ensuite la couverture qui les enveloppait tous les deux, elle laissa ses jambes pendre dans le vide au-dessus de la route qui défilait à bonne allure. Elle demeura ainsi un long moment. Regardant la chaussée, puis Blaise qui dormait toujours à poings fermés, elle hésitait, elle avait peur.

Puis, l'occasion se présenta, plus vite qu'elle ne l'espérait, signe du destin peut-être. La malle-charrette arriva à une croisée des chemins qu'elle franchit sans ralentir.

Marie-Ursule n'en avait pas vu depuis un bon bout de temps et elle comprit que, sur cette route peu fréquentée, c'était maintenant ou jamais. Faisant ni une ni deux, repoussant toutes ses appréhensions, elle jeta un dernier regard à Blaise, se retint de l'étreindre une dernière fois, puis sauta de la charrette en marche.

La réception fut brutale. Ayant mésestimé la vitesse du véhicule, elle se tordit la cheville lorsque son pied toucha le sol. Elle perdit alors l'équilibre et sa tête alla se fracasser contre une pierre sur la route. Sonnée, étendue de tout son long en travers du chemin, sa vision s'embrouillant dangereusement de seconde en seconde, elle regarda aussi longtemps qu'elle le put la malle-charrette disparaître dans un tournant, avec à son bord Blaise qui, tout à son sommeil, ne soupçonnait rien de cette folie que Marie-Ursule venait de commettre. La jeune femme tenta d'appeler son compagnon pour implorer son aide, mais seul un souffle rauque s'échappa de sa gorge. Impuissante, brisée, elle se laissa sombrer dans les ténèbres.

———•———

L'endroit était magnifique. C'était un sous-bois ombragé dont le sol émeraude et velouté était pailleté d'or sous l'effet d'un chaud soleil d'été qui était parvenu à transpercer l'épaisse canopée. L'air immobile était chargé d'humidité ; c'était le royaume de la sphaigne, des champignons, de la mousse, des lycopodes et du lichen. Les arbres trouvaient néanmoins leur compte dans ce milieu aqueux, car ils poussaient dru et protégeaient de leurs branches solides et fournies le ciel des petits étangs noirs creusés çà et là, aussi loin que portait le regard, comme autant d'empreintes de pas de géant qu'on aurait remplies de goudron. Malgré son apparente noirceur, l'onde mystérieuse était pourtant pure et cristalline, sa surface, immobile tel un miroir. Blaise se tenait près de l'un de ces étangs. Au loin, un roulement de tonnerre commençait à se faire entendre. Il fallait se hâter, mais l'artiste n'en avait aucune envie, car devant lui se dressait le plus beau des portraits. De l'autre côté du bassin, sa douce et tendre était allongée, langoureuse, sur un lit mousseux vert profond et les pointes de sa longue chevelure pâle trempaient doucement dans la mare près d'elle. Nue et blanche des orteils jusqu'au bout de son nez, Blaise se délectait d'elle, de cette vision sculpturale, de ce marbre vivant, luminescent, déposé par les dieux anciens au cœur de cette forêt vert et noir, vision enchanteresse qui évoquait Narcisse sans en avoir la prétention et qui invitait le voyageur pressé qu'il était à s'attarder, à s'attarder encore et encore, à se perdre dans la contemplation de contrastes parfaits, de courbes délicates, à envisager ce tableau comme l'ultime chef-d'œuvre. Blaise aurait tout donné pour pouvoir reproduire le charme capiteux de cette scène s'il avait eu ses pigments et ses brosses. Hélas! il n'avait avec lui que ce lourd cylindre contenant des centaines de pages barbouillées de gris et il savait que sa mémoire ne lui permettrait jamais de rendre avec acuité ce qui s'offrait à son regard en cet instant précis. Dommage. Une fois les yeux ailleurs, les détails indispensables à l'harmonie de l'ensemble s'effaceraient de son esprit. C'était si beau. Il ne voulait pas s'arracher à cette vision, pourtant il se sentait contraint de le faire. Le tonnerre grondait de plus en plus fort à ses oreilles; l'orage était imminent. Marie-Ursule, devant lui, souveraine de son marais, continuait à le fixer, de ce regard intense qu'il avait connu la veille et qui avait bien failli le rendre fou à lui tout seul. Lentement, elle glissait sa main à la surface de l'eau, créant d'innombrables cercles concentriques au milieu desquels, entre ses doigts fins, se trouva soudain une cordelette toute en longueur que Blaise reconnut sur-le-champ : c'était l'offrande des Parques, le fil de sa vie que Marie-Ursule tenait délicatement entre son pouce et son index. Il aurait aimé savoir comment cet objet depuis longtemps égaré était entré en sa possession, il voulait rejoindre la jeune femme, la presser contre lui, l'embrasser, la posséder, il le voulait ardemment, mais l'onde noire qui les séparait lui faisait peur à présent et il sentait qu'il devait s'abriter de l'orage au plus vite. Tiraillé entre des pulsions contraires, il n'était capable que de rester sur place, hésitant et furieux de l'être. La situation devenait de plus en plus insoutenable.

Le roulement de tonnerre se fit soudainement plus net et Blaise comprit d'un seul coup qu'aucune tempête ne le menaçait, du moins, aucune ne venant du ciel. Ouvrant les yeux comme la malle-charrette s'immobilisait, il remarqua que le grondement avait cessé : son tonnerre n'était en fait que le bruit de la charrette roulant sur les gravillons. Hébété d'avoir dormi aussi profondément et encore enivré des vapeurs de son rêve étrange et magnifique, il aperçut alors le visage rougeaud du postillon devant lui.

— Va falloir descendre, on arrive au relais. Je vous reprends demain à la borne, dès la sortie du village, si vous voulez. Et en passant, y a un bon lupanar dans ce bourg, vous y trouverez de quoi vous consoler pour sûr! C'est juste en bas de la grande côte, sur la droite, vous pourrez pas le manquer.

D'un geste de la main, le postillon pressa Blaise de débarquer de la malle-charrette. Ce faisant, Blaise remarqua avec stupeur que Marie-Ursule n'en descendait pas avec lui. Inquiet de ne pas la trouver à ses côtés, il balaya les environs du regard, à sa recherche. Il cria son nom à quelques reprises, sans obtenir la moindre réponse. Faisant rapidement le lien avec ce que venait de lui dire le postillon, il fut pris d'un sentiment d'urgence et se mit à faire les cent pas autour de la charrette, cherchant vainement dans les bosquets des alentours ou au bout du chemin celle qui brillait par son absence.

— Dommage pour vous, mais ne vous en faites pas. De jolies jeunes filles, c'est pas ce qui manque dans c'pays!

Le postillon parlait tout en replaçant nonchalamment ses sacs postaux sur le dos du cheval près de lui. Il souriait, arquait les sourcils, secouait la tête, avait le ton léger de l'homme insouciant. Tout à sa détresse, Blaise ne put supporter ce détachement, cette façon anodine qu'avait l'homme de traiter la disparition de Marie-Ursule. «Vous avez égaré votre chapeau? Y a un bon chapelier en ville!», c'est ce qu'il aurait pu dire sur le même ton, exactement. Pour lui, la perte d'un chapeau et l'absence de Marie-Ursule s'équivalaient. Quelle offense! Furieux, envahi d'un sentiment d'impuissance, Blaise se rua sur le trop joyeux luron et l'empoigna à la gorge.

— Où est-elle ? lui hurla Blaise en plein visage.

L'artiste ne se contenait plus. Il ne s'était jamais connu dans un pareil état d'égarement, même lorsqu'il avait chahuté le cagibi d'anatomie de Gaspar De Vallon. Son cœur battait dans ses tempes, il avait envie de démolir cet homme. Il n'avait pas perdu un objet quelconque, mais Marie-Ursule, par tous les saints !

— Où est-elle ? hurla-t-il de nouveau.

Le postillon à la figure écarlate était costaud, mais, pris de court par les pouces que Blaise enfonçait impitoyablement dans sa trachée, il était incapable de riposter physiquement. Il se contenta de secouer la tête et de souffler qu'il n'en savait rien entre ses dents serrées. Blaise maintint son étreinte quelques secondes encore, scrutant le regard implorant de sa victime. Le postillon disait vrai, mais Blaise aurait voulu percer à jour une pointe de défiance ou l'ombre d'un mensonge dans ce regard qui n'était qu'apeuré. Il aurait aimé foutre une raclée à cet homme, mais le pauvre bougre ne le méritait pas. Blaise en était conscient. Il relâcha son étreinte et le charretier roula sur le côté, avide de reprendre son souffle.

Le jeune artiste s'éloigna de quelques pas et se laissa choir dans la poussière sur le bord de la route. Mais où était-elle donc ? Était-elle tombée ? L'avait-on enlevée ? Marie-Ursule était-elle descendue quelque part sans qu'il s'en aperçoive ? Et à quel moment, en quel endroit cela avait-il eu lieu ? Pourquoi n'avait-elle rien dit ? Blaise tenta de rassembler ses esprits. Ils avaient pris un goûter, ensemble, aux alentours de midi, puis ils étaient repartis, ensemble, dans la charrette où il n'avait pas tardé à s'endormir. Ils avaient roulé assez longtemps, puisque le soleil était maintenant bien près du couchant. Le postillon s'était-il arrêté pendant ce temps ? Peut-être avait-il vu ou entendu quelque chose. Blaise regarda l'homme qui se redressait péniblement. Il allait s'enfuir sous peu, sans doute garder quelque précieuse réponse à ces questions et peut-être aussi alerter les autorités du fait qu'il avait été victime d'une gratuite agression. Il fallait éviter tout cela. Blaise se releva et courut vers lui. Le voyant s'approcher de nouveau, le postillon, pris de panique, tenta de remonter sur son cheval pour prendre la fuite, mais Blaise le rattrapa.

— Je suis désolé de vous avoir fait mal et de vous avoir fait peur, s'excusa-t-il en essayant d'adopter un visage avenant. Cette fille…

Blaise ne savait trop comment terminer sa phrase, quoi dire pour s'expliquer, pour expliquer ce lien unique qu'il avait avec Marie-Ursule, pour que le postillon comprenne à quel point il voulait son bien, à quel point il la voulait heureuse, en sécurité, en santé, à quel point il aimait marcher avec elle, à quel point il se sentait redevable de cette liberté dont il jouissait maintenant, à quel point elle était importante dans sa misérable existence, à quel point il avait peur de verser dans la folie devant cette absence inattendue. Pendant qu'il cherchait ses mots qui toujours lui semblaient inappropriés, le postillon s'était calmé et avait compris ce que Blaise tentait de lui expliquer. Lui aussi avait déjà été amoureux. Et lui aussi avait déjà perdu celle qu'il aimait… Empreint d'une soudaine compassion, il tapota l'épaule du pauvre garçon dont les yeux scrutaient obstinément les environs. S'il ne retrouvait pas bien vite cette fille, à n'en pas douter qu'il en ferait bientôt une habitude, de promener ainsi frénétiquement son regard autour de lui. Il la chercherait constamment et partout, même lorsqu'il serait résigné et croirait en avoir fini avec elle. C'était ça, l'amour. Le postillon avait assez vécu pour le savoir et il comprenait ce que Blaise lui-même ne saisissait pas encore. Néanmoins, le charretier n'oubliait pas avoir été brutalisé. Il n'allait quand même pas prendre le jeune homme à bras-le-corps et le laisser pleurer sur son épaule! Il monta sur son cheval et souhaita bonne chance du bout des lèvres à ce voyageur au bagage singulier.

— Attendez! Nous sommes-nous arrêtés cet après-midi? implora Blaise dans une dernière tentative pour comprendre ce qui lui arrivait.

Le postillon secoua la tête en signe de négation et nomma trois petites bourgades qu'ils avaient cependant traversées. Inspirant une grande goulée d'air, Blaise se passa la main dans les cheveux et adressa un regard de gratitude au postillon. Pendant que ce dernier prenait congé et poussait la cadence de son cheval pour gagner le village qui était tout près, Blaise, à pied, rebroussait chemin dans le jour sur son déclin. Son cylindre sur le dos, il espérait une nuit sans nuages afin de pouvoir profiter de la lune pour éclairer son chemin.

Selon son souhait, la nuit fut claire et les nuages se contentèrent de voiler ses pensées plutôt que le firmament. La route était calme, l'air pur et frais, parfait pour marcher. Marie-Ursule marchait-elle aussi au cœur de la nuit ou s'était-elle blottie contre un rocher et tentait, transie, de trouver un sommeil qui ne viendrait pas ? Peut-être avait-elle trouvé asile quelque part. Blaise n'avait pas de réponses et les questions s'enchaînaient sans cesse entre ses deux oreilles. C'était difficile à supporter, de ne pas savoir. Il avait tellement hâte de parvenir dans un lieu habité, de croiser quelqu'un à qui demander si on avait vu celle qui lui manquait, qu'il se surprenait parfois à courir sur la route.

Lorsqu'il arriva enfin au cœur d'une minuscule agglomération, il alla immédiatement tambouriner à la porte de l'auberge où un peu de fumée s'échappait encore de la cheminée. Vu l'heure tardive, il dut attendre un certain temps avant qu'un homme vienne lui ouvrir, la tête couverte d'un bonnet de nuit.

— Mes chambres sont pleines. Pour un sou, vous pourrez vous allonger près du feu.

Blaise n'avait ni argent ni désir de s'allonger ailleurs qu'auprès de celle qu'il aimait. Il demanda à l'aubergiste s'il avait vu une femme seule, une jeune voyageuse aux cheveux pâles. L'homme grommela une réponse négative et claqua la porte au nez de Blaise. L'heure n'était pas à déranger les gens pour de telles broutilles, avait-il sermonné. Fâché de se heurter une fois de plus à un manque de compassion flagrant et déçu de n'avoir pas trouvé ce qu'il cherchait, Blaise demeura un instant seul dans le noir sur le porche de l'auberge. Qu'avait-il cru ? Qu'il verrait Marie-Ursule derrière la première porte qu'on lui ouvrirait ? Qu'elle bondirait devant lui sur le chemin ? Était-il vraiment aussi naïf ? Décontenancé, il contourna la bâtisse et gagna les écuries où il se composa un lit avec de la paille fraîche.

En se tournant sur le côté, il songea avec tristesse qu'il avait l'habitude d'enlacer Marie-Ursule dans cette position. Cette nuit, il y avait un grand vide entre ses bras. Il ferma les yeux pour tenter de réprimer ses larmes et trouver un sommeil qui pourrait le faire patienter jusqu'à l'aube. À quoi bon mener des recherches la nuit, puisque personne n'allait être disposé à répondre à ses questions ? Inconfortable, Blaise bougea encore un peu sur place et il s'aperçut tout à coup qu'il était allongé sur quelque chose de dur. Se redressant, il tâtonna dans la noirceur de l'écurie pour tenter de mettre la main sur cet objet agaçant, mais rien ne se trouvait dans la paille sous lui. Plongeant alors la main dans ses poches, il effleura du bout des doigts le métal froid des bijoux de Marie-Ursule qu'il reconnut aussitôt. Comment avaient-ils abouti là ? Blaise comprit que c'est elle qui les y avait placés pendant son sommeil. Pourquoi ? « Elle me les a confiés. Elle est partie de façon délibérée. Elle n'est pas tombée de la charrette par accident… Mais partir sans ses bijoux, la seule monnaie qui pouvait encore assurer sa subsistance, c'est du suicide ! » Blaise détenait une partie de l'explication, mais ses réflexions le laissaient insatisfait. Il trouvait difficilement un sens au geste de Marie-Ursule. En plongeant la main dans sa poche un peu plus profondément, il découvrit un autre objet : petit, lourd, froid, lisse sur un côté et rugueux de l'autre. Blaise approcha sa main de la fenêtre de l'écurie. Dans le pâle rayon de lune qui parvenait jusqu'à lui, il aperçut, posé sur sa paume, un caillou blanc. Comme lui avant elle, elle lui offrait ce cadeau singulier : un caillou ordinaire qui ne l'était pas vraiment. Un souvenir d'elle, en quelque sorte. Cela signifiait-il qu'elle ne voulait pas être retrouvée ? Peut-être. Seulement, Blaise ne se sentait pas tenu de prêter attention aux élucubrations silencieuses d'un vulgaire caillou. Il allait la chercher, qu'elle le veuille ou non.

L'aube se pointa rapidement. Blaise, qui n'avait pu fermer l'œil de la nuit, fut dehors à la première heure. Profitant des premiers rayons du soleil, il repéra immédiatement ceux qui, comme lui, avaient le pied matinal. Ayant promptement fait le tour de la bourgade, il constata avec dépit que personne n'avait vu ni entendu parler d'une jeune femme blonde voyageant seule. Résigné, il poursuivit ses recherches jusqu'au hameau suivant où il répéta le même manège, sans résultat. En chemin, il remarqua que la route qu'il empruntait en croisait une autre. Cela insinua un doute dans son esprit. Rien n'indiquait que Marie-Ursule se soit arrêtée dans un des villages qu'ils avaient traversé. Elle avait bien pu descendre n'importe où et, comble du malheur, aller n'importe où par la suite. Atterré d'en arriver à cette conclusion, Blaise eut un serrement au cœur. Il n'avait jamais pensé que retrouver Marie-Ursule serait chose facile, pourtant, en cet instant, l'ampleur de la tâche semblait se décupler et devenir insurmontable. Comment allait-il parvenir, à pied, sans argent, sans véritable connaissance de ce pays, à couvrir toutes les routes et ratisser tous les villages des environs ? Et d'ici à ce qu'il réalise cet exploit improbable, qui pouvait lui assurer que Marie-Ursule n'était pas morte, quelque part dans les fourrées de cette contrée inhospitalière et accidentée? Et si elle parvenait plutôt à se faire transporter dans une ville lointaine? Ce n'était pas impossible et, dans ce cas, toutes ses recherches resteraient vaines. L'hiver était aux portes. Il ne tarderait pas à neiger. Il devait la retrouver et, s'il n'y arrivait pas bientôt, il devrait tôt ou tard la laisser à son sort. Blaise grimaça. Cette perspective lui triturait le cœur. Ce n'était pas envisageable pour l'instant, alors il força le pas, car il tenait à se rendre au village suivant avant que le soleil embrase l'horizon.

—•—

Quand elle reprit connaissance, c'est la lourdeur de son propre corps que remarqua tout d'abord Marie-Ursule. Ses membres tétanisés semblaient constitués de pierres et elle arrivait difficilement à les mouvoir. Lorsqu'elle décida d'investir le peu de force dont elle disposait dans l'ouverture de ses paupières tout aussi lourdes, elle fut atterrée de découvrir un plafond au-dessus d'elle. Un regard circulaire rapide lui permit de constater qu'elle se trouvait dans une petite pièce douillette, baignée d'un jet de lumière provenant d'une fenêtre de forme ogivale. Elle évita de regarder ce point lumineux trop directement, car la clarté lui faisait l'effet de lames dans les yeux et de pointes au fond de la tête. Où était-elle donc? Elle n'eut pas le loisir de trop s'en soucier, puisque le temps de sa première incursion dans la réalité était déjà expiré.

La seconde fois que Marie-Ursule émergea de sa torpeur, une dame se trouvait à ses côtés. Elle avait traîné une chaise au bord du lit, près du pied, et elle fut ce que Marie-Ursule aperçut en premier en ouvrant les yeux.

— Bienvenue parmi nous, mademoiselle !

La femme s'était levée. Elle avait un visage rond et rougeaud, des yeux de chat avec de grosses poches en dessous et des formes généreuses sous sa robe propre et bien empesée. Elle n'était pas particulièrement souriante, mais le ton avec lequel elle avait accueilli Marie-Ursule laissait croire qu'elle ne constituait pas une menace. S'avançant doucement en direction de la jeune fille, elle l'aida à se redresser en plaçant des oreillers dans son dos afin de la soutenir. Avant de retourner s'asseoir sur sa chaise droite, elle lui offrit à boire.

— N'ayez crainte. Ici, l'eau est pure, elle vient tout droit de la montagne. Ce n'est pas comme à Paris. On dit que l'eau des fontaines, après la pluie, sent le chou pourri, est-ce vrai ?

Marie-Ursule acquiesça. À Paris, il fallait se méfier. On buvait de la bière, du vin, du cidre, mais rarement l'eau des fontaines, qui servait plutôt à laver les vêtements ou à faire de la soupe. En avaler après une averse, c'était se garantir une purge. La plupart des citadins évitaient. Marie-Ursule but goulûment trois rasades de suite, tout en réfléchissant. Cette femme semblait savoir qu'elle venait de Paris. Était-elle au courant d'autre chose ? La jeune fille s'inquiéta. Elle se sentait encore bien fragile, ne croyait même pas être capable de se lever, pourtant elle avait un besoin urgent de savoir où elle se trouvait et à qui elle avait affaire exactement.

— Où suis-je? Et qui êtes-vous? risqua-t-elle en déposant la tasse sur la petite table près du lit dans lequel elle reposait.

— Vous êtes dans la résidence du curé Peyraud, dans la commune de Pommiers-la-Placette. Je suis mademoiselle Vougy. Officiellement, je suis la cuisinière de monsieur le curé, mais en réalité… eh bien! je m'occupe de tenir sa maison. Cela étant, je loge ici même, dans la chambre tout juste en face de la vôtre.

Marie-Ursule brûlait de s'enquérir de Blaise, mais elle se retint. Plus que jamais, elle se rappelait être une fugitive. Elle décida de se montrer prudente. Avide d'en savoir plus et disposant d'une interlocutrice qui ne semblait pas avoir envie d'économiser ses mots, elle poursuivit son interrogatoire.

— Comment est-ce que je me suis retrouvée ici?

— Ma pauvre enfant, par un miracle du Saint-Esprit! Vous étiez dans un si piètre état! Le curé Peyraud s'était rendu au prieuré pour affaires et voilà que, sur le chemin du retour, à la pénombre, il vous a trouvée étendue sur la route, presque morte d'une contusion à la tête. Vous saigniez encore, alors il vous a fait un bandage et vous a transportée comme il a pu, sur son cheval, jusqu'ici. On vous a couchée dans ce lit, j'ai nettoyé votre plaie, je l'ai pansée et j'ai fait de même avec votre cheville, qui était terriblement enflée. Il y a quatre jours que vous êtes là. À présent, l'enflure a disparu, mais je parie que cela vous fait encore mal.

Marie-Ursule bougea les pieds. En remuant celui de droite, une vive douleur vint lui décrocher une grimace.

— C'est bien ce que je pensais, déclara mademoiselle Vougy d'un air entendu. Maintenant, si vous me parliez de vous, jeune fille ? Qui êtes-vous ? Que vous est-il arrivé ?

Marie-Ursule sentait la fatigue la gagner. Aussi, elle avait faim. Elle n'avait pas la force de discourir longtemps, mais ne voulait pas décevoir celle qui l'avait prise sous son aile et qui répondait si cordialement à ses questions. Malheureusement cependant, elle se voyait dans l'obligation de lui mentir.

— Je m'appelle Rachel. Je… je ne me souviens plus de ce qui m'est arrivé. Le dernier souvenir que j'ai, c'est celui d'être étendue en plein soleil, sur la route.

Mademoiselle Vougy ne cacha pas sa mine suspicieuse. Elle n'allait pas se contenter de si peu.

— Et d'où viens-tu, Rachel ? Pourquoi es-tu dans la région ? Tu viens de Paris, n'est-ce pas ?

— Oui… comment le savez-vous ?

— Tu as parlé dans ton sommeil. Pour sûr, tu n'as pas une tournure de langue de par chez nous ! Et ta robe aussi : il n'y a qu'à regarder pour savoir que ça vient de loin. Alors comme ça, je ne me suis pas trompée…

Mademoiselle Vougy semblait fière de son habile déduction. Marie-Ursule, elle, se sentit soulagée : la femme ignorait tout d'elle, en réalité. Elle n'avait fait que supposer.

— Vous avez vu juste, en effet. Ma mère et moi habitions Paris. Elle est morte récemment. C'était ma seule famille. Avant de mourir, elle m'a parlé de mon père et de sa famille qui habitaient quelque part entre Lyon et les Alpes. J'ai cru qu'en quittant Paris, je laisserais mon chagrin derrière moi et que je pourrais enfin appartenir à un clan en retrouvant ceux de mon sang.

— Tu as voyagé seule ?

Mademoiselle Vougy écarquilla les yeux sous l'effet de la surprise.

— Pas surprenant qu'il te soit arrivé malheur ! Encore heureux que tu sois aujourd'hui saine et sauve. Le nom de famille de ton père, c'est quoi ?

Marie-Ursule n'était pas préparée à cette question. Le mensonge se tenait pourtant jusque-là. Sans la prévenir, son cerveau improvisa une réponse qui, énoncée à voix haute, sembla étonnamment honnête.

— Lefebvre.

Elle avait emprunté le patronyme de la veuve qui les avait hébergées, sa mère et elle, à Paris. Elle espérait que cela serait suffisant pour l'instant.

— Lefebvre ? Jamais entendu ce nom-là par ici. Remarque, je ne connais pas tout le monde des alentours, mais, tout de même, je me serais attendue à quelque chose de plus familier. Le curé et moi, on verra ce que l'on peut faire pour toi. Maintenant, repose-toi un peu et je vais revenir dans quelques minutes avec un bouillon bien chaud et du pain frais. Tu dois sûrement avoir faim et, même si ce n'est pas le cas, il te faudra manger. Tu es maigre à faire peur.

Sur ces paroles empreintes de bienveillance, mademoiselle Vougy s'éclipsa. Marie-Ursule l'entendit descendre les escaliers et soupira de soulagement à l'idée de se trouver enfin seule. Elle avait besoin de ruminer un peu ses mensonges et de se reposer.

Le curé Peyraud et mademoiselle Vougy étaient des gens d'exception. Compatissants, dévoués, généreux malgré leur mode de vie simple, ils offrirent à Marie-Ursule de l'héberger tout le temps de sa convalescence et de l'aider ensuite à retrouver sa famille imaginaire. La jeune fille coula des jours paisibles et heureux en leur présence. Mangeant chaque jour à sa faim, veillant chaque soir auprès d'un feu réconfortant en compagnie de ses hôtes, dormant chaque nuit en sécurité sous des draps chauds, elle sentait que ses racines voulaient s'arrimer dans ce sol propice au bonheur. Néanmoins, elle se gardait bien de les laisser courir trop profondément, car elle redoutait son départ imminent. Bientôt, il lui faudrait reprendre la route. Ou peut-être le curé pouvait-il l'aider à trouver du travail et un logement ici même, dans la commune. L'idée lui plaisait, mais elle ne savait pas encore s'il était réaliste de l'envisager.

Elle pensait souvent à Blaise. Elle s'ennuyait terriblement de lui, de sa présence, de sa main dans la sienne, de ce regard particulier qu'il posait sur elle. Elle s'ennuyait de son nez froid caressant sa nuque la nuit venue, s'ennuyait de ses baisers ardents auxquels elle n'avait que trop peu goûté. Blaise avait dû être si inquiet de la voir absente à côté de lui, dans la malle-charrette, à son réveil. Elle regrettait la peine qu'elle lui avait faite, mais pas son geste. L'avait-il cherchée? La cherchait-il encore? Marie-Ursule espérait que non, sans trop y croire. Elle ne voulait pas qu'il perde son temps, ne voulait pas qu'il la retrouve. Il devait partir pour l'Italie, se défaire du boulet qu'elle était pour lui et avancer dans la vie que le bon Dieu lui réservait. Elle aussi devait faire cela, seulement elle ignorait comment s'y prendre pour l'instant. Alors, sur les conseils du curé, elle s'était récemment mise à prier. Elle priait pour trouver sa voie et pour que Blaise trouve la sienne. C'était tout ce qu'elle pouvait faire.

——•——

En montagne, les premières neiges étaient hâtives. Avant que le soleil se couche ce jour-là, quelques flocons avaient commencé à tomber du ciel. Marie-Ursule avait clopiné jusque sur le pas de la porte du presbytère pour admirer avec insouciance ces minuscules fleurs gelées qui virevoltaient dans tous les sens. Mademoiselle Vougy, la rejoignant au dehors, ne partagea pas l'enthousiasme de la jeune fille.

— Dans ce pays, on redoute les tempêtes, surtout quand nos proches sont sur la route.

La cuisinière avait parlé sur un ton grave où perçait l'inquiétude. Le curé Peyraud était parti faire le tour de sa paroisse qui s'étendait loin au-delà du village, à ce que l'on disait. La nuit tombait et il n'était toujours pas de retour. Mademoiselle Vougy n'était tranquille que lorsque son curé était à la maison. Elle le couvait comme une mère. Ou plutôt comme une épouse. Oui, à la réflexion, Marie-Ursule songea que l'homme d'Église et sa cuisinière faisaient un bien beau couple. Illicite, mais beau quand même.

Au grand soulagement de mademoiselle Vougy, le curé Peyraud regagna son logis peu après le repas du soir. Se levant en trombe pour accueillir son homme dans le tourbillon des flocons qui étaient entrés dans la pièce en même temps que lui, mademoiselle Vougy sembla réprimer son élan en se rappelant la présence de Marie-Ursule près du feu. Aidant le prêtre à se départir de ses vêtements couverts de neige, elle tira un siège près de l'âtre et lui apporta une assiette de ragoût fumant. La remerciant avec chaleur, le prêtre tapota le coussin de la chaise à ses côtés et l'invita à s'asseoir auprès de lui, ce qu'elle fit avec empressement. Le curé Peyraud avait l'air excité et les deux femmes avaient hâte qu'il parle enfin.

— J'ai une excellente nouvelle, dit-il finalement entre deux bouchées de viande en sauce.

— De quoi s'agit-il ? voulut aussitôt savoir mademoiselle Vougy.

— De Rachel. Ma petite, j'ai retrouvé votre famille. Du moins, c'est ce que je crois.

Le prêtre et sa cuisinière la dévisageaient. Muette de stupeur, Marie-Ursule demeura interdite devant cette révélation pour le moins étonnante. Présumant que la jeune femme attendait de plus amples explications, le curé poursuivit avec enthousiasme.

— Il y a une vingtaine d'années, plusieurs Lefebvre ont quitté la paroisse voisine pour se rendre à Marseille, à ce que l'on m'a dit. Il y aurait eu parmi eux un homme qui, je crois, serait peut-être ton père.

Interprétant la mine déconfite de Marie-Ursule comme étant une critique à l'égard de son investigation peu poussée, le curé s'empressa d'ajouter :

— Évidemment, je dois encore me renseigner pour préciser toutes ces informations, mais sois certaine que, dès demain, je vais me rendre à l'évêché afin d'étoffer tout cela.

— Enfin, tu peux aussi écrire à l'évêque, avec ce temps ! Tu ne vas tout de même pas retourner sur la route !

Mademoiselle Vougy continuait de s'inquiéter et était à deux doigts de sermonner son curé.

Le ton allait monter, Marie-Ursule le sentait. Cela ne valait pas la peine. Ces gens méritaient la vérité. Il ne fallait plus que monsieur le curé passe du temps sur la route à s'enquérir d'une famille qui n'existait pas. Il ne fallait plus que mademoiselle Vougy s'inquiète pour lui à cause de mensonges éhontés, proférés par la fugitive sans le sou qu'elle était. Marie-Ursule ne voulait pas être source de discorde ni de malheur pour ces gens auxquels elle s'était déjà attachée.

Alors que le vieux couple commençait à argumenter, Marie-Ursule fit taire l'homme et la femme en parlant plus fort qu'eux.

— Ce n'est pas ma famille, dit-elle avant de prendre une pause-courage pour poursuivre son explication.

Mademoiselle Vougy et le curé Peyraud s'interrompirent et la regardèrent. Leurs visages exprimaient la curiosité, l'incompréhension. Suspendus aux lèvres de la jeune fille, ils attendirent qu'elle précise sa pensée. Tout à coup pétrifiée par l'angoisse de les décevoir, de les fâcher et de se retrouver de nouveau sur les routes, Marie-Ursule hésita, envisagea sérieusement de leur servir un nouveau mensonge. La vérité n'allait pas leur plaire, pour sûr. En la leur exposant, l'image qu'ils avaient d'elle changerait à tout jamais. Cela valait-il vraiment la peine ?

Oui.

Vivre dans le mensonge, Marie-Ursule l'avait fait assez longuement à Paris. Ce pauvre Gaspar De Vallon, elle l'avait bien roulé. Elle n'en était pas fière et pensait souvent à lui avec une pointe de regret. Il avait promis de prendre soin d'elle, il s'inquiétait constamment de savoir si sa mère et elle ne manquaient de rien, il s'était montré tendre et affectueux. Comment avait-elle pu ? Elle ne le savait pas, ne le savait plus. En tout cas, elle ne voulait pas recommencer avec mademoiselle Vougy et le curé Peyraud. La nouvelle Marie-Ursule, dans sa nouvelle vie, ne putassait plus et prétendait à l'honnêteté. L'heure était venue de se montrer à la hauteur de ses aspirations.

La jeune fille raconta donc son histoire. Elle la fit débuter en sol anglais, à l'époque où Adel l'avait prise sous son aile. Elle évoqua leurs pérégrinations sans fin, leur perpétuelle course à la subsistance, la nature de leur relation. Elle parla de leur arrivée à Paris, de son métier ingrat imposé et assez lucratif, de la veuve, de la super-cherie faite à l'anatomiste, des bijoux, des meurtres, du décès d'Adel, du vol de croquis, de sa fuite précipitée de la capitale du royaume. Ce faisant, elle évoqua Blaise à de nombreuses reprises : leur première rencontre, comment elle l'avait trouvé étrange et intrigant, son amitié avec lui, le dévouement du garçon envers elle, le grand respect dont il avait fait preuve à son égard. Elle raconta comment il avait pris soin d'elle dans la forêt, comment il l'avait défendue contre les brigands. Finalement, elle tenta de dépeindre son talent, cette passion dévorante qu'il entretenait pour la peinture et le dessin, afin d'expliquer pourquoi elle avait dû le quitter, pourquoi son existence à lui allait être mieux sans elle à ses côtés. Tout le long de son récit, elle porta vaillamment le blâme de ses faiblesses et ne tenta d'aucune façon d'atténuer la portée de ses fautes. Elle avait trompé De Vallon, négligé et abandonné sa mère, exercé un métier déshonorant, mené une vie dissolue pendant sa fuite. Elle aspirait maintenant à une existence meilleure, sans tromperie, sans cavale.

Lorsque Marie-Ursule cessa de parler, mademoi-selle Vougy se retourna vers son curé. Visiblement trou-blée par les propos qu'elle venait d'entendre, elle attendait une réaction de la part du chef de la maison avant de se compromettre elle-même. Le prêtre continuait de fixer la jeune fille silencieuse, puisqu'il ne pouvait se prononcer pour le moment. Son esprit était assailli de doutes et tergiversait avec ses sentiments. Le curé était un homme sensible à la détresse humaine. Les aveux de la pauvre pécheresse l'émouvaient, mais toutes ces révélations étaient pour le moins troublantes. À la suite de cette longue confession, car cela en était une, le prêtre, dans son raisonnement d'ecclésiastique, distinguait deux choses. Premièrement, lui, l'homme d'Église censé être un exemple en tout, hébergeait sous son toit depuis plusieurs jours une fugitive, prostituée, voleuse et menteuse. Deuxièmement, il percevait aussi très clairement que la jeune personne se repentait et recherchait maintenant désespérément le droit chemin.

Il se faisait tard. Le curé Peyraud reporta sa décision. D'un air déçu, détaché et fatigué, il ordonna aux deux femmes de monter se coucher. Le vent cinglait aux fenêtres, sifflait dans la cheminée. Le prêtre empila quelques bûches sur les braises rouges dans l'âtre et, cheminant vers sa propre chambre, il pria pour que la nuit fût de bon conseil.

Marie-Ursule, elle, fut incapable de trouver le sommeil. Le cœur lourd d'avoir déçu ses hôtes, elle tournait et retournait sans cesse de vaines pensées à propos de Blaise. Était-il sain et sauf? Était-il perdu dans la tempête? Était-il déjà en Italie? Sûrement pas. Pensait-il à elle? Probablement. Si le curé la mettait dehors, elle songea qu'elle se lancerait peut-être à sa recherche. Elle savait qu'elle périrait si elle devait reprendre la route, mais mourir en tentant de le retrouver ou, mieux, mourir dans ses bras était préférable à autre chose. Et son lit avait beau être moelleux et confortable, elle regrettait avec amertume ce temps, pas si lointain, où elle grelottait sur un dur tapis d'aiguilles de pin en compagnie de ce garçon qui lui manquait tant. Oui, Marie-Ursule s'ennuyait de Blaise comme jamais, mais, au fond d'elle, elle savait qu'elle ne chercherait jamais à le revoir. Incapable de faire autrement, elle pleura, le nez enfoui dans ses oreillers, jusqu'au petit matin.

Mademoiselle Vougy se présenta très tôt sur le seuil de sa porte. Elle semblait maussade et exténuée. Visiblement, personne n'avait trouvé le repos au cours des dernières heures. Elle laissa un bol d'avoine bouillie et un bout de fromage à Marie-Ursule, puis, juste avant de refermer la porte derrière elle, elle lui annonça qu'elle était confinée à sa chambre jusqu'à nouvel ordre. Elle n'expliqua pas le pourquoi de cette décision qui venait fort probablement du curé, mais elle conseilla à Marie-Ursule d'utiliser ce temps de solitude pour prier. La jeune femme prit bonne note de cette recommandation, néanmoins c'est dans ses souvenirs de Blaise qu'elle chercha réconfort.

La réclusion dura trois jours au bout desquels le curé vint voir la jeune femme en personne, dans sa petite chambre. Il avait le pas hésitant et la mine grave. Lorsqu'il s'assit sur la petite chaise droite en regardant pensivement Marie-Ursule, celle-ci éprouva un malaise. Son heure était venue, elle en était certaine. Tentant de contenir l'angoisse qui la submergeait plus vite qu'une marée du printemps, elle peinait à soutenir le regard du curé Peyraud. Lorsqu'enfin il se décida à parler, Marie-Ursule s'accrocha à chacun de ses mots afin d'y trouver un peu de clémence.

— Je n'ai pas aimé que vous nous mentiez. Je n'approuve pas ces gestes dont vous vous êtes rendue coupable au cours de votre séjour parisien et par la suite. Il est clair que vous avez commis de nombreux péchés graves et que vous n'aurez pas assez du reste de votre existence pour vous en repentir. Il va sans dire que, jusqu'à présent, vous avez mené une vie peu recommandable. Même si je ne vous connais que depuis peu, je devine néanmoins que vous n'êtes pas une mauvaise personne pour autant. Grand bien vous fasse, car ainsi vous trouverez peut-être le pardon, mon enfant.

Marie-Ursule écoutait attentivement, perplexe. Était-ce positif ou négatif? Elle ne pouvait le dire pour l'instant. Elle laissa le curé poursuivre son exposé.

— Au lendemain de notre conversation, la neige avait cessé et j'ai pu me rendre à l'évêché. Je savais que l'un de mes confrères qui y étaient revenait justement d'un séjour dans la capitale du royaume, j'en ai donc profité pour discuter avec lui des affaires en cours là-bas. Imaginez-vous qu'il y a, à l'heure actuelle, une histoire dont tout le monde parle à Paris. Un homme, un éminent chirurgien-anatomiste, et son beau-fils, un médecin fraîchement sorti de la faculté, se sont fait arrêter en lien avec des meurtres sordides. On dit qu'ils assassinaient des innocents en les empoisonnant et qu'ils coupaient leurs victimes en morceaux avant de s'adonner à des rituels sataniques. L'anatomiste aurait prétexté avoir plutôt charcuté ces corps pour la science afin de réaliser un traité anatomique, mais, si la justice croit à cette version, elle ne lui pardonnera pas d'avoir tué pour parvenir à ses fins. À ce qu'il paraît, on rechercherait toujours un troisième complice, mais mon collègue ne m'a en aucun cas parlé d'une jeune femme ayant trait, de près ou de loin, à cette affaire. Il ne semble pas que vous soyez une hors-la-loi, mon enfant.

Le curé esquissa un sourire empreint de retenue. Il était pleinement conscient de la nature aigre-douce de cette nouvelle. Marie-Ursule poussa un soupir de soulagement, mais l'incertitude concernant sa situation perdurait. C'était une véritable torture, tout comme le fait de savoir Blaise encore recherché.

— Comme vous avez finalement confessé votre histoire de votre plein gré et que j'ai senti du regret en vous, du repentir, je suis prêt à vous venir en aide. Néanmoins, comprenez-moi bien : le rôle dont je suis investi ici-bas est très clair, mademoiselle. Pour mes ouailles, je suis un guide, un père. Je dois montrer l'exemple, être irréprochable en tout point, faire tout ce qui est humainement possible pour vivre selon les préceptes de notre Seigneur et des Saintes Écritures.

Sur ces paroles éloquentes, un fracas retentit soudainement à l'étage d'en dessous. Une assiette cassée, peut-être ? Quoi qu'il en soit, un juron vint à leurs oreilles et la voix de mademoiselle Vougy s'excusant machinalement :

— Mille pardons, mon cœur… mon curé, monsieur le curé, je veux dire !

Le curé Peyraud ferma les yeux un instant et pinça les lèvres. S'il était encore possible que Marie-Ursule entretienne des doutes au sujet de sa relation avec mademoiselle Vougy, voilà qu'ils se dissipaient comme la manne des Israélites sous le soleil brûlant du désert.

— Humainement possible, reprit-il, penaud, en recommençant son discours le regard rivé sur le plancher, moins sentencieux qu'une minute auparavant, extrêmement conscient du fait que sa crédibilité venait d'en prendre un coup. Les préceptes sont rigides et Dieu nous a faits faibles. Je suis, comme vous, son humble créature et je comprends que l'on puisse être parfois poussé par l'existence à s'écarter de la Voie divine, d'où l'importance du pardon et du repentir.

Cette fois, le prêtre leva les yeux vers Marie-Ursule et, ayant retrouvé toute son autorité, il lui intima de s'agenouiller devant lui. Surprise et horrifiée par cette demande inattendue de la part d'un homme qu'elle croyait bon et quasi irréprochable, Marie-Ursule recula d'instinct. Il n'était plus question pour elle de s'adonner à ce genre de marchandage.

Comprenant à sa réaction que la jeune fille s'était totalement méprise sur ses intentions, le curé Peyraud se redressa d'un bond, incapable de camoufler sa confusion, son malaise.

— Je vais vous absoudre, mon enfant, pardonner vos péchés ! Je ne veux pas que vous… Il est hors de question que je… vous savez quoi. Tout compte fait, rassoyez-vous donc où vous étiez.

Marie-Ursule s'aperçut alors de son erreur. Rougissant jusqu'au bout des ongles, elle se répandit en excuses, joignit les paumes comme la Madone et baissa la tête en guise de soumission. Le curé s'approcha d'elle en lui imposant les mains. Il lui affirma qu'il pardonnait ses péchés.

— Je te dirais volontiers : « Va et ne pèche plus », pour reprendre les paroles de notre Seigneur, mais si je te pousse là, dehors, tu retomberas aussitôt. Si tu es d'accord, je te propose de rester ici avec nous, tout l'hiver. Au printemps, on verra à te trouver un autre logis, si c'est ce que tu souhaites. Dès que tu seras pleinement rétablie, tu devras te rendre utile à la communauté en allant aider l'un des nôtres qui a, sur les bras, des jumeaux nouveau-nés, privés de leur mère morte en couches, que Dieu ait son âme. Nous dirons que tu es la fille d'un cousin éloigné afin de contenter les curieux. Je m'attends à ce que tu ailles à l'église tous les jours et j'exige de toi un comportement irréprochable. Est-ce que cela te convient, mon enfant ?

Marie-Ursule lui aurait sauté dans les bras tellement elle lui était reconnaissante, mais elle fit preuve de retenue.

— Oui, bien sûr ! se contenta-t-elle de dire en battant des cils pour refouler des larmes de bonheur. Merci.

CHAPITRE 20

Italie, 1541

Tchip, tchip!

Tchip, tchip!

Une volée de moineaux s'était posée à faible distance du corps qui gisait sur le pavé de pierre. Le soleil pointait à l'horizon derrière le *pallazo* Bo et les oiseaux en informaient joyeusement le voyageur endormi aux portes de l'université. Tchip, tchip! «Réveille-toi!», lui disaient-ils dans leur jargon de volatiles. Malgré l'inconfort et le bruit, Blaise dormait à poings fermés. Les dernières semaines avaient été éprouvantes: après la disparition de Marie-Ursule, il l'avait cherchée quelque temps, puis s'était résigné, à contrecœur. Il avait ensuite poursuivi sa route vers l'Italie, marchant et marchant encore, parcourant montagnes et forêts, landes et marais. Le voyage pour passer la frontière avait été périlleux; plus d'une fois, il avait pensé y mourir de froid ou y finir brisé au fond d'une crevasse. Finalement traversé, puis parvenu à Padoue, il avait échangé le dernier bijou de Marie-Ursule contre de nouveaux vêtements et un peu de nourriture. Comme les moineaux qui l'entouraient à cette heure hâtive, il avait, la veille, fait sa toilette aux bords d'une fontaine publique. Il avait revêtu ses habits neufs, puis s'était rendu à l'université. Comme il était déjà tard, les professeurs et les étudiants semblaient avoir déserté l'endroit. Blaise n'était attendu nulle part, n'avait aucun plan. La nuit s'annonçait fraîche, mais, fort de son nouveau manteau doublé de mouton, il avait décidé de s'adosser au mur extérieur du grand bâtiment et d'y dormir. Fidèle à son habitude, il avait fait passer la corde de son cylindre à croquis trois fois autour de son bras et s'était évanoui dans le monde des rêves en moins de temps qu'il n'en faut pour le dire. Son corps et son esprit avaient été mis à si rude épreuve ces derniers temps que chaque occasion de repos était la bienvenue.

Les moineaux piaillèrent un bon moment avant que Blaise daigne entrouvrir un œil. Lorsqu'il le fit, il constata que la vie reprenait doucement son cours autour de lui. Quelques badauds arpentaient déjà les rues, un marchand ouvrait sa boutique, une femme balayait le porche de sa demeure pendant que son jeune marmot baveux alignait des pas hésitants accroché à sa jupe. Devant ces gens se dessinait probablement une journée ordinaire, remplie de toutes ces banalités quoti-diennes inhérentes aux existences paisibles. Cependant, tel n'était pas le cas pour Blaise. S'il parvenait enfin à voir celui dont il avait entendu parler, celui qu'il cherchait depuis son arrivée en Italie, sa vie à lui prendrait en ce jour une tournure toute différente, du moins, c'est ce qu'il espérait.

«Espérons que ce jour ne soit pas ordinaire», se dit-il en posant son cylindre sur ses épaules. Son estomac criait famine lorsqu'il pénétra dans le *pallazo* Bo à la suite de quelques étudiants pressés de commencer leur journée d'études. Blaise fit taire les plaintes de son corps en regardant autour de lui pour se distraire. Le bâtiment était magnifique. Il était fait de pierres pâles et colorées, de colonnades et d'arches décorées, et les proportions de tous ses éléments architecturaux semblaient avoir été soigneusement étudiées. L'harmonie était parfaite. Blaise tenta d'y trouver une source d'apaisement, car il ne voulait pas se laisser gagner par la nervosité qui le guettait, tapie dans l'ombre, depuis son réveil. Il souhaitait être à son meilleur lorsqu'il rencontrerait le meilleur. Il avait même acheté des vêtements propres pour cela, alors pas question de laisser une anxiété déplacée tout gâcher!

L'affluence se faisant plus grande dans la cour centrale de l'établissement, Blaise passa à l'action. Interrogeant un étudiant, il demanda, avec un accent terrible, où il pouvait trouver Vésale.

— *Andreas Vesalius, per favore?*

L'étudiant lui répondit trop rapidement, avec trop de mots en italien. Blaise observa néanmoins ses gestes. Par déduction, il comprit qu'il fallait monter des escaliers puis, tourner à droite. La «*sala di medicina*», avait dit l'étudiant. L'artiste était convaincu qu'il trouverait là celui qu'il cherchait. Il remercia son guide et tenta de suivre ses indications. Excité comme une puce, il gravit les escaliers quatre à quatre.

Figé dans l'embrasure de la porte de la *sala di medicina* qu'il avait finalement dénichée sans peine, Blaise ne pouvait croire ce qu'il voyait. Tout à l'extrémité de cette vaste salle qui s'étendait en longueur, il était là, baigné par la lumière du petit matin, affairé à disposer des ossements humains sur une table centrale, fredonnant d'un air joyeux tandis que quelques élèves s'installaient autour de lui. Le tableau était étrange : Blaise avait imaginé un homme vieillissant, autoritaire, hautain, pourtant, celui qui évoluait devant lui était, de prime abord, tout le contraire. À peine plus âgé que ses étudiants, André Vésale paraissait déterminé, mais accessible et de bon entrain. Il saluait les étudiants un à un à leur entrée, échangeait même quelques blagues avec eux. Blaise était sidéré de le voir agir ainsi, de le voir être ainsi, et ce, à un point tel, qu'il ne savait plus quoi faire, comment l'aborder. Il s'était apparemment préparé à tout, mais pas à cela.

Pendant qu'il cherchait encore à élaborer un plan d'approche, Vésale leva les yeux vers lui et l'aperçut qui hésitait sur le pas de la porte. D'un grand geste, il lui fit signe de s'approcher. S'obligeant à ne pas trop réfléchir, Blaise obtempéra, tentant d'ignorer ses genoux qui, soudainement, semblaient sur le point de se liquéfier. Était-ce l'homme comme tel qui l'impressionnait autant ou bien cette possibilité qu'il avait de transformer complètement son existence ? Difficile à dire. Chose certaine, tous les espoirs du jeune artiste se fondaient sur cette rencontre.

Blaise savait que Vésale avait fait ses études à Paris. Un éminent collègue de Gaspar De Vallon et ancien professeur à la faculté de médecine, Jacques Dubois, en parlait sans cesse du temps où Blaise travaillait pour l'anatomiste. Dubois, dit Sylvius (selon une mode en vigueur chez les intellectuels qui consistait pompeusement à latiniser leur nom), prenait plaisir à dénigrer les pratiques et le mode de pensée de son ancien élève à qui voulait bien l'entendre. « C'est un opportuniste, un blanc-bec qui n'a aucun respect pour la tradition ! Il met au pilori les préceptes de Galien, cherche des failles dans ce raisonnement millénaire qui sert de base à la science anatomique depuis des siècles ! A-t-on idée ? Faut-il être impertinent et arrogant pour se dresser comme il le fait à l'encontre de cette science sacrée ? Non mais, pour qui se prend-il ? Pour quelqu'un de meilleur que tous ceux qui ont étudié la médecine, la chirurgie et l'anatomie avant lui. Eh bien ! oui, rien que ça ! » Blaise se souvenait bien de ces discours diffamatoires qu'il avait entendus à répétition et qui l'avaient fait sourire. Sylvius détestait Vésale. Même alors que ce dernier n'était plus à Paris, chaque fois qu'on prononçait son nom ou que quelqu'un y faisait allusion, Sylvius pinçait les lèvres et ressortait ses diatribes éculées. Étrangement, c'est grâce à lui que Blaise s'était souvenu d'André Vésale peu avant la fin de sa cavale en sol français. Le vieux grincheux en avait tellement parlé que l'homme était demeuré dans sa mémoire. Il avait d'ailleurs retenu quelques informations capitales à son propos. Premièrement, il savait qu'il était professeur à l'université de Padoue. Il savait aussi qu'il y avait acquis une renommée sans pareille et que De Vallon en était terriblement jaloux. Il savait qu'il avait publié quelques traités anatomiques de peu d'ampleur, mais innovants dans la philosophie et la présentation. Il savait qu'il n'avait pas peur de la critique et en déduisait qu'il était probablement voué à un grand avenir. Le rencontrer et lui offrir ses services avait dès lors semblé à Blaise la chose la plus logique à faire pour commencer à gagner son pain. À partir de ce moment, il ne voulut plus aller en Italie pour aller en Italie, tout bêtement. Il voulait s'y rendre pour croiser la route de Vésale et lui faire sa proposition.

Et il était là, maintenant, devant lui. Court, brun, bien charpenté, la barbe forte, le regard rieur, mais perçant, il s'adressa tout d'abord à Blaise en italien… ou en latin, Blaise confondait souvent ces deux langues desquelles il ne connaissait presque rien. Ignorant les paroles qui lui étaient destinées, il se présenta, en français, au docteur anatomiste.

— Vous êtes étudiant ici ? demanda ce dernier avec intérêt.

— Non, avoua Blaise. Mais l'anatomie m'intéresse d'une façon particulière. Je suis artiste.

— Un artiste ! Eh bien ! vous n'êtes pas le seul à venir traîner par ici, mon jeune ami. Je vais vous répéter ce que je dis à tous ceux qui sollicitent une place dans ma classe : je crois bien que vous trouveriez mieux votre compte à l'Académie des arts de Venise.

— Peut-être, mais je viens d'arriver de France. J'ai traversé le pays en entier pour assister à l'un de vos cours et avoir l'honneur de vous rencontrer. Si vous aviez l'amabilité de me permettre de rester, monsieur, ce serait un immense plaisir pour moi que de vous voir travailler.

Blaise ne se reconnaissait pas. Il avait parlé calmement, sans hésitation, avait même tenu tête au grand Vesalius qui s'apprêtait à le mettre gentiment à la porte. Le vent tournait maintenant en sa faveur, Blaise le vit immédiatement dans le visage de son interlocuteur qui semblait flatté par sa déclaration.

— Alors, faites comme chez vous ! Trouvez-vous une place, de préférence ici, autour de cette grande table où je ferai ma démonstration. Vous venez d'où, exactement ?

— Paris.

— Paris ! J'y ai étudié. J'y ai encore des amis…

Vésale tripotait un fémur en discutant. Sa voix s'était faite toute nostalgique l'espace d'un instant.

— Je sais. Les gens autour de moi parlaient souvent de vous dans le cercle que je fréquentais.

Blaise exagérait un peu, mais la cause était bonne. Juste avant que le cours commence, la manœuvre porta ses fruits.

— Vraiment ? Écoutez, je manque de temps pour en discuter maintenant, mais que diriez-vous de partager votre repas avec moi, ce midi ? Nous pourrions deviser un peu à propos de Paris, des gens que nous semblons connaître tous les deux et de ce que vous êtes venu faire ici exactement.

— J'en serai flatté, monsieur.

« Flatté » était un vulgaire euphémisme. « Enivré-d'un-bonheur-immense-qui-me-transporte-d'allégresse-jusqu'aux-confins-du-paradis » aurait été plus juste, mais cela était franchement trop intense pour être prononcé sans effrayer son interlocuteur. Blaise réprima une folle envie de sauter dans les airs en contournant la table. Il s'empara de la première place disponible et, y laissant tomber son corps, il se sentit libéré d'un grand poids. Heureux, excité à l'idée de partager un repas avec Vésale, il tenta de prêter attention au cours qui commençait.

—●—

— Tous vos cours sont en latin ? demanda Blaise entre deux bouchées de pain.

— En classe, oui. Quand je fais des ateliers privés, c'est en latin, en français ou en italien, ça dépend des étudiants. Reprenez un peu de vin, mon ami, ne soyez pas gêné !

Vésale s'était fait porter le repas dans une petite pièce contiguë à la *sala di medicina*. Blaise avait de la difficulté à se contenir devant autant de nourriture. Il y allait parcimonieusement afin de ne pas exagérer. S'il s'était laissé aller, il aurait englouti les trois quarts des vivres en moins de cinq minutes. Cela n'aurait pas été très convenable, alors il s'efforçait de faire la conversation. Il mentionna Sylvius et quelques autres éminences de la faculté de médecine de Paris. Vésale s'amusa de voir qu'on l'y critiquait encore, s'étonna d'y avoir laissé une marque aussi indélébile. Plus tard au cours de la discussion, il voulut savoir pourquoi l'artiste devant lui connaissait ces gens de science. Blaise n'eut d'autre choix que d'éluder la question. Le moment n'était pas encore venu d'y répondre. Il détourna plutôt l'échange en offrant à Vésale de lui montrer ses œuvres. Curieux et poli, le professeur accepta et dégagea un espace sur la table. Lorsque Blaise déroula sous son nez les feuillets qu'il traînait depuis plus de deux mois dans son cylindre de cuir élimé, l'anatomiste écarquilla les yeux, puis se figea. Il ne s'attendait pas à ça.

Blaise avait pris la peine de placer sur le dessus du paquet une illustration qu'il jugeait particulièrement réussie. On y retrouvait un résumé, amalgame habile, du type de figures rencontré au fil des pages suivantes. S'y trouvait donc représenté un cerveau, vu en plongé, encore enfoncé dans la boîte crânienne d'un individu dont on apercevait le visage moustachu. Juste en dessous était illustrée la base du cerveau dans tous ses infimes détails. Un œil aguerri comme celui de Vésale y distinguait facilement le chiasma optique et le cervelet. À droite de ces représentations, Blaise avait dessiné un torse ouvert qui rappelait clairement la statuaire antique par sa pose et l'absence de membres. Au cœur de la large ouverture apparaissait l'appareil urogénital dans toute sa complexité. Finalement, sur la même feuille, au bas, un écorché miniature, en plein mouvement, évoluant dans un décor ancien évoquant l'époque de Galien.

Vésale n'avait jamais rien vu de tel, ce qui n'était pas peu dire. En silence, il tourna les pages une à une, confirmant ainsi ce qu'il avait compris au premier regard : il était devant une œuvre inédite, grandiose de beauté et d'exactitude.

Quand Vésale releva enfin la tête pour regarder Blaise, celui-ci était prêt à répondre aux questions. À toutes les questions.

— C'est magnifique. Je n'ai pas d'autre mot. Vous êtes bien l'artiste qui a réalisé cette œuvre ?

— Oui, monsieur. Mais, pour être honnête, mon maître a dessiné certaines figures, mais il est décédé trop tôt pour terminer son travail. J'ai repris le projet et la très grande majorité des illustrations que vous voyez sont de moi.

— Vous êtes Français ?

— Oui.

— La facture de votre œuvre est pourtant italienne.

Vésale n'était pas né de la dernière pluie. En plus du reste, il semblait avoir un sens artistique développé. Blaise n'aurait pu mieux tomber.

— C'est vrai. Mon maître a été formé dans l'atelier de Giovanni Bellini, à Venise, mais il a œuvré toute sa vie à Paris. Maître Battisto a même peint pour le roi.

— Battisto… ce nom m'est vaguement familier… Toutefois, ce qui m'intrigue réellement, c'est que j'aimerais savoir comment vous en êtes arrivé à dessiner des structures anatomiques aussi réalistes. Vous avez disséqué, n'est-ce pas ?

— À l'occasion, vers la fin. Je me suis occupé de dégraisser certaines parties avant de les illustrer. Avant cela, c'est un anatomiste et son étudiant qui ont fait le gros du travail sur les cadavres.

— Qui ?

— Gaspar De Vallon.

Vésale arqua un sourcil. Il semblait avoir quelque chose à dire, mais il se retint. Seul un soupir passa entre ses lèvres. Joignant ses mains sous son menton, il prolongea quelques instants sa réflexion et poursuivit :

— De Vallon vous a commandé ces croquis, n'est-ce pas ? Parce que je doute fort que nous ayons devant nous le résultat d'une simple étude artistique du corps humain.

— En effet, il a commandé cette œuvre.

Blaise n'apporta pas plus de précisions. Un nouveau silence plana entre les deux hommes. Blaise s'attendait à ce que Vésale l'accuse d'avoir volé son collègue parisien, qu'il lui demande à tout le moins d'expliquer pourquoi il se trouvait là, en possession d'une œuvre qui était de lui, mais qui ne lui appartenait pas. Il n'en fut rien. Vésale ne voulait apparemment pas le savoir. Au bout d'un instant, la discussion prit une tout autre tournure.

— J'imagine que vous n'êtes pas ici par hasard, Blaise l'artiste. Que me voulez-vous ?

— Je… j'aimerais vous offrir ces croquis.

Vésale éclata d'un rire tonitruant. Réaction inattendue. Blaise ne sut quoi penser, il n'avait pourtant rien dit d'amusant.

— Sachez que je ne suis pas mécène. Je n'ai pas de si grande fortune qui me permette d'acheter quoi… peut-être… deux cent cinquante, trois cents illustrations ? Si c'est de l'argent que vous êtes venu me réclamer, vous pouvez tout de suite retourner en France.

— Je ne suis pas venu vous réclamer d'argent, mais un service. Si je suis ici, en Italie, c'est pour vous remettre le fruit de mon travail afin que toutes ces heures passées à gratter le papier, tous ces coups de crayon n'aient pas été vains. Mais aussi, et surtout, je suis ici pour achever ma formation en tant qu'artiste, car maître Battisto, en mourant trop tôt, m'a laissé incomplet de métier et sans avenir. Vous êtes un homme influent, à ce que l'on dit. Mon œuvre sera la vôtre sans condition si vous consentez à jouer de votre ascendant dans la bonne société afin de trouver un atelier ou un maître qui accepte de me prendre sous son aile.

Vésale était abasourdi. Il considérait avoir eu de la chance à plusieurs reprises au cours de sa vie, mais, cette fois, cela relevait davantage du privilège ou de la bénédiction pure et simple. L'anatomie humaine en son entièreté était juste là, magnifiquement illustrée, déposée devant lui comme sur un plateau d'argent. Il rêvait depuis longtemps d'un traité anatomique complet, précis et réaliste pour l'assister dans sa pédagogie. Jusqu'à présent, il ne s'était pas mal débrouillé. Bénéficiant légalement d'un nombre acceptable de corps chaque année, il occupait les périodes creuses avec des cadavres de chien ou de porc sur lesquels il opérait ses démonstrations. Il complétait son enseignement avec des illustrations de son cru qu'il faisait imprimer à la feuille et qu'il revendait à ses étudiants pour des prix modiques. C'est ce que l'on appelait les « feuilles volantes ». Il avait bien évidemment écrit quelques traités, mais ceux-ci, plus verbeux qu'illustrés à cause de son talent artistique limité, étaient plutôt des comptes-rendus de recherche dédiés à ses collègues de par le monde. Un traité anatomique détaillé aussi finement par les illustrations que lui proposait Blaise promettait toutefois un nombre impressionnant de pages. Une fois passé à l'impression, l'ouvrage serait encore trop coûteux pour les étudiants… mais la portée scientifique d'un tel recueil ! C'était purement et simplement inimaginable. Un véritable trésor… D'origine douteuse, mais un trésor tout de même !

Avant d'accepter le marché, Vésale jugea prudent de vérifier l'identité de celui qui se tenait devant lui. Il voulait être tout à fait certain que Blaise était bien l'auteur de l'œuvre qu'il apportait. Les dessous de la proposition qu'il lui soumettait n'étaient pas très nets et il espérait quelque peu soulager sa conscience en n'encourageant pas un voleur culotté, doté d'une ambition démesurée. Il proposa alors à Blaise de le rejoindre à la nuit venue, dans cette même salle où, lui dit-il, il aurait à sa disposition un cadavre ouvert à illustrer.

Blaise comprit que l'anatomiste voulait le mettre à l'épreuve. Il avait donc des doutes sur son identité, ou alors il voulait s'assurer de son talent avant de l'introduire à un maître peintre. Le jeune artiste n'avait absolument rien à perdre et il accepta de bon gré. Délaissant à regret la table encore garnie de nourriture, il quitta la *sala di medicina*, car Vésale devait préparer son cours de l'après-midi.

—•—

Plongée dans le noir, la *sala di medicina* n'était plus aussi accueillante. Comme un papillon de nuit, Blaise se dirigea vers l'unique source de lumière au centre de la pièce et y rencontra Vésale, qui l'attendait avec un demi-sourire au bord des lèvres.

— Vous êtes là ! dit-il à Blaise, l'air presque étonné de le voir surgir.

— Oui, comme promis.

— La nuit ne vous rebute pas ?

— Non, j'y suis habitué, mais dessiner à la lueur des chandelles est plus compliqué qu'en plein jour.

— Je sais, ça ajoute au défi ! L'épreuve n'en serait pas une, autrement.

— C'est bien une épreuve, donc ?

— Évidemment. Retirez le drap, je vous prie.

Blaise vit sa théorie confirmée. Vésale l'éprouvait. L'artiste ne lui en voulait pas. Il était le premier à savoir qu'on ne peut pas faire confiance à n'importe qui.

Obéissant à la consigne de l'anatomiste, il se dirigea vers la table centrale et tira sur le drap blanc. Sans surprise, un cadavre humain gisait en dessous. Il était déjà ouvert.

— Merci d'avoir pris le temps de retirer la graisse autour du cœur et des artères. J'imagine que c'est ce que vous voulez que j'illustre ?

Vésale tiqua. Le jeune homme avait non seulement remarqué en un coup d'œil les altérations anatomiques, mais, en plus, il n'avait aucunement bronché devant la dépouille charcutée. Visiblement, Blaise connaissait les règles du jeu et jouait pour gagner. Cela s'annonçait bien.

— On ne peut rien vous cacher, ma parole ! Oui, j'aimerais que vous illustriez ce que vous voyez. Les étudiants ont entamé le dégraissage, mais c'est loin d'être terminé. Faites une vue d'ensemble ou des gros plans ; impressionnez-moi. Je serai de retour à l'aube pour apprécier votre travail. Si vous n'êtes pas trop fatigué, nous pourrons alors discuter de votre offre.

— Je suis d'accord. Merci de me donner cette chance, monsieur Vésale.

Vésale s'assura que rien ne manquait à l'artiste, il lui souhaita cordialement bonne chance et s'éclipsa dans les ténèbres. Blaise se demanda s'il était seul dans les locaux de l'université. Inquiet de se faire surprendre par quelqu'un, vieux réflexe tout droit sorti de l'époque De Vallon où tout se pratiquait dans l'illégalité, il alla fermer la porte de la salle. De retour à la table de travail, il alluma plusieurs bougies qu'il disposa autour de la dépouille. Plume en main, il se mit à la tâche.

Au bout de quelques heures, la fatigue le gagna. Comme il avait déjà bien avancé son œuvre, il décida de profiter de la chaleur et de la sécurité du local pour se reposer un peu. Il s'allongea sur une des tables, ferma les yeux. Marie-Ursule était enfin là.

Il se la rappelait comme en ce dernier jour passé avec elle, lorsqu'ils avaient dîné près d'un énorme rocher. Il se rappelait ces petites mains qui lui caressaient le visage, ces yeux profonds, insondables, cet air triste et heureux à la fois. Il se rappelait ce baiser, ces lèvres douces, chaudes, sa peau fraîche et blanche. Il se rappelait cette nuit d'avant, de son corps fébrile battant contre le sien sans retenue, de son souffle sur sa nuque, de l'enivrement né de cette communion charnelle. Comme chaque fois que ces images lui revenaient en tête, son cœur se mit à battre plus fort. Quelle fille ! Même absente, elle réussissait à lui faire tourner la tête.

Où pouvait-elle bien être, d'ailleurs ? Blaise se posait la question pour la millième fois. Il le faisait aussitôt que son esprit n'avait rien pour s'occuper. Où était-elle allée ? Elle avait délibérément sauté de la malle-charrette à son insu, pendant qu'il dormait. Pourquoi ? L'avait-il offensée ? Était-elle honteuse de ce qu'ils avaient fait ? Peut-être ne l'aimait-elle pas. Toutes ces hypothèses étaient valables, mais Blaise n'y croyait pas trop. Ne lui avait-elle pas laissé les bijoux pour assurer sa subsistance, pour l'inciter à poursuivre son voyage ? C'est l'explication qui s'était finalement imposée à lui. Fin logique à leur relation, qui avait débuté sur la même note, elle l'avait poussé à voler de ses propres ailes. Et elle ? Où était-elle allée ?

Lorsque Blaise s'était aperçu de son absence, il avait tout de suite rebroussé chemin, avait désespérément cherché sa trace dans de nombreux villages, pendant plusieurs jours. Comprenant que cela était vain, il s'était douloureusement résigné à poursuivre sa route sans elle. Privé de sa petite main dans la sienne, il avait traîné ses paumes vides comme un fardeau jusqu'à Padoue, où il n'avait pu se réjouir avec personne d'y être parvenu. Sans cesse, depuis sa disparition, Marie-Ursule apparaissait derrière les paupières closes de Blaise, occupait ses pensées. Dans la foule, il la cherchait en vain. Elle lui manquait à chaque instant. Lui manquait en ce moment.

— J'espère que tu es bien, là où tu es, ma petite Ursule, s'entendit-il murmurer avant de sombrer dans le sommeil.

Marie-Ursule, en effet, semblait se plaire là où il la trouva enfin, soulagé de la voir surgir devant lui au détour d'une sente forestière assombrie par la voûte sylvestre trop fournie. Étendue sur un lit de mousse, nue et blanche, elle était de retour auprès de son étang profond et immobile. Encore une fois, les contrastes de la vision éblouirent l'artiste : tout d'abord, il y avait le clair et l'obscur qui s'affrontaient dans une lutte entre la chair de la jeune femme qui irradiait et le décor végétal ombrageux qui l'entourait. Il y avait ensuite ces courbes divines : le mollet, la cuisse, la hanche, le ventre, le sein, l'épaule, la joue, qui s'opposaient aux pointes acérées des arbres alentour, dont les branches sèches et mortes ressemblaient à autant de flèches pointées en sa direction ou à des doigts accusateurs de vieilles femmes jalouses devant cette beauté solaire étendue là, à leurs pieds. Enchanté de la retrouver saine et sauve, de la revoir aussi belle, Blaise mourait de se rendre à ses côtés, mais chaque fois qu'il tentait de poser un pied hors du sentier en direction de l'étang, sa chaussure s'enfonçait dans le tapis de sphaigne imbibée et son pied était rapidement immergé dans un liquide glacial. Ce sol mouvant avait-il seulement un fond? Blaise doutait que ce soit le cas, aussi était-il incapable de s'avancer vers celle qui lui avait tant manqué. C'était insupportable, d'autant qu'elle ne semblait pas s'être aperçue de sa présence, qu'elle n'avait pas encore levé les yeux en sa direction. Comment l'atteindre? Pendant qu'il l'interpellait, qu'il tentait d'obtenir d'elle un regard ou quelques mots, il la vit lentement se tourner vers la surface de la mare, puis plonger la main dans l'onde noire sans reflet. Du bout des doigts, elle ramena doucement une cordelette des profondeurs et la tira hors de l'eau dans un mouvement qui ne semblait plus avoir de fin. Lorsque finalement l'extrémité du fil émergea complètement du bassin, Marie-Ursule leva les yeux vers Blaise, qui fut immédiatement pris de panique. La jeune femme n'en était soudain plus une. Son visage avait viré au gris terreux, il s'était ridé de profonds sillons et était même marqué de taches de pourriture comme Blaise en avait si souvent vu sur les cadavres. Horrifié, Blaise ne désirait plus se rendre auprès de cette créature. Sans s'en rendre compte, il avait reculé de plusieurs pas. Néanmoins, il n'était pas assez loin pour ne pas entendre ce que cette sorcière avait à lui dire. Brandissant le fil devant elle, elle pointa un nœud qui se trouvait à peu près au tiers de la longueur et souffla entre ses lèvres mauves:

— La mort est maintenant loin derrière et elle est encore plus loin devant. Tout ne fait que commencer, Blaise l'artiste !

La voix était rauque, la femme, de plus en plus hideuse. Lorsqu'en une seconde elle se projeta dans l'eau de l'étang pour réapparaître entre les pieds de Blaise, émergeant sans crier gare du tapis de sphaigne, le jeune homme se mit à hurler. De ses mains froides et osseuses, la sorcière lui agrippait les chevilles avec une force phénoménale. Tombant à la renverse, il ferma les paupières, craignant qu'elle ne grimpe sur lui.

Heureusement, elle ne le fit pas. Lorsque Blaise ouvrit les yeux, il n'était plus dans la forêt, mais couché sur une des tables de bois de la *sala di medicina*. Il avait encore rêvé d'elle, mais d'une façon singulière et troublante, cette fois. Alors qu'il s'asseyait lentement sur le rebord de la table, il tenta de reprendre ses esprits et de calmer son cœur affolé en aspirant bruyamment l'air à plusieurs reprises. L'exercice ne s'avéra pas profitable : il avait l'estomac vide, l'atmosphère était putride et un haut-le-cœur lui vint rapidement. Sautant sur ses pieds, il était certain que le retour à la réalité à lui seul suffirait à faire cesser ses palpitations et son affolement. Malheureusement pour lui, il n'avait pas encore saisi à quel point la frontière entre le rêve et la réalité pouvait parfois être ténue. Désirant terminer ses croquis avant le retour du grand maître anatomiste, il s'approcha du cadavre et son sang se glaça lorsqu'il vit pendre, dans la main de celui-ci, une fine cordelette ornée d'un petit nœud comme d'une perle, positionné environ au tiers de sa longueur. Lachésis lui avait laissé un souvenir.

« Tout ne fait que commencer », se rappela-t-il, malgré l'horreur que lui imposait cette apparition. Il voulait fuir, mais il ne le pouvait pas. Vésale le lui avait dit, cette nuit allait être pour lui une épreuve. Il savait que, s'il restait, il vaincrait et il « commencerait », comme l'avait prédit la vieille filandière. Ne restait qu'à retrouver courage et détermination, ce qui n'était pas, en soi, une mince affaire.

Même s'il dut faire des efforts considérables, Blaise retrouva avec l'aube naissante sa maîtrise de lui-même, de son corps et de son esprit, et il mit la dernière touche à son dessin en affinant des détails. Il n'avait fait qu'un torse à l'ancienne, mais avait reproduit assez fidèlement le dédale des masses qu'on y trouvait à l'intérieur. Il était satisfait de son ouvrage. Lorsque Vésale fit chanter les gonds de la lourde porte de la *sala di medicina*, Blaise l'attendait de pied ferme. Il venait tout juste de souffler la dernière chandelle et avait même pris soin de recouvrir le corps.

— J'envie le boulanger de commencer chacune de ses journées dans la bonne odeur de la pâte qui cuit au four. Mon métier me plaît, mais il y a des jours où, bien honnêtement, j'aimerais sentir autre chose au saut du lit !

Vésale apporta une conclusion à sa remarque en effectuant une théâtrale grimace de dégoût. Blaise ne put s'empêcher de sourire. Il appréciait l'humour et le caractère détendu de l'anatomiste.

— Bon! Voyons ce que vous avez fait.

Vésale retira le drap et prit la feuille que Blaise avait barbouillée aux fins de comparaison. Quelques secondes à peine lui suffirent pour qu'il s'avoue plus que satisfait du travail accompli.

— C'est magnifique! D'où vous est venue cette idée de la statuaire ancienne? C'est pour le moins original et cela demeure en même temps très esthétique. On en oublie presque que ce sont des viscères!

— Les torses sont une idée de feu mon maître. Les écorchés aux postures pathos, par contre, c'est de moi. Je me suis inspiré de la danse macabre illustrée au cimetière des Saints-Innocents.

— Oui! Je vois! C'est très intéressant. Maintenant, si vous y êtes disposé, nous pourrions parler plus sérieusement de vous et de votre offre.

— Oui, bien sûr. Je suis assez pressé d'y arriver, pour être honnête.

— J'aime que vous soyez honnête avec moi. Soyez-le encore, s'il vous plaît, et dites-moi pourquoi les dessins qui devaient finir entre les mains de De Vallon sont aujourd'hui entre les vôtres et, qui plus est, ici, à Padoue.

Blaise raconta toute son histoire, par le menu détail, depuis le décès de maître Battisto jusqu'à son arrivée à Padoue. Il décrivit l'ambition de De Vallon, la façon dont il le traitait, les risques qu'il lui avait fait courir. Il parla des corps qu'ils allaient chercher, du surnom d'Ulbert, de l'odeur particulière des cadavres. Il ne cacha rien de tout le mépris que lui inspirait l'homme pour qui il avait travaillé.

— Je me suis enfui pour sauver ma peau et sauver celle de mon amie. J'ai pris les dessins avec moi sans réfléchir. J'ai détesté traîner ce maudit cylindre tout au long de ma route, mais maintenant que je vous raconte tout ça, je m'aperçois que je suis bien heureux de l'avoir traîné avec moi. Je le serai encore plus lorsque vous aurez accepté mon offre et que vous ferez avec mes illustrations le plus beau de tous les traités anatomiques.

— Eh bien! considérez que c'est chose faite, mon ami. Blaise, non seulement j'accepte votre proposition, mais je m'engage aussi à faire parvenir ce futur traité à De Vallon, en prison. Si vous êtes d'accord, je pense que ce sera un pied de nez tout à fait impertinent, mais quand même jouissif! Ha, ha! J'ai bien peur que cette «délicate attention» soit encore plus râpeuse pour lui que la corde qu'il aura bientôt autour du cou.

— En prison? La corde? Mais…

Blaise n'en revenait pas. Que s'était-il donc passé à Paris depuis son départ? À n'en pas douter, Vésale semblait au courant de bien des choses. Devant l'émoi du jeune artiste, il ne tarda pas à lui expliquer l'affaire.

— Je vous l'ai dit, j'ai encore des amis à Paris. J'ai reçu une lettre, dernièrement, de l'un d'entre eux qui me racontait les grandes lignes de cette histoire. Vous savez que c'est un vrai scandale, là-bas? Un professeur d'université, un anatomiste qui plus est, qui commet des meurtres sordides en compagnie de son étudiant, vous imaginez bien qu'on ne parle que de ça. Dans la petite communauté des anatomistes, tout le monde se connaît un peu et les nouvelles vont vite. De Vallon et son étudiant attendent leur procès et ils croupissent présentement au fond d'un cachot.

Blaise rumina cette nouvelle pendant un instant. La prison. De Vallon derrière les barreaux. C'était incroyable et effrayant à la fois.

— Et moi ? On parle de moi ? J'y étais tout le temps, je les ai aidés, j'ai participé. On doit sûrement me rechercher !

— Probablement, mais tout le monde sait que De Vallon donnait les ordres. Du coup, vous attraper semble moins important parce que mon ami n'a pas mentionné votre nom dans sa missive. Cela ne veut pas dire que les autorités ne sont pas à votre recherche, pourtant. Je ne retournerais pas à Paris de sitôt, si j'étais vous. Et j'éviterais de parler à quiconque de cette histoire.

— Je n'en ai pas l'intention.

Le visage de Vésale s'éclaira d'un large sourire. Il passa son bras autour des épaules de Blaise et lui dit :

— Bienvenue en Italie, Blaise l'artiste. Vous avez faim ? Moi, je pourrais dévorer un ours. Allons nous sustenter tout de suite, car après nous partons immédiatement pour Venise. Il y a un homme là-bas que j'aimerais vous présenter. Tiziano Vecellio, le Titien, ça vous dit quelque chose ? Tout ne fait que commencer pour vous, mon ami.

Peintre officiel de la république de Venise, Titien avait la prestance de son statut. À la tête d'un atelier dont le renom s'étendait bien au-delà des frontières italiennes, le peintre était un homme d'âge avancé qui savait s'entourer des élèves les plus prometteurs. Son tempérament bouillant était doublé d'une généreuse part d'orgueil : il expulsait souvent ses meilleurs apprentis avant qu'ils surpassent leur maître. Il n'avait pas la réputation d'être un tendre. Quand Blaise le rencontra, il s'aperçut rapidement que l'homme à la longue barbe blanche se trouvait à bonne distance de l'image du gentil *padre* qu'il projetait. Une seule conversation avec cette icône suffit à Blaise pour comprendre que la dentelle n'était pas sa spécialité. En contrepartie, son discours avait le mérite d'être direct et juste. Assis en silence à sa table de travail, il avait longuement observé les dessins de Blaise avant de se prononcer.

— L'esthétisme est irréprochable, le coup de crayon précis, la technique pleinement maîtrisée. Personnellement, je peaufinerais encore les décors des planches qui montrent la musculature et l'ossature. Ajoutez des colonnes, des arches. Précisez vos paysages lointains : établissez clairement s'il s'agit de villes ou de campagnes, rien entre les deux. La mort est déroutante, un décor familier apportera un certain réconfort à l'observateur.

— Oui, monsieur.

Blaise avait revêtu sa carapace d'empoté asocial. Il était si intimidé qu'il arrivait difficilement à aligner plus de deux mots. Il avait de la difficulté à regarder Titien en face. Heureusement, Vésale n'était pas de la même trempe. Il avait la langue bien pendue et il n'hésita pas à se saisir de la cause du jeune artiste pour la porter au front. Évidemment, c'était sa cause à lui aussi.

— Ce garçon talentueux aimerait que vous considériez le prendre dans votre atelier, *maestro* Titziano. Est-ce pour vous une chose envisageable ?

— Nullement. Pourquoi viendriez-vous ici ? Vous maîtrisez votre art. Je ne crois rien pouvoir vous apprendre sur le dessin anatomique.

Blaise fut estomaqué de ce refus catégorique. Il chercha un moment quoi dire. Il se risqua à plaider sa cause au souvenir d'une conversation lointaine concernant sa famille. Sa famille artistique.

— Mon maître, à Paris, se nommait Battisto. Il a, comme vous, fait son apprentissage dans l'atelier de Bellini. Il est mort avant d'avoir pu m'enseigner tout ce qu'il faut pour faire de moi un artiste accompli. Je dessine, certes, et je vous remercie de votre appréciation concernant mon œuvre, mais ce que j'aime vraiment, c'est peindre. C'est ce que je veux faire de ma vie.

— Battisto… mmm… oui, je me souviens de lui.

L'homme caressa un instant sa longue barbe dans un geste machinal qu'il faisait chaque fois qu'il réfléchissait à quelque chose de grave.

— Écoutez, si vous souhaitez peindre, le mieux que je puisse vous proposer, c'est de vous prendre à essai afin d'évaluer ce que vous savez faire et vous attribuer quelques contrats, si votre talent me satisfait. Le cas échéant, ce sera à vous de faire votre nom.

— Merci, monsieur.

Blaise avait les aisselles trempées, les mains moites et tremblantes. Il l'avait convaincu ! Il avait persuadé le grand Titien de le prendre dans son atelier ! Il peindrait de nouveau ! C'était formidable et cela n'avait pas été si compliqué, finalement. Il échangea un sourire satisfait avec Vésale. Il savourait déjà sa victoire. Titien y coupa court, toutefois.

— Et ces dessins anatomiques ? Vous en ferez quoi ?

— Ils illustreront mon prochain traité que je destine aux étudiants de médecine, de chirurgie et aux artistes, déclara fièrement Vésale.

— Bien. C'est ce que je croyais. Alors, Blaise l'artiste, vous serez le bienvenu dans mon atelier lorsque vous aurez terminé les planches à imprimer de ces dessins. Il importe que ceux qui travaillent pour moi aient le souci de finir ce qu'ils commencent, c'est pourquoi nous ne nous reverrons que dans un an ou deux.

Titien se leva. Il serra la main de Vésale et lui souhaita bonne route pour le retour. Vésale remercia chaleureusement le peintre d'avoir accepté de le recevoir. Titien serra aussi la main de Blaise, qui s'évertuait maintenant à trouver une façon de le retenir. L'accord ne lui convenait pas ! Il devait dire quelque chose, mais craignait de froisser le *maestro*. Comme ce dernier se dirigeait d'un bon pas vers la porte, Blaise s'écria :

— Je ne sais pas graver !

Les mots semblaient se répercuter sans fin contre les murs de la pièce. Blaise avait honte d'avouer son manque de connaissance. Le feu aux joues, il appréhendait la réaction de Titien. Ce dernier soupira bruyamment, visiblement agacé par ce qu'il venait d'entendre.

— Ne bougez pas de là, ordonna-t-il en ronchonnant dans sa barbe.

Il sortit de la pièce et revint plusieurs minutes plus tard, accompagné d'un autre homme. Le nouveau venu était dans la mi-trentaine, long et efféminé. Posé, il attendit que Titien le présente aux visiteurs.

— Messieurs, voici Jan van Calcar. Il est originaire du duché de Clèves. Il travaille pour moi depuis plusieurs années déjà. Comme il vient de terminer un contrat, il a accepté de participer à votre œuvre, Blaise. Il ira avec vous à Padoue et vous enseignera la gravure. Monsieur Vesalius, vous vous entendrez avec lui pour les frais. J'espère que cela convient à tous, car je n'ai plus de temps à consacrer à cette affaire. Je suis attendu.

Sur ces derniers mots tranchants, Titien sortit de la pièce, laissant Calcar avec les invités. Ce dernier leur adressa un sourire mitigé.

— La vérité, c'est que, il y a trois jours, quelqu'un a pris un de mes tableaux pour l'un des siens. Ça l'a rendu furieux. Il veut se débarrasser de moi.

Calcar haussa les épaules comme si cela l'indifférait, mais sa déception était évidente. Vésale l'encouragea :

— C'est donc que vous avez tout un talent! Vous lui faites ombrage, je crois…

— C'est sûrement ça. Tant pis. Alors, on part quand pour Padoue? demanda Calcar d'un air résigné.

— Le plus tôt possible, monsieur, lui répondit Vésale qui était visiblement empressé de commencer l'écriture de son traité, dont il prévoyait conserver le titre imaginé par De Vallon. La *Fabrica* m'attend! termina-t-il sur un ton joyeux.

En sortant de l'atelier de Titien, Blaise dut regarder plusieurs fois le bout de ses pieds afin de s'assurer qu'ils touchaient bien le sol. Le cœur léger, il avait peine à croire que tout s'arrangeait pour le mieux, finalement. La seule ombre au tableau était l'absence de Marie-Ursule à ses côtés. Il aurait voulu partager sa joie avec elle. Lorsque Vésale, Calcar et lui discutèrent d'argent, il se jura intérieurement d'amasser tout ce qu'il pourrait, à l'avenir, pour un jour pouvoir retourner la chercher, là où elle était, et l'emmener vivre à Padoue, Venise ou ailleurs. Jamais il ne l'oublierait.

CHAPITRE 21

Italie, 1555

Une pluie d'été fine et drue lavait le pavé et rendait matte la surface brunâtre du canal devant chez Blaise. Les passants, habituellement nombreux à cette heure, semblaient avoir déserté la ville. Seuls quelques marchands s'étaient risqués sur les eaux. Une toile cirée protégeant leurs denrées, leurs vêtements trempés, ils pagayaient à la hâte sans se saluer, la tête basse. Pas de joyeux et retentissants *buongiorno!* aujourd'hui. Accoudé à sa fenêtre, l'artiste soupira, morose. Le ciel était lourd et l'absence de vent laissait à penser que le temps allait rester mauvais toute la journée. Il était probable que son humeur fasse de même.

— Ne me dites pas que le pain est encore trop dur !

Blaise se retourna et tenta d'afficher un sourire sur son visage. En vain. Il jeta un œil sur l'assiette posée devant lui, sur le rebord de la fenêtre. Il n'avait pas touché à la nourriture qui s'y trouvait et, comme toujours lorsque cela arrivait, Nina s'en inquiéta. Il essaya de la rassurer.

— Le pain est parfait, ne soyez pas inquiète. L'appétit me manque, c'est tout.

— Un homme sans appétit est vulnérable à la maladie. Jeûner n'est pas bon pour vous. Mangez !

Blaise avait engagé Nina une dizaine d'années auparavant. Elle cuisinait pour lui et s'occupait de toutes les tâches domestiques. Dès les premiers jours, elle s'était comportée comme si elle était sa mère, se mêlant de ses affaires, lui prodiguant des conseils à tout vent, le couvant même parfois comme une poule son poussin : «Mettez un foulard ou vous attraperez froid !» ou encore «Revenez tôt ce soir, vous semblez fatigué.» Cela avait agacé Blaise au début, car il jugeait avoir reçu plus que son content d'ordres par le passé, mais il avait vite compris que, même si elle avait l'impératif facile, sa domestique était pétrie de bonnes intentions. Comme son pain. Qui plus est, il y avait quelque chose de particulier dans le regard de cette femme qui avait mis au monde neuf enfants et qui avait dû en enterrer les deux tiers. Le dévouement, la bonté et l'attachement que Blaise y décelait chaque jour lui apportaient un réconfort qu'il ne pouvait nier. Il était sans famille, elle avait été privée d'une bonne partie de la sienne. L'accord s'était fait, naturellement, sans qu'il y oppose de résistance et, contre toute attente, cela lui plaisait. Il la laissait donc parler, mais ne l'écoutait pas toujours, comme tout bon fils avec sa mère. Et elle ne lui en tenait pas rigueur. Elle connaissait sa place.

Voyant que l'artiste retournait à sa triste contemplation du paysage pluvieux, Nina s'approcha de lui. Elle le débarrassa de son assiette encore pleine et déposa un lourd colis devant lui.

— C'est arrivé ce matin, pendant que vous dormiez.

Intrigué, Blaise effleura du bout des doigts le tissu qui recouvrait le paquet et dénoua d'une main habile le ruban qui scellait l'envoi. Un bout de papier se libéra. Il lui était directement adressé et portait un sceau qui lui était familier. Cette fois, le visage de Blaise s'éclaira d'un véritable sourire.

— C'est de Vésale! Difficile de croire qu'il ne m'a pas oublié, après tout ce temps!

Dépliant la lettre que l'anatomiste lui avait envoyée, il la parcourut, reconnaissant immédiatement l'écriture fleurie de l'éminent chirurgien.

Blaise apprit que ce dernier était toujours en Espagne et qu'il s'y plaisait comme aux premiers jours. Il décrivait avec moult détails sa vie à la cour et les quelques cas extraordinaires qu'il avait dû traiter récemment. Vésale concluait sa divertissante missive par un souhait qui intrigua l'artiste.

« J'espère que les années vous auront disposé à accepter de bonne grâce ce cadeau que j'aurais bien voulu vous offrir jadis. »

Blaise avait lu cette dernière phrase à haute voix, un peu déçu de ne rien trouver de plus explicite au sujet de cet envoi inattendu. Curieux, il ouvrit le paquet et découvrit deux imposants volumes à la reliure de cuir.

— Qu'est-ce que c'est ? demanda Nina.

— C'est la *Fabrica*. Il semble que ce soit le premier et… le septième livre d'une nouvelle édition.

Blaise était perplexe. Heureux d'avoir quelques nouvelles de son ami de longue date, il n'était cependant pas particulièrement enthousiaste à l'idée d'avoir en main un exemplaire du fameux traité de Vésale.

— C'est vous qui avez tout dessiné et il n'a même pas eu la délicatesse de vous envoyer la totalité de l'œuvre ?

— Ne le jugez pas, Nina. Il sait très bien que je n'ai rien à faire de sept volumineux ouvrages anatomiques que j'ai moi-même illustrés. Pour être honnête, je n'ai que faire d'un seul. Il y a trop de mauvais souvenirs pour moi entre ces pages. Lorsqu'il a fait éditer son traité pour la première fois, en 1543, j'ai refusé qu'il m'en laisse un exemplaire. J'ai même interdit que l'on mentionne mon nom en quelque endroit.

— Vous n'auriez pas dû. Votre renommée atteindrait aujourd'hui un sommet inégalé si on savait que c'est vous l'artiste derrière ces œuvres. J'ai entendu dire que la *Fabrica* est partout en Europe, maintenant. On se l'arrache, on la copie, on en parle dans les universités ! Vésale est devenu un véritable dieu de la science anatomique à cause de ce traité, tandis que vous… eh bien… à part moi, personne ne vous connaît !

Nina exagérait un peu. Il est vrai que, à la suite de la parution de la première édition de la *Fabrica*, Vésale était entré au service de Charles Quint, roi d'Espagne et tête couronnée du Saint Empire romain germanique, en tant que chirurgien attitré. Son nom était, de fait, très connu, et même si Blaise y était pour quelque chose, il ne l'enviait pas. Il n'aurait pas voulu travailler pour un roi, comme son ami. Des hommes aux prérogatives de toute-puissance, il en avait suffisamment supporté au cours de son existence. Plusieurs années auparavant, après avoir réalisé toutes les gravures du traité avec l'aide de Jan van Calcar, Titien l'avait finalement reconnu pour son travail et accueilli dans son atelier. Depuis, pas un jour ne s'écoulait sans qu'on lui fasse des propositions, toutes plus intéressantes les unes que les autres. On lui soumettait des projets impliquant de jolies dames, des nobliaux élégants, des paysages fabuleux, des scènes bibliques ou de la mythologie ancienne, de la couleur et encore de la couleur. Blaise en avait fini du noir, de la vue et de l'odeur des cadavres. Sans compter qu'en refusant d'inscrire son nom au bas du frontispice de la *Fabrica*, comme le suggérait Vésale à l'époque, personne ne pouvait le relier aux meurtres sordides qui avaient eu lieu à Paris une quinzaine d'années plus tôt.

Le traité portait le même nom que celui que Gaspar De Vallon avait entrepris et les mauvaises langues, Sylvius en tête, avaient immédiatement crié au scandale, ayant sans peine reconnu la facture singulière des illustrations de l'œuvre. Incapable, dans les faits, de lier Vésale et De Vallon, Sylvius avait longuement peiné afin de réunir des éléments probants pour étoffer sa thèse de complot et d'usurpation. Cependant, une pièce majeure manquait toujours cruellement à son argumentaire: l'artiste. Celui-ci semblait s'être évaporé comme brume au matin, ce fameux soir où l'anatomiste et son beau-fils avaient été mis aux arrêts. Les années passant, les preuves manquant, Sylvius avait dû renoncer à livrer bataille. De toute façon, à force de geindre et de s'indigner de tout, il avait fini par perdre sa crédibilité, et son discours n'excitait plus personne. Si on excluait encore les accusations de blasphème à l'égard du dogme galénique mis à mal par Vésale dans son œuvre, les médisances n'étaient pas allées plus loin et Blaise s'en félicitait. Non, vraiment, il ne regrettait pas de s'être dissocié de la *Fabrica*, mais il se voyait difficilement expliquer tout cela à Nina. Il se contenta donc d'ignorer sa remarque.

Blaise connaissait le pouvoir des images contenues dans ces livres et redoutait de les ouvrir. Il n'avait pas envie de se replonger dans ce qu'il appelait «l'époque De Vallon», avec toutes ces histoires sombres qui ne demandaient qu'à refaire surface. En même temps, il était curieux. Il n'avait jamais vu le résultat final de toutes ces années de labeur et de peine qu'il avait consacrées à ce projet grandiose. Mais était-ce le bon moment?

Nina, encore plus curieuse que lui, avait beaucoup entendu parler de la *Fabrica*, sans jamais avoir pu l'admirer de ses yeux. Femme d'action, elle n'était pas du genre à souscrire aux hésitations ni aux envolées contemplatives de l'artiste dont elle aimait à dire qu'elle s'occupait. Pendant que Blaise restait là, immobile et pensif devant les deux bouquins, elle le contourna et ouvrit le premier d'un geste impatient. Ce qu'elle vit ne lui fit pas la meilleure impression.

— Par tous les saints! Quel fouillis! Il y a plus de monde et de désordre là-dessus qu'au marché à la fin d'une période de famine. Et ce pauvre homme! A-t-on idée de l'exposer ainsi, toutes tripes dehors devant cette foule grouillante?

Nina s'arrêta soudainement, confuse, et posa une main contrite devant sa bouche qui avait parlé trop vite. Blaise, loin d'être fâché, s'amusa de sa réaction.

— Nina, vous pensiez que c'était quoi, une séance d'anatomie? C'est à cela que ça ressemble, mais en plus discipliné. La foule ne se masse jamais aussi près du disséqueur, pas dans les anatomies publiques en tout cas. Et ne regrettez pas vos paroles, moi aussi, je trouve qu'il y a quelque chose d'emprunté dans cette scène et elle n'est pas particulièrement de mon goût. M'est avis que c'est Véronèse, finalement, qui l'a dessiné, ce frontispice. Vésale m'avait parlé de lui, à l'époque.

— Cette image n'est donc pas de vous?

— Non.

— Alors, je serai honnête, elle ne me plaît pas du tout! s'exclama la vieille femme soulagée qui avait craint, l'espace d'un instant, de s'attirer le courroux de l'artiste. Et pourquoi ne semblez-vous pas certain que ce soit de Véronèse? Son nom n'est-il pas inscrit quelque part? s'informa Nina, qui ne savait pas lire.

Blaise observa tout ce qui était écrit sur cette première page, même les petits caractères en latin, lesquels il pouvait maintenant déchiffrer. Ne trouvant rien de probant, il feuilleta un peu plus l'ouvrage, mais se rendit vite à l'évidence : le seul nom qui apparaissait dans ce bouquin était celui de Vésale. Il n'y avait aucune mention de Calcar, aucune mention de l'atelier de Titien, aucune mention de Véronèse. En constatant ce fait, Blaise fut touché et il se remémora une conversation qu'il avait eue avec Vésale, juste un peu avant que ce dernier se rende en Belgique pour faire imprimer son traité.

Ce jour-là, Vésale avait une fois de plus demandé à Blaise de publier son nom en guise de reconnaissance pour tout ce qu'il avait fait. Comme à l'habitude, bien décidé, l'artiste avait refusé.

— Les gens voudront savoir, mon ami ! Qu'est-ce que je leur répondrai lorsqu'ils m'interrogeront sur ce chef-d'œuvre ?

— Mentionnez Calcar, ils seront satisfaits.

— Vous voulez vraiment que j'attribue tout ce travail à quelqu'un qui vous a enseigné comment graver vos propres dessins ? Cet homme n'a pas grand-chose à voir dans notre histoire. C'est ridicule !

— Eh bien ! ne mentionnez personne ! Cela fera un mystère et les gens raffolent des mystères. Sans compter que cela vous évitera le problème de vous voir lié à De Vallon. Au final, ce sera bon pour vous et pour votre traité. Bien plus que si vous écriviez mon nom sur la première page. Croyez-moi, le temps me donnera raison.

— Vous êtes buté, Blaise l'artiste! Je vous laisse encore réfléchir, mais sachez que si vous ne changez pas d'idée, je vous prendrai au mot. L'illustrateur de la *Fabrica*, ce sera vous ou personne!

Douze ans plus tard, Blaise ne savait pas si le mystère avait porté des fruits, mais il était ému de constater que Vésale avait respecté sa volonté. Plus, en ne mentionnant ni Calcar, ni Véronèse, ni un quelconque élève de Titien, il lui laissait sa place, comme un siège que l'on garde disponible auprès de soi pour un ami qui ne viendra peut-être pas.

Touché, Blaise remercia l'anatomiste en pensée et annonça à Nina qu'il n'y avait aucun nom d'artiste d'inscrit dans ces pages. Cette dernière fit la moue. Elle aurait visiblement aimé qu'il y trouve le sien. Pendant qu'elle feuilletait le premier tome en complimentant la beauté relative de l'œuvre du bout des lèvres et en grimaçant de dégoût devant certaines planches, l'artiste s'appropria l'autre volume. Si Vésale avait désiré que Blaise constate qu'aucun autre ne s'était vu attribuer le mérite de l'œuvre en lui envoyant le premier livre, cela avait bien fonctionné. Mais pourquoi ce septième tome? Rapidement, Blaise remarqua qu'un ruban pourpre avait été placé entre deux pages. Il ouvrit à l'endroit indiqué et y découvrit un vieux papier, plié en quatre. En le dépliant, il s'aperçut avec étonnement qu'il s'agissait du dessin du *rete mirabile*. Il se souvenait bien du moment où il l'avait dessiné, sans modèle véritable, ce fameux soir où, pour la première fois, De Vallon l'avait humilié devant Marie-Ursule et où il avait entraîné la jeune fille dans sa chambre pour la posséder. L'artiste se racla la gorge, mal à l'aise. C'étaient précisément les souvenirs de cette nature auxquels il ne voulait plus penser. Irrité, il chiffonna le papier et l'expédia à l'autre bout de la pièce d'un geste qui ne manqua pas d'attirer l'attention de Nina. Comme elle s'apprêtait à lui rappeler qui s'occupait de ramasser les immondices, elle s'interrompit en apercevant soudainement un large sourire illuminer le visage de l'homme devant elle. Décontenancée de voir son protégé passer ainsi de la colère à la joie, elle en oublia sa réprimande.

Blaise venait de poser les yeux sur la planche marquée par le ruban, sur laquelle se trouvait une représentation du cerveau. Au moment de graver cette planche, Blaise se souvenait bien d'avoir fait remarquer à Vésale combien il trouvait ridicule d'illustrer le *rete mirabile*, une structure anatomique impossible à observer dans la réalité. Il s'était permis cette remarque parce qu'une certaine complicité s'était installée entre lui et le chirurgien, mais il l'avait regrettée par la suite, car Vésale était soudainement devenu songeur et il était revenu sur la question plusieurs fois au cours des jours qui avaient suivi. Blaise avait eu beau lui répéter d'oublier son commentaire, réitérer qu'il ne connaissait rien à la science anatomique, Vésale n'avait pas voulu en démordre et avait conservé toute une semaine ce pli dubitatif entre les sourcils. Il avait finalement apporté un nouveau corps à Blaise, lui avait demandé d'illustrer le cerveau sans cette fameuse structure et il était parti avec deux planches sous le bras ce soir-là : celle avec le *rete mirabile* et celle qui en était dépourvue. Blaise n'avait jamais su ce que le chirurgien avait choisi de faire imprimer et maintenant qu'il l'apprenait, il en était plus que réjoui. Il jubilait littéralement, comme peu de fois cela lui était arrivé dans sa vie. Par ce choix éditorial, Vésale décrétait que le *rete mirabile* n'existait pas ; il décrétait aussi que Galien s'était trompé et, plus important encore, que De Vallon s'était trompé. Qui donc alors avait eu raison ? La réponse fit déferler sur Blaise une vague de fierté et le fit éclater de rire.

Bien qu'intriguée par ce changement d'humeur drastique, Nina se garda de questionner l'artiste. Perdu dans ses souvenirs, l'esprit visiblement ailleurs, son maître avait manifestement épuisé son peu de volubilité. La domestique ne s'en formalisa pas et se réjouit plutôt d'avoir eu un échange aussi long, d'autant plus que cela s'achevait sur un sourire sincère. Elle aimait voir Blaise ainsi. Cela tranchait agréablement avec l'air mélancolique qu'elle lui connaissait habituellement.

Toute la matinée, Blaise se laissa absorber par la contemplation de son œuvre. Nina était retournée à ses tâches et son protégé avait décidé d'affronter ses démons. Seul, encore accoudé à sa fenêtre, il guettait une éclaircie et se remémorait ses périlleuses chasses aux cadavres. Il les reconnut d'ailleurs presque tous au fil des pages : celui de la fosse commune du cimetière des Saints-Innocents, celui qu'il avait ramassé chez les filandières, ceux que Nicholas LeGros lui avait procurés. Il se souvint aussi des vivants qui l'avaient entouré : Jaco, Ulbert, De Vallon. Tous trois étaient morts depuis longtemps. L'anatomiste et son beau-fils au bout d'une corde, et Jaco de sa belle mort, probablement, que Dieu ait son âme. Blaise le regretta un peu. Il aurait fait un bon compagnon pour Nina.

De Vallon et Ulbert, quant à eux, ne lui manquaient certainement pas. Se défaire du joug de l'anatomiste avait été la meilleure chose qu'il avait faite… enfin, à une exception près. Il avait entendu dire que les deux hommes avaient été pendus au gibet de Montfaucon, quelques mois après leur arrestation. Curieusement, Blaise n'était pas arrivé à se réjouir de cette nouvelle comme il aurait voulu le faire. Il avait rapidement eu une pensée pour madame De Vallon, trouvant injuste qu'elle porte le fardeau de la perte de son fils qu'elle aimait tendrement et la honte de voir son mari condamné pour meurtres, elle qui avait tant peiné pour se bâtir une existence irréprochable.

Blaise connaissait bien la mort. Il l'avait si longuement et si intimement côtoyée qu'il avait la nette impression que Ulbert et De Vallon s'en étaient tirés à bon compte en comparaison avec l'épouse de ce dernier, qui continuerait jusqu'à la fin de sa vie de porter leurs fautes comme le Christ sa croix. Blaise pensait que leur âme, où qu'elle soit maintenant, était loin de toutes les considérations terrestres comme le déshonneur ou le repentir. Ils étaient morts après quelques mois de tourment en prison. C'est tout. Morts. Blaise avait dû se le répéter souvent. En fait, cela lui avait pris un long moment pour cesser de croire que De Vallon était à sa recherche. Il n'arrivait pas à l'imaginer, ni Ulbert, se balançant au bout d'une corde, le teint gris, bouffés par les vers et les corbeaux, convoités par les étudiants de médecine qui continueraient sans eux à s'intéresser à l'anatomie humaine et à la traite des cadavres. Avait-on soudoyé les archers du gibet pour se procurer leurs fameuses dépouilles ? Probablement, car la perspective singulière de pouvoir dépecer des anatomistes avait sûrement éveillé la convoitise de plusieurs.

Lorsque le ciel se dégagea enfin, la mi-journée était passée depuis un moment déjà. Les chauds rayons qui perçaient de traits obliques l'épaisse couche nuageuse rappelèrent instantanément à Blaise une autre personne qu'il avait connue en ces temps troubles. Ne s'attardant pas davantage à ses souvenirs d'elle, il ramassa quelques affaires qu'il plaça dans un sac. Il trouva Nina dans la cour arrière qui profitait du retour du soleil pour étendre des draps d'une blancheur immaculée. Lorsqu'elle le vit, elle s'approcha pour le saluer.

— Vous reviendrez bientôt ?

— Je ne sais pas encore.

— J'ai préparé quelques provisions pour vous. C'est dans le sac près de la porte.

— Merci.

Blaise s'apprêtait à prendre congé sur ces quelques paroles, mais Nina le retint. Profitant des bonnes dispositions de son maître, qui s'était montré particulièrement loquace quelques heures plus tôt, elle osa une question qui la tourmentait depuis longtemps. Elle voulait comprendre.

— Pourquoi fuir de cette façon chaque fois que vous terminez un contrat ? La forêt n'est pas un endroit sécuritaire, vous le savez ! Cela m'inquiète tellement de vous voir partir ainsi... D'autant plus que, quand vous revenez, vous en avez pour des jours à n'être plus vous-même, à avoir cet air hagard, comme si vous aviez croisé un fantôme...

— Si je n'allais pas où je vais, mon état serait bien pire, croyez-moi. Je dois partir maintenant. Si mon absence devait se prolonger, je vous le ferai savoir. Au revoir.

Nina le regarda s'éloigner, impuissante. Il disait cela chaque fois, « si mon absence devait se prolonger », mais cela n'était encore jamais arrivé. Quel exil improbable avait-il en tête lorsqu'il prononçait ces mots ? Mystère. Elle savait par contre qu'il allait momentanément quitter Venise, qu'il prendrait la route pendant un certain temps et qu'il aboutirait dans une forêt. Elle savait qu'il y passerait plusieurs jours, dormant à la belle étoile et s'adonnant à quelques autres activités obscures. Il revenait toujours crotté comme un porc, amaigri et silencieux. Quand, au bout d'un temps, il retrouvait l'usage de la parole, il pestait contre la ville, contre tous ces gens et toute cette pierre, et finissait ultimement par recouvrer ses esprits. C'est à ce moment qu'il retournait à l'atelier de Titien et se voyait attribuer un autre contrat. Nina n'avait jamais connu pareille excentricité et en cela l'artiste lui faisait pitié.

« Quel homme étrange et tourmenté ! » se dit-elle, lorsqu'elle l'entendit claquer la porte.

Lorsqu'il sauta de l'embarcation qui l'avait mené jusqu'au *palazzo*, Blaise remarqua avec soulagement que la lumière était maintenant parfaite. Le soleil, qui avait retrouvé tout son éclat, dardait le bâtiment devant lui dans le bon angle et l'artiste se pressa à l'intérieur, impatient. L'ancien couvent dans lequel il se trouvait avait été racheté par un doge richissime et ce dernier avait confié l'aménagement artistique du cloître à Blaise.

De toutes les pièces, de toutes les constructions splendides et extraordinaires où l'artiste avait eu le privilège de mettre les pieds au cours de sa carrière, ce cloître était l'endroit qu'il préférait. Ce lieu ne se distinguait pourtant pas des autres par ses dorures éclatantes, par ses tentures lourdes et chatoyantes ni par ses boiseries ouvragées. Non, le cloître était une enclave dans la pierre pâle du bâtiment principal, un îlot de verdure carré au milieu duquel coulait une petite fontaine grise et moussue, partiellement enterrée sous le lierre. De part et d'autre de ce mince filet d'eau qui s'écoulait d'une ancienne pierre sculptée aux traits effacés, des buissons florifères mal taillés foisonnaient et accueillaient sur leurs corolles vives une myriade d'insectes butineurs en quête de nectar sucré. Dans un coin, un arbre mort dont il ne restait plus que le tronc et quelques branches cassées, carcasse longiligne presque aussi pâle que la pierre tout autour, montait la garde comme un vieillard attentif. Cette ouverture, soubresaut désordonné de nature au cœur de la ville, était encadrée d'une sage galerie à colonnes blanches surmontées de chapiteaux gothiques et ouvragés si finement qu'on pouvait croire qu'une dentellière en avait supervisé la création. Blaise avait eu le mandat de peindre des fresques sur les murs internes de cette galerie, tout autour du cloître. Le doge lui avait aussi demandé s'il était en mesure de discipliner ce fouillis, de rendre l'ensemble plus présentable, lui donner cette allure stricte et noble qu'avaient les jardins de François Ier, mais l'artiste n'en avait pas eu le cœur. Acceptant volontiers de manier le pinceau, il avait plutôt conseillé au doge les services d'un jardinier compétent. Celui-ci devait arriver le lendemain avec toute son équipe et Blaise fut content de pouvoir profiter encore une fois de la vue de la cour dans cet état sauvage qui lui plaisait et lui ressemblait tant.

Des apprentis étaient à finir de démonter les échafaudages sur le mur ouest. Blaise passa les saluer et leur donner leurs gages. Le travail était achevé. Les retouches avaient été faites et l'artiste s'en déclara amplement satisfait. Alors que les hommes emportaient au-dehors les dernières planches de la structure, Blaise leur tourna le dos et contempla le résultat final dans toute sa splendeur. Comme il l'avait imaginé, l'ensemble, sous cette lumière, était saisissant. L'effet, sous la pluie du matin, n'aurait jamais été le même. Le contraste entre l'îlot de verdure et la pâleur de la pierre exacerbait la vivacité des couleurs que l'artiste avait choisies pour peindre ses fresques. Les scènes qu'il avait illustrées s'inspiraient des classiques de la mythologie ancienne, avec tout ce que cela comportait de bucolique et d'aérien. Les demandes du doge à cet effet n'avaient rien eu de surprenant, elles étaient, au contraire, tout à fait dans le ton de l'époque. Blaise s'y était plié de bonne grâce dès le début, car cette thématique lui permettait de laisser libre cours à ses impulsions artistiques, ce qui n'aurait pas été possible si, par exemple, on lui avait commandé une série de portraits ou des scènes de guerre.

À présent seul sous la galerie du cloître, Blaise promenait son regard autour de lui. Sous les traits délicats de Vénus au-dessus des mers ou de Diane chassant le cerf, elle le contemplait aussi. Elle était partout. Tous les personnages féminins empruntaient la physionomie de Marie-Ursule telle qu'il se la rappelait, c'est-à-dire dans ses moindres détails. Chaque beauté autour de lui avait l'ourlet de sa lèvre, le contour de sa mâchoire, la rondeur de son sein, la courbure de sa cuisse. Seule la couleur des cheveux variait, autrement les mécènes s'en seraient plaints. Les gens ordinaires n'y voyaient que du feu, mais ceux qui avaient un œil aguerri relevaient l'étrange ressemblance entre tous ces personnages féminins. Chacune avait le regard ardent de sa douce, ce soir-là où il l'avait aimée sans savoir que c'était le dernier, et chacune, grâce à cette façon particulière qu'il avait de peindre les yeux, semblait le dévisager, à mesure qu'il se déplaçait autour du jardin en friche. Il avait fait merveille avec elle. Comme jamais auparavant. C'en était stupéfiant. Elle paraissait si vivante dans tous ces tableaux qu'il se surprit à s'approcher de l'un d'eux et à caresser le plâtre du bout des doigts, là où la jeune Vesta avait posé la jambe. Pris d'une émotion soudaine qui n'avait rien à voir avec l'appréciation de son travail, il se recula et se laissa choir devant la déesse mythique, acculé à une colonne. Assis par terre devant elle, il réalisa que cette dernière était la seule qu'il avait peinte avec des cheveux argentés. Si tous ses autres personnages féminins lui ressemblaient trait pour trait, celle-ci se confondait littéralement avec l'originale. Cela lui donna le tournis. Tous les peintres éprouvaient-ils un sentiment aussi violent devant leur premier chef-d'œuvre?

Il examina la réplique de Marie-Ursule un long moment, immobile, tentant vainement de se repaître d'elle. Mais cela faisait trop longtemps qu'elle lui manquait pour qu'il puisse se satisfaire d'une reproduction grandeur nature, aussi fidèle soit-elle. Elle aurait été à ses côtés en chair et en os qu'il lui aurait fallu toute une vie à la contempler pour étancher sa soif d'elle. Que valait alors cette chimère? Et toutes ces autres, qu'il avait peintes avant d'arriver dans ce cloître, et toutes celles qu'il ne pourrait s'empêcher de peindre à l'avenir? À quoi bon? Titien jugeait que cela tournait à l'obsession et que cela marquait négativement ses œuvres. «Elles se ressemblent toutes, soignez-vous de cette vilaine habitude! Autrement, on en viendra à dire que vous manquez de créativité et votre nom sera oublié, jeune homme.» Blaise n'en avait cure: il ne pensait pas pouvoir se guérir d'elle, même s'il connaissait le remède.

Ce remède, cette solution à son obsession, il y songeait pourtant chaque jour depuis qu'il savait, et il savait depuis longtemps. Très longtemps.

Pommiers-la-Placette.

Jeune peintre fraîchement embauché à l'atelier de Titien, Blaise avait engagé un aventurier pour retrouver la trace de Marie-Ursule, morte ou vive, n'en pouvant plus d'être habité par le doute à son sujet. Il avait littéralement dépensé tous ses gains à cette affaire pendant l'année qu'avait duré l'expédition. L'homme était revenu avec le nom d'un village et l'assurance qu'elle était en vie.

Pommiers-la-Placette.

Elle vivait là-bas, dans cette commune au nom singulier. À cette époque, Blaise s'était réjoui de le savoir enfin, puis cela l'avait rapidement troublé. « Que faire ? » s'était-il demandé en boucle, incapable de trouver une fin à son histoire. Il ne pouvait pas nier qu'elle s'était séparée de lui volontairement. Voudrait-elle qu'il la retrouve ? Le cas échéant, le suivrait-elle en Italie ? Les années avaient passé sans qu'il obtienne une réponse satisfaisante à ces questions, sans qu'il puisse arrêter son choix : devait-il aller la retrouver ou l'oublier ? Il tergiversait depuis ce temps, trouvant plus de facilité dans l'hésitation que dans la décision. Il maudissait fréquemment son inertie qu'il n'expliquait pas et qui l'aurait couvert de honte si qui que ce soit avait su. Mais personne n'était au courant et, maintenant que cela devenait une histoire ancienne, il avait même des incertitudes à propos de ses propres intentions. L'aimerait-il dans la réalité aussi fort que dans les fantaisies qu'il entretenait à son sujet depuis si longtemps ? Était-il prêt à la découvrir heureuse et sereine auprès d'un autre, à essuyer un rejet, ou à la découvrir disposée envers lui, mais vieillie, fanée, amère ? Pourrait-il supporter de revenir bredouille ou coupé de sa plus grande source d'inspiration ?

Blaise se releva, chancelant, affligé. Toutes ces questions, tous ces doutes qui s'assourdissaient parfois remontaient à présent comme un raz-de-marée, comme toutes ces fois où il devait abandonner aux mains d'un autre un tableau où il l'avait peinte. Il ne la gardait jamais pour lui, c'est toujours un autre qui en profitait, l'histoire avec De Vallon qui se répétait, œuvre après œuvre. Et maintenant, devant ces fresques exceptionnelles de beauté, cela devenait insupportable. La retrouver ou l'oublier ? Ce choix déchirant altérait depuis trop longtemps son humeur et sa raison. Et cette fois-ci, c'était pire que tout. La forêt réussirait-elle à rendre ce nouveau deuil plus supportable ? Blaise n'en était pas certain et cela l'effrayait. Il se rappelait avec douleur les moments abominables qu'il avait passés dans les bois la dernière fois. Il en avait eu pour des jours à errer, à lécher cette plaie rouverte qui s'infectait un peu plus au fil des abandons, à songer, même, à s'enfoncer si loin au cœur de la forêt qu'il devienne impossible d'en ressortir. Tout cela pour un tableau un brin sulfureux qu'il avait dû céder à un homme de peu d'importance. Rien d'extraordinaire ou de phénoménal, ni dans le rendu ni dans le format. Rien comparé à ce qu'il avait devant les yeux à cette heure. Victime de son talent et de cet attachement malsain qu'il éprouvait toujours envers Marie-Ursule et tous ses doubles, Blaise sentait que le reste de son existence se jouait là, entre ces murs, et que la décision devait impérativement se prendre en ce lieu. Parce qu'une fois au milieu des bois, il serait trop tard. Il était peut-être déjà trop tard. Chose certaine, l'atermoiement n'était plus possible, l'hésitation devenait trop pénible :

il devait sur l'heure choisir entre accourir auprès d'elle ou cesser à tout jamais de la peindre, pour ne plus avoir à l'abandonner.

Quittant le cloître à reculons à défaut de pouvoir y passer le reste de sa vie, se gavant des dernières images d'elle dans la lumière sur son déclin, une tristesse infinie lui nouait la gorge. Sa décision était prise. Jamais plus il ne contemplerait cette beauté. Il lui fallait continuer à peindre, comme sa nature profonde l'y poussait depuis l'enfance et comme Marie-Ursule elle-même l'y avait poussé en sautant de la charrette. Mais il devait cesser de rejouer la scène terrible de ce jour passé où elle était partie, cesser de s'arracher à celle qui s'était sacrifiée pour lui.

Jetant à sa muse un dernier regard dans l'embrasure de la porte, il la salua d'un baiser posé dans sa main tendue, puis tourna les talons. Des quatre coins du cloître, Marie-Ursule se contenta de l'observer, avec un demi-sourire énigmatique aux lèvres.

FIN

La réalité
derrière la fiction

Il y a quelques années de cela, mon parcours universitaire m'a amenée à me questionner sur le lien entre l'art et la science dans la «découverte» de l'anatomie humaine au XVIᵉ siècle. Le mot «découverte» semble peut-être fort, mais j'estime qu'il est juste, car si pour nous, aujourd'hui, la connaissance nominative des parties internes de notre corps se pose comme une évidence, il en allait tout autrement à l'époque médiévale. De fait, avant la Renaissance, avant Vésale et les autres scientifiques de sa génération, on avait très peu disséqué de cadavres pour en inventorier le contenu. Ainsi, on transmettait, depuis des siècles, depuis Galien dans l'Antiquité, certaines conceptions du corps humain qui n'avaient rien à voir avec la réalité. Par exemple, on croyait que l'utérus était «cornu», que le septum interventriculaire était perforé de trous microscopiques qui laissaient passer le sang et que le *rete mirabile*, siège de l'âme humaine, était accolé au cerveau, alors qu'en réalité c'est un organe propre à certains vertébrés du règne animal.

Dans ses traités anatomiques et plus particulièrement dans son *De humani corporis fabrica*, paru en 1543 et en 1555 dans sa seconde édition, André Vésale s'est employé à cibler les erreurs de ce genre. Il a été le premier à oser le faire de façon systématique et il en a ainsi corrigé plus de deux cents.

Ayant fait ses études de médecine à Paris, à Louvain et à Padoue, où il est demeuré en tant que professeur d'anatomie, il prônait la vérité par les sens. Rompant avec une tradition millénaire, il ne voulait pas se contenter d'enseigner ce qu'on lui avait appris dans les livres anciens maintes fois traduits, recopiés et commentés ; il voulait ouvrir des corps, y plonger les mains, constater *de visu* ce qui s'y trouvait, les étudier avec minutie. Ce faisant, il observa à de nombreuses reprises que Galien s'était trompé. Normal, puisque ce dernier n'avait probablement jamais anatomisé d'être humain ! Si certains prédécesseurs de Vésale étaient parvenus aux mêmes conclusions que lui, rares étaient ceux qui avaient osé s'inscrire en faux contre les dogmes inébranlables de l'ancien dans des traités anatomiques récents. S'opposer à Galien, à cette époque, c'était comme contredire l'Église qui sanctionnait sa doctrine. C'était audacieux et presque risqué.

À ce propos, d'ailleurs, un des plus virulents détracteurs de Vésale fut Jacques Dubois, dit Sylvius, qui, à une certaine époque, avait été le professeur de Vésale, à Paris. Pour Sylvius comme pour bien d'autres, Galien ne pouvait s'être trompé et il fallait être complètement fou pour oser calomnier son œuvre en insinuant qu'elle était imparfaite.

Malgré les critiques, la *Fabrica* de Vésale fut un véritable succès. Si la prose latine de l'anatomiste manquait d'accessibilité, il en fut tout autrement des quelque trois cents illustrations qui vinrent compléter son propos. Au milieu du XVIe siècle, elles étaient, de loin, les plus réalistes à avoir jamais été publiées. Les droits d'auteur n'étant pas d'actualité à la Renaissance, plusieurs autres scientifiques, comme Ambroise Paré, se servirent des gravures de la *Fabrica* pour illustrer leurs propres traités. Cela tend à prouver qu'elles étaient jugées pertinentes et estimées par la communauté scientifique de l'époque.

Pour être aussi réalistes, aussi «belles», on admet que les gravures ont dû être réalisées par un artiste qui était sur place, qui a assisté aux dissections, qui y a probablement participé. Ce n'était pas chose exceptionnelle pour un artiste de la Renaissance que de prendre part à une anatomie. L'étude de la musculature humaine, de l'ossature était nécessaire pour arriver à reproduire la nature le plus fidèlement possible. Léonard de Vinci et Michel-Ange, pour ne nommer que ceux-là, sont connus pour avoir eu recours à l'étude des cadavres afin de parfaire leur art. Comme les hommes de science, ils ont eu à se procurer leur matière première de façon plus ou moins licite et ils ont passé de nombreuses heures à disséquer dans des conditions sanitaires exécrables, car l'accès à des dépouilles fraîches et en bon état était difficile et rarement licite.

L'artiste qui a réalisé les gravures exceptionnelles de la *Fabrica* est inconnu. La littérature nous envoie sur la piste de Jan van Calcar, de Titien ou de son atelier, mais bien peu d'éléments confirment la théorie. Ce mystère m'a fascinée tout au long de mes études. Si la *Fabrica* est parvenue jusqu'à nous, c'est en partie à cause de Vésale, évidemment. En ayant l'audace de corriger Galien, il a mis de l'avant cette philosophie ancienne qui combinait *veritas et oculis* et qui inspira nombre de ses successeurs. Pour tout dire, cette vérité par les sens a même eu un écho chez moi lorsque, pour étoffer mes recherches, j'ai eu l'immense (et étrange !) privilège d'assister à un cours d'anatomie humaine où des étudiants de médecine s'affairaient à disséquer de véritables cadavres. Oui, le succès de la *Fabrica* a beaucoup à voir avec l'homme de science remarquable qu'était Vésale, mais si on en parle encore aujourd'hui, c'est aussi à cause de ces planches magnifiques et inventives qui n'avaient rien à envier à celles du passé où les corps apparaissaient figés dans des postures rigides qui rappelaient inévitablement la mort. Les illustrations de la *Fabrica* sont, à mon avis, tout le contraire : pleines de vie, de mouvement, d'émotions. Comme Blaise.

Mais voilà qu'ici nous traversons du côté de la fiction.

REMERCIEMENTS

Tout d'abord, merci, Etienne, pour ta patience.

Ensuite, un merci spécial à vous, Hélène et Christine, qui avez lu mes premiers chapitres et qui m'avez donné le courage d'écrire la suite.

Merci, Hervé, pour ton mentorat, encore plus précieux que tu ne le penses.

Merci, Sabrina, de m'avoir ouvert les portes du laboratoire, de m'avoir donné accès à la vérité par les sens.

Merci à Stephen King et à Lucy Maud Montgomery, mes premiers modèles.

Chapitre 1 (page 11):

I Modi position n° 11. Gravure sur bois de Marcantonio Raimondi, d'après une toile de Giulio Romano, circa 1524.

Chapitre 2 (page 51):

Gregor Reisch. *Margarita Philosophica*, 1503.

Chapitre 3 (page 75):

André Vesale. *De humani corporis fabrica libri septem*, 1543.

Chapitre 4 (page 123):

André Vesale. *De humani corporis fabrica libri septem*, 1543.

Chapitre 5 (page 141):

Léonard de Vinci. *Étude d'un pendu*, 1479.

Chapitre 6 (page 159):

Bartolomoe Eustachi. *Tabulae anatomicae clarissimi viri*, 1722.

Chapitre 7 (page 189):

Artiste inconnu. *Le charnier des Lingères*.

Chapitre 8 (page 209) :

André Vesale. *De humani corporis fabrica libri septem*, 1543.

Chapitre 9 (page 233) :

André Vesale. *De humani corporis fabrica libri septem*, 1543.

Chapitre 10 (page 259) :

André Vesale. *De humani corporis fabrica libri septem*, 1543.

Chapitre 11 (page 287) :

Léonard de Vinci. *Dessins anatomiques*, circa 1510.

Chapitre 12 (page 317) :

D'après une gravure sur bois du XVIᵉ siècle, en tête d'un registre manuscrit intitulé : *Le Pardon, grâces et facultés octroyés par Monseigneur l'archevêque patriarche de Bourges et primat d'Aquitaine, aux bienfaiteurs de l'Hostel Dieu de Paris.*

Chapitre 13 (page 337) :

Danse macabre : Le chartreux et le sergent. D'après une gravure reproduisant une fresque du cimetière des Saints-Innocents, publiée par Guyot Marchant, 1485 (1424).

Chapitre 14 (page 357) :

Sebastian Münster. *Seeungeheuer*, gravure sur bois publiée dans la *Cosmographia Universalis*, 1544.

Chapitre 15 (page 377) :

André Vesale. *De humani corporis fabrica libri septem*, 1543.

Chapitre 16 (page 401) :

Jacques Dalechamps. Chirurgie française. Traités des opérations de chirurgie par Jean GIRAUT, 1610.

Chapitre 17 (page 431) :

Thomas de Leu. *Le vieillard et la mort.* Gravure au burin.

Chapitre 18 (page 449):

André Vesale. *De humani corporis fabrica libri septem*, 1543.

Chapitre 19 (page 469):

André Vesale. *De humani corporis fabrica libri septem*, 1543.

Chapitre 20 (page 499):

André Vesale. *De humani corporis fabrica libri septem*, 1543.

Chapitre 21 (page 527):

André Vésale (contrefaçon de Thomas Gemini). *Anatomes totius aere insculpta delineatio*, 1545.

Postface (page 549):

André Vesale. *De humani corporis fabrica libri septem*, 1543.